RESORTOWE DZIECI
BIZNES

RESORTOWE DZIECI
BIZNES

DOROTA KANIA
JERZY TARGALSKI
MACIEJ MAROSZ

FRONDA

Projekt okładki i stron tytułowych
Fahrenheit 451 przy współpracy Andrzeja Swata

Autorzy oraz źródła zdjęć na okładce
Zbigniew Grycan – Marek Wiśniewski/PulsBiznesu/Forum;
Leszek Czarnecki – Adam Chełstowski/FORUM;
Zygmunt Solorz – Darek Golik/FORUM;
Wiktor Kubiak – Marek Wiśniewski/PulsBiznesu/Forum
Fotolia.com: © ZoneCreative, © Minerva Studio, © Ranta Images

Redakcja i korekta
Robert Jankowski

Dyrektor projektów wydawniczych
Maciej Marchewicz

Opracowanie indeksu
Fahrenheit 451

Skład i łamanie
TEKST Projekt

ISBN 978-83-8079-426-9

Wydawca
Fronda PL, Sp. z o.o.
ul. Łopuszańska 32
02-220 Warszawa
tel. 22 836 54 44, 877 37 35
faks 22 877 37 34
e-mail: fronda@fronda.pl

www.wydawnictwofronda.pl
www.facebook.com/FrondaWydawnictwo
www.twitter.com/Wyd_Fronda

SPIS TREŚCI

WSTĘP

Książka *Resortowe dzieci. Biznes* – jest kolejnym, czwartym już tomem serii „Resortowe dzieci". To nie tylko opowieść o historii powstawania polskich fortun – to przede wszystkim udokumentowanie działań służb w sferze biznesu i ukazanie przygotowania przez nie konkretnych projektów i ludzi, wprowadzonych po 1989 r.

Początek III RP był związany z pojawieniem się wielkiego i małego biznesu, który łączył wspólny mianownik – służby specjalne PRL – zarówno wojskowe, jak i cywilne, oraz związki z Polską Zjednoczoną Partią Robotniczą, która swoje istnienie zakończyła w nocy z 28 na 29 stycznia 1990 r. w Sali Kongresowej Pałacu Kultury i Nauki w Warszawie, na ostatnim zjeździe, kiedy to Mieczysław F. Rakowski, ostatni I sekretarz PZPR, wypowiedział słynne zdanie: „sztandar wyprowadzić". I chociaż sztandar został wyprowadzony a komunistyczna partia przestała istnieć, pozostali ludzie oraz interesy, które bardzo szybko przybrały formę prywatnego biznesu, nad którym czuwała niewidzialna ręka służb. Wystarczy przejrzeć listy najbogatszych Polaków, które były publikowane w tygodniku „Wprost", by się przekonać, kto znalazł się w tych rankingach.

Trzeba pamiętać, że służby kontrolowały wszystkie instytucje państwa poprzez swoich oficerów uplasowanych na etatach „N" (czyli niejawnych) i agenturę. Powstaje zatem pytanie, czy ludzie służb w instytucjach państwowych, zwłaszcza finansowych, podejmowali decyzje jako urzędnicy czy może raczej jako członkowie organów bezpieczeństwa?

Na początku lat 90. w Polsce królowała dzika prywatyzacja, zgodna z latynoamerykańskim modelem rozwoju kapitalizmu wybranym przez KGB. Dokumenty wskazują, że inicjatywa wyszła z Wydziału VIII, czyli wywiadu ekonomicznego Departamentu I podporządkowanego I Zarządowi Głównemu KGB.

Polityka finansowa realizowana poprzez Ministerstwo Finansów, NBP i Bank Handlowy oraz wszelkie kontakty z międzynarodowymi organizacjami finansowymi, jak MFW i Bank Światowy, znajdowały się pod całkowitą kontrolą wywiadu ekonomicznego, a pamiętać trzeba jeszcze o agenturze kontrwywiadu (Departamenty II–V) oraz wywiadu wojskowego (Zarząd II). Oznacza to, że w momencie demontażu komunizmu w gospodarce bezpieka kontrolowała źródła akumulacji kapitału, choćby politykę kredytową i FOZZ (Zarząd II i Departament I–II).

W okresie rządu Tadeusza Mazowieckiego współpraca gospodarcza i transformacja gospodarki przebiegały więc poprzez kanały Służby Bezpieczeństwa, a konkretnie Departamentu I, czyli wywiadu.

To, co się stało na początku lat 90., ogromnie rzutowało na późniejsze lata. Resortowi biznesmeni pomnażali swoje wpływy i fortuny, odgrywając jednocześnie istotną rolę w kształtowaniu polskiej polityki. Te rządy III RP, które miały ciche poparcie ludzi z komunistycznych służb specjalnych, miały także „swoich" oligarchów ukształtowanych przez te służby. Przez lata wmawiano Polakom, że inaczej się nie dało, że transformacja musiała tak wyglądać. Dzisiaj już wiemy, dlaczego.

Na zamieszczonej na kolejnych stronach liście 10 najbogatszych Polaków z lat 1990–2017 zaznaczono osoby, których związki ze służbami mają potwierdzenie w dokumentach przechowywanych w Instytucie Pamięci Narodowej. Stanowią oni wprawdzie tylko około 1/3 grupy 10 najbogatszych, ale oni sami lub ich dzieci należą do czołówki polskiego biznesu. Pozostali są na ogół związani z nomenklaturą. Ludzie w tym sensie przypadkowi także się pojawiają, ale tylko na krótko. Można więc wysnuć wniosek, że struktura polskiego kapitalizmu wywodzącego się z komunistycznych służb specjalnych okazuje się nawet po 30 latach wyjątkowo trwała. Zmiany, jeśli w tej sferze następują, nie są wynikiem reformy państwa, lecz rozwoju nowych technologii, zerwaniem powiązań personalnych, a co za tym idzie utratą możliwości pasożytowania na budżecie państwa, i tylko częściowo są powodowane napływem kapitału zachodniego.

1990	1991	1992	1993	1994	1995	1996	1997	1998	1999	2000
Aleksander Gawronik F. SB, TW „Witek"	Barbara Piasecka-Johnson	Zbigniew Niemczycki TW „Jarex"	Zbigniew Niemczycki TW „Jarex"	Marek Protus	Marek Protus	Marek Protus	Marek Protus	Aleksander Gudzowaty	Aleksander Gudzowaty	Jan Kulczyk, syn TW „Pawła"
Sobiesław Zasada	Wojciech Fibak	Kazimierz Grabek	Marek Protus	Aleksander Gudzowaty	Aleksander Gudzowaty	Aleksander Gudzowaty	Marek Protus	Jan Kulczyk, syn TW „Pawła"	Jan Kulczyk, syn TW „Pawła"	Aleksander Gudzowaty
Henryk Stokłosa	Piotr Józef Büchner	Jan Bohdan Wejchert TW „Konarski"	Jan Kulczyk, syn TW „Pawła"	Zbigniew Niemczycki TW „Jarex"	Zbigniew Niemczycki TW „Jarex"	Zbigniew Niemczycki TW „Jarex"	Jan Kulczyk, syn TW „Pawła"	Marek Protus	Zygmunt Solorz-Żak agent „Zeg"	Ryszard Krauze
Leonard Praśniewski TW „Lolek"	Zbigniew Niemczycki TW „Jarex"	Marek Mikuśkiewicz	Jerzy Starak TW „S.J."	Jerzy Starak TW „S.J."	Krzysztof Habich	Jan Kulczyk, syn TW „Pawła"	Zbigniew Niemczycki TW „Jarex"	Kazimierz Grabek	Ryszard Krauze	Zygmunt Solorz-Żak agent „Zeg"
Zbigniew Niemczycki TW „Jarex"	Janusz Leksztoń	Marek Protus	Kazimierz Grabek	Jan Kulczyk, syn TW „Pawła"	Sobiesław Zasada	Sobiesław Zasada	Sobiesław Zasada	Sobiesław Zasada	Marek Protus	Piotr Józef Büchner
Piotr Józef Büchner	Aleksander Gawronik F. SB, TW „Witek"	Aleksander Gawronik F. SB, TW „Witek"	Krzysztof Habich	Marian Błędniak	Jerzy Starak TW „S.J."	Kazimierz Grabek	Kazimierz Grabek	Zbigniew Niemczycki TW „Jarex"	Kazimierz Grabek	Michał Sołowow
Mieczysław Witek	Sobiesław Zasada	Martyna Lisiecka-Klinz	Witold Bieniek	Sobiesław Zasada	Jerzy Krzystyniak	Jerzy Krzystyniak	Jerzy Starak TW „S.J."	Zygmunt Solorz-Żak agent „Zeg"	Jerzy Starak TW „S.J."	Jan Bohdan Wejchert TW „Konarski"
Roman Kwaśny	Bogusław Bagsik	Mirosław Jerzy Piasecki	Mariusz Świtalski	Kazimierz Grabek	Kazimierz Grabek	Roman Kluska	Roman Kluska	Jerzy Starak TW „S.J."	Zbigniew Niemczycki TW „Jarex"	Zbigniew Niemczycki TW „Jarex"
Jarosław Ulatowski	Marek Protus	Krzysztof Habich	Andrzej Pawelec	Krzysztof Niezgoda TW „Krystyna"	Krzysztof Niezgoda TW „Krystyna"	Krzysztof Niezgoda TW „Krystyna"	Maciej Formanowicz	Jan Bohdan Wejchert TW „Konarski"	Jan Bohdan Wejchert TW „Konarski"	Jerzy Starak TW „S.J."
Mariusz Olech	Janusz Stajszczak	Piotr Józef Büchner	Wiesław Michalski	Jan Bohdan Wejchert TW „Konarski"	Roman Kluska	Henryk Stokłosa	Michał Sołowow	Roman Kluska	Piotr Józef Büchner	Marek Protus

Tabela (obrócona o 90°) — lata 2001–2010:

	2001	2002	2003	2004	2005	2006	2007	2008	2009	2010
	Jan Kulczyk, syn TW „Pawła"	Jan Kulczyk, syn TW „Pawła"	Jan Kulczyk, syn TW „Pawła"	Jan Kulczyk, syn TW „Pawła"	Jan Kulczyk, syn TW „Pawła"	Roman TW „Paweł" i Grażyna Karkosik	Michał Sołowow	Zygmunt Solorz-Żak agent „Żeg"	Jan Kulczyk syn. TW „Pawła"	Jan Kulczyk syn. TW „Pawła"
	Aleksander Gudzowaty	Aleksander Gudzowaty	Aleksander Gudzowaty	Ryszard Krauze	Aleksander Gudzowaty	Zygmunt Solorz-Żak agent „Żeg"	Leszek Czarnecki TW „Ernest"	Leszek Czarnecki TW „Ernest"	Leszek Czarnecki TW „Ernest"	Leszek Czarnecki TW „Ernest"
	Ryszard Krauze	Ryszard Krauze	Ryszard Krauze	Aleksander Gudzowaty	Michał Sołowow	Michał Sołowow	Michał Sołowow	Michał Sołowow	Michał Sołowow	Michał Sołowow
	Zygmunt Solorz-Żak agent „Żeg"	Zygmunt Solorz-Żak agent „Żeg"	Zygmunt Solorz-Żak agent „Żeg"	Zygmunt Solorz-Żak agent „Żeg"	Roman TW „Paweł" i Grażyna Karkosik	Zygmunt Solorz-Żak agent „Żeg"	Bogusław Cupiał	Bogusław Cupiał	Michał Sołowow	Michał Sołowow
	Jerzy Starak TW „S.J."					Leszek Czarnecki TW „Ernest"	Leszek Czarnecki TW „Ernest"	Leszek Czarnecki TW „Ernest"	Leszek Czarnecki TW „Ernest"	Leszek Czarnecki TW „Ernest"
		Wejchertowie, dziedzice TW „Konarskiego"	Marek Mikuśkiewicz	Wejchertowie, dziedzice TW „Konarskiego"	Roman TW „Paweł" i Grażyna Karkosik	Wejchertowie, dziedzice TW „Konarskiego"	Roman TW „Paweł" i Grażyna Karkosik	Roman TW „Paweł" i Grażyna Karkosik	Roman TW „Paweł" i Grażyna Karkosik	Roman TW „Paweł" i Grażyna Karkosik
	Piotr Józef Büchner	Bogusław Cupiał	Bogusław Cupiał	Michał Sołowow	Marek Mikuśkiewicz	Aleksander Gudzowaty	Aleksander Gudzowaty	Aleksander Gudzowaty	Jerzy Starak TW „S.J."	
	Michał Sołowow	Michał Sołowow	Michał Sołowow	Ryszard Krauze	Marek Mikuśkiewicz	Ryszard Krauze	Ryszard Krauze	Marek Mikuśkiewicz	Tadeusz Chmiel	
	Marek Mikuśkiewicz	Marek Mikuśkiewicz	Bogusław Cupiał	Grzegorz Jankielewicz	Sławomir Smołokowski	Bogusław Cupiał	Bogusław Cupiał	Marek Mikuśkiewicz	Michał Sołowow	Michał Sołowow
	Maciej Formanowicz	Leszek Czarnecki TW „Ernest"	Marek Profus	Roman TW „Paweł" i Grażyna Karkosik	Grzegorz Jankielewicz	Leszek Czarnecki TW „Ernest"	Bogusław Cupiał	Roman TW „Paweł" i Grażyna Karkosik	Roman TW „Paweł" i Grażyna Karkosik	Dariusz Mlek
	Leszek Czarnecki TW „Ernest"	Jerzy Starak TW „S.J."	Jerzy Starak TW „S.J."	Leszek Czarnecki TW „Ernest"	Leszek Czarnecki TW „Ernest"	Leszek Czarnecki TW „Ernest"	Ryszard Krauze	Ryszard Krauze	Grzegorz Jankielewicz	Jarosław Pawluk

2011	2012	2013	2014	2015	2016	2017	2018
Leszek Czarnecki TW „Ernest"	Jan Kulczyk, syn TW „Pawła"					Dominika i Sebastian Kulczyk	
	Zygmunt Solorz-Żak agent „Żeg"						
Michał Sołowow					Dariusz Milek		
Roman TW „Paweł" i Grażyna Karkosik	Leszek Czarnecki TW „Ernest"	Germán Efromovich	Leszek Czarnecki TW „Ernest"	Leszek Czarnecki TW „Ernest"		Jerzy Starak TW „S.J."	
Jerzy Starak TW „S.J."	Grzegorz Jankilewicz	Leszek Czarnecki TW „Ernest"	Grzegorz Jankilewicz	Grzegorz Jankilewicz	Antoni Ptak	Elżbieta i Bogdan Kaczmarek	
Wejchertowie, dziedzice TW „Konarskiego"	Sławomir Smołokowski	Roman TW „Paweł" i Grażyna Karkosik	Sławomir Smołokowski	Sławomir Smołokowski	Jerzy Starak TW „S.J."	Piotr Sulczewski	
	Germán Efromovich	Jerzy Starak TW „S.J."	Germán Efromovich	Germán Efromovich	Tomasz Gudzowaty	Leszek Czarnecki TW „Ernest"	
Dariusz Milek			Jerzy Starak TW „S.J."		Roman TW „Paweł" i Grażyna Karkosik	Antoni Ptak	
Grażyna Kulczyk	Jerzy Starak TW „S.J."	Grażyna Kulczyk					
Tadeusz Chmiel	Antoni Ptak	Tomasz Domogała	Antoni Ptak	Grażyna Kulczyk	Zbigniew Niemczycki TW „Jarex"	Bogusław Cupiał	

1. WYWIAD CYWILNY PRZYGOTOWUJE DEMONTAŻ GOSPODARKI SOCJALISTYCZNEJ

(KRZYSZTOF KROWACKI)

Program polskiej transformacji w wersji, w jakiej został zrealizowany, przypisywany jest Jeffreyowi Sachsowi i George'owi Sorosowi. Mało kto wie jednak, jak program ten powstawał i kto sprowadził amerykańskiego ekonomistę do PRL.

Program Sorosa został zmodyfikowany przez Jeffreya Sachsa już w czerwcu 1989 r. na prośbę Krzysztofa Krowackiego, reprezentującego rząd Rakowskiego. Chodziło o modyfikację według wzorca terapii szokowej z Boliwii. I ten plan w ostatecznej wersji Balcerowicza, opartej na zasadzie Konsensusu Waszyngtońskiego, który uznawał priorytet walki z inflacją, deregulacji gospodarki i prywatyzacji własności publicznej, został zaakceptowany na jesieni 1989 r. przez Międzynarodowy Fundusz Walutowy[1]. 27 grudnia Sejm przyjął pakiet 11 ustaw, które stanowiły podstawę transformacji gospodarki (tzw. plan Balcerowicza).

Jeffrey Sachs wspomina, że Krzysztof Krowacki, wówczas urzędnik Ambasady PRL w Waszyngtonie, zadzwonił do niego na początku 1989 r., a więc wówczas gdy miały zacząć się obrady okrągłego stołu z wyselekcjonowaną przez Czesława Kiszczaka reprezentacją opozycji konstruktywnej, i poprosił go o przyjęcie w biurze naukowca na Harvardzie[2]. Cztery tygodnie później Krowacki powtórnie zadzwonił i powiedział: „Profesorze Sachs, powiedział Pan, żeby zadzwonić, jeśli coś się zmieni. Okazało się, że rząd zamierza zalegalizować Solidarność w rozmowach okrągłego stołu na początku kwietnia"[3]. Według Sachsa „nauki stabilizacji Ameryki Łacińskiej i anulowania długu rzeczywiście dowiodły swej użyteczności dla Polski, jak miał nadzieję Krzysztof Krowacki, kiedy po raz pierwszy przyszedł do mojego biura na Harvardzie w styczniu 1989 roku"[4].

Jak dalej zobaczymy, kontakty Sachsa z Krowackim na polecenie z Warszawy rozpoczęły się jeszcze w 1988 r., a więc w czasie, gdy służby specjalne rozpoczęły już decydującą fazę demontażu socjalizmu.

Zdzisław Rurarz twierdził, że to Waldemar Kuczyński[5] zaproponował Mazowieckiemu Balcerowicza. Balcerowicz zaś miał sześciu doradców: Jeffreya Sachsa, jego współpracownika Davida Liptona oraz Vincenta Rostowskiego,

Stanisława Gomułkę, prof. Stanisława Wellisza z Nowego Jorku i Wojciecha Kostrzewę, pracownika naukowego z Niemiec[6].

W III RP, powstałej przecież między innymi także dzięki Krowackiemu, nie zapomniano o jego zasługach. W rządzie Hanny Suchockiej, powołanym po obaleniu gabinetu Jana Olszewskiego, został wiceministrem finansów (1992–1993) i głównym negocjatorem redukcji polskiego zadłużenia. „Życie Gospodarcze" ogłosiło go „VIP-em roku 1994". W latach 90. Krowacki był dyrektorem polskiej placówki Bank of America Merrill Lynch. I wreszcie zakończył karierę jako doradca makroekonomiczny dla Gruzji w latach 2000–2002 w ramach programu Centrum Analiz Społeczno-Ekonomicznych – CASE.

Czy tak piękna kariera i udział w tworzeniu zrębów III RP byłyby możliwe, gdyby Krzysztof Krowacki nie był etatowym oficerem II linii Służby Bezpieczeństwa PRL, pracującym dla Wydziału VIII, tzn. ekonomicznego, Departamentu I, czyli wywiadu cywilnego? Zwolniony ze Służby Bezpieczeństwa został dopiero 31 lipca 1990 r., ale pozostał w peerelowskim *deep state* III RP.

Przyjrzyjmy się zatem karierze ppor. Krowackiego ps. „Aleks", w wywiadzie występującemu pod nazwiskiem legalizacyjnym „Krzysztofa Szamoty", „Zagórowicza" i „Zagórskiego" oraz jego roli w demontażu socjalizmu i budowie zrębów III RP.

Krzysztof Krowacki[7] po maturze w Toruniu w 1961 r. ukończył Wydział Mechaniczny, Energetyki i Lotnictwa, czyli MEL, na Politechnice Warszawskiej. W 1965 r. podjął pracę w Warelu, a ponieważ działał w Związku Młodzieży Socjalistycznej, rok później, w czerwcu, został oddelegowany do Zarządu Głównego ZMS, gdzie awansował z instruktora do stanowiska z-cy kierownika Wydziału Młodzieży Robotniczej. W 1969 r. przeszedł do Komitetu Wojewódzkiego PZPR w Warszawie, gdzie został instruktorem i awansował do stanowiska z-cy kierownika Wydziału Przemysłu.

Skierowany przez partię do Wyższej Szkoły Nauk Społecznych przy KC PZPR Krowacki ukończył Wydział Nauk Społecznych dla pracowników aparatu partyjnego oraz Podyplomowe Studium Służby Zagranicznej (1976–1977).

Ojciec Krzysztofa Stanisław Krowacki był w AK i brał udział w powstaniu warszawskim. Po wojnie w 1946 r. wrócił z obozu i pracował w przemyśle zbożowo-młynarskim. W 1957 r. ukończył Politechnikę Łódzką, a w styczniu 1966 został zatrudniony jako rzeczoznawca w CHZ Polimex Cekop.

Matka Krowackiego pracowała w ZG Towarzystwa Przyjaciół Dzieci, później w Centrali Zaopatrzenia Instytucji Ubezpieczeń Społecznych i na koniec została dyrektorem Biura Nieruchomości Towarzystwa Przyjaciół Warszawy.

12 listopada 1965 r. Krowacki ożenił się z Anną Urbanowicz[8], która w 1963 r. ukończyła Wydział Malarstwa i Tkanin na ASP i pracowała jako projektantka w Bielawskich Zakładach Przemysłu Bawełnianego. Dwa lata później została kierownikiem programowania, koordynacji i wzornictwa w Centralnym Biurze Wzornictwa Przemysłu Lekkiego, a od 1969 r. pracowała w Modzie Polskiej.

Siostra żony Małgorzata Katana[9] pracowała w Biurze Projektów Lotnictwa Cywilnego, gdzie była członkiem KKZ „Solidarności" i w stanie wojennym była podejrzewana przez SB o prowadzenie nielegalnej działalności wydawniczej[10]. Ojciec Anny i Małgorzaty, jak notowała z satysfakcją SB, miał negatywny stosunek do „Solidarności".

Związki inspektora SB Krowackiego z organami zaczęły się nietypowo, gdyż od roli figuranta. Brat dziadka ze strony matki Krzysztofa Krowackiego, Kazimierz Olędzki[11], walczył pod komendą Andersa i po wojnie zamieszkał w Nottingham, gdzie hodował pieczarki. W sierpniu 1961 r., po czwartym roku studiów, Krowacki odwiedził rodzinę w Anglii. U dziadka wujecznego poznał młodą kobietę o imieniu Ryszarda (Rysia) i na krótko się zadurzył. Rodzice chcieli, by się z nią ożenił i wyjechał z PRL. Wydział III Biura „W" przejął list napisany 26 września 1961 r. przez Krowackiego do Olędzkich, w którym padły zbrodnicze słowa. Krowacki pisał, że w Warszawie ludzie na ulicy sprawiają wrażenie nędznych, „stopa rośnie – ludzie chudną", nastroje wojenne są bardzo silne, a życie jest jeszcze bardzo nerwowe. Informował też, że były „u Ojca w biurze aresztowania" oraz opowiedział o koledze Krzyśku, który był ideowym komunistą, ale po powrocie z dwutygodniowej wycieczki do Sowietów zaczął psioczyć na socjalizm i Kraj Rad, „gdzie się kompletnie wyleczył zobaczywszy raj Chruszczowa".

Wydział III KM MO w Warszawie założył 30 października sprawę ewidencyjno-informacyjną, ponieważ podejrzany „w liście skierowanym do swej rodziny zamieszkałej w Anglii daje wyraz wrogiego stosunku do PRL i Związku Radzieckiego"[12]. Nakazano zebrać dane o Krowackim i jego kontaktach na Politechnice oraz rozpoczęto regularną inwigilację korespondencji zagranicznej, konfiskując jeszcze list miłosny do Rysi.

SB uruchomiła donosicieli i dowiedziała się, że Krowacki jest aktywnym działaczem ZMS, do którego wstąpił w 1959 r. i był lojalny. Według źródła „W", które dobrze znało Krowackiego, był on przekonany, że list zatrzymało MSW, gdyż nie dotarł on do adresata[13].

Po informacji od „W", że Krowacki „na tematy polityczne negatywnie nie wypowiada się", 24 kwietnia 1962 r. postanowiono sprawę zamknąć i przekazać do archiwum ewidencji operacyjnej z uzasadnieniem, iż „brak jest danych by figurant prowadził lub zamierzał prowadzić wrogą działalność"[14]. Wkrótce też Krowacki został aparatczykiem, by zakończyć karierę jako etatowy funkcjonariusz SB.

W 1977 r., po ukończeniu WSNS, Krowacki przeszedł z aparatu partyjnego do Ministerstwa Handlu Zagranicznego i został wysłany do Biura Radcy Handlowego (BRH) w Londynie na stanowisko z-cy attaché w pionie ekonomicznym (21.09.1977–30.09.1981). W tym czasie zainteresował się nim wywiad. W 1978 r. Wydział VIII, czyli ekonomiczny Departamentu I pozyskał Krowackiego w charakterze kontaktu operacyjnego. Płk Konrad Biczyk, naczelnik Wydziału VIII (1978–1982), tak oceniał Krowackiego: „Uzyskano od niego szereg ocenionych informacji i materiałów wywiadowczych z zakresu praktyki gospodarczej Wlk. Brytanii"[15].

Po powrocie do kraju 1 grudnia 1981 r. Krowacki „zatrudniony został przy naszej pomocy w Departamencie Zagranicznym Ministerstwa Finansów. Z tytułu miejsca pracy uczestniczy w przygotowaniach i negocjacjach z delegacjami zagranicznych instytucji rządowych i banków w sprawach współpracy finansowej, szczególnie refinansowania zadłużenia PRL. [...] Uplasowanie tow. K. Krowackiego ma poważne znaczenie dla organizowania pracy operacyjnej na odcinku rozpoznawania tematów polityki kredytowej" – kontynuował Biczyk[16]. Dlatego 13 lutego 1982 r. naczelnik Wydziału VIII złożył wniosek do Fabiana Dmowskiego, dyrektora Departamentu I (1982–1983), w sprawie zgody na przyjęcie Krowackiego do pracy w organach MSW w charakterze pracownika II linii. Celem miało być „uplasowanie dla rozpracowania tematów polityki kredytowej"[17]. W konsekwencji Krowacki napisał 23 marca 1982 r. podanie o przyjęcie do SB i został ukadrowiony. Wniosek personalny wystawiono 5 sierpnia i po pięciu dniach Krowacki podpisał zobowiązanie. Szkolenie w ramach Ośrodka Kształcenia Kadr Wywiadu (OKKW, JW 2669) przeszedł na przełomie 1982 i 1983 r. w trybie indywidualnym, co oznacza, że nikt go nie znał spośród osób nowo przyjętych do Departamentu I. I tak przyszły wiceminister finansów w rządzie Suchockiej został starszym inspektorem SB.

W Departamencie Zagranicznym Ministerstwa Finansów ppor. Krowacki po roku awansował ze starszego specjalisty na naczelnika Wydziału Nadzoru Dewizowego i Długu Państwa. W zakres jego obowiązków wchodziły sprawy związane z bilansem, polityką płatniczą i kredytową z krajami kapitalistycznymi, negocjacje dotyczące odroczenia spłat w walutach wymienialnych i współpraca z MFW. Prawdziwe miejsce pracy Krowackiego znała tylko jego żona i dyrektor Departamentu Zagranicznego Ministerstwa Finansów Zbigniew Karcz[18], który był współpracownikiem Departamentu I jako konsultant „Radca" (1982–1986) i KO „Radża" (1987–1990)[19].

Zatrzymajmy się na chwilę przy tej postaci. Zbigniew Karcz[20] po ukończeniu SGPiS w 1958 r. został asystentem na tej uczelni. Po krótkiej pracy w CRZZ (1961–1963) wyjechał na roczne stypendium do Ruskin College w Oksfordzie i w 1965 r. uzyskał zatrudnienie w PKO SA, gdzie doszedł do stanowiska z-cy dyrektora naczelnego. W 1972 r. został wysłany do pracy w Sekretariacie RWPG w Moskwie. Z tego okresu pozostały mu podziw i absolutna lojalność wobec Sowietów. Po powrocie w 1978 r. został mianowany dyrektorem Departamentu Zagranicznego Ministerstwa Finansów i od 1980 r. kierował delegacją PRL na rozmowy o refinansowaniu wierzytelności Klubu Paryskiego zrzeszającego banki prywatne. W czasie pracy w ministerstwie został kontaktem służbowym SB ps. „Radca".

„Radca bez wahania zaakceptował wykorzystywanie jego osoby przez Wywiad MSW w charakterze doradcy i konsultanta. Współpraca ta (prowadzona jako ks) przyniosła wymierne korzyści w procesie rozpracowania przez Wywiad spraw dotyczących polskiego zadłużenia" – pisał por. Zbigniew Lichocki z Wydziału VIII, występujący pod nazwiskiem legalizacyjnym „Podbielski"[21].

„Radca" miał na swym koncie wiele wartościowych wyników „na odcinku czysto operacyjnym. [...] «Radca» wykorzystywany był przez naszą służbę do działań inspiracyjnych, specjalnych. Ułatwiał też plasowanie oficerów Centrali w instytucjach przykrycia, w tym w ministerstwie finansów" – czytamy w ankiecie osobowej Karcza[22].

SB oceniało w 1984 r., że „Radca" w Ministerstwie Finansów „załatwia wszystkie «trudne» sprawy związane z negocjacjami z kierownictwem partii i rządu, podczas gdy minister finansów oraz nadzorujący go z-ca ministra stoją z boku"[23]. Nie dziwi więc, że wywiad ekonomiczny podkreślał: „nasz wydział pozostaje w stałym roboczym kontakcie z Karczem"[24].

W 1986 r. Karcz wyjechał do Izraela, by objąć kierownictwo placówki PKO w Tel Awiwie i wtedy postanowiono zwerbować go w charakterze kontaktu operacyjnego. Wniosek napisał Lichocki 20 marca 1987 r., a oficjalnego werbunku dokonał płk Wiktor Borodziej, z-ca naczelnika Wydziału VIII. Nie przedstawiało to żadnej trudności, gdyż Borodziej był oficerem prowadzącym „Radcę" od roku 1982. Teraz Karcz otrzymał pseudonim „Radża". W kraju oficerem prowadzącym Karcza został Lichocki, a w czerwcu 1988 r. ppor. Mariusz Grzeszczyk[25] występujący pod nazwiskiem legalizacyjnym „Olczyk".

W Izraelu kontakt z „Radżą" nawiązał 5 maja 1987 r. „Karmel" (lub „Carmel"), czyli płk Stefan Kwiatkowski[26], kierownik punktu operacyjnego w Tel Awiwie (1986– 1989), oficjalnie szef sekcji interesów PRL. Przed wyjazdem do Izraela płk Kwiatkowski był z-cą naczelnika Wydziału VIII. Później „Radżę" przejął „Uri", czyli Czesław Jackowski[27], oficjalnie od 5 października 1989 r. szef sekcji interesów PRL w Tel Awiwie. Jackowski miał duże doświadczenie. Jako korespondent PAP był oficerem operacyjnym o ps. „Grot" w rezydenturze w Berlinie Wschodnim (1964), a później w Bonn (1966–1971). Następnie w randze I sekretarza Ambasady PRL w Hadze był szefem rezydentury o ps. „Herro" (1976–1980). W uznaniu zasług minister Krzysztof Skubiszewski (TW „Kosk") mianował „Uriego" 27 lutego 1990 r. chargé d'affaires RP w Izraelu.

W Izraelu Karcz miał stworzyć podstawy do współpracy finansowej między Polską i Izraelem, ale też starał się przeniknąć do firmy zbrojeniowej Elul Technologies. W tym celu nawiązał kontakt z Aharonem Yalo Shavitem (Jałowiecki), który wyjechał z Polski w 1957 r., został generałem w lotnictwie armii izraelskiej, a później dyrektorem wspomnianej firmy. Shavit miał kontakty z Ben Gurionem i był gotów sprzedać nielegalnie technologie – jak twierdził „Radża"[28]. SB miała zorganizować przyjazd Shavita do Polski w sierpniu 1987 r. – oficjalnie do „Unitry" „celem ustalenia jego możliwości dostarczenia nam technologii"[29], ale ostatecznie nie wiemy, jak sprawa się zakończyła.

W listopadzie 1989 r. „Radża" „deklarował swoją gotowość służenia nam pomocą. W ocenach problemów politycznych prezentował pryncypialne stanowisko" – raportował „Uri" i podkreślał, że Karcz „cieszy się uznaniem i dobrą reputacją wśród tutejszych kół finansowych"[30].

Po kilku miesiącach „Radża" zaczął jednak obawiać się opinii publicznej. W kwietniu 1990 r. „Uri" meldował, że ten „bał się, że jego nazwisko znajdzie się w publikacjach prasowych piętnujących go jako agenta", ale został przez Jackowskiego uspokojony[31].

Ostatnie udokumentowane spotkanie „Radży" z ppor. Grzeszczykiem odbyło się w Warszawie 19 czerwca 1990 r. i dotyczyło misji MFW, a ostatnie spotkanie oficera rezydentury w Tel Awiwie miało miejsce 29 czerwca tego roku, a więc w miesiąc po rozwiązaniu SB.

Wróćmy teraz do Krowackiego. Lista jego zadań do realizacji w Wydziale Nadzoru w latach 1984–1985 obejmowała:

„• opracowanie założeń negocjacji oraz udziału w negocjacjach w sprawie odroczenia zobowiązań gwarantowanych Polski przypadających do spłaty w latach 1982–1985 oraz w latach następnych;

• opracowanie założeń do współpracy kredytowej z krajami kapitalistycznymi;

• opracowanie informacji dla wierzycieli w zakresie bilansu płatniczego;

• opracowanie założeń negocjacyjnych do rozmów z MFW, udział w negocjacjach i koordynacji współpracy z Funduszem"[32].

Krowacki – jako „Krzysztof Zagórowicz" – miał zadania zlecone z centrali, czyli Departamentu I. Przede wszystkim miał instruować rezydentów w zakresie swej specjalności, przygotowywać informacje dla nich i weryfikować ich doniesienia. Do jego obowiązków należała też „rozbudowa kontaktów w rządowych sferach finansowych w krajach kapitalistycznych"[33].

Funkcje ppor. Krowackiego („Zagórskiego") pokazują, iż bezpieka w PRL *de facto* kontrolowała aparat państwowy, czyli kontrolowała i politykę finansową, i gospodarczą a także zagraniczną, skoro na najważniejszych stanowiskach uplasowani byli oficerowie SB lub Zarządu II. Wszystkie ważne raporty i informacje były bowiem przekazywane nie tylko drogą służbową zgodnie z hierarchią urzędniczą, ale również do tajnych służb w kopii lub wersji rozszerzonej. Departament I mógł w tej sytuacji podejmować własne decyzje, inne niż ministrowie czy sekretarze, i realizować je.

W Planie Kierunkowym na lata 1984–1985 płk Zygmunt Paź ps. „Gotard", naczelnik Wydziału VIII tj.

wywiadu ekonomicznego (1982–1984), pisał: „Perspektywa przystąpienia Polski do MFW stwarza możliwości włączenia Zagórskiego do prac związanych z problematyką tejże instytucji oraz w przyszłości jego usytuowanie w organach MFW za granicą"[34].

Na razie Krowacki miał zabezpieczać delegacje zagraniczne, typować kandydatów do werbunku i zbierać informacje o członkach delegacji zagranicznych bawiących w Ministerstwie Finansów.

W połowie marca 1984 r. Krowacki, wyjeżdżając do Wiednia na rokowania z bankami komercyjnymi, otrzymał od oficera prowadzącego kpt. Jerzego Klementowicza, który od 1983 r. w Wydziale VIII kierował Zespołem ds. polityki finansowej, polecenie „czuwania nad prawidłowym przebiegiem rokowań pod kontem zabezpieczenia interesów politycznych i gospodarczych PRL"[35]. Podobnie było, gdy tydzień później jechał na rokowania z Klubem Paryskim, czyli wierzycielami państwowymi PRL. Wyjazdy te często powtarzały się. Jak widać, w rzeczywistości to służby sterowały rokowaniami, a nie aparat ministerstwa. Kpt. Klementowicz zajmował się problematyką gospodarki finansowej i gdy w listopadzie 1984 r. wyjechał do rezydentury w Kopenhadze, najlepsze wyniki osiągał w pracy dla Wydziału VIII. Oficjalnie Klementowicz (nazwisko legalizacyjne „Orłowski") był z-cą attaché handlowego w BRH, a faktycznie oficerem operacyjnym o ps. „Bocar".

Jako doradca ministra finansów Krowacki brał wielokrotnie udział w rozmowach z Klubem Paryskim, Bankiem Światowym oraz przedstawicielami rządów RFN, Holandii, USA i Wlk. Brytanii w sprawie kredytów, których PRL nie była w stanie spłacić.

W październiku 1984 r. zmienił się oficer prowadzący ppor. Krowackiego – kpt. Klementowicza, który właśnie wybierał się do Kopenhagi, zastąpił por. Zbigniew Polańczyk, występujący pod nazwiskiem legalizacyjnym „Degner". W tym czasie Polańczyk prowadził również Andrzeja Kratiuka (KO „Krist"), przyszłego szefa fundacji prezydentowej Jolanty Kwaśniewskiej. Polańczyk od połowy roku1986 kierował Zespołem Ekonomicznym i zajmował się MFW i Bankiem Światowym. Dopiero w październiku 1986 r. „Zagórskiego" przejął ostatni oficer prowadzący – kpt. Jerzy Graczyk, występujący pod nazwiskiem legalizacyjnym „Metelski". Oczywiście wszyscy trzej byli inspektorami Wydziału VIII, czyli wywiadu ekonomicznego.

1 marca 1985 r. Krowacki („Zagórski") został doradcą ds. polityki kredytowej i refinansowania zobowiązań finansowych Polski KO „Darg", czyli ministra finansów Stanisława Nieckarza (1982–1986)[36]. Z tego tytułu miał decydujący wpływ na negocjacje z wierzycielami PRL. Gdy jego pensja doradcy przekroczyła wysokość uposażenia w MSW, płk Jerzy Zygmunt Kowalski[37], występujący pod nazwiskiem legalizacyjnym „Komański", naczelnik Wydziału VIII (1985–1988), wnioskował, by różnicę „Zagórski" mógł zatrzymać „ze względu na efekty pracy"[38]. Zgodnie z pragmatyką służbową, gdy pensja na oficjalnym stanowisku oficera II linii była niższa niż w MSW, wtedy różnicę dopłacał mu resort, gdy zaś była wyższa musiał nadwyżkę zwracać organom.

Gdy w maju 1985 r. Ministerstwo Finansów zgłosiło czterech kandydatów na ekspertów ONZ, wszyscy związani byli z wywiadem: Grzegorz Wójtowicz, czyli KO „Camelo"/„Camel", Zbigniew Karcz – bardzo ceniony konsultant „Radca", Krzysztof Krowacki – oficer II linii „Zagórski" oraz Jerzy Malec („Maj"), z-ca prezesa Banku Handlowego i przewodniczący Rady Nadzorczej Banku Handlowego International w Luksemburgu (1983–1986)[39].

Ostatni z tej czwórki, Jerzy Malec[40], syn dyrektora Społem, po ukończeniu Wydziału Finansów i Statystyki na SGPiS w 1970 r. rozpoczął pracę w Departamencie Zagranicznym NBP. Zainteresował się nim w 1972 r. kolega ze studiów ppor. Jerzy Tarkowski z Wydziału V Zarządu VII Departamentu I. We wrześniu Malec pojechał na prawie trzymiesięczną praktykę do Irving Trust Company w USA, by poznać system Rezerwy Federalnej, a 1 stycznia 1973 r. objął stanowisko naczelnika wydziału w Departamencie Zagranicznym. W czerwcu 1972 r. Tarkowski sporządził dokładną charakterystykę Malca, z którym od ok. 3 miesięcy utrzymywał kontakt służbowy.

Na spotkaniu 19 czerwca 1973 r. ustalono, że „Maj" opisze funkcjonowanie Rezerwy Federalnej. Przy okazji okazało się, że 14 czerwca kpt. Jerzy Bajor, inspektor Samodzielnej Sekcji Kadr w Departamencie Kadr MSW, zaproponował Malcowi pracę w wywiadzie, ale ów miałby wówczas pensję niższą niż w banku. Malec miał się zastanowić[41].

Ostatecznie Bajor zaproponował mu pracę w pionie N, jednakże po przemyśleniu „Maj" odpowiedział, że wolałby pracować z pozycji legalnej i tak pozostał przy Tarkowskim. Ustalili, że Malec przygotuje listę osób odwiedzających NBP i ich charakterystyki[42].

W okresie od 16 września do 15 października 1974 r. Malec miał mieć praktykę w Enskilda Banken w Sztokholmie. Na spotkaniu 10 września Tarkowski polecił mu ewentualnych kandydatów do werbunku w Szwecji i dał hasło do oficera rezydentury o ps. „Peso", czyli Zdzisława Szczotki, oficjalnie attaché ds. współpracy gospodarczej i technicznej w BRH w Sztokholmie, gdyby zaszła potrzeba pilnego spotkania. Rzeczywiście do niego doszło, choć przypadkowo. Po powrocie Malec spotkał się ze swym oficerem prowadzącym już 17 października i przekazał mu materiały pozyskane w Szwecji[43].

3 maja 1975 r. Tarkowski ponownie spotkał się z Malcem, tym razem w celu pozyskania go do pracy dla wywiadu ekonomicznego. „Maj" miał ponownie jechać do Szwecji i propozycję współpracy, mającej polegać na przygotowywaniu przezeń sprawozdań, „zaakceptował bez żadnego sprzeciwu i zastrzeżeń". Tarkowski zanotował: „udzielenie «Majowi» pomocy w załatwieniu tego wyjazdu pomogłoby nam w przyszłych kontaktach z nim"[44].

14 kwietnia 1976 r. por. Tarkowski notował, że „Maj" jest teraz z-cą dyrektora Departamentu Zagranicznego NBP, ale kontakty są sporadyczne z powodu braku możliwości wywiadowczych Malca i dlatego proponował skierowanie sprawy do archiwum. Jednocześnie „Majem" zainteresował się Departament II. Ciekawe, że Tarkowski w 1976 r. został przeniesiony do Departamentu III, a w lipcu 1981 r. odszedł z SB pod wpływem żony, która była działaczką „Solidarności" w GUS-ie.

W 1977 r. współpracę z „Majem" zawieszono, ale gdy przeszedł do pracy w Banku Handlowym, kontakt wznowiono. Okazało się też, że o Malca rywalizują kontrwywiad z wywiadem. 24 lutego 1978 r. ppłk Konrad Biczyk, naczelnik Wydziału VIII wywiadu, poinformował ppłk. Twerda, z-cę naczelnika Wydziału I kontrwywiadu, że Malec jest współpracownikiem o ps. „Maj" pozyskanym w 1973 r. 11 grudnia 1978 r. płk Bogusław Jędrzejczyk, naczelnik Wydziału I Departamentu II (1976–1980), zwrócił się do Departamentu I o przekazanie „Maja". Wywiad się zgodził, ale zaznaczył, że gdyby Departament II Malca nie wykorzystywał, to proszą o informację, gdyż wówczas pozostawiliby go w swojej sieci. I na tym zachowana dokumentacja kończy się.

Tymczasem Krzysztof Krowacki „Zagórski" udowadniał, kto sprawuje faktyczną władzę i podejmuje decyzje. Wydał on polecenie Bazylemu Samojlikowi, ministrowi finansów (17.07.1986–14.10.1988), kogo ma zgłosić do pracy w MFW z polskiej puli. Wynosiła ona 14 osób i dotychczas jeszcze nie wysłano nikogo[45].

Krowacki nawiązał kontakt z Johnem Albertem Cloudem, radcą handlowym Ambasady USA w Warszawie. Co ciekawe, oficjalny życiorys Amerykanina zaczyna się dopiero w 1988 r., podczas gdy studia skończył on jeszcze w 1977 r.[46] Według tego życiorysu Cloud w latach 1988–1991 pracował w Departamencie Stanu, gdzie zajmował się Bałkanami, i nic nie wspomina o wcześniejszym pobycie w Warszawie, chociaż później został on z-cą szefa Misji w Warszawie (1996–1999) i ambasadorem na Litwie (2006–2009), a następnie wykładał w Szkole Marynarki Wojennej (Naval War College). Spotkanie Krowackiego z Cloudem za każdym razem wymagało zgody wywiadu, ponieważ SB podejrzewała go o przynależność do amerykańskich służb specjalnych (ASS). Cloud był wszakże źródłem informacji o polityce finansowej USA.

W 1983 r. Kongres postanowił, mimo sprzeciwu prezydenta Ronalda Reagana, zwiększyć wpłaty do MFW, jednakże poprawka Kempa[47] zabroniła Funduszowi udzielania pożyczek krajom komunistycznym. W październiku 1986 r. Cloud informował, że sekretarz skarbu uzasadni Kongresowi interes USA, jak to było w wypadku Węgier, i choć Stany Zjednoczone wprawdzie będą przeciwne udzieleniu kredytu, to jednak nie wpłynie to na decyzję MFW[48]. Chociaż więc nie było jeszcze stanowiska Departamentu Stanu po zwolnieniu więźniów politycznych w Polsce, służby wiedziały już, że następuje zmiana stanowiska administracji Reagana.

Departament II, czyli kontrwywiad, również śledził kontakty „Zagórskiego" z ambasadą USA, nie znał jednak jego prawdziwej roli, gdyż wywiad pilnie strzegł swych tajemnic. Dlatego dochodziło do omyłek.

24 października 1985 r. Stanisław Fudała, inspektor Wydziału II (anglosaskiego) Departamentu II, rozmawiał z Krowackim w sprawie włączenia pracownika kontrwywiadu do delegacji udającej się na rozmowy londyńskie i zaznaczył, że Departament chciałby Krowackiego „szerzej wykorzystać". Wtedy udało się wywiadowi zablokować inicjatywę Fudały bez dekonspiracji Krowackiego. 4 czerwca 1986 r. Krowacki został jednak pozyskany w charakterze tajnego współpracownika przez Wydział II Departamentu II celem rozpoznania działalności pracowników ambasady Wlk. Brytanii w Warszawie, z którymi utrzymywał kontakt z racji swego miejsca pracy[49]. W październiku dalszą współpracę TW uzależnił od zgody swego przełożonego, więc kontrwywiad zrezygnował z nabytku. Był to sprytny wybieg, gdyż chodziło o to, by kontrwywiad wycofał się sam, nie domyślając się, że ma do czynienia z funkcjonariuszem II linii wywiadu.

Między Departamentami I oraz II trwała bowiem rywalizacja o wartościowych donosicieli. Kontrwywiad śledził zatem kontakty Krowackiego z ambasadą USA, nadal nie znając jego prawdziwej roli.

W 1987 r. Krowacki został awansowany na stopień porucznika, a 1 kwietnia objął stanowisko dyrektora Biura Międzynarodowych Organizacji Finansowych. Jego głównym zadaniem była współpraca z MFW i Bankiem Światowym.

2 maja 1988 r. gen. Władysław Pożoga, nadzorujący wywiad i kontrwywiad, podpisał zgodę na delegowanie Krowackiego do USA, gdzie miał być zatrudniony jako polski delegat do MFW na stanowisku radcy finansowego. Był to etat spoza puli przypadającej do obsadzenia oficerom i KO Departamentu I. 29 czerwca ppłk Henryk Jasik, z-ca dyrektora Departamentu I (1986–1989), zatwierdził plan pracy por. Krzysztofa „Zagórskiego" na lata 1988–1992.

Dodajmy, że podczas gdy Jasik był w III RP doradcą ministra spraw wewnętrznych Andrzeja Milczanowskiego (styczeń–grudzień 1993), Krowacki był wiceministrem u Hanny Suchockiej, gdy zaś Jasik był podsekretarzem stanu w MSW (03.12.1993–22.12.1995), Krowacki negocjował redukcję zadłużenia.

W styczniu 1988 r. Ministerstwo Finansów wytypowało Krowackiego do pracy na stanowisku radcy finansowego w Ambasadzie PRL w Waszyngtonie. Demontaż systemu wchodził w fazę decydującą i konieczne było porozumienie z Departamentem Skarbu USA, MFW i Bankiem Światowym.

9 lipca, przed wyjazdem do USA, Krowacki spotkał się z wicepremierem Zdzisławem Sadowskim (TW „Robert").

On i Władysław Baka[50] mieli tworzyć w Warszawie ośrodek koordynacyjny w zakresie polityki płatniczej i rozmów z MFW i BŚ.

16 lipca oficer operacyjny rezydentury w Waszyngtonie „Hagis", czyli kpt. Jerzy Luks, otrzymał polecenie nawiązania kontaktu z Krowackim ps. „Aleks". Po czterech dniach „Hagis" wysłał meldunek o wykonaniu zadania.

Kpt. Jerzy Luks, ps. „Cali", występujący też pod nazwiskiem legalizacyjnym „Skowroński", pracował już w rezydenturze londyńskiej (1979–1983), oficjalnie na stanowisku II sekretarza ambasady. Za osiągnięcia w pracy operacyjnej otrzymał nagrodę od gen. Kiszczaka. Ciekawe, że udało mu się zbliżyć do Very Rich (1936–2009), znanej dziennikarki o orientacji antykomunistycznej piszącej o Sowietach, i uzyskiwać od niej informacje. 1 października 1986 r. Luks rozpoczął pracę w rezydenturze waszyngtońskiej, oficjalnie będąc zatrudnionym na stanowisku I sekretarza. „Hagis" utrzymywał kontakty z dziennikarzami ekonomicznymi i zajmował się MFW, Bankiem Światowym, sprawami GATT[51] i COCOM[52]. Nadawał się więc doskonale na oficera prowadzącego Krowackiego. Jeszcze 18 lipca 1990 r. kpt. Luks napisał z Waszyngtonu podanie o przyjęcie do UOP.

Kolejnym oficerem rezydentury waszyngtońskiej w tym czasie był Janusz Szkiełko, występujący pod nazwiskiem legalizacyjnym „Sekulak", oficjalnie zatrudniony na stanowisku II sekretarza Ambasady PRL. Por. Szkiełko, ps. „Maler", który wyjechał do rezydentury „Atlantyk" (Waszyngton) 15 lipca 1986 r., pracował także dla pionu G, zajmując się sprawami zadłużenia i kredytami oraz rozpracowywaniem osób, mających wpływ na decyzje ekonomiczne.

Por. Szkiełko prowadził kontakty informacyjne, które dostarczały mu wiadomości z: American Federation of Labor and Congress of Industrial Organizations[53] („Kryło"), środowisk żydowskich („Rodon", SMW „Menek"), od W.B. – korespondenta „The Jerusalem Post", środowisk katolickich (SMW „Gin"), a także od „Vernona", eksperta ds. polityki zagranicznej Izby Reprezentantów. Do kraju por. Szkiełko powrócił w maju 1990 r. i 17 lipca napisał podanie o przyjęcie do UOP, podkreślając swoją znajomość angielskiego, ponieważ ukończył filologię angielską na UW. „Maler" nie pracował jednak przed wyjazdem w wywiadzie ekonomicznym, ale w Wydziale XI zajmującym się infiltracją kanałów łączności emigracji z podziemną „Solidarnością".

Szkiełko został przyjęty do wywiadu po ukończeniu anglistyki (1977) i podyplomowych studiów dziennikarskich na UW (1979). OKKW ukończył w 1981 r. i w ciągu 5 lat pracy pozyskał 5 agentów i 7 KO[54].

W praktyce Krowacki przejął w rezydenturze obowiązki Jana Boniuka (KO „Jost", KO „Donek"), radcy ambasady ds. finansowych (1983–1988) i w niedalekiej przyszłości członka rady nadzorczej FOZZ.

Jan Boniuk[55] po ukończeniu prawa na UW w 1963 r. rozpoczął pracę w Departamencie Zagranicznym PKO. Na 4 lata oddelegowano go na stanowisko kierownika Wydziału Młodzieży Pracującej Zarządu Stołecznego ZMS (1968–1971). Następnie przeszedł do Ministerstwa Finansów jako starszy radca, w 1973 r. został naczelnikiem Wydziału Prawno-Traktatowego Departamentu Zagranicznego tego ministerstwa i w 1979 r. doradcą ministra finansów Henryka Kisiela. Boniuk zajmował się kwestią refinansowania kredytów niegwarantowanych. Początkowo został zarejestrowany jako kontakt służbowy „Bon".

Boniuk został zwerbowany przez Jana Lareckiego[56] (nazwisko legalizacyjne „Tadeusz Kostecki"), w tym czasie inspektora Wydziału IV Departamentu III-A. Larecki był jednak także i oficerem Departamentu I w latach 1971–1980 i 1984–1990. Poprzednio służył w wywiadzie ekonomicznym (1977–1980). Dla Wydziału IV Departamentu III-A Boniuk, teraz jako KO „Jost", pracował od 13 lutego 1982 r., ale szybko został przekazany wywiadowi, ponieważ przewidziany został na stanowisko radcy ds. finansowych Ambasady PRL w Waszyngtonie. Miał tam zastąpić Edmunda Zawadzkiego (KO „Dryl"), późniejszego wieloletniego prezesa zarządu Banku Pekao S.A. oraz Mitteleuropaische Handelsbank AG we Frankfurcie nad Menem (w Polsce jako MHB Bank), a w latach 2000–2004 także prezesa Norddeutsche Landesbank (NORD/LB Bank Polska S.A.).

28 stycznia 1983 r. Larecki przekazał Boniuka na kontakt płk. Wiktorowi Borodziejowi (nazwisko legalizacyjne „Nowacki"), z-cy naczelnika Wydziału VIII i tak oto KO „Jost" przedzierzgnął się w KO „Donek"[57]. 3 i 6 maja Boniuk zapoznał się i podpisał instrukcję wyjazdową, a 12 i 17-go przeszedł przeszkolenie. Był chętny i dociekliwy, gdyż pytał Borodzieja o rady i wskazówki w sprawach operacyjnych. 22 maja „Donek" wyjechał na placówkę.

12 lipca 1986 r. Borodziej spotkał się w Budapeszcie z „Donkiem" i ppłk. Markiem Szewczykiem ps. „Sadik" (nazwisko legalizacyjne „Marat"), który 15 lipca miał zastąpić „Rymara", czyli płk. Wiesława Mickiewicza[58], na stanowisku szefa rezydentury waszyngtońskiej. Oficjalnie Szewczyk został mianowany radcą Ambasady PRL[59].

W Waszyngtonie Edmund Zawadzki (KO „Dryl") niezwłocznie przekazał „Donkowi" listę 60 kontaktów. Podobnie jak później „Aleks", Boniuk utrzymywał kontakty z H. Shapiro z Departamentu Skarbu czy Alanem Whittome'em[60], dyrektorem Departamentu Europejskiego MFW. „Donek" otrzymał od Wydziału VIII zadanie zbierania informacji o Banku Światowym, MFW, bankach współpracujących z PRL, oprocentowaniu kredytów, trendach w polityce finansowej i o polityce kredytowej na świecie i wobec PRL. Co kilka dni Szewczyk wysyłał do centrali szyfrogramy z raportami ze spotkań z „Donkiem".

Po powrocie do kraju „Donek", z inicjatywy wiceministra Sawickiego (KO „Jasa" i „Kmityn"), został 17 stycznia 1989 r. kierownikiem zespołu, który inwentaryzował środki starego FOZZ-u (1986–1988), a w marcu wszedł do rady nadzorczej nowego FOZZ-u, zajmując się wykupem długu. 8 maja spotkał się z kpt. Andrzejem Stachurskim, z-cą naczelnika Wydziału VIII. Poinformował go wówczas, że wykupu części zobowiązań miała dokonać firma Shearson. „Donek wskazał na pilność operacji, w tym na uplasowanie przedstawiciela FOZZ-u w firmie Shearson. Napomknął, że w tych warunkach mogłyby być potrzebne pozytywne działania naszego resortu w celu przyśpieszenia wyjazdu w/w reprezentanta Funduszu (Marek Gadomski)"[61]. Minister Wróblewski jednak nie podjął jeszcze decyzji w sprawie Shearsona.

Wymieniony tu Marek Gadomski (TW „Marek") był zastępcą Grzegorza Żemka, prezesa FOZZ i jego prawą ręką. Został oddelegowany do Instytutu RWPG w Moskwie, potem był dyrektorem Departamentu Polityki

Dewizowej Ministerstwa Finansów i nadzorował zagraniczne placówki Banku Handlowego. Pracował w jego libańskiej filii oraz razem z Żemkiem (współpracownik „Dik"[62]) w Banku Handlowym International SA w Luksemburgu, skąd obaj przeszli do FOZZ. Później Gadomski był wieloletnim prezesem AmerBanku – banku amerykańskiego, który licencję od NBP uzyskał już w roku 1989.

Jeszcze w Moskwie Gadomski został zarejestrowany jako osobowe źródło informacji przez kontrwywiad – od 28 października 1977 r. w kategorii kontakt operacyjny, a od 15 grudnia 1982 r. w kategorii tajny współpracownik o ps. „Marek". Materiały zniszczono dopiero w styczniu 1990 r.[63]

W czerwcu 1989 r. Boniuk informował kpt. Stachurskiego, że „grupa osób zajmująca się z ramienia Shearson--Lehman sprawą buy-backu polskich obligacji, przeniosła się do firmy Dillon, Read and Co, związanej z Travellers Insurance Co, wicedyrektor FOZZ Gadomski wyjeżdża tam na 3 miesiące". Jak podkreślił kpt. Stachurski, „Donek wskazywał na wagę ograniczenia do zaledwie kilku liczby osób znających szczegóły związane z operacją wykupu długu"[64].

11 września Boniuk poinformował kpt. Stachurskiego, „że do chwili obecnej skupionych zostało w ramach buy--backu 60 mln dolarów naszych należności, a do końca roku planuje się nabyć dalszych 150 mln dolarów. Generalnie stosuje się zasadę wykupu do 40 proc. wartości nominalnej obligacji"[65]. Boniuk dodawał, że Sawicki (KO „Jasa" i „Kmityn") pozostanie w ekipie Mazowieckiego, natomiast por. Władysław Czułno (oficer „Piotrowski") i on sam są zagrożeni zwolnieniem. Oczywiście były to

obawy na wyrost. Na ostatnim udokumentowanym spotkaniu z oficerem prowadzącym 6 grudnia 1989 r. „Donek" mógł już się pochwalić, że zostanie awansowany na dyrektora Departamentu Zagranicznego Ministerstwa Finansów RP. Jednocześnie podkreślił, iż nie chce zrywać kontaktów i gotów jest do dalszych spotkań. Wobec tego Stachurski poprosił Boniuka, by ten wybadał, jakie jest stanowisko Balcerowicza w sprawie przydatności dokumentów wywiadu[66]. W 1990 r. materiały dotyczące „Donka" przekazano do archiwum, ale bez podania daty zamknięcia sprawy.

Wzmiankowany przez Boniuka Władysław Czułno[67] po ukończeniu SGPiS-u (1965) został asystentem na uczelni, ale szybko przeniósł się do Instytutu Planowania (1967–1973). W tym okresie uzyskał roczne stypendium Fundacji Forda na naukę w Princeton i Berkeley (1967–1968). Po powrocie pracował w Komisji Planowania przy Radzie Ministrów. W 1972 r. otrzymał stopień doktora i od 1 października 1973 r. został przeniesiony do Zespołu Współpracy z Zagranicą.

Według ankiety z resortem MSW związany był od roku 1971, a z Departamentem I od 1973 r.[68] Umowę o pracę z MSW na pół etatu jako pracownik kontraktowy, a więc cywilny, podpisał dopiero 19 stycznia 1974 r., wcześniej musiał zatem być współpracownikiem. Podanie o przyjęcie do MSW napisał 1 lutego tego roku i został pracownikiem II linii, czyli w instytucji przykrycia na etacie inspektora Wydziału VIII. Plutonowy Czułno (ps. „Piotrowski") ślubowanie złożył dopiero 1 lipca 1975 r., po przejściu czteromiesięcznego przeszkolenia operacyjnego w systemie indywidualnym.

30 lipca „Piotrowski" został wysłany do Ambasady PRL w Waszyngtonie na stanowisko radcy ds. naukowo-technicznych, faktycznie będąc oficerem rezydentury „Atlantyk" o ps. „Mas" (do 7.11.1980). W rezydenturze dobrze realizował zadania informacyjne, rozpracowywał 4 figurantów, ale najlepsze wyniki miał w pionie G, czyli gospodarczym. Na 16 materiałów centrala oceniła 4 jako bardzo wartościowe. 24 listopada 1980 r. płk Konrad Biczyk, naczelnik Wydziału VIII, wnioskował o przyjęcie Czulny na pracownika kadrowego, gdyż „był jednym z lepszych pracowników rezydentury"[69].

„Piotrowski" został ukadrowiony 1 kwietnia 1981 r., pozostając pracownikiem II linii na etacie inspektora Wydziału VIII. Od grudnia 1982 do lipca 1983 r. przeszedł szkolenie OKKW w trybie indywidualnym i po zdaniu egzaminu na ocenę b. dobrą 4 lipca otrzymał awans na ppor. MO.

2 października 1984 r. ppor. „Piotrowski" został wysłany do rezydentury w Rzymie w charakterze oficera operacyjnego, oficjalnie na stanowisko radcy Ambasady PRL we Włoszech. Pracował głównie po linii Wydziału VIII i wywiadu naukowo-technicznego (WNT). Jego materiały oceniano jako wartościowe. W 1986 r. otrzymał awans na stopień porucznika. W rezydenturze prowadził 2 KO i 2 KI. Do kraju powrócił 22 sierpnia 1987 r.

Po powrocie por. „Piotrowski" został doradcą ministra finansów i z-cą dyrektora Biura Międzynarodowych Organizacji Finansowych, w marcu 1989 r. dyrektorem Departamentu Zagranicznego Ministerstwa Finansów, a już w listopadzie był doradcą prezesa NBP Władysława Baki.

W maju 1989 r. „Piotrowski" razem z ministrem finansów Wróblewskim był z wizytą w Waszyngtonie. Ich pobyt organizowali „Aleks" i „Plis". Czułno uprzedzał, że minister chce zwolnić Krowackiego, który w czasie wizyty unikał spotkania, natomiast „Plisa" wychwalał[70]. SB kontrolowała więc krzyżowo swoich agentów na każdym kroku.

Czułno – „Piotrowski" brał udział w posiedzeniach Rady Wykonawczej MFW w Paryżu (16–17.09.1988) i Rady Gubernatorów MFW i Banku Światowego (24.09– 1.10.1988), a jednocześnie realizował zadania operacyjne. Miał też utrzymywać kontakty z Brytyjczykami. Prowadził rozmowy w USA z MFW w sprawie programu dostosowawczego (28.06–2.07.1989). Informował wówczas, że MFW akceptuje jako program dostosowawczy propozycje przedyskutowane w Świdrze z ekspertami MFW i udzieli kredytów, gdyż obawia się „twardogłowych". Będzie tylko nalegał na system wielopartyjny, gdyż ten doprowadzi do rozpadu PZPR[71]. Zachód nie rozumiał więc, że partia nie była już komunistom potrzebna – wystarczyły służby.

W lutym 1990 r. „Piotrowski" rozmawiał z doradcą kanclerza Helmuta Kohla Michaelem Stürmerem, który przedstawił mu dwa warianty zjednoczenia Niemiec. Wariant amerykański, za którym opowiadał się kanclerz, przewidywał pozostanie w NATO, ale ograniczenie kontyngentu wojsk USA do 100 tys. i niedyslokowanie ich oraz Bundeswehry na terenie NRD. Oskar Lafontaine, ówczesny kandydat SPD na kanclerza, proponował z kolei wyjście Niemiec z NATO, ewakuację garnizonów obcych, dyslokację Bundeswehry na całym terytorium i ekspansję na Wschód, co w praktyce oznaczało nowe Rapallo[72].

Por. Władysław Czułno został zwolniony z SB 31 lipca 1990 r. w związku z likwidacją tej służby. Pozostała mu praca cywilna doradcy prezesa NBP.

Rezydentura waszyngtońska dysponowała jednak nie tylko „Aleksem". Do cennych aktywów należeli „Kott" i „Font". „Kott" był emigrantem z Polski pochodzenia żydowskiego i byłym pracownikiem MSW, obecnie miał obywatelstwo USA i pracował w Banku Światowym. Podobnie i „Font" był emigrantem z Polski pochodzenia żydowskiego, miał obywatelstwo amerykańskie, a zatrudniony był w Departamencie stosunków płatniczych i handlowych MFW, gdzie chciał zajmować się Polską. Jego ojciec pracował w Zarządzie II Sztabu Generalnego. W okresie pierestrojki bezpieka sięgała więc po stare, stalinowskie, wypróbowane kadry sowieckie i ich dzieci.

Dla wywiadu równie ważny jak Krowacki był przybyły do waszyngtońskiej rezydentury w lipcu 1987 r. KO „Plis", czyli Andrzej Ilczuk. Jego oficerem prowadzącym był „Task", czyli kpt. Zbigniew Lis, a po roku przejął go „Over", czyli kpt. Zbigniew Lichocki. Między „Aleksem" i „Plisem" dochodziło do rywalizacji, skarżyli więc na siebie nawzajem do swych oficerów prowadzących.

Andrzej Ilczuk[73] po ukończeniu SGPiS w 1968 r. chciał podjąć pracę w MSZ, ale płk Mirosław Milewski, ówczesny z-ca dyrektora Departamentu I, napisał w opinii: „jego zatrudnienie uważam za niewskazane"[74]. Ilczuk ukończył więc podyplomowe studia dziennikarskie na UW i w 1970 r. znalazł pracę w Metalexporcie, skąd po dwóch latach przeniósł się do MHZ. Został tam kierownikiem Zespołu Analiz i Koordynacji Współpracy z Krajami Kapitalistycznymi. W 1976 r. wyjechał objąć stanowisko attaché handlowego Ambasady PRL w Waszyngtonie. Po powrocie w 1980 r. przeniósł się do Banku Handlowego, w którym otrzymał stanowisko z-cy dyrektora gabinetu prezesa.

Po otrzymaniu notatki od KO „Rich"[75] na temat sytuacji w Banku Handlowym por. Jerzy Graczyk (nazwisko legalizacyjne „Metelski"), który po ukończeniu OKKW przyszedł do Wydziału VIII wywiadu, w maju 1982 r. zainteresował się Ilczukiem. Przypomnijmy, że Graczyk był również ostatnim oficerem prowadzącym Krowackiego. W listopadzie „Plis" awansował na dyrektora gabinetu prezesa Banku Handlowego. 26 listopada por. Graczyk przeprowadził z Ilczukiem rozmowę sondażową w „Szampańskiej". Wypadła bardzo dobrze i już 6 grudnia Ilczuk podpisał własnym nazwiskiem zobowiązanie do współpracy z wywiadem PRL. Tak oto pojawił się KO „Plis". W sumie w listopadzie i grudniu Graczyk spotkał się z Ilczukiem siedem razy[76].

W listopadzie 1985 r. Ilczuk („Plis") został z-cą Grzegorza Wójtowicza[77] (KO „Camelo"/„Camel"), dyrektora Departamentu Zagranicznego NBP, i z jego ramienia reprezentował Polskę w negocjacjach akcesyjnych z Bankiem Światowym i Międzynarodowym Funduszem Walutowym. Był bardzo wydajnym i cenionym KO, więc SB zadbało o jego rozwój intelektualny. 30 listopada otrzymał od ppor. Andrzeja Ćwieka[78] (nazwisko legalizacyjne „Egert"), od września nowego oficera prowadzącego, książkę o impresjonistach.

Również w Ministerstwie Finansów Departament Zagraniczny był kontrolowany przez SB. Jego dyrektorem został kpt. Zbigniew Lichocki (nazwisko legalizacyjne „Podbielski"), inspektor Wydziału VIII wywiadu, wysłany do ministerstwa jako instytucji przykrycia (1983). Lichocki wżenił się w ubecką rodzinę Kander[79], co przesądziło o jego karierze. „Podbielski" miał duże osiągnięcia w werbunku agentury, w tym zagranicznej, i prowadzeniu spraw specjalnych. Żona Halina Lichocka została oczywiście dziennikarką Polskiego Radia. W styczniu 1986 r. „Podbielski" wszedł w skład delegacji na rozmowy z instytucjami kanadyjskimi w sprawie restrukturyzacji długu PRL z lat 1982–1984. Brał też udział w rozmowach z Klubem Paryskim w sprawie restrukturyzacji zobowiązań gwarantowanych (6–7.03.1986), w negocjacjach w Danii, Norwegii, USA i w Wiedniu. W Wydziale VIII był kierownikiem zespołu. Niebawem Lichocki (ps. „Over") wyjedzie do Waszyngtonu, gdzie zostanie oficerem prowadzącym Ilczuka – „Plisa".

W 1986 r. utworzono w NBP Wydział Międzynarodowych Instytucji Finansowych do współpracy z Bankiem Światowym i MFW. „Plis" stworzył zespół i objął jego kierownictwo. Oczywiście skład kadrowy Wydziału uzgodnił ze swym oficerem prowadzącym Andrzejem Ćwiekiem („Egert")[80]. W skład zespołu weszli: Andrzej Ścisłowski, Jan Sulmicki (AWO tj. Agenturalny Wywiad Operacyjny, SB), Lech Gajewski (KO „Lefski" lub „Lewski"), Zbigniew Sosnowski, Alicja Syczewska i Wanda Wysocka.

Przyjrzyjmy się zatem bliżej niektórym członkom tego zespołu.

Lech Gajewski[81] po ukończeniu SGPiS podjął pracę w Instytucie Gospodarki Światowej, a po jego likwidacji w Instytucie Gospodarki Narodowej przy Komisji

Planowania, by w październiku 1986 r. przejść do Departamentu Zagranicznego NBP. Wtedy też napisał doktorat pod kierunkiem Sulmickiego (AWO). SB zainteresowała się Gajewskim i w latach 1982–1983 trzykrotnie spotkał się z nim inspektor Wydziału VIII Departamentu I kpt. Edward Tomczyk, występujący pod nazwiskiem legalizacyjnym „Gazdowski"[82], ale sprawę złożono do archiwum z powodu braku możliwości wywiadowczych. Zaznaczono jednak, że „w trakcie tych spotkań «Lewski» pozytywnie ustosunkowywał się do propozycji współpracy z MSW"[83].

Sytuacja zmieniła się, gdy Gajewski przeszedł do Departamentu Zagranicznego NBP, gdzie współpracował z Bankiem Światowym i był odpowiedzialny za organizację pobytu jego misji w PRL. Zwierzchnikami „Lefskiego" byli: KO „Must", czyli Andrzej Olechowski, przyszły minister spraw zagranicznych i kandydat na prezydenta III RP, wówczas doradca Władysława Baki, prezesa NBP, dyrektor KO „Camelo" i z-ca dyrektora KO „Plis". Wniosek o przerejestrowanie sprawy archiwalnej na czynną złożył w kwietniu 1987 r. ppor. Andrzej Ćwiek („Egert"), który już prowadził szefa Gajewskiego – „Plisa". Współpracę nadzorował kpt. Zbigniew Lichocki („Podbielski") ps. „Over" jeszcze przed swoim wyjazdem do Waszyngtonu.

Rozmowę pozyskaniową przeprowadził z Gajewskim 27 kwietnia 1987 r. w hotelu Victoria ppor. Ćwiek. Na propozycję współpracy „Lewski wyraził zgodę, po czym napisał na druku firmowym MSW oświadczenie" – zanotował oficer prowadzący i zlecił mu dostarczenie sprawozdań z rozmów z MFW i planów pobytu w maju misji Banku Światowego[84]. Na następnym spotkaniu „Lefski" opowiadał, jak fatalnie zorganizowana była wizyta misji. Jej członkowie musieli płacić łapówki, by dostać miejsce w hotelu. W listopadzie Gajewski dostarczył materiały z pobytu w Polsce delegatów Międzynarodowej Korporacji Finansowej (IFC)[85], która miała współfinansować inwestycje w wybranych przedsiębiorstwach, np. w Horteksie. „Lefski" wręczył Ćwiekowi także schemat struktury Biura ds. Współpracy z Bankiem Światowym i charakterystyki osób wyselekcjonowanych na stanowiska kierownicze[86]. W ten sposób Wydział VIII mógł kontrolować „Plisa", który zajmował się tworzeniem Biura. Gajewski służył też SB do kontrolowania KO „Dora", czyli Andrzeja Dorosza.

W trakcie pobytu delegatów IFC okazało się, że „Lefski" nie ma gdzie zrobić odbitek dla MSW poufnych materiałów zdobytych od pracownika IFC Edwarda Nassima[87], gdyż kopiarka w Banku Handlowym była stale zepsuta. W takim wypadku Gajewski miał dzwonić do MSW i na krótko wynosić materiały oficerowi do skopiowania. Tak oto niewydolność systemu blokowała już nawet pracę organów bezpieczeństwa.

Gajewski wyspecjalizował się w kontaktach z IFC i chciał zostać kierownikiem sekcji ds. współpracy z IFC, ale Andrzej Olechowski (KO „Must") czynił mu przeszkody, więc „Lefski" poskarżył się w marcu 1988 r. swemu oficerowi prowadzącemu. Nie wiemy, czy to pomogło, ale stanowisko otrzymał[88].

Wśród pracowników Biura ds. współpracy z Bankiem Światowym swoją agenturę utrzymywał nie tylko Wydział VIII wywiadu, ale także Wydział IV Departamentu V odpowiedzialny za ochronę banków. Wydział IV zajmował się instytucjami centralnymi odpowiedzialnymi za planowanie w gospodarce i NBP zaliczał się do tej kategorii. Do jego współpracowników należał Zbigniew Sosnowski[89], TW o ps. „Janek", absolwent SGPiS (1974), który do pracy w NBP przyszedł w styczniu 1985 r. Już 30 czerwca 1986 r. zarejestrował go w kategorii zabezpieczenie kpt. Dariusz Drewnowski z Wydziału IV Departamentu V. Początkowo Sosnowski pracował w Departamencie Zagranicznym, ale gdy przeniósł się do Biura ds. współpracy z Bankiem Światowym i zaczął uczestniczyć w rozmowach z misjami BŚ przyjeżdżającymi do PRL, jego wartość dla SB wzrosła.

23 maja 1988 r. pozyskania Sosnowskiego dokonał mjr Tomasz Witomski, z-ca naczelnika Wydziału IV Departamentu V. Sosnowski zobowiązał się ustnie do współpracy z SB i przyjął ps. „Janek". Nie trwała ona jednak długo, gdyż „Janek" zwolnił się z NBP 15 kwietnia 1989 r. i „nie podjął pracy w żadnym z chronionych [przez Wydział IV – dop. aut.] obiektów" – zanotował oficer prowadzący[90].

Wydział VIII przy tak rozbudowanej agenturze dostawał te same materiały od różnych współpracowników, co umożliwiało ich weryfikację, np. niektóre dokumenty od „Lefskiego" uzyskano już wcześniej od KO „Eksperto", a program komputerowy Lotus 1, 2, 3 używany przez IFC do oceny efektów projektów inwestycyjnych, który Gajewski otrzymał od Nassima, zdobył już metodami operacyjnymi ppor. Daniel Markowski[91], absolwent MGIMO (1978) i funkcjonariusz Wydziału VIII na etacie niejawnym w Banku Handlowym, występujący pod nazwiskiem legalizacyjnym „Zwierski". Programy komputerowe były łakomym kąskiem dla SB, co pokazuje stopień zacofania i niewydolności systemu w jego schyłkowej fazie.

Zadaniem „Lefskiego" było „zaprzyjaźnienie się" z Anthonym Doranem, pracownikiem IFC, który przyjechał na konsultacje z NBP w maju 1988 r. Dzięki temu kontaktowi „Lefski" wyjechał na trzytygodniowy staż do siedziby IFC w Waszyngtonie. Ćwiek polecił mu, by postarał tam się zatrudnić i skopiował programy z komputera Dorana, gdy będzie pracował w jego gabinecie. Na spotkaniu 9 września 1988 r. obecny był też ppor. Mariusz Grzeszczyk (występujący pod nazwiskiem legalizacyjnym „Olczyk"), który w Wydziale VIII zajmował się rozpracowywaniem zdobytego software'u. Udzielił „Lefskiemu" fachowych rad, jak kopiować programy. Gdyby akcja się udała, Gajewski miał się skontaktować w Waszyngtonie z Lichockim – „Overem". Zadania „Lefski" „przyjął do realizacji bez zastrzeżeń, podkreślając, że to co będzie możliwe postara się wykonać uwzględniając nasze uwagi odnośnie legendowania oraz konspiracji" – zanotował Ćwiek[92]. SB zależało na uzyskaniu programów Lotus 2.01, Aremas, EUS System Facilities i PFS Professional Write. Okazało się jednak, że w pokoju Dorana przez cały czas przebywała jeszcze inna osoba, Pakistańczyk, i „Lefski" nie mógł wykonać zadania.

14 lutego 1989 r. Gajewskiego przejął na kontakt ppor. Mariusz Grzeszczyk, który prowadził również Karcza (KO „Radża"). Gajewski w tym czasie już awansował na starszego doradcę prezesa Banku Handlowego. „Lefski" uczestniczył w kontroli operacyjnej wizyty delegacji Banku Światowego. 3 marca 1989 r. w godzinach 9.00– 15.00 Wydział IX Biura „B", czyli obserwacji, zamontował

podsłuch pokojowy i telefoniczny (PP i PT) w pokoju, gdzie przebywała delegacja, by rejestrować rozmowy. Gajewski miał pilnie poinformować, gdyby doszło do zmiany programu pobytu delegacji. 16 października „Lefski" dostarczył ppor. Grzeszczykowi plany pobytu delegacji Banku Światowego. Gajewski „na nasze propozycje niemal natychmiast reagował zgłaszając gotowość i realizując zadania" – notował Grzeszczyk. Chociaż z dalszych spotkań z oficerem prowadzącym brak jest raportów, to jednak rachunki z restauracji wskazują, że po raz ostatni Gajewski rozmawiał z por. Grzeszczykiem („Olczyk") w Domu Chłopa 25 kwietnia 1990 r. W III RP „Lefski" był szefem polskiego oddziału Nykredit Realkredit A/S SA (1993–1998), a po jego likwidacji został prezesem Zarządu Polsko-Amerykańskiego Banku Hipotecznego S.A., zaś później m.in. prezesem Zarządu Śląskiego Banku Hipotecznego.

Jana Sulmickiego[93], czyli kolejną z osób wchodzących w skład utworzonego w NBP Wydziału Międzynarodowych Instytucji Finansowych do współpracy z Bankiem Światowym i MFW pod kierownictwem Andrzeja Ilczuka (KO „Plis") wytypował dla werbunku do AWO kpt. Edward Trytek 10 listopada 1970 r. w czasie kursu tłumaczy wojskowych przy 1. Batalionie Szturmowym w Dziwnowie. Po Marcu 1968 r. Sulmicki był przez dwie kadencje kierownikiem propagandy Studenckiego Ośrodka Dyskusyjnego. Po ukończeniu SGPiS w grudniu 1971 r. pracował jako asystent w Katedrze Analizy Rynków Zagranicznych na tej uczelni. Oficerem prowadzącym Sulmickiego, podobnie jak Ireneusza Sekuły i Bronisława Klimaszewskiego, został por. marynarki Jerzy Reczkowicz („Rojewski"), ale kontakty były utrudnione ze względu na częste wyjazdy za granicę i zmiany miejsca pracy przez kandydata na wywiadowcę AWO. 10 stycznia 1974 r. Reczkowicz wnioskował, by zrezygnować ze współpracy z Sulmickim, gdyż „w 1972 i 1973 r. trzykrotnie starano się wezwać go do Dzielnicowego Sztabu Wojskowego Warszawa – Śródmieście. Wyżej wymieniony często zmienia miejsce pracy i jest nieuchwytny. Odnoszę wrażenie, że Sulmicki Józef [błąd w imieniu – *aut.*] jest związany ze służbą specjalną MSW, gdyż zbyt często posiada usprawiedliwienie nie stawienia się do DSzW. Proponuję zrezygnować z kandydata"[94].

W III RP Sulmicki był doradcą prezesów NBP (1986– 2002) oraz członkiem Rady Nadzorczej PBK S.A. (1990– 1992), przedstawicielem Polski w Radzie Nadzorczej Banku Światowego w Waszyngtonie (1992–1997) oraz wiceministrem w Rządowym Centrum Studiów Strategicznych (1997–2000). 12 grudnia 2006 r. przedstawiony przez prezydenta Lecha Kaczyńskiego jako kandydat na prezesa NBP, już po dwóch dniach wycofał swoją kandydaturę. Sulmicki wchodził jeszcze w skład Rady Nadzorczej KGHM Polska Miedź S.A. (24.10.2006–11.04.2007).

Ilczuk spotykał się z Ćwiekiem w praktyce co tydzień. Podobnie jak Krowacki, na polecenie wywiadu utrzymywał również kontakt z Johnem Albertem Cloudem, radcą handlowym Ambasady USA w Warszawie, i przekazywał uzyskane od niego informacje. W ten sposób weryfikowano doniesienia Krowackiego – „Aleksa".

W dniach 1–30 czerwca 1986 r. PRL odwiedziła misja Banku Światowego. Jak oceniała SB, „Plis szczególnie aktywnie pomógł Służbie Wywiadu MSW w trakcie pobytu II misji Banku Światowego w PRL"[95].

Ilczuk pomógł także w operacji przeprowadzenia podsłuchu rozmów z członkami kolejnej delegacji Banku Światowego. 3 marca 1987 r. okablowano pokój w hotelu Victoria, do którego na kolację zaproszono delegatów. Ilczuk miał natychmiast informować telefonicznie bazę SB w hotelu, jeśli ktoś opuściłby przyjęcie.

Po przeszkoleniu 12 i 26 maja 1987 r. w MK „Ozanna" Ilczuk wyjechał w lipcu do Waszyngtonu, gdzie objął stanowisko radcy Ambasady PRL.

W Waszyngtonie Ilczuka przejął „Task", czyli oficer operacyjny rezydentury kpt. Zbigniew Lis, oddelegowany oficjalnie na stanowisko attaché naukowo-technicznego Ambasady PRL (16.09.1984–1.10.1988). Lis był inspektorem Wydziału V Departamentu I, czyli zajmował się przemysłem ciężkim, a nie finansami i od sierpnia 1981 r. pracował na etacie niejawnym w PHZ „Unitra". Centrala bardzo dobrze oceniała pracę „Taska" z Ilczukiem, który szukał nawet rady w sprawach osobistych i wypłakiwał się u oficera prowadzącego na swój ciężki los...

Zadaniem „Plisa" było rozpracowywanie MFW i Banku Światowego oraz kontrola „Donka", czyli Boniuka, który oficjalnie był radcą ds. finansowych Ambasady PRL w Waszyngtonie (1983–1988). Ilczuk miał weryfikować jego informacje i pisać oceny jego materiałów[96]. „Plis" brał udział w posiedzeniach rady gubernatorów Banku Światowego, dysponował więc informacjami z pierwszej ręki o członkach zarządu i ich polityce.

W instrukcji dla Lisa z 17 września 1987 r. centrala zwracała się do Ilczuka w sprawie MFW i Banku Światowego: „prosimy o jego własną ocenę rozmów prowadzonych przez polskie delegacje z w/wym. organizacjami"[97].

Poprzez „Plisa" SB kontrolowała więc polskie delegacje przybywające na negocjacje do Waszyngtonu.

„Task" raportował, że pouczył „Plisa", iż ten „musi wskazywać nam w notatkach, które informacje i materiały przekazał lub przekaże w przyszłości do NBP [...] te informacje, które uzyskał nieoficjalnie (w rozmowie prywatnej, z niedostępnej publikacji itd.) powinien przekazywać dla nas [...] może np. wysyłać do NBP pocztą jakiś raport, a nam dostarczyć uprzednio pisemnie jego streszczenie (zaznaczając kiedy raport dotrze do kraju). Jeśli chodzi o informacje najważniejsze, strategiczne (np. decyzja o przyznaniu nam kredytów), to musimy je jednak znać wcześniej niż NBP, niezależnie od tego czy przychodzić one będą od źródeł oficjalnych czy też innych"[98]. Widzimy więc, że SB miała całkowitą kontrolę nad polityką finansową NBP.

17 września 1988 r. kpt. Zbigniew Lichocki[99] (ps. „Over") wyjechał do rezydentury w Waszyngtonie oficjalnie na stanowisko sekretarza Ambasady PRL. Zastąpił wówczas „Taska" – Lisa i został oficerem prowadzącym Ilczuka – „Plisa".

W instrukcji dla „Sadika" (ppłk Marek Szewczyk) z lipca 1987 r. centrala pisała o Ilczuku, że opracowywał wartościowe materiały i „współpracę z wywiadem traktował poważnie i z dużym osobistym zaangażowaniem"[100].

W kwietniu 1988 r. groziło „Plisowi", podobnie jak później „Aleksowi", odwołanie do kraju z powodu słabych wyników w pracy oficjalnej, na którą obaj nie mieli czasu przytłoczeni wykonywaniem zadań dla komunistycznego wywiadu. We wrześniu 1989 r. rezydent Szewczyk oceniał pracę Ilczuka jako bardzo dobrą, ale nakazał mu więcej pracować oficjalnie, gdyż Władysław Baka, nowy szef NBP, mógłby się go pozbyć, co byłoby stratą dla Departamentu I. „Over" dawał tu przykład „Donka", który zarzucał Ministerstwo Finansów, Ministerstwo Współpracy Gospodrczej z Zagranicą, Bank Handlowy i Bank Rozwoju Eksportu oficjalnie dostępnymi raportami. 30 listopada Lichocki wręczył Ilczukowi w nagrodę za całokształt współpracy 200 dolarów.

1 czerwca 1989 r. na mocy decyzji NBP „Plis" przeszedł na etat Banku Światowego. Była to propozycja Wójtowicza (KO „Camelo") złożona ministrowi Wróblewskiemu, gdy przyjechali razem w delegacji do USA w kwietniu tego roku. Ale swoje dźwignie poruszył też wywiad. 9 sierpnia Ilczuk wyjechał do Polski. Jak relacjonował spotkanie z nim w kraju Andrzej Ćwiek: „poinformowałem «P», iż mając na względzie wagę zagadnienia i wyniki dotychczasowej współpracy z naszą służbą dołożyliśmy wszelkich starań celem uplasowania go na tym stanowisku". Ilczuk miał zainteresować się zwłaszcza „niekonwencjonalnymi metodami rozwiązywania problemów zadłużenia", przez co rozumiano operację FOZZ. Ze swej strony „Plis" zapewnił, iż teraz ma większe możliwości pracy dla SB. I jak meldował Ćwiek, Ilczuk „najcenniejsze materiały przekazuje do naszych potrzeb, natomiast pozostałe przesyła oficjalnie do NBP"[101].

Ostatni zachowany materiał od Ilczuka Lichocki nadesłał 30 marca 1990 r. Tak owocna współpraca z Departamentem I gwarantowała Ilczukowi wspaniałą karierę w III RP.

Po powrocie do kraju „Plis" podjął pracę w Narodowym Funduszu Ochrony Środowiska i Gospodarki Wodnej, w 1993 r. został wicedyrektorem Departamentu Systemów Zarządzania Centralnego Urzędu Planowania, a następnie pełnił funkcję doradcy w Urzędzie Rady Ministrów. III RP ciągle nie mogła się bez niego obejść, skoro po raz trzeci wysłano go do ambasady w Waszyngtonie (1995–2003). I nie przeszkodziło to Amerykanom, mimo że jeszcze w lutym 1989 r. Ilczukiem interesował się U.S. Department of Defense. Następnie „Plis" został doradcą Samoobrony i z jej ramienia 5 września 2006 r. objął stanowisko sekretarza stanu w Ministerstwie Rozwoju Regionalnego w koalicyjnym rządzie PiS. Ustawa lustracyjna jakoś mu w tym nie przeszkodziła. Ilczuk został z tej funkcji odwołany 13 sierpnia 2007 r., po załamaniu się koalicji PiS z Samoobroną.

Krzysztof Krowacki „Aleks" miał znaczny, jeśli nie decydujący, wpływ na to, kto negocjuje w imieniu PRL z MFW i Bankiem Światowym. Jak pisał 5 sierpnia 1988 r., a więc niecały miesiąc po przyjeździe do rezydentury: „W dniu wczorajszym dokonałem ostatecznego uzgodnienia delegacji udającej się do Berlina na doroczne spotkanie MFW i BŚ"[102]. Wytypowano do niej 15 osób: byłego prezesa NBP Władysława Bakę, ministra finansów Bazylego Samojlika (Zarząd II[103]) – gubernatorów BŚ i MFW, Zdzisława Pakułę[104] – prezesa NBP (lipiec 1988–wrzesień 1989), Władysława Czułnę (oficer „Piotrowski") – z-cę dyrektora Departamentu Zagranicznego MF, czasowych wicegubernatorów, doradców NBP: Andrzeja Olechowskiego (KO „Must"), Michała Ostalskiego, Zbigniewa Sosnowskiego, Andrzeja Ścisłowskiego oraz Zenona Hundsdorffa[105] z PKO, niejakiego Solo z Banku Handlowego i jako gości specjalnych: Tadeusza Barłowskiego

(KO „Ambar") – prezesa Banku Handlowego i Mariana Krzaka[106] – prezesa PKO.

Wymieniony tu Tadeusz Barłowski[107] pracował w placówce PKO w Paryżu, gdy 21 stycznia 1967 r. zwerbował go oficer rezydentury Stanisław Streja ps. „Justynin" – narodził się w ten sposób KI „Banko" lub „Bankowiec". Barłowski „z miejsca oświadczył, że czuje się w obowiązku informowania nas o wszystkich swoich spostrzeżeniach" – zanotował „Justynin"[108]. Streja był III a potem II sekretarzem Ambasady PRL w Paryżu (1965–1969), następnie objął stanowisko kierownika punktu operacyjnego w Rabacie (1975–1977) i po powrocie do kraju został najpierw zastępcą (1980), a następnie naczelnikiem Wydziału X Departamentu I (1985–1986), czyli kontrwywiadu w wywiadzie. Streja był odpowiedzialny m.in. za opiniowanie osób wyjeżdżających na placówki.

Barłowski udzielał „Justyninowi" informacji o pracownikach placówki PKO. W grudniu 1972 r. SB zrezygnowało jednak ze współpracy z „Bankowcem", gdyż nie rokował rozwoju operacyjnego[109]. W 1973 r. „Bankowiec" przeszedł do pracy w Banku Handlowym, gdzie objął stanowisko z-cy dyrektora Departamentu Operacyjnego. W 1978 r. Barłowski stworzył oddział Banku Handlowego w Londynie, nie dziwi więc, że tym razem zainteresował się nim naczelnik Wydziału VIII płk Konrad Biczyk i były KI „Banko" przekształcił się 29 sierpnia 1978 r. w KO „Ambar". W 1984 r. Barłowski został prezesem Banku Handlowego for the Middle East, czyli Oddziału BH w Bejrucie, a rok później wiceprezesem BH w Warszawie. W 1987 r. „Ambar" został prezesem Banku Handlowego. Rok później SB zakończyła z nim współpracę

„z uwagi na wiek i częściową utratę możliwości wywia-dowczych"[110]. W 1991 r. „Ambara" na stanowisku pre-zesa BH zastąpił TW „Michał", czyli Cezary Stypułkow-ski, przyszły m.in. prezes PZU (2003–2006) i mBanku. 6 marca 1989 r. centrala pisała do „Sadika" o konflikcie w sprawach personalnych, który podzielił współpracow-ników Wydziału VIII. Nie mogli oni bowiem uzgodnić, kogo delegować do MFW. Ministerstwo Finansów chciało wysłać Jerzego Basiuka[111], natomiast Wydział VIII Depar-tamentu I Krowackiego. „Mając na uwadze bardzo dobre wyniki «Aleksa» na odcinku realizacji zadań operacyjno--informacyjnych naszego pionu, podjęliśmy czynności na rzecz przeforsowania kandydatury A, ale jego słabe wy-niki oficjalne dają mu małe szanse, jeśli się nie uda po-zostanie w ambasadzie"[112]. Widzimy więc, że Krowacki przede wszystkim pracował dla wywiadu, który oceniał go bardzo dobrze, natomiast jako radca ekonomiczny nie był ceniony w ministerstwie, gdyż zaniedbywał oficjalne obowiązki, prawdopodobnie z braku czasu.

Jak dalej wyjaśniała centrala, pod nieobecność Włady-sława Czulny („Piotrowski") wiceminister Janusz Sawicki (KO „Jasa" i „Kmityn") kazał „Okey'owi" przygotować zgłoszenie Basiuka. Dowiadujemy się, że Krowacki nie cieszy się sympatią i poparciem ministra, który łączył go ze starą ekipą Karcza (KO „Radża"), a stosunki z wice-ministrami Andrzejem Doroszem (KO „Dora") i Janu-szem Sawickim „Aleks" miał złe.

Janusz Sawicki po ukończeniu SGPiS pracował na uczelni jako asystent (1972–1979). W 1979 r. został zarejestrowany pod nr 13201 przez Wydział VIII De-partamentu I jako KO „Jasa" i „Kmityn"[113]. W 1980 r.

mianowano go attaché finansowym w BRH w Kopenhadze, skąd wrócił po czterech latach. W 1987 r. został dodatkowo zarejestrowany jako KO także przez Wydziały IV i V Departamentu V. Materiały zniszczono 23 stycznia 1990 r.[114] W 1988 r. Sawickiego mianowano wiceministrem finansów odpowiedzialnym za obsługę polskiego zadłużenia zagranicznego, dlatego został przewodniczącym rady nadzorczej FOZZ (14.03.1989–31.12.1990). Był też prezesem rady nadzorczej Banku Handlowego (1989–1990). Po odejściu w końcu 1991 r. z ministerstwa Sawicki od 2007 r. pracował w Instytucie Badań Rynku, Konsumpcji i Koniunktur. 24 lutego 2009 r. został dodatkowo doradcą Ireneusza Fąfary, prezesa Banku Gospodarstwa Krajowego, od 2002 r. zajmującego się obsługą polskiego zadłużenia.

Andrzej Dorosz[115] po ukończeniu SGPiS w 1965 r. pracował na tej uczelni. W 1972 r. przeszedł do Departamentu Walutowo-Finansowego MHZ. W 1981 r. został dyrektorem tego departamentu i wtedy zainteresował się nim wywiad ekonomiczny. Wcześniej był kontaktem służbowym „J" Wydziału VII Departamentu V, ale 1 maja 1982 r. został pozyskany jako KO „Dora" przez Wydział VIII Departamentu I. We wrześniu 1986 r. „Dora" został podsekretarzem stanu w Ministerstwie Finansów i negocjatorem z Klubem Paryskim i MFW. Informował o sytuacji w MHZ i MF oraz o negocjacjach zadłużeniowych, a także dostarczał dokumenty ministra finansów, w tym notatki Krowackiego. Tak więc i z tej strony wywiad mógł kontrolować „Aleksa"[116].

W 1988 r. wysłano Dorosza na placówkę do Finlandii, ale wywiad na tamtym terenie kontaktu nie podjął z powodu braku takich możliwości. To właśnie w obecności Dorosza 31 stycznia 1989 r. wiceminister Sawicki („Kmityn") zaproponował Grzegorzowi Żemkowi objęcie kierownictwa FOZZ. Ostateczna decyzja w tej sprawie zapadła 1 lutego na spotkaniu „Dika" (Żemek) z „Kmitynem" i ministrem Wróblewskim[117].

Materiały dotyczące „Dory" złożono do archiwum dopiero w maju 1990 r. Po powrocie Dorosz prezesował zarządowi Banku Pekao S.A. (1996–1998), zarządowi Skarbca TFI S.A. (1998–2004) i wreszcie zarządowi Banku Gospodarstwa Krajowego (2004–2006).

Ostatecznie zatem do MFW w 1989 r. wyjechał Jerzy Basiuk. 13 kwietnia 1989 r. Andrzej Stachurski, z-ca naczelnika Wydziału VIII Departamentu I, w odpowiedzi na pytanie ppłk. Gromosława Czempińskiego, naczelnika Wydziału X (kontrwywiad) Departamentu I, o charakter materiałów posiadanych przez wywiad ekonomiczny, odpowiedział, że „nie posiadamy materiałów, które stanowiłyby przeszkodę" w wyjeździe. Oznaczało to, że materiały są, ale o charakterze pozytywnym z punktu widzenia SB. Teraz Departament I odpowiedział MSZ, że nie stawia przeszkód w nominacji Basiuka do MFW[118]. Była to standardowa procedura. Po powrocie z MFW Basiuk pracował w BRE Banku i był członkiem Rady Fundacji BRE Banku, a następnie został wiceprezesem BGK[119]. Jak widzimy chodziło tu o „niesnaski w rodzinie" Wydziału VIII, który posiadał listę wszystkich pracowników Ministerstwa Finansów wraz z informacjami, kto z nich lub ich rodzin jest rejestrowany jako współpracownik jednej z tajnych służb[120].

15 lutego 1989 r., a więc po rozpoczęciu obrad okrągłego stołu, „Aleks" spotkał się z Friedrichem, dyrektorem

departamentu w Instytucie Finansów Międzynarodowych. W notatce z rozmowy informował, że zdaniem Friedricha „porozumienie okrągłego stołu zakończyłoby w opinii Amerykanów erę zapoczątkowaną stanem wojennym" i Departament Skarbu nie blokowałby kredytów, jednakże nadal brak jest inicjatywy ze strony USA w sprawie zadłużenia i nie ma reakcji Klubu Paryskiego. Widać więc, że komuniści, gdyby żądano od nich więcej, musieliby ustąpić, by uzyskać pomoc zagraniczną.

W instrukcji dla „Sadika" z 12 grudnia 1988 r. dotyczącej Krowackiego centrala pisała, iż wywiad ciekaw jest „opinii Sachsa na metody rozwiązania zadłużenia Polski (banki, warunki transakcji)" oraz zainteresowany jest „kopiami umów dotyczących niekonwencjonalnego rozwiązania zadłużenia krajów Ameryki Łacińskiej"[121]. Chodziło oczywiście o materiały potrzebne do koncepcyjnego przygotowania operacji FOZZ.

Zapewne płk Szewczyk wysłał zapytanie o zgodę na wyjazd „Aleksa" do Jeffreya Sachsa, gdyż 27 grudnia centrala poinformowała rezydenta, że wyraża zgodę na kupno dla Krowackiego biletu lotniczego do Bostonu, by ten mógł spotkać się z ekonomistą.

3 stycznia 1989 r. Krowacki przekazał Departamentowi relację ze spotkania i informacje zebrane na temat Sachsa. W konsekwencji Wydział VIII założył na Sachsa SMW, czyli Segregator Materiałów Wstępnych, co znaczyło, że brał pod uwagę jego werbunek. Sprawę ostatecznie zaś przekazano do archiwum po lipcu 1990 r., na co wskazuje zasłonięcie części dokumentu[122].

Sachs, profesor ekonomii na Uniwersytecie Harvarda w Bostonie, zajmował się problematyką zadłużenia. Żona

Sachsa jest Czeszką, co mogło wpłynąć na jego zainteresowanie blokiem sowieckim. Był doradcą rządu Boliwii, kiedy wykupił on połowę zadłużenia po cenie 11 proc. jego nominalnej wartości. Zapewne ta informacja najbardziej zainteresowała Wydział VIII w związku z planowanymi działaniami FOZZ. 15 lutego 1989 r. na mocy ustawy powołano FOZZ jako państwowy fundusz celowy, który formalnie miał zająć się wykupywaniem długu PRL na rynku wtórnym.

Krowacki pisał, że Sachs współpracuje z MFW, słuchany jest w Kongresie USA i „znany jest z kontrowersyjnego poglądu o konieczności selektywnego umorzenia długu krajów Ameryki Łacińskiej wobec banków komercyjnych. [...] Zapytany czy zechciałby zostać doradcą Polski J.S. odpowiedział: «Nie wcześniej jak rząd dogada się z „Solidarnością" – wynika to z moich osobistych odczuć, a także przeświadczenia, że żaden program reform nie uda się bez consensusu społecznego». Poza tym stwierdził: «bardzo lubię Polaków i chętnie bym współpracował»"[123].

Dalej Krowacki relacjonował, że Sachs powiedział mu, iż „przyjechałby do Polski z odczytem lub w ramach misji Banku Światowego («nagranie» takiej wizyty nie powinno nastręczać trudności)".

Sachs przyjął Krowackiego w pokoju zawalonym papierami, ubrany niedbale. „Sądzę, że jest naukowcem o zacięciu politologa. Może być dość powierzchowny w szczegółach. Lubi popisywać się" – relacjonował „Aleks"[124] spotkanie, które musiało nastąpić w ostatnich dniach grudnia 1988 r. lub 2–3 stycznia 1989 r.

27 stycznia 1989 r. centrala napisała do rezydenta „Sadika": „Mamy możliwości zaproponowania Jeffreya

D. Sachsa na seminarium organizowane 13–15 marca br. w Krakowie przez Centrum Badań nad Zadłużeniem i Rozwojem. Prosimy by Aleks wysondował niezobowiązująco stanowisko S[achsa] odnośnie udziału i przygotowania referatu nt. Międzynarodowy Kryzys Zadłużenia – Polityka dostosowania i rozwój ekonomiczny. Przekażcie adres na jaki wysłać zaproszenie"[125]. 12 lutego płk Szewczyk odpowiedział, iż Sachs w seminarium jednak nie weźmie udziału, gdyż była to dla niego „zbyt mała oferta".

Widzimy więc, że ściągnięcie sławnego ekonomisty do Polski zawdzięczamy nie „demonicznemu" Geremkowi, ani złowrogim zwolennikom konsensusu waszyngtońskiego[126], jak wypisują narodowi patrioci, ale Wydziałowi VIII Departamentu I. Komunistyczny wywiad cywilny starał się sprowadzić Sachsa do Polski jeszcze przed rozpoczęciem rozmów okrągłego stołu. Dowodzi to, że nie tylko wywiad był realizatorem demontażu komunizmu, ale również, iż podstawowy kierunek transformacji został już wyznaczony i pozostało powierzyć jej przeprowadzenie opozycji, oczywiście pod kontrolą komunistycznych służb specjalnych.

Po ustaleniach ze swoim faktycznym kierownictwem Krowacki pisał 10 maja 1989 r. do oficjalnego zwierzchnika, czyli Andrzeja Wróblewskiego, ministra finansów w rządzie Rakowskiego (14.10.1988–12.09.1989).

„Aleks" informował: „pod koniec ub. r. nawiązałem kontakt z prof. J. Sachsem", po czym tłumaczył, że jest to specjalista zajmujący się problematyką zadłużenia krajów Ameryki Łacińskiej. „Z powyższego głównie powodu zachęciłem prof. Sachsa do przyjazdu do Polski korzystając z faktu, iż posiadał opłacone zaproszenie na seminarium w Moskwie. W drodze powrotnej z Moskwy prof. J. Sachs zatrzymał się w Warszawie, gdzie, o ile wiem, odbył rozmowę z wiceministrem Finansów Ob. J. Sawickim, prof. W. Trzeciakowskim oraz wygłosił odczyt na seminarium IKC HZ. Prof. J. Sachs w moich z nim rozmowach wykazywał zawsze wiele sympatii dla «Solidarności», twierdząc, że chętnie udzielać będzie rad w sprawach zadłużenia przedstawicielom rządu, jeżeli równolegle będzie mógł spotykać się z przedstawicielami «Solidarności». Prof. J. Sachs po podpisaniu porozumienia «okrągłego stołu» stwierdził, iż gotów jest – w przypadku zgody naszego rządu, zająć się w sposób trwały sprawą doradztwa dla Polski w zagadnieniach zadłużenia"[127].

Jak z tego wynika, po fiasku próby ściągnięcia Sachsa przez Departament I do Krakowa w marcu, plan został zrealizowany w kwietniu, gdy ekonomista wracał z Moskwy i jak sam wspomina, rozpoczęła się jego działalność w Polsce po podpisaniu 5 kwietnia porozumień okrągłego stołu[128].

Dalej „Aleks" informował ministra Wróblewskiego, że Sachs „po podpisaniu porozumień «o. s» stwierdził, że gotów jest w przypadku zgody naszego rządu zająć się w sposób trwały sprawą doradztwa dla Polski w zagadnieniach zadłużenia – Propozycja prof. Sachsa jest następująca:

a) Prof. Sachs uzyska samodzielnie wsparcie finansowe dla swojej działalności, które potrzebne jest na pokrycie kosztów podróży, badań, płac pracownika pomocniczego itp.

b) Doradztwo prof. Sachsa dotyczyłoby dwóch dziedzin:
• polityki w zakresie rozwiązania problemów zadłużenia
• wewnętrznej polityki makroekonomicznej

c) Powtórzył swój warunek, że chciałby równolegle przekazywać swoje rady przedstawicielom «Solidarności».

Czekam na decyzję i jednocześnie proponuję wstępne przyjęcie powyższej oferty [...]"[129].

Krowacki podkreślił, że Sachs może poinformować o konkretnych rozwiązaniach zastosowanych w Ameryce Łacińskiej i chce współpracować z MFW. Centrali chodziło bowiem o problem zadłużenia. „Aleks" zaproponował jednak, by Sachsa zatrudnić czasowo i na poziomie doradcy dyrektora Departamentu Zagranicznego Ministerstwa Finansów.

Od kwietnia do września 1989 r. Sachs był w Polsce siedem razy, na ogół ze swoim współpracownikiem Davidem Liptonem. Podróże finansowała fundacja Open Society George'a Sorosa bezpośrednio lub przez Fundację Batorego. 18 czerwca Sachs i Soros przyjechali do Polski razem[130]. Boniuk (KO „Donek") zdał kpt. Stachurskiemu raport z rozmów w Ministerstwie Finansów z Sorosem, Sachsem i Liptonem. Nie doszło wówczas jeszcze do podpisania wspólnego dokumentu, mimo starań Trzeciakowskiego i Gomułki.

28 lipca 1989 r. Sachs i Lipton przedstawili „Zarys programowego Programu Gospodarczego «Solidarności»"[131]. Szokowa zmiana cen miała doprowadzić do stabilizacji i utworzenia rynku. Z jednej strony przewidywano zniesienie dopłat i kontroli cen, wprowadzenie stabilnego kursu 3500 zł za dolara, a z drugiej częściową indeksację zarobków i przeznaczenie od 1/2 do 3/4 oszczędności z dopłat na podwyżkę zarobków oraz likwidację nadmiernego podatku od płac w przedsiębiorstwach. Autorzy przywiązywali bowiem dużą wagę do ochrony poziomu życia.

Wycofanie się z bezsensownych inwestycji i redukcja długu miały spowodować likwidację deficytu. Pomoc zagraniczna miała przewyższyć spłaty długów. Skokowy wzrost poziomu życia miał nastąpić w ciągu 5 lat przede wszystkim dzięki tworzeniu prywatnych firm. Kredyty preferencyjne przewidywali tylko dla budownictwa.

Ciekawe, że autorzy pozytywnie oceniali część firm państwowych, ale zalecali podzielenie przez Komisję Antymonopolową wielkich przedsiębiorstw na mniejsze. W państwowych fabrykach samorząd robotniczy miał pilnować, by nie doszło do ich rozkradzenia. Uważali, że przemysł węglowy w wyniku uwolnienia cen uzyska nadmierne zyski i chcieli go dodatkowo opodatkować. Zniesieniu licencji eksportowych i importowych towarzyszyłoby wprowadzenie stałego podatku importowego w wysokości 20 proc. W drugim roku reformy miała zacząć się prywatyzacja i powstać giełda. Program ten w kwestiach socjalnych znacznie zatem odbiega od ostatecznie zrealizowanego, a przypisywanego przez opinię publiczną autorom.

Podczas wizyty w Polsce 24 sierpnia Sachs spotkał się z premierem Mazowieckim, który polecił jako realizatora planu nieznanego Sachsowi Leszka Balcerowicza. Do spotkania i współpracy między obu ekonomistami doszło we wrześniu[132].

23 września o wizycie Liptona w NBP informował por. Mariusza Grzeszczyka („Olczyk") KO „Olney", czyli Marek Oleś. Tematem rozmowy było wejście Liptona i Sachsa do resortowej grupy przy ministrze Balcerowiczu ds. polityki i programu gospodarczego. Rząd miał być zaprzysiężony 28 września, ale jego skład był już ustalony. Oleś otrzymał zadanie dostarczenia sprawozdania z rozmów z Liptonem[133].

Wzmiankowany tu Marek Oleś[134] po ukończeniu SG-PiS-u w 1978 r. podjął pracę w Instytucie Finansów, który podlegał Ministerstwu Finansów. Pisał też do „Życia Warszawy", „Razem" i „Zarzewia". Jego ojciec był oficerem Nadwiślańskich Jednostek MSW.

Gdy w 1983 r. Oleś jechał na dziesięciomiesięczne stypendium Fullbrighta do Uniwersytetu Columbia, SB podjęła z nim dialog operacyjny. Formalnego pozyskania Olesia dokonał 15 czerwca 1983 r. ppor. Marek Osiatyński z Wydziału II, czyli kontrwywiadu warszawskiej SB. Oleś podpisał wówczas nazwiskiem deklarację współpracy: „Wyrażam chęć pomocy wywiadowi PRL" i przyjął zadania bez zastrzeżeń. Departament I wnioskował wtedy o przyspieszenie wydania paszportu. Po powrocie we wrześniu 1984 r. Oleś złożył pisemne sprawozdanie z pobytu na Columbia University. „Postawione przed nim zadania zrealizował bez zastrzeżeń, przekazując po powrocie do kraju szczegółowe sprawozdanie" – pisał oficer prowadzący[135].

Po powrocie do kraju Olesia prowadził por. Ireneusz Rosłaniec z Wydziału II SUSW, ale interesował się nim także Departament I. 8 października 1987 r. Rosłaniec wnioskował o przekazanie Olesia Wydziałowi VIII Departamentu I, ponieważ podlegało mu Ministerstwo Finansów, a w szczególności Biuro Międzynarodowych Organizacji Finansowych, w którym od września pracował „Olney", jednocześnie pełniąc funkcję doradcy ministra finansów. Olesia przejął ppor. Grzeszczyk i teraz zaczęła się jego prawdziwa kariera. Przypomnijmy, że Grzeszczyk prowadził też „Radżę" (Karcz), „Lefskiego" (Gajewski) i Nieckarza („Darg"). A skoro Biurem Międzynarodowych

Organizacji Finansowych kierował Krowacki, SB mogła kontrolować swego oficera poprzez kolejnego KO – „Olneya". Głównie jednak Oleś rozpracowywał i oceniał dla Wydziału VIII programy komputerowe, które zdobywali jego agenci tacy jak „Aleks" (Forecast Pro), „Lefski" czy „Zwierski".

3 grudnia 1987 r. ppor. Grzeszczyk wnioskował o nagrodę dla „Olneya" w wysokości 15 tys. zł za rozpracowanie uzyskanego operacyjnie modelu makroekonomicznego sformułowanego przez T. Wolfa i K. Świderskiego, wykorzystywanego przez członków misji MFW podczas rozmów ze stroną polską[136].

Oleś chciał wstąpić do SB i 15 grudnia 1987 r. napisał podanie o przyjęcie do MSW. Wydział VIII w styczniu 1989 r. miał nawet zamiar go ukadrowić jako oficera II linii, podobnie jak Krowackiego i Czułnę. Badania lekarskie wykazały jednak, że ma zaburzenia osobowości[137].

W 1988 r. „Olney" przeniósł się z ministerstwa do NBP na stanowisko dyrektora Departamentu Zagranicznego. Kiedy Oleś pojechał do Waszyngtonu na kurs MFW, trwający od 28 marca do 17 czerwca 1988 r., otrzymał zadanie zdobycia modeli informatycznych, którymi posługiwał się Fundusz. Jego oficerem prowadzącym na miejscu był kpt. Zbigniew Lis ps. „Task". „Olney" donosił przy okazji na „Aleksa", być może nie wiedząc, iż jest to oficer II linii tego samego Wydziału VIII.

Oleś często otrzymywał od SB upominki. 3 grudnia 1988 r. ppor. Grzeszczyk podarował mu alkohol za 3 dolary, a 30 stycznia 1989 r. już za 6,78 dolara. Z naszej perspektywy wydaje się to śmieszne, ale trzeba pamiętać o ówczesnym kursie dolara i pustkach w sklepach.

Na spotkaniu 6 listopada 1989 r. w „Mazowii" por. Grzeszczyk przekazał Olesiowi dyskietkę z programem Hun-Weo, pozyskaną operacyjnie od misji MFW, i polecił zbadać zakres wykorzystania zawartych tam modeli ekonomicznych[138]. „Olney" musiał się wywiązać z zadania, skoro 15 grudnia por. Grzeszczyk wręczył mu 100 tys. zł nagrody za „zaangażowanie przy realizacji zadań naszej służby". Rząd Mazowieckiego także docenił usługi Olesia. Nic więc dziwnego, że jego kariera biegła w Polsce okrągłostołowej od sukcesu do sukcesu.

Z NBP „Olney" przeszedł w 1991 r. do Banku Handlowego, gdzie został najpierw dyrektorem Departamentu Ekonomicznego, a następnie członkiem zarządu (1994) i wiceprezesem (1995–2000). Krótko pracował w BIG Banku Gdańskim (2001–2002), ale wkrótce został wiceprezesem BGŻ (2002–2007), był też członkiem rady nadzorczej National Clearing House (2003–2007) i zakończył karierę na stanowisku dyrektora Departamentu Emisyjno-Skarbcowego NBP (2010–2017). W III RP KO „Olney" związany był z ekipą KO „Belcha", czyli z Markiem Belką[139].

Krowacki oprócz działalności informacyjnej zajmował się typowaniem kandydatów do werbunku i pozyskiwaniem kontaktów informacyjnych (KI). Czasami było to nawet ryzykowne. 11 maja 1990 r., a więc już za rządów Mazowieckiego, w załączniku do instrukcji dla „Sadika" czytamy, że „Aleksowi" nakazano zawiesić kontakty ze wspomnianym już Cloudem z Departamentu Stanu, gdyż „są one niebezpieczne". „Jest on kadrowym oficerem ASS i nie wiemy kiedy pomyśli o werbunku" – pisała centrala. Ostatnie spotkanie z Cloudem miało miejsce 20 grudnia 1989 r.[140]

Ciekawe, że transformacją w Polsce od początku byli zainteresowani Izraelczycy. Występują oni np. w raportach kilku oficerów wywiadu cywilnego. Ryszard Rojek, ps. „Rewal"[141], oficer operacyjny, który pracował w punkcie operacyjnym w Kolonii w okresie od 15 sierpnia 1986 do 31 sierpnia 1990 r., relacjonował już w grudniu 1988 r. słowa Dihta Dorona, że „Izrael zainteresowany jest skierowaniem swoich firm do realizacji programu rozwoju telekomunikacji w Polsce"[142]. Rojek, zajmujący się m.in. rozpracowaniem dla Wydziału VIII Departamentu I praktyki ekonomicznej RFN, przekazał zapewnienia Dorona, że Izrael posiada technologię lepszą niż Siemens i że prosi on o spotkanie. Widać więc, że Służba Bezpieczeństwa była kanałem nawiązywania współpracy zagranicznej przy gospodarczym demontażu komunizmu.

Bliższe kontakty z Izraelczykami – z racji pracy w rezydenturze waszyngtońskiej – miał również Krowacki. Jednym z kontaktów „Aleksa" był Pinkas Alon Dror, izraelski minister ds. ekonomicznych w Waszyngtonie (1986–1990) i jednocześnie prezes nowojorskiej Venture Partners International Inc.[143]

W grudniu 1989 r. „Aleks" spotkał się z Drorem, który negocjował sprzedaż izraelskich obligacji na sumę 4 mld dolarów (koszt operacji 1 mln dolarów) i teraz był gotów prywatnie jechać do Warszawy, by pomóc Polsce. O misji Drora wiedziałby tylko Icchak Szamir, premier Izraela (1986–1992). Zdaniem Drora, jak relacjonował Krowacki, bezpieczeństwo Izraela gwarantuje nie lobby żydowskie w USA, tylko 150 kapitałowych inwestycji amerykańskich w tym państwie. Podobnie zabezpieczenie

polskich Ziem Zachodnich przed roszczeniami niemiec-
kimi byłoby zapewnione, gdyby udało się tam ściągnąć
inwestycje USA. W lutym 1990 r. „Aleks" miał wyjechać
służbowo z Drorem do Warszawy[144].

W marcu 1990 r. „Aleks" raportował, iż Dror ma być doradcą wynagradzanym przez polskie Ministerstwo Współpracy Gospodarczej z Zagranicą i zajmować się współpracą
gospodarczą w trójkącie Polska–Izrael–USA, a także że
ma on pomysł powołania funduszu inwestycyjnego Po-
lish Growth Fund.

Informacje Drora, jak podkreśla Krowacki, były zawsze
rzetelne, choć niektórych nie przekazywał. „Trzeba zachować ostrożność w kontaktach z nim, gdyż jest pracownikiem Mossadu" – pisał „Aleks" w maju 1990 r.[145]

„Zagórski" – „Aleks" wysłał do wiceministra Janusza
Sawickiego (KO „Jasa" i „Kmityn") list na temat propozycji Drora złożonej w maju, być może nie wiedząc, że
jest to kolega z Departamentu I. Raport poszedł przez
K. dopiero po zapoznaniu się z jego treścią przez rezydenta ppłk. Szewczyka – a więc drogą służbową, gdyż
sprawa miała charakter wywiadowczy[146]. Nie wiadomo,
kto kryje się pod inicjałem „K.".

Dror chciał wiedzieć, czy jedzie do Polski na promo-
cje joint ventures z firmami amerykańskimi i izraelskimi,
a więc musi zarobić na prowizji od partnerów z USA, czy
też ma dobić interes jako konsultant rządu RP na terenie
USA, a w takim wypadku chciałby wiedzieć, ile zarobi
od rządu polskiego. Jak widzimy, w okresie premierostwa
Mazowieckiego współpraca gospodarcza i transformacja
gospodarki przebiegały poprzez kanały Służby Bezpieczeństwa, a konkretnie Departamentu I.

Pinkas A. Dror to postać ciekawa. Tłumaczył on Krowackiemu, że jego ojciec pochodzi z Polski, zaś pomoc naszemu krajowi leży w interesie Izraela. „Aleks" podkreślił, iż Dror nie targuje się i 2 tys. dolarów miesięcznie pokryje koszty, tak więc proponuje, by na okres próby do końca 1990 r. ustalić wynagrodzenie dla Drora w wysokości 5 tys. dolarów miesięcznie, które mógłby zaksięgować jako usługi konsultacyjne na rachunek Money Market.

Dalej Krowacki podkreślił, że do obowiązków Drora w Kongresie USA należałoby „wskazanie osób w izraelskim lobby, które realizowałyby nasze postulaty", „pokazywanie nowych form wiązania firm polskich z firmami USA" w imię tego samego interesu strategicznego, dla jakiego wiązał on firmy amerykańskie z izraelskimi na terenie USA oraz „mobilizowanie [...] kapitału państwowego i prywatnego na rzecz rozwoju Polski"[147]. Gdyby centrala wyraziła zgodę na te propozycje, „Aleks" jako oficjalnie radca finansowy ambasady musiałby współpracować blisko z Drorem, dlatego prosi o zezwolenie na działanie Departamentu I.

Dowiadujemy się też, że Dror chciałby przyjechać do Warszawy na rozmowy z ministrem finansów, ministrem prywatyzacji i prezesem Agencji ds. Inwestycji Zagranicznych. Towarzyszyłby mu Zeev Refuah, dyrektor Israeli Government Companies Authority, czyli jednostki Ministerstwa Finansów odpowiedzialnej za państwowe udziały w przedsiębiorstwach. Wygłosiłby on odczyt na temat prywatyzacji w Izraelu i nawiązał kontakty z osobami zajmującymi się tą kwestią u nas. Oczywiście Zeev Refuah „nie przyjechałby jako filantrop" – zaznaczył Krowacki.

8 czerwca 1990 r. „Aleks" po raz kolejny spotkał się z Drorem, który chciał otrzymać informacje o zadłużeniu Polski. Proponował też, by Izrael uzyskał kontrolę nad tym, co się czyni w polskich sprawach w Kongresie USA i dlatego polecił usługi swego przyjaciela Fishbine'a oraz kontakty z Peterem McPhersonem, wiceprezydentem Bank of America (1989–1993) i byłym z-cą sekretarza Departamentu Skarbu (1987–1989) w administracji Ronalda Reagana.

Dror twierdził, że sytuacja Polski przypomina położenie Izraela z 1970 r. Na początek, by przyciągnąć inwestorów, należałoby im dać wszystko, co chcą. „Jeśli Polska przedstawi mu 2–3 przedsiębiorstwa, na których nam zależy, żeby znaleźć im partnera o dużym kapitale w USA, podejmie się roli pośrednika" – relacjonował propozycję Drora Krowacki. Pierwszeństwo miałby przemysł rolno-spożywczy.

„Sprawę powyższą przekażę do Balcerowicza" – kończył raport „Aleks"[148]. Widać więc, że wywiad nie tylko kontrolował kontakty gospodarcze, ale i decydował, jakie propozycje trafiały do ministra finansów III RP.

11 lutego 1989 r. Krowacki informował centralę, iż administracja amerykańska nie ma wypracowanego stanowiska w sprawie Polski, gdyż z powodu zmiany władzy „porwały się kontakty". Ludzie zajmujący się Polską, James Baker[149] i jego współpracownicy, nie doceniają wagi reform w Polsce i patrzą oczami Departamentu Skarbu. Warunkiem poparcia Departamentu Skarbu jest uzgodnienie programu dostosowawczego z „Solidarnością" i Witoldem Trzeciakowskim[150]. Zdaniem „Aleksa", Józef Czyrek będzie słabym rozmówcą dla Bakera i nie wzbudzi

entuzjazmu i chęci pomocy. 30 marca „Aleks" informował, że Departament Skarbu może się zaangażować w MFW na rzecz złagodzenia warunków kredytowych dla Polski dopiero po powstaniu nowego rządu.

Jednym z ważnych rozmówców „Aleksa" był John Cunningham Whitehead, związany z rodziną Rockefellera i bankiem Goldman Sachs, były z-ca sekretarza stanu (1985–1989), a w okresie kontaktów z „Aleksem" prezes AEA Investors LLC i Banku Rezerwy Federalnej w Nowym Jorku. Kontakt z Whiteheadem załatwił „Aleksowi" Witold Sulimirski[151].

W tym czasie George H. Bush został zaprzysiężony 20 stycznia 1989 r. na prezydenta i w dniach 9–11 lipca odwiedził Polskę. 24 maja „Aleks" spotkał się z Whiteheadem i relacjonował, iż możliwe jest uzyskanie od USA pożyczki w wysokości od 1,5 do 2,5 mld dolarów w ciągu trzech lat i inwestycji bezpośrednich o wartości 1 mld dolarów celem restrukturyzacji przemysłu. W maju w USA przebywali Józef Czyrek i Bronisław Geremek, ale otrzymali negatywną odpowiedź na prośbę o kredyty. Krowacki miał spotkać się z Whiteheadem jeszcze po wyborach w Polsce, a przed wizytą Busha.

W maju 1989 r. „Aleks" chciał spotkać się z Geremkiem i ekonomistami „Solidarności", którzy mieli przyjechać do USA, ale Geremek nie miał dla niego czasu.

14 sierpnia „Aleks" znów umówił się z Whiteheadem w sprawie pomocy dla sektora prywatnego w wysokości 100 mln dolarów i wysondowania, czy USA będą naciskały w MFW w sprawie udzielenia PRL kredytów oraz jakiego zakresu pomocy można się spodziewać. Na pytanie Whiteheada, kogo Krowacki reprezentuje, ten

odpowiedział, że każdy rząd, także ten z udziałem „Solidarności"[152].

22 czerwca 1989 r. „Aleks" meldował centrali wywiadu, że w obecnej sytuacji MFW będzie reprezentować twardy pogląd, iż Polska musi mieć bardzo silny program dostosowawczy, który uderzeniowo ograniczy inflację. „Kuracja wstrząsowa" jest potrzebna m.in. po to, żeby jej rezultaty mogły być widoczne po kilku miesiącach, a z przyczyn politycznych podejście stopniowe jest trudniejsze.

Kuracja musi polegać na mocnym ograniczeniu dotacji budżetowych, mocnym podniesieniu stopy procentowej, podwyżce cen węgla, liberalizacji cen żywności, kursie 4 tys. zł za 1 dolara.

Spotkania z Whiteheadem były na tyle obiecujące, że Krowacki zaproponował 25 kwietnia 1990 r., aby zarejestrować Amerykanina jako KI (kontakt informacyjny) ps. „Róg".

W sierpniu, gdy rząd usiłował stworzyć gen. Kiszczak, „Aleks" ostrzegał, że u Amerykanów duet Kiszczak–Sekuła nie wzbudza zaufania. Jednocześnie Amerykanie uważali, że „S" nie ma żadnego programu gospodarczego i musi być on uzgodniony z OECD[153].

„Aleks" nawiązał też współpracę ze Stanisławem Gomułką, który wkrótce został doradcą Ministerstwa Finansów (1989–1995), członkiem zespołu, który zaprojektował program Balcerowicza, a także oficjalnym negocjatorem z MFW w sprawie programów makroekonomicznych i negocjatorem z Klubem Paryskim i Klubem Londyńskim planu redukcji polskiego długu (1990–1992).

Już 11 marca 1989 r. „Aleks" nawiązał kontakt listowny z Gomułką, pisząc o sprawach finansowych dotyczących

MFW, Banku Światowego i Departamentu Skarbu. Po rozmowie telefonicznej 10 września nazajutrz Gomułka zadzwonił i poprosił: „ponieważ to, co Pan mówił, może być bardzo ważne dla mnie i L. Balcerowicza, czy mógłby Pan to napisać dla mnie i przesłać do Harvardu?". Chodziło o „Uwagi dotyczące polityki finansowej USA wobec Polski". Następnego dnia „Aleks" wysłał opracowanie faksem. Z kolei Gomułka informował o rozmowie z Krowackim Balcerowicza w Warszawie. Kontakty te jak widać miały miejsce jeszcze w czasie obrad okrągłego stołu i przed zatwierdzeniem rządu Mazowieckiego. Płk. Szewczyk tłumaczył centrali, że „Aleks" podtrzymuje kontakt ze Stanisławem Gomułką w celu poznania jego powiązań z kołami finansowymi USA[154].

Krowacki organizował pobyt Balcerowicza w USA we wrześniu 1989 r. W tym czasie doszło do rywalizacji między kolegami z Departamentu I: „Aleksem" i „Kmitynem". Krowacki skarżył się, że podczas pobytu delegacji Balcerowicza wiceminister finansów Sawicki „starał się nie zauważać mnie" i „irytowało go, że przebywałem znaczny czas w otoczeniu Balcerowicza w związku z organizacją pobytu". Odciągał go od Balcerowicza, mimo że podczas poprzedniej wizyty, gdy delegacją kierował Wojciech Misiąg (KO „Jacek"), wiceminister finansów (1989–1994), stosunki były poprawne – podkreślał „Aleks". Możliwe, że niepewność początkowego etapu transformacji udzieliła się towarzyszom z bezpieczeństwa zupełnie niepotrzebnie.

W hierarchii służbowej Krowacki stał wyżej jako oficer II linii, podczas gdy Sawicki był tylko kontaktem operacyjnym. Obaj jednak co do swego prawdziwego przydziału mogli się jedynie domyślać, gdyż Sawicki prawdopodobnie kojarzył Krowackiego z niektórymi informacjami przekazywanymi do Ministerstwa Finansów przez MSW, a te mogły mu nie odpowiadać[155].

Gdy rząd Mazowieckiego realizował terapię szokową, sprawami finansowymi nadal zajmowała się Służba Bezpieczeństwa poprzez Wydział VIII Departamentu I. 14 czerwca 1990 r. „Aleks" spotkał się z Paulem Reedem. „Poinformował mnie, że w stosunku do Polski model redukcji zadłużenia oficjalnego będzie modelem indonezyjskim", gdzie o redukcji decydował motyw polityczny. Zaś spotkanie 19 czerwca w Klubie Paryskim, który skupia banki prywatne, „nie mogło o niczym rozstrzygnąć, gdyż brak jeszcze decyzji o redukcji długu" – wyjaśniał centrali Krowacki[156].

Po spotkaniu 29 czerwca z Billem Schoevrslim „Aleks" raportował, że Departament Stanu mógłby wyjść z propozycją rozwiązania według modelu indonezyjskiego, gdyby była zgoda Departamentu Skarbu, który stawia główne przeszkody, a jest silniejszy od Kongresu. „B.S. zgodził się na nieoficjalną współpracę w sprawie redukcji długu Polski" – pisał Krowacki[157]. Pod inicjałami B.S. krył się Bill Schoevrsli.

14 lipca meldował już rezydent „Sadik" w oparciu o raport „Aleksa" z 2 lipca: „BS przygotowywał legislację Izby nt. redukcji zadłużenia oficjalnego Polski. W biurze Davida Obeya specjalizuje się w zagadnieniach ekonomii finansów i kontaktach z Departamentem Skarbu, pracuje w Kongresie od 1982 r. i towarzyszył Obeyowi podczas jego wizyty w Polsce w 1983 r. Ojciec Schoevrsliego jest prof. ekonomii. Jest to rodzina żydowska ze wschodniego wybrzeża".

Ostatni raport „Aleksa" datowany jest na 11 lipca 1990 r. Krowacki przebywał wtedy od tygodnia w Warszawie i napisał sprawozdanie ze swej działalności dla wywiadu za lata 1988–1989. Utrzymywał wówczas kontakty i zbierał informacje od wysokich urzędników amerykańskiego Departamentu Skarbu, Departamentu Stanu, MFW, Banku Światowego, Kongresu USA, Białego Domu i banków komercyjnych.

Krowacki zaproponował, iż w swej dalszej pracy wywiadowczej skoncentruje się na 11 kontaktach:

1. „John Niehuss – starszy zastępca Sekretarza Skarbu, który pracuje nad kwestią zadłużenia i dużo wie o zadłużeniu oficjalnym i prywatnym Polski", dlatego „Aleks" miał zamiar „zaprzyjaźnić się z nim".

John Niehuss pracował przez 6 lat nad międzynarodową problematyką ekonomiczną i finansową w Departamencie Skarbu i w Radzie Białego Domu ds. Międzynarodowej Polityki Ekonomicznej (1986–1992), następnie był doradcą w Międzyamerykańskim Banku Rozwoju (1992–1999) i Banku Eksportowo-Importowym USA (1999–2001). Obecnie wykłada prawo finansowe na Uniwersytecie Michigan.

2. „Robert Banque – pracownik Departamentu Handlu odpowiedzialny za pomoc techniczną dla Polski".

Robert Banque przez 11 lat był dyrektorem Urzędu Pomocy Technicznej w Departamencie Skarbu (1987–1998).

3. „Paul Reed – pracownik Biura Monetarnego Departamentu Stanu odpowiedzialny za zadłużenie oficjalne Polski wobec USA". Jak podkreślił „Aleks", „jest już zaprzyjaźniony".

4. „J. Zuza – pracownik Office of Management and Budget Białego Domu, pracownik ASS, kolega «Koriny», wie o zadłużeniu".

5. „John Whitehead – pracownik Kongresu i Budget Office, który wie dużo o zadłużeniu".

John Whitehead – wspomniany wyżej miał służyć za źródło informacji dotyczących tematyki ogólnej w trójkącie Polska–Niemcy–ZSRR.

6. „Bill Schoevrsli – pracownik kongresmena z Partii Demokratycznej Davida Rossa Obeya i Komisji Spraw Zagranicznych Kongresu, pochodzenia żydowskiego. Jest przychylny Polsce, zajmuje się zadłużeniem". „Aleks" chwalił się, że jest już z nim „zaprzyjaźniony".

7. „Barbara Griffith – prawnik Departamentu Skarbu, zajmuje się pierestrojką w Związku Radzieckim, jest byłym pracownikiem biura Lawrence'a Eagelburgera w Departamencie Stanu".

8. „Scott Bleggi – pracownik Departamentu Rolnictwa, był w Związku Radzieckim, należy do amerykańskich służb specjalnych".

Scott Bleggi był później attaché rolniczym w Kostaryce. Po 30 latach pracy dla Departamentu Rolnictwa przeszedł na emeryturę.

9. „Robert S. Ludwig – pracownik banku Salomon Brothers w Nowym Jorku, chyba należy do amerykańskich służb specjalnych".

Robert S. Ludwig był dyrektorem zarządzającym w banku Salomon Brothers, odpowiedzialnym za handel międzynarodowy. W 1997 r. przeszedł do szwajcarskiego banku inwestycyjnego Julius Baer & Co. Ltd., w którym odpowiadał za fundusz rynków wschodzących. Podróżował m.in. do Czech i Mongolii, a w Rosji posiadał mieszkanie.

10. „Keith Savard – pracownik Instytutu Finansów Międzynarodowych, były pracownik Departamentu Stanu w Związku Radzieckim i krajach socjalistycznych, zna sprawy finansowe".

Keith Savard po odejściu z Instytutu Finansów Międzynarodowych pracował jako główny ekonomista w Samba Financial Group (były Saudyjski Bank Amerykański) w Londynie, a następnie w Milken Institute.

20 lipca por. Krowacki został zwolniony ze Służby Bezpieczeństwa w związku z jej rozwiązaniem i pracował już tylko na jednym etacie – tym oficjalnym, a niebawem rozpoczęła się jego kariera w III RP.

Naczelnicy Wydziału VIII (wywiad ekonomiczny i wywiad naukowo-techniczny) Departamentu I:
Wiktor Borodziej – „Nowacki" (20.11.1989–31.07.1990)
Jerzy Zygmunt Kowalski – „Komański", ps. „Cedro" (15.01.1985–30.07.1988)
Zygmunt Paź, ps. „Gotard" (21.08.1982–30.09.1984)
Konrad Biczyk, ps. „Syld" (15.05.1978–28.02.1982)
Sławomir Lipowski, ps. „Cyprian", „Silski", „Sadek", „Piotr" (15.12.1975–1.01.1978)
Zbigniew Mikołajewski, ps. „Dziob" (1.05.1972–15.12.1975)
Zygmunt Orłowski, ps. „Wald", „Rems" (1970–1.05.1972)
Mirosław Wojciechowski (1969–1970)
Lucjan Kwiatkowski-Pawelec, ps. „Ren" (30.01.1967–1969)
Edward Jankielewicz (1.11.1963–30.01.1967)
Władysław Wojtasik, ps. „Aleksander" (1.05.1961–1.11.1963)

Funkcjonariusze Wydziału VIII w omawianym okresie:
„Szamota", „Zagórowicz", „Zagórski"– por. Andrzej Krowacki, ps. „Aleks", pracownik II linii, dyrektor Biura Międzynarodowych Organizacji Finansowych Ministerstwa Finansów (04.1987–07.1988)

„Degner" – por. Zbigniew Polańczyk

„Jelnicki" – ppor. Jacek Borkowski

„Sekulak" – por. Janusz Szkiełko, ps. „Maler"

„Metelski" – por. Jerzy Graczyk

„Piotrowski" – por. Władysław Czułno, ps. „Mas", pracownik II linii, dyrektor Departamentu Zagranicznego Ministerstwa Finansów (marzec–listopad 1989)

„Podbielski" – kpt. Zbigniew Lichocki, ps. „Over", dyrektor Departamentu Zagranicznego (1983–1988)

„Olczyk" – ppor. Mariusz Grzeszczyk

„Egert" – ppor. Andrzej Ćwiek

„Zwierski" – ppor. Daniel Markowski

„Orłowski" – kpt. Jerzy Klementowicz, ps. „Bocar"

„Bąblewski", „Starowicz" – mjr Andrzej Stachurski, ps. „Bueno", z-ca naczelnika (1.08.1988–30.11.1989)

KO Wydziału VIII w omawianym okresie:
„Andrzej" – Stanisław Pacuk, dyrektor Głównego Oddziału Walutowo-Dewizowego PKO (1983), wiceprezes Banku Rozwoju Eksportu S.A. (1989)

„Ambar" – Tadeusz Adam Barłowski, prezes Banku Handlowego

„Camelo"/„Camel" – Grzegorz Wójtowicz, dyrektor Departamentu Zagranicznego NBP, wiceprezes NBP (1989–1991)

„Darg" – Stanisław Nieckarz, minister finansów (1982–1986)

„Donek" – Jan Maciej Boniuk, członek rady nadzorczej FOZZ, dyrektor Departamentu Zagranicznego Ministerstwa Finansów (listopad 1989)

„Dora" – Andrzej Dorosz, wiceminister finansów (wrzesień 1986–1988)

„Dryl" – Edmund Zawadzki, dyrektor Departamentu Zagranicznego Ministerstwa Finansów (1978), prezes Banku Pekao SA

„Eksperto" – ?

„Jasa" i „Kmityn" – Janusz Sawicki, wiceminister finansów (1988–1991), przewodniczący rady nadzorczej FOZZ (14.03.1989–31.12.1990)

„Jedi" – Jerzy Szczudlik, dyrektor Banku Handlowego International w Luksemburgu (1990)

„Lefski" – Lech Gajewski, kierownik zespołu ds. współpracy z ICF w Biurze ds. współpracy z Bankiem Światowym NBP (1988)

„Okey" – ?

„Olney" – Marek Oleś, dyrektor Departamentu Zagranicznego NBP (1988)

„Plis" – Andrzej Ilczuk, z-ca dyrektora Departamentu Zagranicznego NBP (listopad 1985–lipiec 1987), pracownik Banku Światowego (1.06.1989–1993)

„Radża" – Zbigniew Karcz, dyrektor Departamentu Zagranicznego Ministerstwa Finansów (1978–1986)

„Rewizor" – Mieczysław Skołożyński, szef komórki dealerów w Banku PKO SA

Rezydentura „Atlantyk" (Waszyngton) w okresie demontażu komunizmu:

„Marat" – płk Marek Szewczyk, ps. „Sadik" – szef rezydentury (15.07.1986–lipiec 1990)

„Skowroński" – kpt. Jerzy Luks, ps. „Hagis", „Cali" – (1.10.1986–lipiec 1990)

„Task" – kpt. Zbigniew Lis (16.09.1984–1.10.1988)

„Podbielski" – kpt. Zbigniew Lichocki, ps. „Over" (17.09.1988–1992)

„Sekulak" – por. Janusz Szkiełko, ps. „Maler" (15.07.1986–05.1990)

„Plis" – Andrzej Ilczuk (lipiec 1987–1993)

„Zagórowicz" – por. Krzysztof Krowacki, ps. „Aleks" (15.07.1988–1992)

„Ararat" – ppłk Janusz Romański (14.08.1986–1990)

„Michał Sarzyński" – mjr Ryszard Krystosik, ps. „Mack", „Mike" – (8.01.1988–31.31.1990)

Poprzednio w rezydenturze:

„Rymar" – płk Wiesław Mickiewicz – szef rezydentury (01.1983–08.1986)

„Donek" – Jan Maciej Boniuk (22.05.1983–1987)

PRZYPISY

[1] Jeffrey Sachs, *Koniec z nędzą. Zadanie dla naszego pokolenia*, Warszawa 2006, s. 119–138.

[2] Idem, *The End of Poverty: Economic Possibilities for Our Time*, wyd. 3, New York 2015, s. 81.

[3] Ibidem, s. 82.

⁴ Ibidem, s. 100.

⁵ Waldemar Kuczyński (ur. 1939), uczestnik Marca 1968, doradca „Solidarności", z-ca red. naczelnego „Tygodnika Solidarność", w stanie wojennym internowany, od sierpnia 1982 r. na emigracji we Francji, w rządzie premiera Mazowieckiego był ministrem przekształceń własnościowych.

⁶ Zdzisław Rurarz, *Perfidna gra. Spotkania z prof. Rurarzem. Druga część rozmów pomiędzy Zdzisławem M. Rurarzem a Tomaszem S. Pochroniem*, Chicago 1994, s. 89–90.

⁷ Krzysztof Aleksander Krowacki (ur. 19.07.1939), syn Stanisława (ur. 12.07.1908), syna Aleksandra i Walentyny, oraz Marianny z d. Olędzkiej (ur. 10.09.1911).

⁸ Anna Urbanowicz (ur. 8.12.1938, Piastów), córka Józefa (ur. 15.05.1911), syna Aleksandra i Barbary z d. Łabędzkiej, oraz Ireny.

⁹ Małgorzata Katana (ur. 13.07.1935), córka Józefa Urbanowicza (ur. 15.05.1911) i Ireny.

¹⁰ IPN BU 01918/1637, Krowacki Krzysztof.

¹¹ Kazimierz lub Krzysztof Olędzki (15.05.1916–ok. 1979). W różnych dokumentach występują różne imiona.

¹² IPN BU 0208/1729, Sprawa Obserwacji krypt. „Turysta".

¹³ Ibidem, Notatka służbowa z 10.01.1962.

¹⁴ Ibidem, Notatka służbowa z 24.03.1962.

¹⁵ IPN BU 3246/607, Wniosek Konrada Biczyka z 13.02.1982, k. 3.

¹⁶ Ibidem oraz IPN BU 003175/1148 lub IPN Z 002641/161, Akta osobowe Krowacki Krzysztof.

¹⁷ IPN BU 3246/607, k. 3.

¹⁸ W III RP Zbigniew Karcz wydał książkę *Zadłużenie zagraniczne Polski. Gra o miliardy, kiedy do euro?*, Warszawa 2006.

¹⁹ IPN BU 02386/164, t. 1, Teczka personalna KO krypt. „Radża", J-10375.

[20] Zbigniew Karcz (ur. 21.05.1921), syn Jana (ur. 1909) i Kazimiery (ur. 1909). Żona Karcza Kazimiera Waszczuk (ur. 1.04.1936), córka Józefa (ur. 1904) oraz Karoliny (ur. 1912) ukończyła SGPiS i pracowała w handlu zagranicznym i Pewexie (1986). Małżeństwo miało dwie córki: Katarzynę (ur. 1960) i Agnieszkę (ur. 1971).

[21] IPN BU 02386/164, t. 1, Teczka personalna KO krypt. „Radża", J-16775, Raport z 12.12.1986.

[22] Ibidem, k. 7.

[23] Ibidem, Charakterystyka z 22.11.1984, k. 63.

[24] Ibidem, Notatka służbowa z 22.11.1984.

[25] Mariusz Grzegorz Grzeszczyk (ur. 4.12.1958), syn Mirosława.

[26] Stefan Kwiatkowski poprzednio był rezydentem w Paryżu (1976–1981), kierownikiem punktu operacyjnego w Pekinie (1966–1970) i oficerem operacyjnym rezydentury w Kanadzie (1960–1964).

[27] Czesław Jackowski (ur. 16.06.1931, Chorzów), syn Leona i Katarzyny.

[28] IPN BU 02386/164, t. 1, Teczka personalna KO krypt. „Radża", J-16775, Raport z 10.07.1987, k. 10.

[29] Ibidem, Notatka z 4.08.1987.

[30] Ibidem, Notatka z 26.01.1990, k. 13.

[31] Ibidem, Notatka z 17.04.1990.

[32] IPN BU 3246/643, t. 1, Teczka pracownika zewnętrznego Zagórowicz, J-16977, ppor. K. Zagórski Dep. I MSW.

[33] Ibidem.

[34] Ibidem, Plan kierunkowy na lata 1984–1985, k. 11.

[35] Ibidem, k. 84.

[36] Stanisław Nieckarz (10.06.1941–27.10.2014) został zwerbowany przez Wydział VIII, gdy był radcą Ambasady PRL na Węgrzech (1987–1992); jego oficerem prowadzącym w kraju był ppor. Mariusz Grzeszczyk. W III RP był członkiem rad nadzorczych ING Banku Śląskiego (do 1998) i Banku Ochrony Środowiska (od 2001)

oraz ekspertem Rządowego Centrum Studiów Strategicznych (1998–2006), ponadto doradcą premiera Leszka Millera ds. ekonomiczno-finansowych i członkiem Rady Polityki Pieniężnej (2004–2010); IPN BU 02386/52, t. 1–2.

[37] Jerzy Zygmunt Kowalski (ur. 25.05.1928), w Departamencie I od 1955 r., był oficerem operacyjnym w rezydenturze w Waszyngtonie, oficjalnie jako I sekretarz Ambasady PRL (1971–1976), i w rezydenturze w Brukseli, oficjalnie na stanowisku radcy Ambasady PRL (1979–1984).

[38] IPN BU 003212/1242, Krowacki Krzysztof.

[39] W 1987 r. Jerzy Malec przeszedł do PKO SA.

[40] Jerzy Józef Malec (ur. 1945), syn Aleksandra (ur. 25.10.1910) i Władysławy z d. Socha (ur. 15.11.1920).

[41] IPN BU 01263/466/J (J-6721), Karta kieszeniowa (Jacket), Malec Jerzy, Notatka służbowa z 20.06.1973.

[42] Ibidem, Notatka służbowa z 20.08.1973.

[43] Ibidem, Notatka służbowa z 18.10.1974.

[44] Ibidem, Notatka służbowa z 4.05.1975.

[45] IPN BU 003212/1242, Krowacki Krzysztof, k. 147.

[46] John A. Cloud, http://www.nndb.com/people/799/000124427/ (dostęp: 8.10.2018).

[47] Jack French Kemp (1935–2009) – amerykański polityk i zawodowy futbolista, reprezentował stan Nowy Jork w Izbie Reprezentantów Kongresu USA (1971–1989).

[48] IPN BU 3246/641, t. 1, Notatka z 22.10.1986.

[49] IPN BU 01918/1637, Krowacki Krzysztof.

[50] Władysław Baka do 13 lipca 1988 r. był prezesem NBP; sekretarz KC i członek Biura Politycznego PZPR (1988–1989), sekretarz komisji ds. reformy gospodarczej KC PZPR, gubernator z ramienia PRL w Banku Światowym.

[51] General Agreement on Tariffs and Trade (GATT) – Układ Ogólny w sprawie Taryf Celnych i Handlu – porozumienie dotyczące polityki handlowej, podpisane w Genewie 30 października 1947 r. GATT wszedł w życie 1 stycznia 1948 r.

[52] Coordinating Committee for Multilateral Export Control (CO-COM) – Komitet Koordynacyjny Wielostronnej Kontroli Eksportu działał od 1949 r. i pilnował, by do bloku sowieckiego nie sprzedawano produktów o zaawansowanej technologii i zastosowaniu wojskowym.

[53] American Federation of Labor and Congress of Industrial Organizations (AFL-CIO) – największa amerykańska centrala związkowa.

[54] IPN BU 003175/1023, t. 1, Akta osobowe funkcjonariusza SB Szkiełko Janusz; IPN BU 3246/747, Teczka pracownika zewnętrznego Szkiełko Janusz ps. „Maler".

[55] Jan Maciej Boniuk (ur. 15.11.1941), syn Jana i Apolonii z d. Fenickiej, córki Piotra i Józefy z d. Samolin.

[56] Jan Larecki ps. „Bergen" – oficer operacyjny w rezydenturze w Sztokholmie (1976–1980) i pod ps. „Sterd" w rezydenturze w Hadze (od 13.07.1988).

[57] IPN BU 02169/137, t. 1, Teczka KO krypt. „Donek" Jan Maciej Boniuk, Notatka służbowa z 29.01.1983; IPN BU 01591/818/K, karta kieszeniowa 12869 Jan Boniuk.

[58] Wiesław Mickiewicz był szefem rezydentury w Chicago oficjalnie zatrudnionym na stanowisku konsula w Konsulacie Generalnym PRL od lutego 1967 do lipca 1971 r., następnie przeszedł do Waszyngtonu na stanowisko radcy Ambasady PRL (styczeń 1983–sierpień 1986).

[59] Marek Szewczyk wcześniej kierował już punktem operacyjnym w Bagdadzie (13.09.1978–4.12.1981), oficjalnie na stanowisku II sekretarza ambasady. Po powrocie mjr Szewczyk od lipca 1985 r. był p.o. naczelnika Wydziału II, czyli amerykańskiego, Departamentu I.

⁶⁰ Alan Whittome pracował w MFW w latach 1964–1990. Był też dyrektorem Departamentu Stosunków Handlowych i Płatniczych (1987).

⁶¹ IPN BU 02169/137, t. 2, Teczka pracy „Donek", Raport ze spotkania z „Donkiem" z 11.05.1989.

⁶² Grzegorz Żemek pozyskany został przez oficerów wywiadu wojskowego – mjr. Jana Lesińskiego i płk. Nowaka z Oddziału „Z" – w 1970 r., służył jako kurier nielegalny, pracował jako radca w BRH w Brukseli (1974–1978) i kierował Bankiem Handlowym International w Luksemburgu (1983–1988). 12 czerwca 1990 r. złożono wniosek o zaniechanie współpracy z „Dikiem" z powodu dekonspiracji; IPN BU 2602/23006, Teczka pracy współpracownika „Dik", k. 132.

⁶³ IPN BU 01746/, Protokół brakowania nr 126, 1989–1990.

⁶⁴ IPN BU 02169/137, t. 2, Teczka pracy „Donek", Raport z 23.06.1989, k. 278.

⁶⁵ Ibidem, Raport ze spotkania z „Donkiem" z 11.09.1989.

⁶⁶ Ibidem, Raport ze spotkania z „Donkiem" z 7.12.1989.

⁶⁷ Władysław Michał Czułno (ur. 7.04.1940), syn Jana i Wiktorii z d. Kocon.

⁶⁸ IPN BU 003175/1144, Akta osobowe Czułno Władysław, Arkusz kwalifikacyjny, k. 153.

⁶⁹ Ibidem, k. 163.

⁷⁰ IPN BU 3246/598 j-17770, Teczka pracownika zewnętrznego „Mas" Czułno Władysław, Notatka służbowa z 3.06.1989.

⁷¹ Ibidem, Notatka informacyjna z 11.06.1989.

⁷² Ibidem, Notatka informacyjna z 28.02.1990.

⁷³ Andrzej Ilczuk (ur. 14.06.1944), syn Czesława (ur. 1913) syna Jana i Michaliny, oraz Leokadii z d. Żuk (ur. 1913), córki Jana i Aleksandry.

⁷⁴ IPN BU 2333/105, t. 1, KO „Plis".

⁷⁵ Udało się zidentyfikować jako współpracownika o krypt. „Rich" Zenona Zienkiewicza (ur. 2.10.1938), syna Jana, ale była to inna

osoba o tym samym pseudonimie, gdyż współpracowała z Wydziałem VIII Zarządu II Sztabu Generalnego w latach 1972–1986. Zenon Zienkiewicz był pracownikiem MHZ i konsulem w Bombaju (5.03.1974–10.08.1978), a następnie z-cą attaché handlowego w New Dehli (23.08.1982–2.10.1986). Po powrocie do kraju miał być dalej wykorzystywany przez Wydział VIII, ale dalszej dokumentacji brak; IPN BU 2602/17378, Zenon Zienkiewicz; IPN BU 2602/2346, Teczka personalna KO „Rich" Zenon Zienkiewicz.

[76] IPN BU 2333/105, t. 1, KO „Plis".

[77] Grzegorz Wójtowicz był później wiceprezesem (1989–1991), prezesem NBP (1991–1992), członkiem Rady Nadzorczej FOZZ (1989–1991), dyrektorem finansowym w firmie Sobiesław Zasada Ltd. (1992–1996), prezesem Rady Nadzorczej Banku Handlowego (1996–1998), przewodniczącym rady nadzorczej Banku Gospodarki Żywnościowej. Przez rząd AWS mianowany członkiem Rady Polityki Pieniężnej (1998–2004). Ostatecznie nie został objęty aktem oskarżenia w sprawie afery FOZZ.

[78] Andrzej Ćwiek (ur. 24.02.1957), syn Józefa.

[79] Teść Edward Kander zaczynał w KBW, brał udział w walkach przeciwko niedobitkom „band reakcyjnego podziemia". W 1950 r. objął stanowisko pomocnika oficera Informacji, później służbę kontynuował w WSW. Karierę zakończył w 1984 r. jako ppłk w Zarządzie WSW JW MSW. Druga córka Aleksandra pracowała w Wydziale III Biura „W" jako kontrolerka przesyłek (tzw. perlustracja). Brat Edwarda płk Bronisław Kander był funkcjonariuszem w Wydziałach I, II i IV Departamentu I, m.in. rozpracowywał emigrację w Szwecji i był oficerem operacyjnym w rezydenturze w Kanadzie (1974–1977).

[80] IPN BU 2333/105, t. 2 lub Z 002817/16, t. 2, 142.

[81] Lech Gajewski (ur. 30.09.1954), syn Antoniego i Janiny z d. Bazylak.

[82] Edward Tomczyk w lipcu 1987 r. opuścił wywiad ekonomiczny i przeszedł do Wydziału V-1 SUSW.

[83] IPN BU 2333/201, KO „Lefski", J-17423 lub Z/002827/68, k. 64.

[84] Ibidem, Raport z 28.04.1987 z rozmowy operacyjno-pozyskaniowej.

[85] International Finance Corporation została założona w 1956 r. w Waszyngtonie przy Międzynarodowym Banku Odbudowy i Rozwoju w celu pomocy w rozwoju sektora prywatnego w krajach rozwijających się.

[86] IPN BU 2333/201, KO „Lefski", J-17423 lub Z/002827/68, Notatka służbowa z 12.11.1987.

[87] Edward Nassim był kierownikiem wydziału w Departamencie Inwestycji IFC, a następnie awansował na dyrektora ds. Europy Środkowej.

[88] 15 marca 1988 r. Andrzej Olechowski (KO „Must") zatwierdził skład osobowy Biura ds. współpracy z Bankiem Światowym. Zespół koordynacji: Andrzej Ścisłowski (kierownik), Danuta Cezak, Izabela Czechowicz, Michał Ostalski, J. Pazera, Alicja Syczewska; stanowisko ds. IFC – Lech Gajewski (kierownik), Jerzy Cabaj, Beata Tuszyńska; Zespół projektów: Jan Sulmicki (kierownik), Wanda Wysocka, Zbigniew Sosnowski (TW „Janek"), Jerzy Dyrcz, Ewa Tomczak; Zespół kredytów: Stanisław Mackiewicz (kierownik), Maria Celarska, Artur Lalek, Ewa Matzanke, A. Młodzińska; Zespół administracyjny: J. Kalinowska (kierownik), L. Gradowska, K. Kaczmarczak i B. Zygier.

[89] Zbigniew Sosnowski (ur. 20.03.1950), syn Jana.

[90] IPN BU 00200/967, Teczka personalna TW ps. „Janek".

[91] Daniel Markowski (ur 15.02.1954), syn Tadeusza.

[92] IPN BU 2333/201, KO „Lefski", J-17423 lub Z/002827/68, Raport z 13.09.1988, k. 126.

[93] Jan Sulmicki (ur. 19.02.1945), syn Pawła i Salomei z d. Szymkarczuk

[94] IPN BU 2602/12056, Zeszyt ewidencyjny kandydata Sulmicki Jan.

[95] IPN BU 2333/105, t. 2 lub Z 002817/16, t. 2, Raport z 19.11.1986, k. 1989.

[96] Ibidem, k. 301.

[97] Ibidem, Instrukcja dla „Taska" z 17.09.1987.

[98] Ibidem, Raport z 27.11.1987.

[99] 9 lutego 1990 r., a więc za premierostwa Tadeusza Mazowieckiego, złożono wniosek o przekwalifikowanie Zbigniewa Lichockiego (ur. 16.03.1955) na oficera II linii, co oznacza, że pozostał w instytucji przykrycia; IPN BU 003175/1242, Akta osobowe Lichocki Zbigniew s. Sylwestra.

[100] IPN BU 2333/105, t. 1, KO „Plis", k. 66.

[101] Ibidem, Raport „Egerta" z 17.08.1989 ze spotkania z „Plisem" w dn. 16.08.1989.

[102] IPN BU 3246/641, t. 1, Notatka operacyjna z 5.08.1988, k. 188.

[103] W Kartotece Opiniodawczej OCK sygn. IPN BU 01975/113 widnieje zapis, że materiały Zarządu II dot. Bazylego Samojlika nie stanowią przeszkody w jego awansie, co znaczy, że został zarejestrowany, ale nie wiemy, w jakiej kategorii.

[104] Zdzisław Antoni Pakuła (ur. 27.10.1934), syn Rocha i Janiny z d. Funch. Ppor. Jacek Borkowski (nazwisko legalizacyjne „Jelnicki") z Zespołu 4. Wydziału VIII Departamentu I dokonał w 1988 r. rejestracji Pakuły w kategorii zabezpieczenie operacyjne, ale do werbunku już nie doszło i 28 lutego 1989 r. złożył wniosek o wyrejestrowanie Pakuły z zaznaczeniem, iż brak jest materiałów operacyjnych (Zapisy ewidencyjne). Według innego zapisu Pakuła został zarejestrowany w kategorii zabezpieczenie 3 marca 1989 r. Akta archiwalne wyłączone ze sprawy zostały zniszczone 17 stycznia 1990 r. (Zapisy ewidencyjne). Jacek Borkowski prowadził też Stanisława Pacuka.

[105] Zenon Antoni Hundsdorff (ur. 1.11.1929, Gdańsk), syn Juliusza (29.01.1901–1939) i Heleny z d. Nowackiej (ur. 27.03.1902). Ojciec miał sklep w Gdyni i został zamordowany przez Niemców za

odmowę przyjęcia folkslisty. Zenon Hundsdorff po ukończeniu SGPiS pracował w Departamencie Zagranicznym NBP (1953), w 1967 r. na 5 lat wyjechał do Moskwy, gdzie był radcą w Wydziale Walutowo--Finansowym Sekretariatu RWPG. Po powrocie był naczelnikiem Wydziału Współpracy z Zagranicą NBP, zaś w l. 1980–1985 dyrektorem Banku Handlowego International w Luksemburgu.

[106] Marian Krzak (ur. 26.06.1931, Krynica–8.02.1996), syn Jana (1909–1961) i Agnieszki z d. Stattner (1909–1972). Ukończył SGPiS (1953) i Instytut Nauk Społecznych przy KC PZPR (1953–1958), krótko był z-cą red. naczelnego „Życia Gospodarczego" (1959–1960), następnie rozpoczął pracę w Ministerstwie Finansów, gdzie po 3 latach został wicedyrektorem, a w 1966 r. dyrektorem Departamentu koordynacji finansowej i budżetu państwa; był też redaktorem naczelnym „Finansów" (1967–1972). W styczniu 1969 r. został podsekretarzem stanu (w styczniu 1972 – wiceministrem) odpowiedzialnym za sprawy zagraniczne; brał udział w negocjacjach w sprawie zwrotu FON i złota gdańskiego, był odpowiedzialny za zadłużenie w epoce Gierka. Od 1979 do końca 1980 r. był prezesem Rady Nadzorczej Banku Handlowego. W sierpniu 1980 r. Krzak został ministrem finansów, a po odwołaniu w październiku 1982 r. – ambasadorem w Wiedniu (1983–1988). Po powrocie objął stanowisko prezesa PKO BP (1988–1991).

[107] Tadeusz Adam Barłowski (ur. 25.08.1929), syn Michała i Marii z d. Sołtys.

[108] IPN BU 001043/377, Barłowski Tadeusz Adam, Notatka służbowa z 23.01.1967.

[109] IPN BU 00170/621, Barłowski Tadeusz Adam ps. „Banko", „Bankowiec".

[110] IPN BU 01592/637/D, Barłowski Tadeusz Adam, k. 34.

[111] Jerzy Basiuk (ur. 10.01.1940, Nowogródek), syn Pawła i Ludmiły z d. Żdan. Po ukończeniu studiów ekonomicznych na UW

(1964) pracował w MHZ (1963–1965), GUS (1966–1967) i znów w MHZ (1967–1984). W latach 1980–1984 był radcą ekonomicznym w Ambasadzie PRL w Waszyngtonie. Po powrocie przeszedł do Komisji Planowania przy Radzie Ministrów, a 1 marca 1989 r. rozpoczął pracę w Ministerstwie Finansów. Żona Teresa Basiuk była dziennikarką w „Rzeczpospolitej", a w 1987 r. redaktorem w Wydawnictwach Szkolnych i Pedagogicznych.

[112] IPN BU 3246/641, t. 1, k. 378.

[113] IPN BU 908/12918.

[114] Ibidem.

[115] Andrzej Stanisław Dorosz (ur. 28.05.1943, Lwów), syn Jarosława i Stanisławy z d. Jabłonowskiej.

[116] IPN BU 00257/385, Teczka pracy KO ps. „Dora" nr ew. 69139.

[117] IPN BU 2602/23006, Teczka pracy współpracownika „Dik". 15 lutego 1989 r. Sejm uchwalił ustawę o FOZZ, 20 lutego Żemek otrzymał nominację na dyrektora generalnego, a 24 lutego minister Wróblewski nadał FOZZ specjalny statut.

[118] IPN BU 01861/239, Kartoteka OCK Basiuk Jerzy.

[119] 17 maja 2006 r. Andrzej Dorosz, prezes Banku Gospodarstwa Krajowego (BGK) i dwaj wiceszefowie instytucji – Jerzy Basiuk i Piotr Dziewulski – zostali odwołani ze swoich stanowisk przez wicepremier i minister finansów Zytę Gilowską.

[120] IPN BU 45/393, t. 2, Ministerstwo Finansów (np. Jan Antoni Marian Sokołowski WSW; Longin Stankiewicz i jego brat Zbigniew rejestrowany, itd.).

[121] IPN BU 3246/643, t. 2 lub IPN Z/002829/125/2, Teczka oficera zewnętrznego II linii J-16977 nr rej. 20666 krypt. Zagórowicz, t. 2, Instrukcja dla „Sadika" z 12.12.1988.

[122] IPN BU 02778/873/J SMW krypt. „Slip"; IPN BU 02778/873/K Sachs Jeffrey D.J., Notatka nt. Jeffreya Sachsa, Waszyngton 3.01.1989, k. 6, 10.

[123] Ibidem. Sachs był już w Polsce przed 10 laty, czyli w 1978 r., ale nie wiemy, w jakim celu (dop. autorów).

[124] Ibidem.

[125] IPN BU 3246/643, t. 2 lub IPN Z/002829/125/2, Teczka oficera zewnętrznego II linii J-16977 nr rej. 20666 krypt. Zagórowicz, t. 2, Szyfrogram z 27.01.1989.

[126] Sam Sachs pisze: „there is a long-standing narrative that says that I was out to help impose the "Washington Consensus", a Milton-Friedman-style free-market economy. This is patently false. Yet it is repeated. It should stop being repeated. There is another narrative that says that I was ruthlessly in favor of a market economy and uninterested in the rule of law, institutions, or social justice."; Jeffrey D. Sachs, *What I did in Russia?*, strona J.D. Sachsa, March 14th, 2012, http://jeffsachs.org/2012/03/what-i-did-in-russia/ (dostęp: 15.10.2018).

[127] IPN BU 02778/873/J SMW krypt. „Slip"; IPN BU 02778/873/K, Notatka nt. Jeffreya Sachsa, Waszyngton 3.01.1989, k. 8–9.

[128] Jeffrey D. Sachs, *The End of Poverty*...

[129] IPN BU 02778/873/J SMW krypt. „Slip"; IPN BU 02778/873/K, Notatka nt. Jeffreya Sachsa, Waszyngton 3.01.1989, k. 8–9.

[130] Paweł Zyzak, *Efekt domina. Czy Ameryka obaliła komunizm w Polsce?*, t. 2, Warszawa 2016, s. 375–376.

[131] IPN BU 1585/25339, Jeffrey Sachs i David Lipton, Zarys programowego Programu Gospodarczego „Solidarności".

[132] Jeffrey D. Sachs, *What I did in Russia?*...

[133] IPN BU 02386/60, t. 2, KO „Olney" Marek Oleś, Raport z 12.10.1989.

[134] Marek Oleś (ur. 11.02.1954, Rzeszów), syn Andrzeja (ur. 30.11.1924), syna Władysława i Stanisławy z d. Groińskiej, oraz Ireny z d. Jabłońskiej (ur. 5.05.1927, Szczyrek).

[135] IPN BU 02386/60, t. 1, KO „Olney" Marek Oleś, Raport z 12.09.1984.

[136] Ibidem, Wniosek o nagrodę z 3.02.1987.

[137] Ibidem, Orzeczenie WKL MSW z 29.11.1988, k. 39.

[138] IPN BU 02386/60, t. 2, KO „Olney" Marek Oleś, Raport z 10.11.1989.

[139] Dorota Kania, Jerzy Targalski, Maciej Marosz, *Resortowe dzieci. Politycy*, Warszawa 2016, s. 163–178.

[140] IPN BU 3246/643, t. 3 lub Z/002829/125, t. 3 J-16977.

[141] IPN BU 3246/654, t. 1, Ryszard Rojek Dep. I „Rewal" J-15564.

[142] Ibidem, Szyfrogram z 22.12.1988, k. 101.

[143] Pinchas Alon Dror (ur. 23.06.1937, Jerozolima), absolwent Uniwersytetu Hebrajskiego w Jerozolimie, Technion – Izraelskiego Instytutu Technologicznego i Roosevelt University (USA), prezes Oil Refineries Ltd. (1984–1986), dyrektor wielu firm z dziedziny zaawansowanych technologii, obecnie dyrektor zarządzający (Managing Director) w DZ Israel Associates, współzałożyciel i członek DZ Resources LLC, głównego partnera Israel Industrial Resources Fund, L.P. („IIRF LP"), https://www.bloomberg.com/research/stocks/private/person.asp?personId=2719043&privcapId=9859460&previousCapId=9859444&previousTitle=Medibell (dostęp: 15.07.2018).

[144] IPN BU 3246/643, t. 3, J-16977 lub Z/002829/125, t. 3, Raport z 15.12.1989, k. 161.

[145] Ibidem, Raport z 18.05.1990.

[146] Ibidem, k. 4.

[147] Ibidem.

[148] Ibidem, Raport „Aleksa" z 8.06.1990.

[149] James Baker był sekretarzem skarbu (1985–1989) i sekretarzem stanu (1989–1993).

[150] Witold M. Trzeciakowski (1926–2004), ekonomista, senator I kadencji, minister-członek Rady Ministrów w rządzie Tadeusza Mazowieckiego.

[151] Witold Sulimirski przez ponad trzydzieści lat pracował dla Irving Trust Company (obecnie Bank of New York) w Bejrucie, Londynie i Frankfurcie. Po przejściu na emeryturę na początku 1989 r. nadal działał w finansach międzynarodowych, m.in. jako przewodniczący słoweńskiego LBS Bank oraz Intercap Investments. Był także założycielem i przewodniczącym AmerBanku, pierwszego zagranicznego banku w Polsce, a także dyrektorem wykonawczym American Investment Initiative (1992–1994), organizacji, która na polecenie Białego Domu promowała i ułatwiała realizację amerykańskich inwestycji w Polsce. W Warszawie pracował w radach nadzorczych Banku Pekao SA, Banku Gdańskiego, BIG Banku Gdańskiego, Narodowego Funduszu Inwestycyjnego „Piast" i „Octava", BRE Asset Management oraz Fundacji Centrum Prywatyzacji. Poza tym pełnił funkcję doradcy w Fundacji na rzecz Nauki Polskiej. W USA był członkiem, a od 1997 r. przewodniczącym Rady Powierniczej Fundacji Kościuszkowskiej.

[152] IPN BU 3246/643, t. 2 lub IPN Z/002829/125/2, Teczka oficera zewnętrznego II linii J-16977 nr rej. 20666 krypt. Zagórowicz, t. 2, Raport z 15.08.1989 ze spotkania z J. Whiteheadem.

[153] Ibidem, Raport z 8.08.1989.

[154] Ibidem, Raport „Sadika" z 12.09.1989 dotyczący współpracy ze St. Gomułką.

[155] Ibidem, Raport „Aleksa" z 16.10.1989, k. 121.

[156] Ibidem, Raport z 18.06.1990.

[157] Ibidem, Raport z 2.07.1990, k. 87.

2. FOZZ – „MATKA WSZYSTKICH AFER"

W aferze FOZZ nic nie było przypadkowe: na czele Funduszu stanął człowiek komunistycznego wywiadu wojskowego, a w jego władzach byli politycy, którzy przez całe lata odgrywali istotną rolę w życiu publicznym. Śledztwo powierzono zaufanemu prokuratorowi i przez lata robiono wszystko, aby winni gigantycznej defraudacji nigdy nie ponieśli zasłużonej kary.

Fundusz Obsługi Zadłużenia Zagranicznego nazywany jest potocznie „matką wszystkich afer".

Przede wszystkim dlatego, że był pierwszą aferą o tak wielkiej skali finansowej. Choć nikt do dzisiaj nie obliczył całości strat skarbu państwa, to wiadomo, że chodzi o miliardy złotych a wielu wielkich operujących w Polsce oligarchów właśnie dzięki FOZZ zrobiło majątki. Problem jest jednak głębszy. FOZZ jest aferą sowiecką, zaplanowaną, zrealizowaną i ukrywaną najpierw przez PRL, a później przez ludzi, którzy dzięki powiązaniom sowieckim utrzymywali się przy władzy, bez względu na to czy chodzi o byłych prezydentów, polityków, funkcjonariuszy sowieckiego wywiadu wojskowego i cywilnego, czy też o ludzi tzw. wymiaru sprawiedliwości. FOZZ nie był i nie jest przestępstwem złodziei czy bandytów, lecz wynikiem antypolskiego działania sowieckiego aparatu okupującego Polskę. Ma więc cechy zdrady stanu nawet jeśli będzie to trudno udowodnić. Choć przecież żyją jeszcze urzędnicy PRL i «posłowie» PRL, którzy głosowali wiosną 1989 roku za powołaniem FOZZ i żyje wicepremier, który był za jego funkcjonowanie odpowiedzialny. Na szczeblu organizacyjno-wykonawczym FOZZ był wynikiem działania zorganizowanej zbrojnej grupy przestępczej i tak powinien być sądzony. Mówię o zbrojnej grupie przestępczej, gdyż główną rolę w realizacji zadań FOZZ pełnił sowiecki wywiad wojskowy działający w Polsce, czyli Zarząd II Sztabu Generalnego LWP, a zwłaszcza jego Oddział Y, czyli oddział wywiadu agenturalnego. Nie chciałbym wykluczyć z tej przestępczej działalności sowieckiego wywiadu cywilnego, czyli Departamentu I MSW. Ludzie tej formacji objęli stanowiska w Radzie Nadzorczej FOZZ, do dzisiaj mają się świetnie i udają, że nic nie wiedzieli i za nic nie odpowiadają. Po roku 1991 działania FOZZ były ukrywane przede wszystkim dzięki wpływom i sile działania WSI i jego kolejnych szefów. Jest więc FOZZ matką afer formacji powstałej pod okrągłym stołem, gdyż zrealizował ją aparat parapaństwowy i on ją po dziś dzień chroni

– mówił w wywiadzie dla „Nowego Państwa"[1] Antoni Macierewicz, który badał wątki FOZZ w związku z pracami komisji weryfikacyjnej WSI, której prace zaowocowały raportem z weryfikacji WSI[2].

Fundusz Obsługi Zadłużenia Zagranicznego został powołany jako państwowy fundusz celowy przez Sejm PRL IX kadencji na mocy ustawy z 15 lutego 1989 r., a więc 9 dni po otwarciu obrad okrągłego stołu. Środki nowego FOZZ-u pochodziły z dotacji budżetu centralnego, dochodów z zagranicznych pożyczek państwowych, lokat Banku Handlowego, wpływów z tytułu udziału FOZZ-u w polskich i zagranicznych spółkach i przedsiębiorstwach, a także z emisji obligacji i działalności kredytowej[3]. Oznaczało to, że Fundusz będzie udzielał kredytów i miał spółki krajowe i zagraniczne. FOZZ miał „gromadzić środki finansowe", gospodarować nimi i poprzez podstawione podmioty skupować na wolnym rynku długi zagraniczne PRL, notowane na poziomie 20–30 centów za dolara. W istocie chodziło jednak o nielegalne, ale skuteczne i bezkarne „wyprowadzenie spod kontroli państwa sporej części majątku publicznego"[4]. Dyrektor generalny FOZZ Grzegorz Żemek zeznał: „FOZZ powstał między innymi po to, abym mógł kontynuować zadania zlecone mi przez wojskowe służby specjalne"[5]. W raporcie przygotowanym przez Wydział Studiów MSW w maju 1992 r. dla premiera Olszewskiego czytamy: „Wielkie afery finansowe, jak Art-B i FOZZ, były dokonywane pod osłoną i z udziałem oficerów i agentury byłego Zarządu II Sztabu Generalnego WP i Departamentu I MSW"[6]. O ścisłej współpracy z Zarządem II świadczy umowa z września 1989 r., która za lokatę 250 tys. dolarów na pół roku przyniosła Oddziałowi „Y" 40 tys. dolarów odsetek. Dominowali jednak ludzie z Departamentu I, ponieważ to wywiad cywilny zajmował się „ochroną operacyjną" procesu oddłużeniowego[7].

W rzeczywistości prace nad powołaniem nowego FOZZ trwały jednocześnie z przygotowaniami do obrad okrągłego stołu.

„Według Żemka projekt ustawy o FOZZ [...] przygotowywano m.in. podczas dyskrecjonalnych narad w zakonspirowanych lokalach. Uczestniczyli w nich oficerowie i współpracownicy służb, wysocy urzędnicy Ministerstwa Finansów oraz KC PZPR"[8]. 1 lutego 1989 r. Żemek przedstawił swoje propozycje ministrowi finansów w rządzie Rakowskiego Andrzejowi Wróblewskiemu i wiceministrowi Januszowi Sawickiemu, który to zaproponował mu objęcie kierownictwa FOZZ[9]. Propozycje musiały być konsekwencją zgody na podjęcie się tego zadania, a więc spotkania przygotowawcze miały miejsce przed otwarciem obrad okrągłego stołu, prawdopodobnie jednocześnie z negocjacjami w Magdalence.

W skład rady nadzorczej FOZZ, powołanej w marcu przez ministra Wróblewskiego[10], weszli:

• Janusz Sawicki (KO „Jasa", „Kmityn", Dep. I[11]), przewodniczący rady nadzorczej (od 14.03.1989 do 31.12.1990), wiceminister finansów nadzorujący działalność FOZZ (1989–1991), prezes rady nadzorczej Banku Handlowego (1989–1990), poprzednio odpowiedzialny w Ministerstwie Finansów za obsługę polskiego zadłużenia zagranicznego;

• Grzegorz Wójtowicz (KO „Camelo" i „Camel"[12]), dyrektor Departamentu Zagranicznego Narodowego Banku Polskiego, członek zarządu (1984–1989), wiceprezes (1989–1990), prezes NBP (1991) i członek Rady Polityki Pieniężnej (1998–2004);

• Jan Boniuk (kontakt służbowy Departamentu V [wywiad gospodarczy] o ps. „Bon" oraz jako KO Departamentu I ps. „Donek"[13]), dyrektor Departamentu Zagranicznego Ministerstwa Finansów i sekretarz Rady Nadzorczej FOZZ, były I sekretarz egzekutywy PZPR w resorcie (1981–1983), sekretarz FOZZ, od 1983 do 1988 r. radca finansowy w Ambasadzie PRL w Waszyngtonie;

• Dariusz Rosati (KO „Buyer"[14]), dyrektor Instytutu Koniunktur i Cen, członek zespołu doradców ekonomicznych premiera Rakowskiego, pracownik Europejskiej Komisji Gospodarczej ONZ w Genewie (1991–1995), minister spraw zagranicznych (1995–1997), członek Rady Polityki Pieniężnej (1998–2004);

• Zdzisław Sadowski (zar. jako TW „Robert"[15]), wicepremier w rządzie Messnera;

• Jan Wołoszyn (KO Dep. I ps. „Okal"[16]), były prezes NBP, wówczas doradca prezesa NBP i wiceprezes Banku Handlowego;

• Sławomir Marczuk, w latach 1986–1989 członek zarządu BIG S.A., od maja 1989 r. podsekretarz stanu w Ministerstwie Finansów.

Według prokuratury państwo w wyniku działania FOZZ straciło 354 mln zł. Poza działalnością statutową Fundusz angażował się w przekazywanie środków licznym podmiotom prywatnym w kraju i za granicą. W lutym 1990 r. Fundusz powierzył 60 miliardów starych złotych Bankowi Inicjatyw Gospodarczych. 21 grudnia 1990 r., z polecenia Janusza Sawickiego, FOZZ wystawił na rzecz Banku Handlowego weksle na kwotę 3,5 biliona starych złotych.

Dyrektorem Generalnym Funduszu został Grzegorz Żemek, który oprócz oficjalnej funkcji handlowca miał także tę drugą: był agentem Zarządu II Sztabu Generalnego o pseudonimie „Dik".

Grzegorz Żemek[17] urodził się w Czosnowie w powiecie Nowy Dwór Mazowiecki w rodzinie robotniczej. We wrześniu 1968 r. ukończył Wydział Handlu Zagranicznego w Szkole Głównej Planowania i Statystyki uzyskując tytuł magistra ekonomii.

Ojciec Grzegorza Żemka, Czesław, przed II wojną światową był robotnikiem rolnym, a po jej zakończeniu w ramach reformy rolnej otrzymał od ówczesnej władzy ziemię w Czosnowie. Od 1950 r. pracował w Prezydium Miejskiej Rady Narodowej w Nowym Dworze Mazowieckim[18]. Matka Grzegorza Żemka zajmowała się domem[19].

Według znajdujących się w IPN dokumentów, Grzegorz Żemek w latach 1962–1963 był członkiem Związku Harcerstwa Polskiego, następnie wstąpił do Związku Studentów Polskich, gdzie pracował w Komisji Propagandy[20], a od 1974 r. należał do PZPR[21].

Komunistyczny wywiad wojskowy zainteresował się Żemkiem w 1970 r. Zeszyt ewidencyjny na współpracownika o pseudonimie „Dik" został założony 13 czerwca 1970 r. pod numerem 242[22]. Żemek był wówczas stażystą w Przedsiębiorstwie Handlu Zagranicznego „Metronex", gdzie pracował od października 1968 r.; pełnił tam także funkcję szefa Komisji Propagandy Związku Młodzieży Socjalistycznej. Był już wówczas żonaty. Jego żona[23], także absolwentka Wydział Handlu Zagranicznego Szkoły Głównej Planowania i Statystyki, pracowała w Przedsiębiorstwie Handlu Zagranicznego Elektrim[24]. Jej ojciec był pracownikiem Izby Skarbowej w Kielcach, a matka pracowała w wydziale finansowym Prezydium Miejskiej Rady Narodowej w Kielcach.

Młodszy brat Grzegorza Żemka, Andrzej[25], w momencie werbunku „Dika" pracował w PHZ Impexmetal. Andrzej Żemek – podobnie jak brat– ukończył SGPiS oraz należał do SZSP, gdzie był przewodniczącym studenckiej grupy działania. Należał również do Koła Naukowego Międzynarodowych Stosunków Gospodarczych i brał udział w zagranicznych seminariach m.in. w Moskwie[26]. Jego żona Urszula[27], absolwentka SGPiS, pracowała w Polskiej Izbie Handlu Zagranicznego. W 1978 r. Andrzej ukończył studia, a rok później został zatrudniony w Impexmetalu, gdzie pracował do końca roku 1986, gdy został skierowany do pracy w Biurze Radcy Handlowego Ambasady PRL w Londynie.

* * *

Pierwszy kontakt z Grzegorzem Żemkiem służby wojskowe nawiązały w Ministerstwie Handlu Zagranicznego we wrześniu 1970 r. – mjr Jan Lesiński z Zarządu II Sztabu Generalnego umówił się z nim w kawiarni i przeprowadził pierwszą rozmowę.

„Kandydat aktualnie nie posiada większych możliwości pracy wywiadowczej, co wynika z krótkiego stażu pracy zawodowej. [...] Biorąc jednak pod uwagę wiek kandydata, wzorową opinię z miejsca pracy, znajomość języków obcych (francuski, hiszpański, angielski i rosyjski), przygotowanie fachowe, zaangażowanie w pracy społecznej, należy przypuszczać, że w stosunkowo krótkim czasie może on wejść do rotacji na placówki zagraniczne, co stworzyłoby mu pewne możliwości pracy dla Zarządu II Sztabu Gen. Proponuję więc prowadzić dalsze rozpracowanie Żemka, jako kandydata na współpracownika z takim wyliczeniem, aby werbunek zbiegł się z ewentualnym terminem wyjazdu na placówkę zagraniczną" – pisał mjr Lesiński 22 września 1970 r., przedkładając jednocześnie swoim przełożonym plan rozpracowania[28]. Dwa lata później, 8 marca 1972 r., ppłk Zdzisław Nowak, starszy pomocnik szefa Oddziału „Z" (krajowy), złożył wniosek o zawerbowanie[29] Grzegorza Żemka na współpracownika.

„Ob. Żemek nie posiadał dotychczas większych możliwości wywiadowczych, a jego wyjazdy służbowe oscylowały wokół krajów afro-azjatyckich. Obecnie nasz kandydat wszedł w plany rotacyjne Ministerstwa Handlu Zagranicznego i w miesiącach czerwiec–lipiec ma wyjechać do pracy w Biurze Radcy Handlowego przy Ambasadzie PRL w Paryżu. Pomimo młodego wieku rokuje nadzieje na dobrego współpracownika. Zna dobrze 4 języki (ma w tym kierunku specjalne uzdolnienia) oraz posiada należyte przygotowania fachowe [...] Z analizy dotychczas zebranych materiałów można przypuszczać, że istnieje realna szansa zawerbowania kandydata na współpracownika. W przypadku odmowy zostanie dana mu do podpisania deklaracja o zachowaniu tajemnicy państwowej. Spowodujemy również wycofanie kandydatury ob. Żemka z planów rotacyjnych MHZ" – pisał płk Nowak[30].

Okazało się, że nie było potrzeby podjęcia działań wojskowej bezpieki przeciwko Grzegorzowi Żemkowi – 14 marca 1972 r. na spotkaniu w kawiarni „Nowy Świat" bez oporów podpisał on zobowiązanie o dobrowolnej współpracy z wywiadem wojskowym PRL[31], a na kontakt przejął go por. Jan Andrzej Lewiński[32] ps. „Leo"[33]. Dwa miesiące później Grzegorza Żemka przejął inny oficer komunistycznego wywiadu wojskowego Lechosław Duniec, pomocnik szefa Oddziału „J". Oddział „J", podobnie jak Oddziały „R" i „S", powołany został w 1970 r. do kierowania pracami sieci nielegalnych (agenturalnych) na obszarze terytorialnym działania Zarządu II każdorazowo ustalanym przez szefa Sztabu Generalnego poza granicami PRL. Oddział „J" miał też kryptonim: arabski IV.

„W dniu 4 maja 1972 r. w kawiarni Metropol odbyłem spotkanie, na którym por. Lewiński przekazał mi na kontakt Grzegorza Żemka. Przekazanie to wiązało się ze zmianą planów wyjazdowych w stosunku do Żemka, który jest obecnie planowany do pracy w BRH [Biuro Radcy Handlowego – *aut.*] w Brukseli. W czasie spotkania Żemek opowiedział o swoim ostatnim pobycie w Republice Bangla Desz (Bengali) oraz o stopniu realizacji postawionych mu zadań informacyjnych. [...] Wiadomość, że ma pojechać do Brukseli, a nie do Paryża, nie zrobiła na nim wrażenia. [...] Zauważyłem u Żemka zdolność łatwego nawiązywania kontaktów z ludźmi i dalszego ich kontynuowania, w związku z czym podczas szkoleń zwrócę szczególną uwagę na zagadnienia pracy typowniczo-werbunkowej oraz wykorzystywania świadomych lub nieświadomych informatorów" – pisał por. Duniec[34].

Teczka personalna „Dika" została założona 24 października 1972 r.[35] Grzegorz Żemek w BRH Ambasady PRL w Brukseli pracował do 1978 r., następnie trafił do Banku Handlowego, w którym pracę rozpoczął w roku 1979, mimo że w tym czasie por. Jerzy Sączek, szef Oddziału IV Zarządu II Sztabu Generalnego, wystąpił o jego zatrudnienie w BRH w Ambasadzie PRL w Madrycie[36].

Pracownicy Zarządu II Sztabu Generalnego byli pełni uznania dla swojego agenta. „«DIK» w czasie swojego 6-letniego pobytu w Belgii był operacyjnie aktywny i w pełni przydatny. Między innymi: zawarł szereg ciekawych kontaktów i w pełni rozpracował dwie osoby (belgijskiego handlowca i pracownika fabryki broni w Herstal); w zakresie informacyjnym zdobył i przekazał do Centrali 107 materiałów (6-szczególnie cennych, 42-wartościowych i 59-przydatnych). «DIK» posiada perspektywy dalszego wykorzystania jako współpracownika: obecnie w trakcie pełnienia odpowiedzialnych stanowisk kierowniczych w Banku Handlowym – w pracy naprowadzającej na ciekawe osoby; po 1983 r. po objęciu perspektywicznego stanowiska szefa oddziału Banku Handlowego w jednym z państw Europy Zachodniej – w typowej pracy współpracownika zagranicznego Centrali" – czytamy w analizie, którą 30 lipca 1981 r. sporządzili mjr Wojciech Myszak oraz płk Jerzy Sączek[37].

Ostatecznie Grzegorz Żemek został zastępcą dyrektora i kierownikiem departamentu ds. operacji dokumentowych i kredytów Banku Handlowego International SA w Luksemburgu. Jedynym akcjonariuszem tego banku był Bank Handlowy w Warszawie, a sam bank działał według prawa obowiązującego w Luksemburgu.

Grzegorz Żemek w latach 70. był współpracownikiem Oddziału IV Zarządu II Sztabu Generalnego (romańskiego), a w latach 80. – Oddziału „Y", czyli Agenturalnego Wywiadu Strategicznego[38]. Oddział IV obejmował Francję, kraje Beneluksu i śródziemnomorskie.

W lipcu 1989 r. „Dik" został wyróżniony nagrodą pieniężną w wysokości 2 tys. dolarów USA.

„Melduję, że Oddział «Y» przeprowadził kolejną operację pozyskiwania pozabudżetowych środków dewizowych za pośrednictwem współpracownika «DIK», w wyniku której uzyskano sumę ok. 81 tys. dolarów USA. Podobnie jak poprzednio zachowane zostały wszelkie warunki bezpieczeństwa i zgodności z przepisami administracyjno-finansowymi. W związku z powyższym proponuję wyróżnić współpracownika «DIK» nagrodą pieniężną w wysokości 2 tysięcy dolarów USA za jego duży wkład w jej realizacji" – uzasadniał płk Zdzisław Żyłowski, szef Oddziału „Y" Zarządu II Sztabu Generalnego[39]. „Dikowi" została przyznana wnioskowana nagroda, a decyzję podjął szef Zarządu II Sztabu Generalnego płk Roman Misztal.

* * *

Zastępcą Żemka w FOZZ była Janina Chim[40]. Ze znajdujących się w IPN dokumentów wynika, że jej ojciec Zbigniew Danielewski do 1939 r. przebywał „przy rodzicach na terenie ZSRR", a „w latach 1945–1947 przebywał w wojsku"[41]. Od 1948 r. był aktywnym członkiem PZPR. Od lat 60. był „rencistą szczególnych zasług PRL"[42].

Matka Janiny Chim urodziła się w Jabłonnej k. Warszawy. W czasie wojny trafiła do obozu pracy w Dreźnie. Z trójki rodzeństwa Janiny Chim dwoje było związanych z MSW.

Siostra – Wiktoria Danielewska[43] w latach 70. ub. wieku pracowała w MSW – była kontrolerem Biura Koordynacyjno-Organizacyjnego RCI PESEL[44].

„Wiktoria Danielewska pracę zawodową rozpoczęła w dniu 1 listopada 1975 r. w Rządowym Centrum Informatycznym PESEL w charakterze kontrolera. W pracy RCI PESEL dała się poznać jako pracownik sumienny i zdyscyplinowany. Powierzone jej zadania wykonywała właściwie. W stosunku do współpracowników jest koleżeńska i uczynna. Bezpartyjna. Strona etyczno-moralna nie budzi zastrzeżeń. Odchodzi z RCI PESEL na własna prośbę" – napisał 24 maja 1979 r. Ryszard Kukikowski[45]. Po odejściu z MSW w 1979 r. została sekretarką w Metalexporcie, gdzie również pracowała jej siostra Janina.

Jeden z braci Janiny Chim – Krzysztof Danielewski[46] pracował w Komendzie Dzielnicowej Milicji Obywatelskiej Warszawa–Wola; był inspektorem w wydziale kryminalnym.

„Wymieniony do służby w MO został przyjęty 16.10.1970 r. Jest funkcjonariuszem samodzielnym i zdyscyplinowanym z dużym zaangażowaniem wykonującym swoje obowiązki służbowe. Cieszy się dobrą opinią u przełożonych. Zrealizował wiele spraw, za które był nagradzany i wyróżniany. Aktywny członek PZPR" – czytamy w opinii służbowej sporządzonej 21 października 1975 r. w związku z podaniem Wiktorii Danielewskiej o przyjęcie jej do pracy w MSW[47].

Tematem pracy magisterskiej Krzysztofa Danielewskiego na Akademii Spraw Wewnętrznych w Warszawie były oszustwa finansowe – praca została obroniona w 1985 r.[48]

Drugi brat Janiny Chim – Andrzej Danielewski[49], członek ZMS, w czasach PRL-u pracował w Fabryce Samochodów Osobowych na Żeraniu[50].

Mąż Janiny Chim, Janusz[51], syn grabarza i gospodyni domowej, był kierowcą[52]. Pracę zawodową rozpoczął w Jednostce Wojskowej 1490 w Szczecinie, a następnie został zatrudniony w Ośrodku Kultury i Informacji Niemieckiej Republiki Demokratycznej w Warszawie – pracował tam do 30 stycznia 1968 r. Kolejnym miejscem była posada kierowcy ministra przemysłu lekkiego, a następnie ministra przemysłu – w ostatnich latach pracy był kierowcą ministra Mieczysława Wilczka. Jak wynika z dokumentów IPN, Janusz Chim zmarł tragicznie w maju 1989 r. za granicą[53].

Janina Chim w 1976 r. rozpoczęła pracę w Metalexporcie jako technik-ekonomista[54]. W 1983 r. jako pracownik Elektrimu wyjechała do Nigerii w charakterze rzeczoznawcy ds. walutowych: celem była windykacja należności dla firmy Universal[55]. Już wtedy doskonale znała się zarówno z Grzegorzem Żemkiem, jak i z Dariuszem Przywieczerskim. W 1989 r. została zastępcą dyrektora generalnego FOZZ, czyli Grzegorza Żemka.

Niezwykle istotną rolę w FOZZ odegrał Dariusz Tytus Przywieczerski[56], który był doradcą dyrektora Funduszu. W młodości należał do ZHP (1957–1965) i ZMS – tam był zastępcą kierownika Wydziału Organizacyjnego (1965–1973), a następnie instruktorem KC PZPR. Do partii należał od 1965 r.[57] do końca jej istnienia.

Przywieczerski urodził się we Włocławku i po przeprowadzce rodziców do Warszawy rozpoczął edukację w stolicy. Po maturze podjął pracę w CHZ Paged (1966). W 1974 r. ukończył studia w Szkole Głównej Planowania i Statystyki – w tym czasie był już cztery lata po ślubie z Zofią Grabińską.

„W czerwcu 1976 r. KC wysłał Przywieczerskiego do Radomia, by zbadał nastroje przed podwyżkami cen szykowanymi przez ekipę Gierka. Po ogłoszeniu podwyżek radomscy robotnicy wyszli na ulice. – Przywieczerski przemawiał do załogi Zakładów Metalowych im. gen. Świerczewskiego «Waltera»" – mówił Jacek Indelak, autor scenariusza filmu dokumentalnego *Miasto z wyrokiem* (powstał w 1996 r.). Przemówienie odtwarzano z radiowęzła: „Mówi Dariusz Przywieczerski, opiekun województwa radomskiego z ramienia Komitetu Centralnego Partii. Uczciwą pracą, tak jak uczciwi ludzie, wyrazimy swoje poparcie dla towarzysza Gierka... Musimy wszyscy sami sobie spojrzeć w oczy, sami wyrzucić z «Waltera» osoby, które są nam tutaj niepotrzebne"[58].

Rok później Przywieczerski został powołany na zastępcę dyrektora CHZ Paged. W 1980 r. pojechał do Kenii jako radca handlowy Ambasady PRL w Nairobi. Po powrocie, w 1985 r. został szefem CHZ Universal, który w czasach PRL był m.in. monopolistą w handlu zagranicznym towarami agd, choć pośredniczył również w handlu szeregiem innych typów towarów. Po powrocie do kraju – jak ujawnił historyk Adam Chmielecki – Dariusz Przywieczerski został zarejestrowany w 1987 r. jako tajny współpracownik Wydziału I Departamentu II MSW o pseudonimie „Grabiński"[59].

Dariusz Przywieczerski był także współzałożycielem Banku Inicjatyw Gospodarczych, spółki Ad Novum[60] i właścicielem 20 procent akcji Polsatu.

Żona Dariusza Przywieczerskiego, Zofia[61], absolwentka filologii polskiej na Uniwersytecie Warszawskim, pracowała w Polskiej Agencji Interpress jako redaktor. W III RP razem z mężem zasiadała w spółce Ad Novum, która była wydawcą lewicowego dziennika „Trybuna"[62]. Ojciec Dariusza Przywieczerskiego, Edmund, urodził się w Mikołajkach w powiecie Włocławek. Jak napisano w dokumentach IPN, miał pochodzenie „obszarnicze"[63]. Służba Bezpieczeństwa zarejestrowała go jako tajnego współpracownika o pseudonimie „Gutek"[64].

„Wychowywał mnie ojciec. Był handlowcem, przed wojną ukończył studia w Antwerpii. Po wojnie pracował w resorcie handlu zagranicznego" – mówił Dariusz Przywieczerski „Gazecie Wyborczej" w 1995 r. W tym samym autoryzowanym wywiadzie pochwalił się, że jego rodzina miała majątek w Przywieczerzynku na Kujawach, a resztki rodowych włości znacjonalizowano po wojnie[65].

Edmund Przywieczerski pracował w PZH Universal jako handlowiec do czasu swej śmierci. Zmarł 11 czerwca 1976 r. – wtedy też zostały zniszczone materiały SB na jego temat. W zapisach zachowała się informacja, że Edmund Przywieczerski był zarejestrowany przez Departament I MSW, czyli wywiad cywilny.

„Po wyzwoleniu należał do PPS. W okresie zjednoczenia PPS i PPR został wykluczony z PPS. Ubiegał się o przyjęcie do PZPR, ale go nie przyjęto. W okresie pracy w Metalexporcie posiadał opinię zajmującego się handlem obcą walutą"[66].

Starszy brat Dariusza Przywieczerskiego, Przemysław, urodził się 6 lipca 1942 r. W 1971 r. ukończył Politechnikę Warszawską i uzyskał tytuł inżyniera mechanika. Był członkiem PZPR, pracował m.in. w PHZ „Polserwis" – został delegowany jako specjalista do Libii. W tym czasie (1980) Dariusz Przywieczerski pracował w PHZ Paged.

W III RP Przemysław Przywieczerski zajął się działalnością biznesową – zasiadł m.in. we władzach spółek Trans–Universal, Norblin, Home[67].

W 1989 r. Dariusz Przywieczerski startował do Senatu jako kandydat niezależny – przegrał potyczkę z Franciszkiem Sobieskim[68], kandydatem popieranym przez Lecha Wałęsę.

Na początku lat 90. Dariusz Przywieczerski był przedstawiany w mediach jako człowiek sukcesu – w 1990 r. tygodnik „Polityka" i Business Centre Club uznały Przywieczerskiego za „Biznesmena Roku". Rok później na liście 100 najbogatszych Polaków tygodnika „Wprost" znalazł się na 58. pozycji[69]; najwyższe – 32. miejsce – zajmował w roku 1994[70], a ostatni raz pojawił się na niej w 1998 r. na 63. pozycji[71].

* * *

Afera FOZZ zaczęła się od kontroli spółki Universal, o której w „Naszym Dzienniku" historyk i politolog Adam Chmielecki pisał następująco:

> Szczególną pozycję wśród instytucji i osób powiązanych z Funduszem Obsługi Zadłużenia Zagranicznego miała spółka Universal (działająca najpierw jako CHZ, później jako Universal SA). Od 1986 r. jej dyrektorem był Dariusz Przywieczerski, w latach 70. instruktor KC PZPR, występujący w dokumentach SB jako tajny współpracownik o pseudonimie «Grabiński», rejestrowany w latach 1987–1989 przez Wydział I Departamentu II MSW. FOZZ i Universal zawarły między sobą

blisko 80 różnego rodzaju porozumień finansowych. Ich szczegóły w większości nie są znane. W 1990 r. Przywieczerski, Żemek i Janina Chim (zastępca dyrektora FOZZ) pożyczyli – jako osoby prywatne – pół miliona dolarów w Bank of Scotland, za które założyli spółkę Trast. Pożyczkę spłacił Fundusz. Firma Trast, której FOZZ miał pożyczyć pieniądze na łączną sumę 4 mld dolarów, miała zawierać umowy finansowe z założoną przez KC PZPR, a później należącą do SdRP, firmą – nomen omen – Transakcja.

Powiązania decydentów FOZZ i Universalu były bardzo rozbudowane. W 1994 r. księgową w firmie Dariusza Przywieczerskiego została Janina Chim, która jako zastępca kierownika jednego z działów pracowała w tym przedsiębiorstwie już w latach 80. Cała trójka (z Żemkiem) utrzymywała również bliskie kontakty towarzyskie. Universal był ponadto jednym z udziałowców BIG Banku, tworzonego w 1989 r. Przywieczerski i Żemek zasiadali także razem w Radzie Nadzorczej spółki Dolta. Dariusz Przywieczerski kontrolował w tamtym okresie liczne spółki, w tym Ad Novum, wydającą m.in. „Trybunę", oraz Dukat, której FOZZ poręczył jeden z kredytów zaciągniętych w BIG Banku.

Postaci Chim i Przywieczerskiego pojawiają się również w działalności firmy Eurotrade-Pol. Zastępczyni Grzegorza Żemka była jej prezesem. Od 1993 r. Eurotrade-Pol administrowała budynkami dawnych Zakładów im. Róży Luksemburg w Warszawie, produkujących lampy i żarówki. W 1994 r. prawo do wieczystego użytkowania gruntów i budynków starej fabryki odkupił od firmy Janiny Chim Universal, który następnie sprzedał całość Głównemu Urzędowi Ceł. Miała tam stanąć główna siedziba urzędu. Okazało się jednak, że ze względu na zbyt duże stężenie rtęci wykorzystywanej przez lata do produkcji lamp teren ten nie nadaje się do użytkowania. Prawdopodobnie wiedział o tym Ireneusz Sekuła, polityk lewicy i ówczesny prezes GUC, który za nietrafioną transakcję miał odpowiadać przed sądem. W 1995 i 1998 r. prokuratura oskarżyła Sekułę o popełnienie kilku przestępstw, w tym działania na szkodę GUC. Polityk jednak przed sądem nie stanął. W marcu 2000 r. w tajemniczych okolicznościach popełnił samobójstwo[72].

Afera FOZZ została ujawniona w 1991 r., jednak do ostatecznego zakończenia procesu sądowego doszło dopiero w 2009 r. Śledztwo w sprawie afery prowadził prokurator Janusz Kalwas, któremu powierzano sprawy polityczne związane ze służbami specjalnymi.

Janusz Kalwas do Prokuratury Wojewódzkiej w Warszawie trafił w 1975 r., wcześniej pracował jako inspektor BHP w warszawskim przedsiębiorstwie Transbud. Jednym z pierwszych śledztw, które prowadził, była sprawa nielegalnego przekroczenia granicy na podstawie podrobionych dokumentów[73]. Śledztwo było prowadzone przeciwko Henrykowi G. – funkcjonariuszowi Służby Bezpieczeństwa i pracownikowi wydziału paszportów Komendy Stołecznej Milicji Obywatelskiej[74].

Postępowanie prowadzono na terenie całej Polski, a śledztwem objęty został cały wydział paszportów KSMO. W 1980 r. postępowanie zostało warunkowo umorzone[75].

Prokuratorowi Januszowi Kalwasowi w latach 80. powierzano także sprawy, za którymi stały wojskowe służby specjalne. Do takich należała m.in. sprawa Jana Załuski, właściciela firmy „Carpatia", współpracownika Zarządu II Sztabu Generalnego, czyli komunistycznego wywiadu wojskowego. MSW prowadziło przeciwko niemu śledztwo dotyczące nadużyć gospodarczych, a prokuratorem prowadzącym był właśnie Janusz Kalwas[76]. Jan Załuska był tajnym współpracownikiem Zarządu II Sztabu Generalnego o ps. „Merc"[77].

„W 1988 r. Oddział Y udzielił swojemu współpracownikowi ps. «MERC» (Jan Załuska) na okres jednego roku oprocentowanej na 20% rocznie pożyczki w wysokości 50 tys. dolarów. Załuska został pozyskany w 1986 r. i był wykorzystywany do kupowania urządzeń «embargowanych» (co zwykle oznaczało części elektroniczne obłożone zakazem eksportu do krajów komunistycznych, którym USA i inne państwa zachodnie chciały w ten sposób utrudnić udział w wyścigu zbrojeń). Na początku lat 90. Załuska był właścicielem dwóch zarejestrowanych w Polsce firm («Carpatia» i «Agaricus») oraz austriackiej firmy «Riedrich»" – ujawnił raport z weryfikacji WSI[78].

Janusz Kalwas prowadził także w 1987 r. śledztwo związane z nadużyciami w RSW „Prasa-Książka-Ruch", w którym był aresztowany Maciej R.[79] Postępowanie to było jednym z medialnych przykładów, jak peerelowska władza walczy z nadużyciami.

W latach 90. prokuratorowi Kalwasowi powierzono najważniejsze śledztwo III RP, czyli aferę FOZZ.

Do ujawnienia afery FOZZ doszło dzięki Michałowi Falzmannowi, kontrolerowi Najwyższej Izby Kontroli. Wykrył on gigantyczne nieprawidłowości pracując w warszawskiej Izbie Skarbowej. W trakcie kontroli firmy Universal należącej do Dariusza Przywieczerskiego bardzo szybko zorientował się, w jaki sposób i na jak ogromną skalę okradane jest państwo polskie. Swoje ustalenia i spostrzeżenia zawarł w artykule opublikowanym we wrześniu 1990 r. w „Głosie Wolnego Robotnika". Tekst ten uruchomił kontrolę NIK w styczniu 1991 r. – powołano specjalny zespół, do którego trzy miesiące po jego powstaniu dołączył Michał Falzmann. W Izbie został od razu mianowany głównym specjalistą. Michała Falzmanna odwołano po wysłaniu przez niego pisma do Narodowego Banku Polskiego.

„Działając na podstawie upoważnienia nr 01321 z dnia 27 maja 1991 r. Najwyższej Izby Kontroli do przeprowadzenia kontroli w Narodowym Banku Polskim proszę o udostępnienie informacji objętych tajemnicą bankową, o obrotach i stanach środków pieniężnych (gotówkowych i bezgotówkowych) Funduszu Obsługi Zadłużenia Zagranicznego" – napisał w piśmie do NBP Michał Falzmann.

Dzień przed odwołaniem, 14 czerwca 1991 r. w biurze ówczesnego premiera Jana Krzysztofa Bieleckiego odbyła się narada informująca o ustaleniach Michała Falzmanna. W naradzie brali udział m.in. prezes NIK Walerian Pańko, Anatol Lawina (NIK), Michał Falzmann, Leszek Balcerowicz oraz Janusz Sawicki (KO „Jasa", „Kmityn", Dep. I). Na spotkaniu został zaprezentowany raport kontrolny Michała Falzmanna na temat FOZZ oraz Banku Handlowego.

Cztery dni później, 19 czerwca 1991 r., Michał Falzmann zmarł – oficjalną przyczyną śmierci był zawał.

W ostatnich chwilach życia był z Michałem Falzmannem Kornel Morawiecki.

„Zawiozłem Michała do szpitala, ponieważ źle się poczuł na spotkaniu, na którym razem byliśmy. Podczas drogi opowiadał o swoich ustaleniach, wymieniał nazwiska ludzi, którzy czerpali profity z FOZZ. Po przyjęciu do szpitala byłem u niego na drugi dzień – czuł się dużo lepiej i byłem przekonany, że będzie dobrze. Gdy kilka godzin później dowiedziałem się, że nie żyje, nie mogłem w to uwierzyć" – wspomina twórca „Solidarności Walczącej"[80].

„Nie wybaczę sobie, że nie zażądałam sekcji zwłok męża. Ale odwiódł mnie od tego lekarz – dopiero później mnie to zastanowiło; ta jego gorliwość, przekonywanie mnie, że to na pewno była śmierć naturalna" – wspomina Izabella Brodacka-Falzmann[81].

Mimo że po ujawnieniu afery FOZZ w najważniejszych ośrodkach władzy zapanowała zmowa milczenia, w NIK udało się przygotować informację na temat działalności FOZZ. Tuż po powstaniu raportu, w przeddzień ogłoszenia wyników kontroli w FOZZ, w wypadku samochodowym zginął jednak Walerian Pańko, prezes Najwyższej Izby Kontroli, którego podpis widnieje pod dokumentem i który już wcześniej zapowiadał publiczne ogłoszenie wyników kontroli. Do dziś okoliczności wypadku budzą wątpliwości, chociaż prokuratura i sąd uznały wypadek za zdarzenie losowe.

Raport NIK spowodował wszczęcie śledztwa przez Prokuraturę Wojewódzką w Warszawie. Postępowanie powierzono prokuratorowi Januszowi Kalwasowi, który miał zbadać przepływy finansowe i znaleźć winnych gigantycznej defraudacji. W sierpniu 1991 r. zarzuty usłyszeli dyrektor generalny FOZZ Grzegorz Żemek – współpracownik

Zarządu II Sztabu Generalnego o pseudonimie „Dik" oraz jego zastępczyni Janina Chim. Obydwoje zostali aresztowani – Janina Chim wyszła z aresztu w roku 1992, zaś Żemek w 1993. W lutym 1993 r. do warszawskiego sądu trafił akt oskarżenia. Objął on Grzegorza Żemka („Dik"), Janinę Chim, byłego wiceministra finansów Janusza Sawickiego (KO „Jasa", „Kmityn", Dep. I), byłego dyrektora departamentu zagranicznego w Ministerstwie Finansów Jana Boniuka (KO „Donek"), byłego prezesa Narodowego Banku Polskiego Grzegorza Wójtowicza (KO „Camelo"/„Camel") i znanego wówczas dealera samochodowego Krzysztofa Komornickiego. Już we wrześniu 1993 r. sąd odesłał sprawę prokuraturze do uzupełnienia, zalecając m.in. sporządzenie opinii biegłych m.in. z dziedziny bankowości. Kolejne śledztwo trwało pięć lat – akt oskarżenia został ponownie przesłany do sądu dopiero 16 stycznia 1998 r. Na ławie oskarżonych zasiedli: Grzegorz Żemek, Janina Chim, Janusz Sawicki oraz biznesmeni Zbigniew Olawa, Dariusz Przywieczerski, Krzysztof Komornicki i Irena Ebbinghaus.

* * *

Przewód sądowy w sprawie afery FOZZ rozpoczął się w 2000 r., dwa lata po wpłynięciu aktu oskarżenia. Media przewidywały szybki koniec sprawy i surowe wyroki – sprawa trafiła do Barbary Piwnik, która była oceniana jako jedna z najlepszych sędzi sądu warszawskiego. Niestety, proces został przerwany w 2001 r., gdy ówczesny premier Leszek Miller (SLD) powołał Barbarę Piwnik na stanowisko ministra sprawiedliwości. Ponowny proces, już pod przewodnictwem sędziego Andrzeja Kryże, ruszył we wrześniu 2002 r. Od tego czasu wszyscy zainteresowani grali na przedawnienie – oskarżeni nie stawiali się na rozprawy, składano coraz to nowe wnioski dowodowe, wnioskowano o przekładanie terminów posiedzeń. Trzy lata od rozpoczęcia procesu, 29 marca 2005 r. wydany został nieprawomocny wyrok sądu pierwszej instancji, skazujący oskarżonych na kary więzienia i grzywny. Grzegorz Żemek, któremu zarzucono zagarnięcie 41,9 mln dolarów, 9,5 mln marek niemieckich, 125 tys. franków belgijskich oraz 47,5 tys. zł został skazany na 9 lat i 720 tys. zł grzywny oraz nakazano mu „naprawienie szkody". Janina Chim, której zarzucono rozporządzanie środkami na cele niezwiązane z FOZZ (m.in. na kupno mieszkania) w łącznej wysokości 3,8 mln dolarów, została skazana na 6 lat i 500 tys. zł grzywny. Z kolei Dariusz Przywieczerski, któremu zarzucono zagarnięcie na szkodę FOZZ 500 tys. dolarów, otrzymał wyrok 3,5 roku więzienia.

Miesiąc później nastąpiło pierwsze przedawnienie; wyrok Ireny Ebbinghaus (2,5 roku więzienia i 195 tys. zł grzywny) i Krzysztofa Komornickiego (2 lata więzienia i 320 tys. zł grzywny) został uznany za niebyły. Byli oni oskarżeni o przywłaszczenie wspólnie z Żemkiem 3 mln marek i 1,5 mln dolarów.

Pozostali skazani zaskarżyli swoje wyroki – w 2006 r. Sąd Apelacyjny zmniejszył kary: Grzegorzowi Żemkowi wymierzył 8 lat i 5 tys. zł grzywny; Chim – 5 lat i 5 tys. zł grzywny, a Przywieczerskiemu – 3 lata i 6 mies. więzienia.

W 2007 r. rozpatrywany był wątek dotyczący niegospodarności w FOZZ – wyrok został utrzymany przez Sąd Apelacyjny w 2009 r.

Dariusz Przywieczerski, nazywany „mózgiem" FOZZ, skazany w 2005 r. w aferze FOZZ na karę więzienia, był od 2006 r. poszukiwany międzynarodowym listem gończym. W latach 2007–2010 skierowany do władz USA wniosek o ekstradycję był wielokrotnie uzupełniany na żądanie władz amerykańskich, pomimo przekazania im bardzo szczegółowych informacji. Sprawa była również regularnie omawiana podczas polsko-amerykańskich konsultacji ekspertów w sprawach karnych, w czasie których przedstawiciele Ministerstwa Sprawiedliwości wskazywali na wagę sprawy i potrzebę jak najszybszego rozpoznania wniosku o ekstradycję przez stronę amerykańską. W czerwcu 2016 r. Departament Sprawiedliwości USA przekazał informację, że wniosek Sądu Okręgowego w Warszawie o ekstradycję Dariusza Przywieczerskiego został skierowany do Biura Prokuratora Federalnego dla Środkowego Okręgu Florydy w Tampie celem wszczęcia postępowania o ekstradycję. Następnie w lutym 2017 r. Departament Sprawiedliwości poinformował, że ścigany może zostać w najbliższym czasie aresztowany w związku ze skierowanym wnioskiem o ekstradycję. W lipcu 2018 r. Departament Sprawiedliwości USA poinformował, że po zakończeniu postępowania przed sądami amerykańskimi orzeczenie w sprawie ekstradycji otrzyma Sekretarz Stanu USA, który podejmie ostateczną decyzję o ekstradycji. Następnie do Ministerstwa Sprawiedliwości wpłynęła nota Departamentu Stanu USA z 24 sierpnia 2018 r., informująca o wyrażeniu przez Sekretarza Stanu USA w dniu 21 sierpnia 2018 r. ostatecznej zgody na ekstradycję Dariusza Przywieczerskiego do Polski. Po uzyskaniu tej noty Ministerstwo Sprawiedliwości we współpracy z Komendą Główną Policji podjęło działania w celu jak najszybszego przewiezienia ściganego do Polski. Dariusz Przywieczerski został przewieziony przez funkcjonariuszy amerykańskich z Tampy na Florydzie do Chicago, przekazany polskim funkcjonariuszom na lotnisku w Chicago 7 września 2018 r., a następnie samolotem przyleciał 8 września 2018 r. do Polski – podało 8 września 2018 r. Ministerstwo Sprawiedliwości[82]. Przywieczerski został osadzony w areszcie śledczym na Służewcu w Warszawie.

Jednym ze świadków procesu w sprawie FOZZ był Anatol Lawina, w 1991 r. dyrektor Zespołu Analiz Systemowych, którego podpis widniej na raporcie NIK ws. afery FOZZ. Anatol Lawina w czasach PRL-u był działaczem opozycyjnym. Internowany, po wyjściu na wolność został współpracownikiem Prymasowskiego Komitetu Pomocy Osobom Pozbawionym Wolności i ich Rodzinom oraz współzałożycielem Obywatelskiego Komitetu Przeciwko Przemocy. W 1989 r. został zatrudniony w Najwyższej Izbie Kontroli – zajmował stanowisko dyrektora Zespołu Analiz Systemowych. W 1992 r. został zwolniony z NIK przez ówczesnego prezesa Izby profesora Lecha Kaczyńskiego. Powodem takiej decyzji były fatalne wyniki departamentu, którym kierował Lawina, i praktycznie brak wykonywania działań kontrolnych. W czasie procesu FOZZ Lawina podawał w mediach odmienne wersje przebiegu afery i jej uczestników: sprawiał wrażenie osoby ciężko przestraszonej. W 2006 r., gdy ważyły się losy ostatecznego wyroku w sprawie afery FOZZ, Anatol Lawina został ciężko pobity przez nieznanych sprawców. Zmarł kilka miesięcy później.

* * *

Na ławie oskarżonych, a później wśród skazanych, zabrakło osób, które znalazły się w raporcie NIK jako odpowiedzialne za nieprawidłowości występujące w FOZZ.

„Odpowiedzialność za nieprawidłowości występujące w FOZZ w pierwszej kolejności ponosi Dyrekcja (G. Żemek i J. Chim), Rada Nadzorcza FOZZ, a następnie z tytułu braku efektywnego nadzoru nad podległą państwową jednostką organizacyjną – minister finansów (A.[ndrzej] Wróblewski, L.[eszek] Balcerowicz" – czytamy w raporcie Najwyższej Izby Kontoli[83].

W 1997 r. prokurator Janusz Kalwas zmodyfikował zarzuty w śledztwie w sprawie FOZZ. Umorzył postępowanie wobec byłego prezesa NBP Grzegorza Wójtowicza, nie dopatrzył się również znamion przestępstwa w postępowaniu Leszka Balcerowicza, Dariusza Rosatiego oraz innych członków rady nadzorczej.

Wśród oskarżonych nie znaleźli się również późniejsi potentaci medialni, którzy pożyczali pieniądze z FOZZ.

Przez wiele lat jedynym skazanym w sprawie FOZZ był red. Andrzej Krasnowolski, który w tygodniku „Spotkania" opublikował cykl artykułów odsłaniających kulisy afery FOZZ. By zablokować publikacje, ludzie odpowiedzialni za aferę – m.in. Grzegorz Żemek i Janina Chim – skierowali przeciwko publicyście sprawę do sądu i ten został prawomocnie skazany.

Aferzyści z FOZZ mogli się czuć bezkarni, ponieważ w całe przedsięwzięcie byli zaangażowani funkcjonariusze służb specjalnych. Wiele nowych informacji i dowodów w sprawie afery FOZZ wniosło opublikowanie raportu z weryfikacji Wojskowych Służb Informacyjnych autorstwa Antoniego Macierewicza. Raport ujawnił nieznane wcześniej przepływy finansowe z FOZZ, osoby zaangażowane w aferę, a przede wszystkim związki Grzegorza Żemka z komunistycznymi służbami wojskowymi, podobnie jak innych „udziałowców" FOZZ.

* * *

Afera FOZZ była przez wiele lat tuszowana. Robiono wszystko, by odpowiedzialni za grabież pieniędzy nie ponieśli żadnej odpowiedzialności, zaś osoby, które zajęły się opisywaniem i wyjaśnieniem afery, były narażone na ataki. Przekonał się o tym między innymi wydawca Marcin Dybowski, który w 1992 r. opublikował książkę profesorów Mirosława Dakowskiego i Jerzego Przystawy pt. *Via bank i FOZZ. O rabunku finansów Polski.* Dybowski został zatrzymany bez powodu na 48 godzin przez policję, a w tym czasie z jego samochodu zginęły ważne dokumenty. Innym razem samochód, którym przewoził książki, został spalony, a on sam cudem uniknął ciężkich obrażeń. Z kolei Piotr Bączek, który na początku lat 90. publikował artykuły śledcze na temat afery FOZZ, został napadnięty i pobity przez „nieznanych sprawców".

PRZYPISY

[1] *FOZZ – sowiecka operacja w Polsce. Z Antonim Macierewiczem rozmawia Dorota Kania,* „Niezależna Gazeta Polska – Nowe Państwo" 2018, nr 10.

² Pełna nazwa: *Raport o działaniach żołnierzy i pracowników WSI oraz wojskowych jednostek organizacyjnych realizujących zadania w zakresie wywiadu i kontrwywiadu wojskowego przed wejściem w życie ustawy z dnia 9 lipca 2003 r. o Wojskowych Służbach Informacyjnych w zakresie określonym w art. 67. ust. 1 pkt 1–10 ustawy z dnia 9 czerwca 2006 r. „Przepisy wprowadzające ustawę o Służbie Kontrwywiadu Wojskowego oraz Służbie Wywiadu Wojskowego oraz ustawę o służbie funkcjonariuszy Służby Kontrwywiadu Wojskowego oraz Służby Wywiadu Wojskowego" oraz o innych działaniach wykraczających poza sprawy obronności państwa i bezpieczeństwa Sił Zbrojnych Rzeczypospolitej Polskiej* (dalej jako: *Raport o działaniach żołnierzy i pracowników WSI...*), publikacja w „Monitorze Polskim", nr 11, 16.02.2007.

³ IPN BU 003179/62, Ustawa o FOZZ, k. 5 i 12.

⁴ Daniel Wicenty, *Afera FOZZ jako modelowy przykład funkcjonowania zakulisowych wymiarów transformacji ustrojowej w Polsce*, Instytut Socjologii UMK 2004, s. 1, 4, https://docplayer.pl/24628590-Afera-fozz-jako--modelowy-przyklad-funkcjonowania-zakulisowych-wymiarow-transfor-macji-ustrojowej-w-polsce.html#show_full_text (dostęp: 21.03.2019).

⁵ Radosław Sojak, Daniel Wicenty, *Zagubiona rzeczywistość. O społecznym konstruowaniu niewiedzy*, Warszawa 2005, s. 236 (SOW, VIII k. 37/98 k. 696, 698).

⁶ *Raport Wydziału Studiów*, „Tygodnik Solidarność" 1992, nr 27, s. 4.

⁷ Sławomir Cenckiewicz, *Długie ramię Moskwy. Wywiad wojskowy Polski Ludowej 1943–1991*, Poznań 2011, s. 352; tam wykaz źródeł.

⁸ Daniel Wincenty, *Afera FOZZ jako...*

⁹ Sławomir Cenckiewicz, *Długie ramię Moskwy...*, s. 347, 348 przyp. 58.

¹⁰ Andrzej Wróblewski w 1989 r. zwolnił importerów alkoholu z podatku obrotowego, za co został oskarżony w kwietniu 1996 r. w aferze alkoholowej i 18 czerwca 1997 r. uniewinniony przez Trybunał Stanu. Decyzja ta przyniosła ogromne straty skarbowi państwa i umożliwiła akumulację kapitału nomenklaturze.

[11] Janusz Sawicki w 1979 r. został zarejestrowany pod nr 13201 przez Wydział VIII Departamentu I jako KO „Jasa" i „Kmityn". Materiały zniszczono 23 stycznia 1990 r. W 1987 r. został zarejestrowany jako KO także przez Wydziały IV i V Departamentu V; IPN BU 908/12918. Więcej nt. Sawickiego zob. s. 57–58.

[12] Wójtowicz podpisał własnoręczne zobowiązanie 7 czerwca 1982 r., Wydział VIII Dep. I, zob.: Sławomir Cenckiewicz, *Długie ramię Moskwy...*, s. 353; IPN BU 01789/392; IPN BU 763/49927.

[13] Jan Boniuk w l. 1981–1990 był zarejestr. przez Wydział IV Dep. V jako KS „Bon", natomiast przez Wydział VIII Dep. I jako KO „Donek", IPN BU 01591/818; IPN BU 02169/137, t. 1–2. Więcej nt. Boniuka zob. s. 36–38.

[14] Rosati został pozyskany do współpracy w lutym 1978 r., przed wyjazdem na stypendium do Stanów Zjednoczonych, zarejestrowany 29.05.1978 przez Wydz. VIII Dep. I MSW pod nr 12386 jako KO „Buyer". 22.03.1982 materiały złożono w archiwum Ewidencji Operacyjnej Dep. I MSW pod nr. J-7840. Sygn. IPN BU 1005/30516 (sygn. arch. EAGM 30516). Zob. BIP IPN, http://katalog.bip.ipn.gov.pl/showDetails.do?lastName=Rosati&idx=&katalogId=0&subpageKatalogId=3&pageNo=1&osobaId=50993& (dostęp: 13.08.2013). Zob. też Dorota Kania, Jerzy Targalski, Maciej Marosz, *Resortowe dzieci. Politycy*, Warszawa 2016, s. 290–301.

[15] Pierwsze podejście do zwerbowania Sadowskiego zostało zrealizowane w 1961 r. Zarejestrowano go jako TW przy okazji jednej z zagranicznych delegacji profesora. Jednak SB zakończyła sprawę, bo wyjazd nie doszedł do skutku. Jako TW zarejestrowano go ponownie w 1965 r. Współpracę zakończono w 1969 r. w związku z przedłużeniem pobytu na stanowisku wykładowcy w Ghanie; Maciej Marosz, *Obywatelski obowiązek profesora*, „Gazeta Polska", nr 40, 1.10.2008, s. 18–19.

[16] KS (kontakt służbowy) Dep. I, III, V – lata 60., od stycznia 1983–1989 KO „Okal"; IPN BU 2386/10, t. 1–3, oficer prowadzący płk W. Borodziej.

[17] Grzegorz Żemek (ur. 8.03.1946), syn Czesława (ur. 10.10.1913), syna Antoniego i Rozalii z d. Fijałkowskiej, oraz Weroniki z d. Ociepka (ur. 9.01.1916), córki Andrzeja i Zofii.

[18] IPN BU 659/2144, Akta paszportowa Czesława Żemka.

[19] IPN BU 2602/23014, Teczka personalna „Dik", k. 9.

[20] Ibidem, k. 38.

[21] Ibidem, k. 139.

[22] Ibidem, k. 4.

[23] Kamila Żemek z d. Marcinkowska (ur. 1946), córka Jana (ur. 1909–1948) i Władysławy.

[24] IPN BU 2602/23014, Teczka personalna „Dik", k. 40.

[25] Andrzej Żemek (ur. 16.05.1955), syn Czesława (ur. 10.10.1913), syna Antoniego i Rozalii z d. Fijałkowskiej, oraz Weroniki z d. Ociepka (ur. 9.01.1916), córki Andrzeja i Zofii.

[26] IPN BU stara sygnatura EAWW/103.

[27] Urszula Żemek z d. Górska (ur. 11.11.1957), córka Waleriana i Barbary.

[28] IPN BU 2602/23014, Teczka personalna „Dik", Wniosek o wytypowanie kandydata na współpracownika, k. 31.

[29] Termin używany przez służby w okresie PRL.

[30] IPN BU 2602/23014, (...), Wniosek o zawerbowanie mgr. Grzegorza Żemka, k. 60.

[31] Ibidem, k. 61.

[32] Ibidem, k. 62.

[33] IPN BU 2602/28227, Teczka personalna oficera ps. „Leo".

[34] IPN BU 2602/23014, Teczka personalna „Dik", Sprawozdanie o przejęciu na kontakt współpracownika Grzegorza Żemka, k. 68.

[35] Ibidem, k. 1.

[36] Ibidem, k. 117.

[37] Ibidem, Analiza współpracownika „Dik", k. 130–131.

[38] *Historyczno-prawna analiza struktur organów bezpieczeństwa państwa w Polsce ludowej (1944–1990). Zbiór studiów*, red. A. Jusupović, R. Leśkiewicz, Warszawa 2013.

[39] IPN BU 2602/23014, Teczka personalna „Dik", Notatka służbowa, k. 198.

[40] Janina Chim z d. Danielewska (ur. 20.10.1950, Legionowo), córka Zbigniewa (ur. 25.03.1917) i Barbary z d. Wiśniewskiej (ur. 16.12.1927–1969).

[41] IPN 09851/1428, Akta osobowe Wiktoria Danielewska c. Zbigniewa, k. 16.

[42] Ibidem.

[43] Wiktoria Danielewska (ur. 21.05.1953), córka Zbigniewa (ur. 25.03.1917) i Barbary z d. Wiśniewskiej (ur. 16.12.1927–1969).

[44] IPN 09851/1428, Akta osobowe Wiktoria Danielewska c. Zbigniewa.

[45] Ibidem, Opinia, k. 70.

[46] Krzysztof Danielewski (ur. 6.10.1947), syn Zbigniewa (ur. 25.03.1917) i Barbary z d. Wiśniewskiej (ur. 16.12.1927–1969).

[47] IPN 09851/1428, Akta osobowe Wiktoria Danielewska c. Zbigniewa, Notatka służbowa – sporządził Inspektor Wydziału I MSW Departamentu Kadr MSW ppłk Maciej Owczarzak, k. 49.

[48] IPN BU 1510/2272, Praca magisterska, protokół Komisji Egzaminu Magisterskiego, karta wyników studiów zaocznych, formularz dla kandydata na I rok studiów, dyplom Akademii Spraw Wewnętrznych, indeks ASW.

[49] Andrzej Danielewski (ur. 19.11.1948), syn Zbigniewa (ur. 25.03.1917) i Barbary z d. Wiśniewskiej (ur. 16.12.1927–1969).

[50] IPN 09851/1428, Akta osobowe Wiktoria Danielewska c. Zbigniewa, k. 18.

[51] Janusz Chim (ur. 2.01.1942, Sokoły–1989), syn Józefa (ur. 1914) i Bronisławy (ur. 1918).

[52] IPN BU 1386/484241, Akta paszportowe Janusza Chima.

[53] Wypis ewidencyjny, k. 12-4/1.

[54] IPN BU 1048/19054, Akta paszportowe Janiny Chim, k. 4.

[55] Ibidem, k. 21.

[56] Dariusz Tytus Przywieczerski (ur. 8.05.1946), syn Edmunda (ur. 27.11.1911), syna Konstantego i Marii z d. Czynsz, oraz Kazimiery z d. Głuszkowskiej.

[57] IPN BU 1975/1095, Kwestionariusz osobowy.

[58] Michał Matys, *Historia o Dariuszu Przywieczerskim*, Wyborcza. pl, 27.02.1999, http://wyborcza.pl/1,76842,140207.html (dostęp: 1.01.2019).

[59] Adam Chmielecki, *Centrale biznesu PRL*, „Nasz Dziennik", 25.11.2011.

[60] Dariusz Przywieczerski, imsig.pl – Internetowy Monitor Sądowy i Gospodarczy, https://www.imsig.pl/szukaj/osoba; Bank Inicjatyw Gospodarczych, wikipedia, https://pl.wikipedia.org/wiki/Bank_Inicjatyw_ Gospodarczych (dostęp: 1.01.2019).

[61] Zofia z d. Grabińska (ur. 7 maja 1945, Sochaczew), córka Tomasza (ur. 7.09.1907) i Zofii z d. Klemp (ur. 30.01.1909).

[62] Kogo reprezentuje Grabiańska Przywieczerska Zofia Halina w KRS, http://www.osoby-krs.pl/Grabianska,Przywieczerska,Zofia,Halina,3fa3bafd1b45133d819684bc802a3da5.html (dostęp: 1.01.2019).

[63] Zapisy ewidencyjne.

[64] Karta rejestracyjna nr 54322.

[65] Michał Matys, *Historia...* .

[66] Zapisy ewidencyjne.

[67] Przemysław Przywieczerski, imsig.pl – Internetowy Monitor Sądowy i Gospodarczy, https://www.imsig.pl/szukaj/osoba,PRZEMYS%C5%81AW,PRZYWIECZERSKI,effbd8f8f9e (dostęp: 1.01.2019).

[68] Franciszek T. Sobieski, Senat.pl, http://ww2.senat.pl/k1/senat/Senator/Sobieski.htm (dostęp: 1.01.2019).

[69] *100 najbogatszych Polaków w 1991*, Wprost.pl, https://rankingi.wprost.pl/100-najbogatszych-polakow/1991 (dostęp: 1.01.2019).

[70] *100 najbogatszych Polaków w 1994*, Wprost.pl, https://rankingi.wprost.pl/100-najbogatszych-polakow/1994 (dostęp: 1.01.2019).

[71] *100 najbogatszych Polaków w 1998*, Wprost.pl, https://rankingi.wprost.pl/100-najbogatszych-polakow/1998 (dostęp: 1.01.2019).

[72] Adam Chmielecki, *Centrale biznesu...*

[73] IPN BU 576/44, Akta śledztwa prokuratora przeciwko Henrykowi G. i innym.

[74] https://katalog.bip.ipn.gov.pl/informacje/110018. Henryk G. swoją pracę dyplomową w Wyższej Szkole Oficerskiej MSW im. F. Dzierżyńskiego w Legionowie zatytułował *Charakterystyka podziemia i jego metody działania w powiecie Ostrów Mazowiecka na przykładzie bandy „Wir-Fali" w latach 1947–1951*. Owa „banda" to oddział Jana Kmiołka ps. „Wir", „Fala", członka WiN a następnie NZW. Jan Kmiołek został aresztowany w 1951 r. po prowokacji MBP i stracony „strzałem katyńskim" w więzieniu przy ul. Rakowieckiej w Warszawie 7 sierpnia 1952. Miejsce jego pochówku jest nieznane. W 2009 r. za wybitne zasługi dla niepodległości Rzeczypospolitej Polskiej został pośmiertnie odznaczony przez prezydenta prof. Lecha Kaczyńskiego Krzyżem Komandorskim z Gwiazdą Orderu Odrodzenia Polski, zob.: http://www.prezydent.pl/archiwum-lecha-kaczynskiego/aktualnosci/rok-2009/art,48,720,odznaczenia-dla-antykomunistycznego-podziemia.html.

[75] IPN BU 576/44, Akta śledztwa prokuratora przeciwko Henrykowi G. i innym.

[76] IPN BU 0248/190, Akta śledztwa prokuratora przeciwko Janowi Z. i innym.

[77] IPN BU 2602/19965, Zarząd II Sztabu Generalnego Wojska Polskiego: Zeszyt współpracownika ps. „Merc" dot. Jan Stanisław Załuska, imię ojca: Janusz, ur. 09.10.1946 r. Cieplice Śląskie.

[78] *Raport o działaniach żołnierzy i pracowników WSI...*, s. 22 i 374.

[79] IPN BU 576/491, Akta prokuratora dot. Krystyny Rymszy, w sprawie aresztowania Macieja Rymszy w dniu 29.01.1987 r. przez funkcjonariuszy SUSW.

[80] Rozmowa Doroty Kani z Kornelem Morawieckim, cytowana w programie „Gry tajnych służb", Telewizja Republika, 23.05.2018.

[81] Rozmowa Doroty Kani z Izabelą Brodacką-Falzmann, cytowana w programie „Gry tajnych służb", ibidem.

[82] *Dariusz Przywieczerski skazany w aferze FOZZ wydany Polsce*, Ministerstwo Sprawiedliwości, 8.09.2018, https://www.ms.gov.pl/pl/informacje/news,11698,dariusz-przywieczerski-skazany-w-aferze-fozz.html (dostęp: 1.01.2019).

[83] „Wnioski i ustalenia końcowe" – z raportu NIK pt. *Informacja o wynikach kontroli na temat działalności Funduszu Obsługi Zadłużenia Zagranicznego w latach 1989–1990*, wrzesień 1991.

3. BATAX BUDUJE KAPITALIZM Z ZARZĄDEM II SZTABU GENERALNEGO

(WIKTOR KUBIAK)

Jednym z zadań wywiadu wojskowego PRL było sprowadzanie sprzętu komputerowego objętego w latach 80. przez Komitet Koordynacyjny Wielostronnej Kontroli Eksportu (Coordinating Committee for Multilateral Export Control – COCOM) zakazem eksportu do krajów komunistycznych. Przemycanie sprzętu komputerowego było koniecznością dla Sowietów, gdyż bez zachodniej elektroniki nie mogli uczestniczyć w wyścigu zbrojeń, zaś wywiad wojskowy PRL wypełniał funkcje pomocnicze dla GRU. Komputery sprowadzano za pośrednictwem firm prywatnych związanych z Zarządem II Sztabu Generalnego.

Jak dowiadujemy się z raportu z weryfikacji WSI tajny współpracownik wywiadu wojskowego o ps. „Dik", czyli Grzegorz Żemek, który oficjalnie był szefem Departamentu Kredytowego w Banku Handlowym International w Luksemburgu, „wytypował do tych działań – obok szwajcarskiej firmy Akerman Electronics – firmę BATAX Wiktora Kubiaka; współpracował też z firmami wskazanymi mu przez współzałożyciela IMPOL, Piotra Kuczyńskiego[1]: «Capitami» z Belgii i ICL z Wielkiej Brytanii oraz z firmą Jerzego Pilcha-Kowalczyka z USA"[2]. Zyski z tego procederu czerpali właściciele firm pośredniczących i Zarząd II, który sprzedawał przemycony sprzęt Sowietom i Korei Płn.

Wywiad wojskowy dokonywał także nielegalnych operacji finansowych, w których posługiwano się funduszami Central Handlu Zagranicznego. „Jedną z nich (do dziś nie w pełni wyjaśnioną) była operacja udzielenia BATAX-owi Wiktora Kubiaka (TW «Witek») kredytu w wysokości 32 mln USD przez Żemka działającego w imieniu BHI (filię Banku Handlowego) w Luksemburgu, gdzie pełnił rolę dyrektora Komitetu Kredytowego; Żemek twierdził zresztą, że pożyczka ta nigdy nie została zrealizowana, a jedynie wydano rodzaj promesy pożyczki[3]. BATAX, jak się wydaje, pełnił ważną rolę w strategii wywiadu wojskowego PRL"[4].

Współpracowniczka Kubiaka Helen Grela opisywała wspólne interesy Bataxu i Banku Handlowego International, nie zdając sobie zapewne sprawy z jego prawdziwej roli. Bank Handlowy International przechowywał depozyty walutowe central handlu zagranicznego, które nie sprowadzały ich do kraju, by nie oddawać dewiz państwu, gdyż wówczas mogłyby zachować tylko 25 proc. sum uzyskanych z eksportu. Według Greli, CHZ nie potrafiły same dokonywać zakupów z wykorzystaniem swoich depozytów w BHI i dlatego Batax otworzył biuro w Luksemburgu, by działać jako pośrednik. Wyglądało to tak, że BHI dawał gwarancję kredytową centrali handlu zagranicznego, która wskazywała Batax jako beneficjenta. Następnie Batax dyskontował gwarancję i negocjował cenę dostawy ze sprzedawcą zarabiając 7–8 proc. na uzyskiwanym upuście. Grela podkreśla też, że takie operacje były możliwe dzięki osobistym kontaktom Kubiaka z Bankiem Handlowym w Warszawie i jego filią BHI w Luksemburgu[5].

Inna ciekawa rzecz również wynikająca z raportu z weryfikacji WSI – otóż PLL LOT oraz utworzona w Chicago firma ABI, która uczestniczyła w wykupywaniu długu polskiego dla FOZZ, założyły kasyno gier hazardowych w hotelu Marriott w Warszawie. „Pośrednikiem w tej operacji – na konto którego ABI przekazało milion dolarów – była spółka BATAX Wiktora Kubiaka"[6].

Na początku transformacji Wiktor Kubiak[7] odgrywał ważną rolę w gospodarce i polityce, jak również był sponsorem i menadżerem artystów.

W październiku 1989 r. Batax Ltd. złożył Towarzystwu Handlu Międzynarodowego DAL SA z Warszawy (likwidacja w 2015 r.) ofertę współpracy przy konwersji 65 mln rubli transferowych. Operacje z użyciem rubli transferowych opisała Grela. Ruble uzyskiwano z eksportu i skupowano w Polsce, by nabyć za nie w NRD takie towary jak lodówki czy telewizory. Sprzedawano je następnie w Polsce, wykorzystując różnicę kursów wymiany rubla transferowego. Za towary wartości 40 mln dolarów zapłacono 5 mln[8].

W 1992 r. Wiktor Kubiak (TW „Witek") znalazł się dopiero na 99. pozycji listy 100 najbogatszych Polaków tygodnika „Wprost", ale w tym czasie był pełnomocnikiem prywatyzacyjnym w sprawie Thomson-Polkolor Janusza Lewandowskiego – ministra przekształceń własnościowych w rządach Jana Krzysztofa Bieleckiego (1990–1991) i Hanny Suchockiej (1992–1993).

W pierwszej połowie lat 90. nazwisko Kubiaka pojawiło się w opracowaniu Biura ds. Zwalczania Przestępczości Zorganizowanej (późniejsze Centralne Biuro Śledcze) Komendy Głównej Policji, opisującym związki przestępcze między politykami, biznesmenami i gangiem pruszkowskim, który z kolei był jednym z ogniw rosyjskiej mafii z podmoskiewskiego Sołncewa.

Wiktora Kubiaka (TW „Witek") wprowadził do gangu pruszkowskiego związany z mafią biznesmen i kasjer Pruszkowa Wojciech Paradowski. Miał on realizować inwestycje budowlane na zlecenia ambasady koreańskiej i rządu III RP. Jak wspomina emerytowany oficer Komendy Głównej Policji, podczas rozpracowywania Pruszkowa „operacyjne działania doprowadziły nas do Wiktora Kubiaka i do polityków Kongresu Liberalno-Demokratycznego. W pewnym momencie naszą robotę zepsuł Urząd Ochrony Państwa, który spowodował likwidację spółki «Zielone Bingo». Gangsterzy zorientowali się, że służby się nimi interesują, i ograniczyli swoje kontakty z politykami"[9].

„Ja poznałem Wiktora przez Wojciecha P[aradowskiego], on też miał znajomości wśród polityków. I te znajomości były bardzo duże – polityczni koledzy Kubiaka proponowali Wojciechowi P. stanowisko ministra budownictwa" – opowiadał świadek koronny Jarosław Sokołowski ps. „Masa"[10].

30 września 1994 r. osoby związane z mafią pruszkowską powołały spółkę akcyjną „Zielone Bingo", której celem było prowadzenie salonów gier w rywalizacji z Totalizatorem Sportowym. Udziałowcami byli: biznesmen Wojciech Paradowski, Wojciech Kiełbiński ps. „Kiełbasa", Janusz Prasol ps. „Parasol", a także Jarosław Sokołowski ps. „Masa", który potwierdził, iż jednym z inwestorów był Wiktor Kubiak[11]. Zyski miały posłużyć m.in. do finansowania partii politycznych, ale po roku spółka została rozwiązana, gdyż stanęła na drodze funkcjonariuszom UOP, którzy założyli własne „zielone bingo". Zainwestowali środki z funduszu operacyjnego za pośrednictwem podstawionej spółki w zakup na giełdzie akcji spółki ubezpieczeniowej „Warta". Kilkadziesiąt milionów dolarów zarobili na ubezpieczycielach „Warty" jej prywatni akcjonariusze, m.in. dilerzy samochodowi: Jan Kulczyk, Krzysztof Komornicki, Paweł Obrębski i Jan Starak. Według nieoficjalnych informacji z operacją „Zielone Bingo" mieli być związani m.in. gen. Gromosław Czempiński i Grzegorz Żemek („Dik"). Prokuratura Wojewódzka w Warszawie oczywiście umorzyła śledztwo w tej sprawie, ponieważ UOP odmówił udostępnienia swoich materiałów[12].

W biurze Kubiaka w hotelu Marriott spotykali się zarówno gangsterzy z Pruszkowa, jak i politycy Kongresu Liberalno-Demokratycznego. Donald Tusk i Paweł Piskorski czuli się tam jak u siebie. Ten ostatni wspomina, że „biuro KLD w Marriotcie było finansowane przez Wiktora

Kubiaka, jak wiele rzeczy w tamtym czasie [...]. Gdy słucham dzisiaj Donalda Tuska, jak opowiada o standardach, które powinny obowiązywać w relacjach między biznesem a polityką, to pusty śmiech mnie ogarnia. Ale także irytacja. Bo przecież wtedy to on był współtwórcą tamtego systemu i ówczesnych standardów finansowania polityki i – co najważniejsze – czuł się w tym jak ryba w wodzie [...]"[13]. Piskorski poznał Kubiaka przez Tuska. „Kubiak to był inny świat, miał gigantyczne pieniądze. Transfer tych pieniędzy polegał na tym, że dostarczał stosy banknotów w jakichś poszarpanych reklamówkach. Sceny jak z filmu. Ale nie sądzę, żeby tutaj KLD jakoś odbiegało od reszty. Odbiegało tylko o tyle, że KLD miało wtedy premiera[14]" – opowiada w swojej książce[15].

W 1991 r. Kubiak sfinansował zbudowanie sauny w Sejmie, co upamiętniała usunięta później tabliczka: „Dar firmy BATAX dla sejmu RP"[16].

Wiktor Kubiak miał także ambicje stania się współczesnym mecenasem; był producentem musicalu Metro, którego prapremiera miała miejsce 30 stycznia 1991 r. w Teatrze Dramatycznym. W 1995 r. założył w Londynie wytwórnię płytową ORCA Ltd. i został menadżerem Edyty Górniak (1995–1998), Anity Lipnickiej (1998–2003) i Nataszy Urbańskiej (2009).

Batax w PRL

Firma Batax Ltd. działała w Polsce od 1983 r.[17] Swą działalność zaczęła od produkcji kosmetyków na licencji Max Factora. Fabryka w Sarnowie pod Warszawą zatrudniała

100 pracowników. Za złotówki uzyskane ze sprzedaży kosmetyków kupowano drewno, z którego w Koszalinie wyrabiano płyty laminowane i sprzedawano je do Niemiec, gdzie z kolei nabywano komponenty potrzebne do produkcji kosmetyków.

W 1984 r. Kubiak przemycił trzy pierwsze komputery PC z Tajwanu, po czym przez rok je importował, a następnie fabrykę kosmetyków przekształcił w montownię komputerów z części importowanych oraz piratował software[18]. W latach 1984–1987 Batax miał 80-procentowy udział w rynku komputerowym w Polsce, który w następnych latach spadł do 5 proc. Kubiak sprzedawał komputery GUS-owi, bankom i instytucjom naukowym, a w latach 1988–1989 sprzedał 3500 komputerów z Singapuru sowieckim joint ventures. Do 1991 r. Batax sprzedał w Polsce ok. 250 tys. komputerów[19].

Firma Kubiaka sprzedawała też różne towary do Sowietów za ruble transferowe, których kurs wynosił 2100 zł, co odpowiadało 21 dolarom.

31 sierpnia 1988 r. Ministerstwo Współpracy Gospodarczej z Zagranicą zezwoliło PZ Batax LTD z siedzibą w Nassau na wyspie New Providence w archipelagu Bahama na prowadzenie w Warszawie oddziału do 1 września 1990 r.[20] Oczywiście Batax nie posiadał żadnego biura w Nassau, a jedynie skrzynkę pocztową, nie wiadomo więc, jak zajmował się bankowością. Następnie 26 września Wydział Drobnej Wytwórczości zwrócił się do Wydziału Paszportów Stołecznego Urzędu Spraw Wewnętrznych o opinię w sprawie wydania zezwolenia Wiktorowi Kubiakowi i 10 stycznia 1989 r. SUSW nie wniósł zastrzeżeń. W dokumentach IPN brak jest statutu spółki,

a w archiwum warszawskiego KRS znajdują się jedynie okładki pustej teczki Bataxu, gdyż zawartość dokumentacji dziwnym trafem zdematerializowała się – jak to często bywa – w archiwach III RP. Jedynie współpracowniczka Kubiaka, Helen Grela, pisze, że był on założycielem i jedynym właścicielem spółki Batax Ltd.[21]

Zakres działalności Bataxu obejmował przemysł elektrotechniczny i elektroniczny, odzieżowy, cukierniczy i nasienny. Firma miała sprowadzać do Polski elektronikę a eksportować mąkę, drewno i mięso. Swą siedzibę polski oddział spółki miał w budynku Intraco, zaś konto otworzył w Banku Handlowym International SA w Luksemburgu. Była to utworzona w 1979 r. filia Banku Handlowego SA, gdzie od 1983 r. Grzegorz Żemek był szefem Departamentu Kredytowego. Dopiero w 1990 r. Kubiak wynajął na biuro Bataxu apartament na 18. piętrze hotelu Marriott. Roczne obroty Bataxu miały wynieść 1,5 mln zł a w dewizach 700 tys. dolarów, zaś nakłady do końca grudnia 1993 r. – 10,5 mln dolarów, w tym 7 mln pochodzących z kredytu. Batax miał też oddział w Szwecji. Później filię Bataxu utworzono w Koszalinie, gdzie produkowano płyty laminowane. W 1990 r. zysk Batax Ltd wyniósł 80 mln dolarów.

Członkami zarządu spółki Batax byli: Roman Anasz[22], zamieszkały w Malmö, Helen Grela[23] z Bostonu i Beata Kubiak[24] ze Szwecji, zaś członkiem Rady Nadzorczej Andrzej Kozłowski[25] z Francji.

Przyjrzyjmy się nieco bliżej tym postaciom.

Siedmioletni Roman Anasz wyjechał z rodziną na pobyt stały do Izraela 6 listopada 1968 r., ale ostatecznie udał się do Szwecji i zamieszkał w Malmö. Jego ojciec

Władysław Anasz prowadził w Polsce warsztat rzemieślniczy, a matka gospodarstwo domowe. Roman uzyskał obywatelstwo szwedzkie. 22 stycznia 1970 r. został skreślony z listy osób niepożądanych w Polsce, co oznaczało, że może przyjeżdżać do kraju.

Na przełomie roku 1978 i 1979 Anaszem zainteresował się Wydział IV Biura Paszportowego. 10 kwietnia 1979 r. 18-letni Roman wystosował prośbę o zezwolenie na wjazd do Polski, a motywował ją chęcią poznania kraju rodzinnego, chęcią odwiedzenia rodziny i podkreślił, że chodzi na lekcje języka polskiego[26].

W marcu 1989 r. w warszawskim oddziale Bataxu zatrudniona została na stanowisku specjalisty ds. bankowości Helen Grela, którą Wydział II SUSW zaczął rozpracowywać celem dokonania werbunku[27]. Po ukończeniu studiów ekonomicznych na Georgetown University Grela pracowała w dziale kredytów Chase Manhattan Bank (1981–1985). W latach 1987–1988 Grela jako stypendystka Fullbrighta studiowała na SGPiS i wtedy zainteresował się nią Departament I czyli wywiad. SB zbliżyła się do niej przez „Sasa", czyli swój kontakt operacyjny, licząc, że uda mu się związać z Amerykanką, jednakże Grela z nim zerwała i wyjechała. Po powrocie do USA pracowała w Bostonie w oddziale Toronto-Dominion Bank.

Gdy w 1989 r. Helen Grela znów pojawiła się w Polsce i została zatrudniona przez Kubiaka, SB kontrolowała ją przez TW „Karola" i TW „Fiata 128p", mając nadzieję na jej zwerbowanie. We wrześniu figurantka wyjechała jednak z Polski i znów z werbunku nic nie wyszło. Wiktor Kubiak, który związał się z Helen uczuciowo, zaczął wyjeżdżać na spotkania z nią do USA i Europy Zachodniej[28].

Wydział II SUSW musiał więc nie wiedzieć o kontaktach Kubiaka z wywiadem wojskowym.

Ojciec Andrzeja Kozłowskiego Jan (Hilel Sum-Szyk) był zatrudniony przed wojną w warsztacie czapek. W czasie wojny zmienił nazwisko na Kozłowski i szczęśliwie przeżył okupację, choć po powstaniu został wywieziony do Niemiec. Po wojnie w listopadzie 1945 r. wrócił do Polski i po miesiącu ożenił się z Ireną Bronowską[29]. We wrześniu 1957 r. wyjechał z żoną i synem do Francji, gdzie mieszkali jego siostra Irena Nissenbaum oraz brat Jan Roman Sumszyk[30].

Dla Bataxu pracował również m.in. Kazimierz Tuzimski, później jeden z założycieli i członków Rady Nadzorczej Optimus Corporation Sp. z o.o. Tuzimski był odpowiedzialny za handel komputerami. Public Relations zajmował się z kolei Janusz Andrzej Wajs, zaś biurem w Luksemburgu kierował Bogdan Lewandowski. Oczywiście całkowicie przypadkowo biuro Bataxu znajdowało się w tym samym budynku, co siedziba Banku Handlowego International, znanego z afery FOZZ.

Kazimierz Tuzimski[31] pracował w zakładach Mera w Błoniu. W 1978 r. zwrócił na niego uwagę ppor. Jerzy Sadowski, inspektor Wydziału III-A KSMO. Tuzimski pozyskany został 28 maja 1979 r. jako tajny współpracownik o pseudonimie „Kazimierz". „Podczas prowadzonej rozmowy kandydat chętnie podejmował temat nas interesujący. Dało się odczuć, że do naszej służby ustosunkowany jest pozytywnie. Chętnie i szczerze odpowiadał na zadawane pytania" – pisał ppor. Sadowski[32]. „Kazimierz" spotkał się z Sadowskim dziewięć razy, informując o problemach przedsiębiorstwa i „stosunkach międzyludzkich", czyli o pracownikach. Raz został wynagrodzony sumą tysiąca zł. Sytuacja zmieniła się po powstaniu „Solidarności". Wtedy Tuzimski „przyjął niechętną postawę wobec służby"[33] i ppor. Sadowski zrezygnował z TW. Ostatecznie 5 czerwca 1981 r. „Kazimierz" został wyeliminowany z sieci czynnej TW.

Historia rodziny Kubiaków

Historię ojca Wiktora Kubiaka, Karola Alberga[34], znamy z pisemnych relacji jego znajomych, które skonfiskowano Karolowi 14 listopada 1968 r. przy wyjeździe z Polski do Izraela.

Karol Alberg lub Albert – gdyż obie formy występują w dokumentach – urodził się w Siedlcach. Jego ojciec, a dziadek Wiktora, Józef Alberg był członkiem PPS i więźniem politycznym. Niestety nie wiemy, w jakim okresie. W jednych dokumentach Karol twierdził, że ojciec był lekarzem, a w innych że felczerem. Prawdopodobnie miał uprawnienia felczera, ale w sytuacji przymusowej występował jako lekarz.

Karol Alberg ukończył gimnazjum realne w Siedlcach w 1926 r. i rozpoczął studia matematyczne na Uniwersytecie Stefana Batorego w Wilnie, ale przerwał je i po roku wyjechał do krewnych w Gdańsku. Studiował tam w Wyższej Szkole Handlowej we Wrzeszczu i jednocześnie pracował w gdańskiej filii firmy W. Wysocki SA mieszczącej się w Londynie. Z powodu narastającego antysemityzmu w 1936 r. stracił pracę i dwa lata później powrócił do Siedlec. Po wybuchu wojny Karol Alberg z żoną Anną uciekli na wschód. W czasie okupacji sowieckiej Karol pracował jako nauczyciel matematyki w szkole pod Kowlem. W czerwcu 1941 r. przybywał na kursie w Łucku i nie ewakuował się. W konsekwencji jesienią 1941 r. Karol i Anna zostali zamknięci w tamtejszym getcie. W tym czasie ojciec Karola Józef Alberg z trzema córkami i jednym synem zostali zamknięci w getcie w Siedlcach i zamordowani w tamtejszym szpitalu w sierpniu 1942 r. Drugi brat Karola, Michał Albert[35], ocalał dzięki służbie w armii sowieckiej, w której był lekarzem. Po wojnie zamieszał w Rostowie nad Donem. Karol odwiedzał go w latach 50. i 60.

W styczniu 1942 r. Karol Alberg z żoną uciekli z getta łuckiego do Kowla, ale i tam po trzech miesiącach znów zostali zamknięci w getcie. W czasie jego likwidacji w lipcu 1942 r. udało im się uciec do Brześcia, rodzinnego miasta żony Anny Wajs, gdzie do roku 1944 ukrywała ich w kryjówce rodzina Bursiewiczów. Według innej wersji, w Brześciu Karol Alberg pracował w warsztatach do lipca 1944 r.[36] Prawdopodobnie w ukryciu musiała przebywać jego żona. Karol był człowiekiem odważnym. Z getta łuckiego zbiegł, by przedostać się do ojca w Siedlcach, ale został złapany i zamknięty w obozie, z którego również uciekł i z powrotem przedostał się do żony w getcie łuckim. W końcu miał dostać się do ojca w Siedlcach. Jak sam twierdził, został wywieziony do Treblinki, skąd uciekł, ale prawdopodobnie zbiegł z transportu, a nie z samego obozu i w listopadzie 1942 r. znalazł się u żony w Brześciu[37]. Relacje świadków nie są tu dokładne.

Po zajęciu Brześcia przez Sowietów Karola Alberga mianowano kierownikiem szkoły. Do Polski Albergowie repatriowali się w lipcu 1945 r. i początkowo Karol podjął pracę księgowego w Domu Dziecka w Soplicowie koło Otwocka, gdzie pracował do grudnia 1946 r. 3 marca 1947 r. Karol Alberg napisał podanie o przyjęcie do pracy w charakterze księgowego w Sanatorium Komendy Głównej MO w Ciechocinku. Powodem był zapewne stan zdrowia żony, która w czasie wojny nabawiła się gruźlicy. 25 marca Karol został funkcjonariuszem MO i od kwietnia pracował w Wydziale Sanitarnym, ale później przeniesiono go na stanowisko referenta Sekcji Żywnościowej w Wydziale Zaopatrzenia KG MO. Z tego powodu chciał się zwolnić z MO i w maju 1948 r. znów przeniesiono go do Wydziału Wyszkolenia KG MO na stanowisko redaktora wydawnictw fachowych. 30 grudnia 1949 r. Karol Alberg zmienił nazwisko na Kubiak.

Ostatecznie 31 maja 1950 r. Karol Kubiak przeszedł z pracy w MO do Najwyższej Izby Kontroli. Jednocześnie zobowiązał się do opuszczenia w ciągu pół roku mieszkania służbowego. W opinii o Karolu Kubiaku widnieje zapis: „zastrzeżeń politycznych brak"[38].

W Ministerstwie Kontroli Państwowej, które w latach 1952–1957 zastępowało NIK, a następnie w reaktywowanej Najwyższej Izbie Kontroli Kubiak był starszym inspektorem. W 1957 r. ojciec Wiktora po raz pierwszy chciał wyjechać do krewnych w Izraelu ze względu na zdrowie żony.

W 1963 r. Karol Kubiak był z-cą dyrektora w Ministerstwie Kultury i Sztuki. W styczniu 1968 r. uzyskał dyplom biegłego księgowego i podjął pracę w Zarządzie Głównym Polskiego Związku Motorowego, gdzie do 30 czerwca tego roku był rewidentem księgowym.

Matka Wiktora Kubiaka, Hanna/Anna Wajs[39], pracowała po wojnie w Instytucie Historii UW, a następnie w Żydowskim Instytucie Historycznym. Jej brat Symcha Binen Wajs[40] (Bernard Wajs), z zawodu technik dentystyczny, był członkiem KZMP (1932) i po wybuchu wojny uciekł na wschód. Był później prezesem koła Związku Patriotów Polskich w Nowotroicku. Bernard Wajs po wojnie pracował jako instruktor w Wydziale Zdrowia w Warszawie.

W 1963 r. Wiktor Kubiak zdał maturę w liceum im. T. Reytana i rozpoczął studia na Wydziale Ekonomii UW. W 1965 r. uzyskał roczny urlop na wyjazd do Francji, gdzie miał się opiekować chorym krewnym. Z Francji wrócił dopiero na przełomie 1966 i 1967 r. i jesienią podjął studia na III roku.

SB zainteresowała się Wiktorem Kubiakiem w marcu 1968 r. w związku z jego aktywnym udziałem w protestach studenckich.

22 marca kontakt poufny „Aram" doniósł, iż wśród 7 kierowników strajku znajdują się Wiktor Kubiak, Jerzy Diatłowicki, Zygmunt Dzięciołowski[41], Teresa Bogucka, Michał Przybyło, Kratkowski, a strajkuje ok. 1500 studentów, którzy wywiesili plakat „Amerykanie precz z Wietnamu, Golędzinowcy precz z Warszawy". Kubiak miał być kontaktem aresztowanego Witolda Góreckiego[42].

Następnego dnia kontakt poufny „Aram" doniósł inspektorowi Wydziału KW MO III Robertowi Petersowi, iż Kubiak był członkiem egzekutywy Komitetu Strajkowego w Audytorium Maksimum UW, gdzie strajkowało 2 tys. studentów głównie z wydziałów prawa, biologii i pedagogiki.

10 kwietnia oficer zajmujący się Kubiakiem napisał wniosek o zgodę na przeprowadzenie z nim rozmowy ostrzegawczej. Nie wiemy, jakie były jej wyniki, ale kontakt poufny „P.A.", były członek Komendy Głównej ZHP, zameldował 3 maja 1968 r. w kawiarni „Mała", że Kubiak agitował przed 1 maja przeciwko składaniu podań o ponowne przyjęcie na studia.

5 sierpnia Wiktor Kubiak zaczął ubiegać się o wyjazd do Izraela. W praktyce udał się do Austrii, gdyż 28 października kontakt poufny „K" doniósł por. M. Żurawskiemu, inspektorowi Wydziału VI Departamentu III, że Anna Witkowska, córka z-cy pełnomocnika rządu ds. deglomeracji, wracając z Jugosławii zatrzymała się w Wiedniu, gdzie wyszła za mąż za Wiktora Kubiaka[43].

Z Austrii Kubiak przeniósł się do Szwecji, gdzie w 1972 r. ukończył ekonomię na Uniwersytecie w Lund i rozpoczął działalność biznesową od produkcji w Polsce odzieży dla szwedzkiego domu mody Katja. W 1975 r. nadzorował osobiście szycie w Polsce 200 tys. sztuk odzieży. Następnie reprezentował zachodnie firmy sprzedające do Polski linie produkcyjne dla przemysłu ciężkiego.

8 września 1986 r. SB prowadziła obserwację Kubiaka, któremu nadała pseudonim „Batax" od nazwy firmy, którą reprezentował. Wiemy, że tego dnia nie wychodził z hotelu Victoria[44]. Nie dysponujemy materiałami SB, dzięki którym dowiedzielibyśmy się, co Kubiak dokładnie robił w latach 1986–1988. Dzięki badaniom Sławomira Cenckiewicza wiemy jednak, że Kubiak został zwerbowany przez Departament II, czyli kontrwywiad, jako tajny współpracownik o ps. „Witek"[45]. Musiało to nastąpić w omawianym czasie.

PRZYPISY

[1] Piotr Kuczyński, analityk gospodarczy w latach 1983–1985, razem z Grzegorzem Żemkiem zajmował się importem części komputerowych z Zachodu. Według raportu z weryfikacji WSI był współzałożycielem firmy IMPOL. Kuczyński wytoczył proces MON o naruszenie dóbr osobistych poprzez podanie nieprawdziwych informacji, który wygrał w czerwcu 2010 r. Sędzia Alicja Fronczyk w uzasadnieniu wyroku stwierdziła: „nie było spółki Impol, tylko Impol-2, a powód nie był jej założycielem, lecz w niej pracował. – Nie był pan też wraz z panem Żemkiem organizatorem szajki przemytników"; *Kuczyński oczyszczony – MON ma przeprosić*, TVP Info, 2.06.2010, http://www.tvp.info/1879121/kuczynski-oczyszczony-mon-ma-przeprosic (dostęp: 6.06.2018).

[2] *Raport o działaniach żołnierzy i pracowników WSI...*, publikacja w „Monitorze Polskim", nr 11, 16.02.2007, s. 18 z 374.

[3] IPN BU Z/001257/505, Wyjaśnienia Żemka dotyczące stosunków z firmą BATAX, Teczka pracy „Dik", t. 2, k. 50 oraz 131–142.

[4] *Raport o działaniach żołnierzy i pracowników WSI...*, s. 18 z 374.

[5] Helen Grela, *Batax Limited – a case study on business management in Poland*, Massachusetts Institute of Technology 1991, s. 14.

[6] *Raport o działaniach żołnierzy i pracowników WSI...*, s. 20 z 374, Aneks nr 7.

[7] Wiktor Kubiak (3.03.1945–25.10.2013), syn Karola Alberta/Alberga (ur. 31.12.1905, Siedlce), syna Józefa (1878–1942) i Natalii z d. Kaszkiet (1880–1926), oraz Hanny z d. Weis/Wajs (18.08.1908–15.01.1959), córki Franciszka (1896–1942) i Poli z d. Ehrlich (1896–1942).

[8] Helen Grela, *Batax Limited...*, s. 17.

[9] Dorota Kania, *Świadek koronny sypie liberałów*, „Gazeta Polska" 2014, nr 20.

[10] Eadem, *Mafia grała w ping-ponga w Pałacu Prezydenckim*, „Gazeta Polska" 2014, nr 20.

[11] Ibidem.

[12] Eadem, *Świadek koronny…* .

[13] Paweł Piskorski, *Między nami liberałami*, Warszawa 2014, s. 45.

[14] Jan Krzysztof Bielecki (ur. 3.05.1951), premier 4.01–6.12.1991.

[15] Paweł Piskorski, *Między nami…*, s. 45.

[16] Krzysztof Wyszkowski, *Spocony Tusk w Bataxie*, Krzysztof Wyszkowski. Niezależne komentarze polityczne, http://www.wyszkowski.com.pl/index.php?option=com_k2&view=item&id=1584:spocony-tusk-w-bataxie (dostęp: 7.06.2018).

[17] Helen Grela, *Batax Limited…*, s. 2.

[18] Ibidem, s. 10.

[19] Ibidem, s. 12.

[20] Wniosek złożono 14 września 1988 r., data jest więc błędna; IPN BU 1121/83 t. 1, Akta osobowe cudzoziemca Wiktora Kubiaka.

[21] Helen Grela, *Batax Limited…*, s. 4.

[22] Roman Anasz (ur. 9.04.1961, Kraków), syn Władysława i Eugenii Majewskiej.

[23] Helen Grela (ur. 14.11.1958, Boston), córka Michała i Amelii Lawrynowicz.

[24] Beata Kubiak (ur. 26.03.1970, Lund), córka Wiktora i Hanny z d. Witkowskiej.

[25] Andrzej Kozłowski (ur. 29.10.1943, Warszawa), syn Jana/Hilela Sumszyka (ur. 29.08.1908), syna Zelmana i Baily z d. Susłowskiej, oraz Ireny Jadwigi z d. Bronowskiej (ur. 7.07.1014), córki Jana i Jadwigi z d. Napiórkowskiej. Jan i Irena Kozłowscy mieli jeszcze dwie córki: Annę (ur. 4.09.1954) i Elżbietę (ur. 2.04.1947).

[26] IPN BU 1268/18771, Roman Anasz.

[27] IPN BU 0258/683, Kwestionariusz Ewidencyjny „Afrodyta" zamknięty 31.07.1990.

[28] Ibidem.

[29] Irena Jadwiga Bronowska (ur. 7.07.1014), córka Jana i Jadwigi z d. Napiórkowskiej.

[30] IPN 1547/512, Akta paszportowe Jan Kozłowski.

[31] Kazimierz Tuzimski (ur. 28.02.1946, Lublin), syn Jana i Stanisławy z d. Nagojek.

[32] IPN BU 00277/1053, t. 2, Teczka personalna TW „Kazimierz", Tuzimski Kazimierz, kwestionariusz.

[33] Ibidem.

[34] Karol Albert/Alberg (ur. 31.12.1905, Siedlce), syn Józefa (1878–1942) i Natalii z d. Kaszkiet (1880–1926).

[35] Michał Albert (ur. 1899), syn Józefa (1878–1942) i Natalii z d. Kaszkiet (1880–1926).

[36] IPN BU 698/1910, Akta osobowe Kubiak Albert Karol.

[37] IPN BU 0423/9532, Kubiak Albert Karol, Relacja Stanisława Bursiewicza, syna Franciszka, poświadczona notarialnie 31.07.1968.

[38] IPN BU 698/1910, Akta osobowe Kubiak Albert Karol.

[39] Hanna Wajs (26.12.1908–15.1.1959), córka Franciszka (1896–1942) i Poli z d. Ehrlich (1896–1942).

[40] Symcha Weis (ur. 1911).

[41] AIPN 01789/323, Bolesław Sulik – charakterystyka z 9 III 1976 r. (źródło „Orfeusz"). Jak wynika z zachowanych dokumentów SB, pod pseudonimem „Orfeusz" krył się Zygmunt Dzięciołowski, filolog, tłumacz, po aresztowaniu pozyskany do współpracy przez Wydział III Komendy Miejskiej MO m. st. Warszawy. W 1973 r. został przejęty przez Departament I MSW i był wykorzystywany do inwigilacji paryskiej „Kultury", Radia Wolna Europa, „Aneksu", pomarcowej emigracji w Szwecji i Danii, a także przerzutu literatury bezdebitowej do Polski; zob.: Nota biograficzna Z. Dzięciołowskiego w: *Marzec 1968 w dokumentach MSW*, t. 2: *Kronika wydarzeń, cz. 1*, red. nauk. i wstęp F. Dąbrowski, P. Gontarczyk, P. Tomasik, Warszawa 2009, s. 657.

[42] IPN BU 0223/93, Kwestionariusz ewidencyjny Kubiak Wiktor.

[43] Ibidem, Notatka z 28.10.1968.

[44] IPN BU 01220/10/t. 840, Mat. operacyjne przechowywane poza teczkami operacyjnymi dot. figurantów (cudzoziemców).

[45] Anita Gargas, Paweł Paliwoda, *Donald Tusk, czyli Pan Nikt*, „Niezależna Gazeta Polska – Nowe Państwo" 2011, nr 9.

4. „PAN CYGARO" – SYMBOL UWŁASZCZONEJ NOMENKLATURY

(IRENEUSZ SEKUŁA)

29 kwietnia 2000 r. w Warszawie zmarł Ireneusz Sekuła. Jak stwierdziła niezawodna jak zawsze w takich wypadkach prokuratura, powodem było samobójstwo popełnione z powodu depresji. Biedak strzelił sobie trzy razy w brzuch, ale raz nie trafił. Oj, ta depresja!

22 marca wieczorem Sekuła udał się do biura Polnipponu na ul. Brackiej. O godz. 3 minut 30 zadzwonił do żony, informując, że jego życie nie ma sensu. Gdy Bogumiła Sekuła z córką Agatą pojechały do biura, zakrwawiony Sekuła wpuścił je do gabinetu. Mąż poprosił żonę

o dobicie. Bogumiła Sekuła odrzuciła pistolet i wezwała pogotowie. Strzały oddano z bardzo bliskiej odległości lub przystawiając lufę do ciała. Dwa pociski utkwiły w pobliżu serca, a trzeci przebił na wylot staw barkowy. Lekarz, zgodnie z procedurą, zrobił zdjęcia ran postrzałowych, ale okazało się, że klisza zniknęła lub też nie było jej w aparacie... Sekuła w szpitalu potwierdził, że strzelał sam do siebie. Po tygodniu zmarł, nie wyjaśniając, co się stało. Po zmarłym pozostały ogromne długi[1].

Listy pożegnalne napisane na komputerze i podpisane przez Sekułę, po wykonaniu kopii, policja zwróciła wdowie. Oprócz tego świadkowie słyszeli na korytarzu męskie głosy i zjeżdżającą windę. Sprytna prokuratura uznała jednak, iż były to głosy żony i córki ofiary. Ponadto w biurze znaleziono trzy butelki po piwie marki, której Sekuła nie pił.

Jednym z wierzycieli zmarłego był Bogusław Bagsik, którego Sekuła odwiedził w Izraelu. Miało chodzić o sumę 2 mln dolarów. Bagsik nie pamiętał wysokości pożyczki, ale był pewny, że została zwrócona. W Izraelu z Bagsikiem zaprzyjaźnił się także Andrzej Kolikowski ps. „Pershing", szef gangu pruszkowskiego, który pojechał tam w interesach.

Robert S., szef gangu karateków, który napadł w 1994 r. na dom Wiesława Peciaka[2] (ps. „Wicek"), zeznał, iż widział w jego sejfie trzy weksle wystawione na Bagsika. Peciak i Bagsik byli prezesami zakładów futrzarskich w Knurowie. Z kolei Peciaka z Sekułą poznał Aleksander Gawronik, gdy Sekuła był szefem Głównego Urzędu Ceł[3]. Sam Peciak z pomocą gangu pruszkowskiego miał być windykatorem długów szefów Art-B[4]. Jarosław Sokołowski ps. „Masa" opowiadał, iż dowiedział się od „Pershinga", że Bagsik obiecał mu pół miliona dolarów za ściągnięcie milionowego długu od Sekuły, z którym Kolikowski robił interesy w czasach, gdy nasz bohater był prezesem GUC. Od Roberta Bednarczyka ps. „Bedzio" Sokołowski miał z kolei usłyszeć, że na spotkaniu Kolikowskiego, Sekuły i Andrzeja Banasiaka ps. „Słowik" ustalono odległy termin zwrotu długu, ale po śmierci „Pershinga" Zygmunt Raźniak ps. „Bolo" i Banasiak zmienili zdanie[5].

Piotr Wierzbicki, jeden z gangsterów, zeznał, iż w więzieniu dowiedział się od Ryszarda Boguckiego, skazanego za zabójstwo Kolikowskiego, że ten z kolei został poinformowany przez Mirosława Danielaka ps. „Malizna" o przebiegu wydarzeń w biurze Polnipponu. Otóż według tej wersji Danielak i jego syn Artur udali się do Sekuły odebrać 2 mln dolarów długu należnego „Pershingowi". Sekuła wyjął pistolet i doszło do szarpaniny, w czasie której Mirosław Danielak strzelił do niego trzy razy. Sprawcy pistolet wytarli i pozostawili ranną ofiarę w gabinecie[6].

Krótko przed śmiercią Sekuła chciał pożyczyć 50 tys. dolarów od wywiadowcy AWO „Ludwika", czyli Bronisława Klimaszewskiego, byłego prezesa Polskich Linii Lotniczych LOT (1981, 1992), dyrektora Fundacji Prymasowskiej (1988–1990) i ambasadora w Zairze (1996–1997), a także prezesa spółki zarządzającej krakowskim portem lotniczym w Balicach (2005–2006). Klimaszewski w czasach pierwszej „Solidarności" został z jej poparciem wybrany na prezesa LOT-u i był wówczas ostro zwalczany przez nomenklaturę (patrz dalej).

Sekuła zwrócił się o pożyczkę, również bezowocnie, do Januariusza Gościmskiego[7] (zar. jako TW „Jan"), który działalność biznesową zaczął już w roku 1983 jako dyrektor przedsiębiorstwa polonijnego „Sofal", zajmującego się produkcją farb eksportowanych do państw zachodnich. Wcześniej był dyrektorem PDT Ochota (1964–1970) i prowadził zakład rzemieślniczy oraz gospodarstwo rolne (1970–1982). Przy werbunku w 1982 r. odstąpiono w jego wypadku od pobrania zobowiązania. Rok później Gościmski był już właścicielem wspomnianej wytwórni farb. Przy pozyskiwaniu, zdaniem oficera Departamentu II MSW, Gościmski wykazywał pozytywny stosunek do SB. W krótkim czasie zły stan zdrowia wyeliminował go jednak z pracy zawodowej, przez co stracił wartość operacyjną dla SB[8].

Rok przed śmiercią Sekuła doznał wylewu. Jego zła passa zaczęła się w połowie rządów SLD i wynikała z podziałów wewnątrz tego obozu. W marcu 1995 r. premier Józef Oleksy, później oskarżony o bycie agentem rosyjskim o ps. „Olin"[9], odwołał Sekułę ze stanowiska szefa Głównego Urzędu Ceł, które ten pełnił od grudnia 1993 r., a prokurator generalny Włodzimierz Cimoszewicz (KO „Carex") złożył w czerwcu 1995 r. wniosek o pozbawienie go immunitetu poselskiego. Sejm dokonał tego dopiero w listopadzie roku następnego. Sekuła zasiadał nieprzerwanie w parlamencie od roku 1989 do 1997.

W lutym 1998 r. wrocławski prokurator Janusz Jaroch wniósł akt oskarżenia przeciwko Sekule do warszawskiego Sądu Rejonowego o działalność na szkodę GUC i spółki Polnippon.

W przypadku GUC chodziło o to, że w grudniu 1994 r. Sekuła obiecał Dariuszowi Przywieczerskiemu[10] (TW „Grabiński"), szefowi Universalu, zakupienie przez GUC na siedzibę urzędu budynku po zakładach lampowych im. Ruży Luksemburg i wpłacił Universalowi zaliczkę w wysokości 3,5 mln nowych złotych. Pośrednikiem między „Grabińskim" i „Arturem", czyli Sekułą, była Janina Chim. Do sfinalizowania transakcji jednak nie doszło, gdyż ściany budynku były skażone rtęcią[11].

W przypadku Polnipponu prokuratura prowadziła śledztwo związane z interesami Sekuły już wówczas, gdy prezesował on jeszcze GUC.

W kwietniu 1990 r. Ireneusz Sekuła i Mieczysław Wilczek, minister przemysłu w rządzie Mieczysława Rakowskiego i pełnomocnik KC ds. działalności gospodarczej, założyli polsko-japońską lotniczą spółkę transportową Polnippon Cargo. Połowę udziałów objął partner japoński, po 20 proc. przypadło Wilczkowi i Leonardowi Praśniewskiemu (zar. jako TW „Lolek"[12]), zaś 10 proc. Sekule, który potem zwiększył swoje udziały. W grudniu 1993 r., gdy został szefem GUC, był właścicielem 25 proc. udziałów w spółce. Sprzedał je dopiero w kwietniu 1994 r.

Sekuła kupił na kredyt od enerdowskiego Interflugu dla Polnipponu dwa Iły-18D w wersji towarowej. Były to wojskowe transportowce ultradalekiego zasięgu, które Interflug uzyskał od Sowietów w końcu lat 70. Iliuszyny latały do krajów Afryki, Islamabadu, Kabulu, Turcji i w ramach misji ONZ do Sarajewa. Przewożono nimi głównie broń i amunicję, a także części zamienne do pojazdów pancernych (np. do Angoli i Mozambiku)[13].

Sekuła miał problemy ze spłatą kredytu. Do tego doszły inne długi. W konsekwencji we wrześniu 1994 r. Sąd Gospodarczy w Warszawie ogłosił upadłość Polnipponu na wniosek PKO BP, który gwarantował kredyt w wysokości 1,7 mln franków szwajcarskich zaciągnięty przez Polnippon w Banku Inicjatyw Gospodarczych na zakup iłów. Gdy spółka nie spłaciła długu, BIG odzyskał pieniądze od PKO BP w 1992 r. W 1997 r. iły odkupiła prywatna linia lotnicza Polonia Airways z Warszawy i wyleasingowała je linii Air Cess, należącej do handlarza bronią Wiktora Anatoliewicza Buta.

Zarzuty prokuratorskie dotyczyły także operacji wekslowych, których dokonywała spółka Polnippon za pośrednictwem firmy Promotion and Trade Center, należącej do „Artura", „Lolka" i Wilczka oraz Agencji Handlowej „Hesco" z Bankiem Komercyjnym Posnania, wchodzącym w skład holdingu Elektromis Mariusza Świtalskiego.

W przypadku Polnipponu warto jeszcze zatrzymać się na moment i przyjrzeć bliżej partnerowi biznesowemu Sekuły i udziałowcowi tejże spółki Leonardowi Praśniewskiemu[14]. Przyszły TW „Lolek" próbował szczęścia w różnych biznesach. W latach 70. prowadził gospodarstwo ogrodnicze, miał własne studio nagrań i wytwórnię płyt, a w 1980 r. zakład impregnacji i powlekania tkanin. Wtedy też wysłał córkę Katarzynę[15] na nauki do Wlk. Brytanii. Kontakty zachodnie spowodowały, że Praśniewskim zainteresował się por. S. Mikołajski z Wydziału II KSMO, czyli kontrwywiadu, i pozyskał Praśniewskiego 1 lipca 1982 r. do sprawy obiektowej „Topaz" (kierunek brytyjski). Niestety, materiały na ten temat zniszczono za rządów premiera Mazowieckiego 22 stycznia 1990 r.[16]

Prawdziwa kariera biznesowa „Lolka" zaczęła się w 1988 r. Córka Katarzyna wyszła za mąż za obywatela brytyjskiego Wayne'a Stegglesa, co umożliwiło założenie przedsiębiorstwa polonijnego. 12 grudnia 1988 r. Praśniewski podpisał z zięciem umowę przyrzeczenia dzierżawy działki w Zielonce na 5 lat. Następnego dnia Steggles udzielił teściowi pełnomocnictwa do prowadzenia PPZ „Inter-kin". Nakłady na uruchomienie działalności produkcyjnej miały wynieść 160 tys. dolarów. SUSW oczywiście nie wniósł zastrzeżeń co do osoby Stegglesa i Praśniewskiego. W 1990 r. działalność rozpoczęło przedsiębiorstwo zagraniczne Kama International Wayne'a Stegglesa[17]. Latem tego roku Praśniewski założył nomenklaturowy Bank Leonard w Zielonce. Pokierował nim Zdzisław Pakuła, były prezes NBP (1988–1989), a do zarządu wszedł Bazyli Samojlik, były peerelowski minister finansów (rejestracja przez Zarząd II[18]). Nie dziwi więc, że w Leonarda zainwestowały banki państwowe: Powszechny Bank Gospodarczy z Łodzi i Powszechny Bank Kredytowy z Warszawy. Sam „Artur" wpłacił 1 mld starych złotych jako rozliczenie transakcji dokonywanych razem z Mieczysławem Wilczkiem. Bank Leonard został później przejęty przez Bank Powierniczo-Gwarancyjny Siergieja Gawriłowa, agenta GRU wydalonego z Polski w 1997 r.

Druga córka „Lolka" Małgorzata wyszła za mąż za Rogera Borenstadta 27 lipca 1991 r. Na przyjęcie weselne przybyli m.in. „Artur", „Olin", Jacek Merkel i Henryk Stokłosa[19].

Pora przyjrzeć się teraz, jak wyglądała droga naszego bohatera na szczyty. Ireneusz Sekuła[20] urodził się w Sosnowcu. Jego ojciec Ignacy pracował w Hucie Bankowej w pobliskiej Dąbrowie Górniczej, skąd pochodziła cała rodzina. W 1948 r. Sekułowie przenieśli się do Elbląga, ponieważ Ignacy podjął pracę w „Zamechu", a w 1953 r. trafili do Warszawy, do której ojciec został skierowany służbowo na stanowisko kierownika modelarni w zakładach Nowotki. Matka Ireneusza pracowała w prywatnym warsztacie Janiny Raugiewicz w Podkowie Leśnej, a jej brat Janusz był rzemieślnikiem. Skromny status rodziny i brak zaangażowania politycznego nie wskazywały na przyszłą karierę syna.

Młody Sekuła już w szkole podstawowej i liceum działał w ZHP. Po maturze (1959) studiował psychologię na Wydziale Pedagogicznym Uniwersytetu Warszawskiego (1961–1966) i jednocześnie był instruktorem Komendy Hufca. W lipcu 1964 r. został instruktorem, a następnie kierownikiem wydziału szkół zawodowych w Komendzie Głównej ZHP. W odróżnieniu od innych młodych i ambitnych aparatczyków nie rozpoczynał więc kariery w ZMS.

W styczniu 1967 r. Sekułą zainteresował się wywiad wojskowy, czyli Zarząd II Sztabu Generalnego. Ppłk Janusz Urbanik (nazwisko legalizacyjne „Młynarczyk"), starszy pomocnik Szefa Oddziału X, czyli krajowego, w oparciu o ewidencję Wojskowej Komendy Rejonowej (WKR) wytypował Sekułę i wezwał go do WKR pod pretekstem uzupełnienia danych. Oddział X zajmował się typowaniem i werbunkiem nielegalnych pracowników wywiadu (NPW), nielegalnych kurierów (NK), oraz agentów współpracowników i wywiadowców Agenturalnego Wywiadu Operacyjnego – AWO (Oddział XIII). Grupy AWO miały być przerzucane na Zachód na krótko przed atakiem wojsk Układu Warszawskiego. Ich członkowie musieli być wyjątkowo lojalni, by dawać gwarancję, że po przerzuceniu przez granicę nie przejdą na stronę przeciwnika[21]. Urbanik przewidywał Sekułę do działania na terenie niemieckim. Spotkanie w WKR odbyło się 4 lutego. Na spotkaniu z ppłk. Urbanikiem w roku następnym, 15 stycznia 1968 r. w kawiarni „Sejmowej", Sekuła stwierdził, iż chciałby pracować w instytucji wojskowej. Dodał, że interesuje się psychologią, a zwłaszcza działaniem człowieka w warunkach zagrożenia. Pracę magisterską pt. *Układ, poziom osiągnięć – poziom aspiracji a funkcjonowanie człowieka w warunkach stresu* napisał pod kierunkiem prof. Reykowskiego, z którym później uczestniczył w negocjacjach w Magdalence z wyselekcjonowanymi działaczami „Solidarności" i jej doradcami.

Sekuła zgodził się na przeszkolenie w specjalnych jednostkach rozpoznawczych w ramach szkolenia rezerwy i tak został kandydatem na wywiadowcę AWO, czyli Oddziału XII Zarządu II Sztabu Generalnego.

W kwietniu 1968 r. Ireneusz Sekuła ożenił się z Bogumiłą Tacik[22], absolwentką Wydziału Handlu Wewnętrznego SGPiS (1967), córką kolejarza z Ostrowca Wielkopolskiego. Bogumiła Tacik pracowała jako starszy radca w Wydziale VI Zarządu XI Sztabu Generalnego[23]. W ten sposób związki Sekuły z wojskiem ludowym jeszcze się umocniły. Sekułowie mieli córkę Agatę[24].

Bogumiła Tacik miała trzech braci. Najstarszy Jerzy (1942), specjalista w Kombinacie Budownictwa Ogólnego, był już w tym czasie rencistą. Najmłodszy Marek (1955) pracował jako frezer w Ursusie, a następnie w Zakładach Tworzyw Sztucznych.

Prawdziwą karierę zrobił natomiast średni brat, Henryk Tacik[25]. Ukończył Wyższą Szkołę Oficerską Inżynierii Wojskowej we Wrocławiu (1968), a następnie Akademię Sztabu Generalnego (1973–1976) i od 1983 r. był dowódcą II Warszawskiej Brygady Saperów w Kazuniu. Dopiero jednak studia w Akademii Sztabu Generalnego im. Klimenta Woroszyłowa w Moskwie (1986–1988) otworzyły przed nim karierę w nadchodzącej III RP.

Po powrocie z Moskwy Henryk Tacik został zastępcą, a po roku szefem Wojsk Inżynieryjnych w Dowództwie Śląskiego Okręgu Wojskowego we Wrocławiu. W 1991 r. był już zastępcą, a po roku Szefem Wojsk Inżynieryjnych WP. Do „Woroszyłówki", zgodnie z duchem epoki, Tacik dodał studia w Narodowym Uniwersytecie Obrony (National Defense University) w Waszyngtonie (1996–1997). Po powrocie do kraju został mianowany Szefem Zarządu Dowodzenia Sztabu Generalnego Wojska Polskiego. Rok później AWS skierował gen. Tacika na stanowisko Polskiego Przedstawiciela Wojskowego przy Komitecie Wojskowym NATO w Brukseli, według zasady, iż Polskę w NATO powinni reprezentować absolwenci uczelni sowieckich. Jednocześnie Tacik został przedstawicielem przy Unii Zachodnioeuropejskiej, a następnie Unii Europejskiej (1999–2003). Po powrocie, już za rządów SLD, gen. dyw. Tacik objął stanowisko Asystenta Szefa Sztabu Generalnego WP. Rok później był już Dowódcą Operacyjnym Sił Zbrojnych RP. W kwietniu 2007 r., za czasów ministra Aleksandra Szczygły, gen. Henryk Tacik odszedł z wojska w związku z ukończeniem 60. roku życia. Na tym jednak kariera szwagra Ireneusza Sekuły z „Woroszyłówki" się nie zakończyła.

11 lutego 2009 r. MON wszczęło postępowanie przetargowe na wykonawcę remontu rządowych Tupolewów. Oferty złożono 26 lutego, zaś przetarg wygrało konsorcjum MAW Telecom Intl SA[26] i Polit-Elektronik, które wysłało samolot do zakładów Olega Deripaski w Samarze. Odrzucono przy tym propozycje innych firm, m.in. Bumaru, który zajmował się wcześniej serwisowaniem tupolewów[27]. Remontu w Samarze zaś ataszat nie mógł nadzorować swobodnie, gdyż bez zezwolenia jego przedstawiciel nie mógł tam pojechać.

Oczywiście był to zupełny przypadek, że wiceprzewodniczącym Rady Nadzorczej MAW Telecom Intl SA był gen. broni Henryk Tacik. Rzecz jasna znów całkiem przypadkowo i bez związku z czymkolwiek (sądy III RP nadal „czyhają") szwagier wywiadowcy AWO „Artura" „na początku lat 90. miał bogate kontakty z oficerami radzieckimi i uczestniczył w kilku imprezach towarzyskich w okolicach Walimia z udziałem wyższej kadry północnej grupy wojsk radzieckich w Polsce i kadry WP. O tych spotkaniach meldował przełożonym Zarząd II WSI, ale pozostało to bez reakcji najwyższego kierownictwa WSI"[28].

Z raportu z weryfikacji WSI dowiadujemy się, że „Firma SILTEC powstała w 1982 roku prawdopodobnie jako firma przykrycia Zarządu II Sztabu Generalnego LWP. W porozumieniu z firmą DGT-System nieformalnie podzieliły między siebie rynek dostaw sprzętu komputerowego i komunikacyjnego dla WP, wygrywając wszystkie większe przetargi (niektóre z nich opiewały na kilkanaście milionów złotych). Takie działanie umożliwiło im znaczne (o ok. 30–40 proc.) zawyżanie cen w stosunku do warunków rynkowych"[29]. Dalej w podrozdziale „Nieprawidłowości przy organizacji zakupów" czytamy, iż w skład nielegalnego lobby działającego na rzecz firmy SILTEC w latach 2000–2007 wchodzili najwyżsi rangą oficerowie Sztabu Generalnego WP oraz WSI, w tym gen. Henryk Tacik, gen. Henryk Szumski, gen. Maj, gen. Wojciech Wojciechowski, gen. Wojciech Kubiak, płk Glonek, płk Dobrosław Mąka, płk Jerzy Cichosz, płk Andrzej Dańczak, płk Marek Sobczak, płk Krzysztof Polkowski. Większość wymienionych w latach 70. lub 80. była szkolona w Moskwie[30]. Toczące się w tej sprawie śledztwo Wojskowa Prokuratura Okręgowa w Warszawie w dniu 4 czerwca 2009 r. naturalnie umorzyła z powodu braku danych dostatecznie uzasadniających podejrzenie zaistnienia przestępstwa.

Wróćmy teraz do naszego głównego bohatera. 11 dni po ślubie, 9 maja 1968 r. „Artur" po raz kolejny spotkał się w kawiarni „Sejmowej" z ppłk. Urbanikiem.

21 maja Sekułą zainteresował się także Departament III MSW, gdyż pracował on w obiekcie chronionym i był „w kontakcie z osobami będącymi w naszym zainteresowaniu" – pisał płk Józef Pielasa, z-ca dyrektora Departamentu III (1965–1974)[31]. Wywiad wojskowy nie wypuścił jednak swego wybrańca z rąk.

W czerwcu 1968 r. Komenda Główna ZHP powierzyła Sekule kierowanie harcerską akcją odbudowy Fromborka pod nazwą Operacja 1001-Frombork. Zadanie to Sekuła wykonywał do października, a od Nowego Roku rozpoczął pracę jako starszy inspektor Departamentu Pracy i Płacy w Ministerstwie Przemysłu Maszynowego.

14 maja 1969 r. w Arkadach, po prawie 2,5-letnim przygotowaniu, nastąpił oficjalny werbunek Sekuły na wywiadowcę AWO. Sekuła przyjął pseudonim „Artur".

W obecności płk. Tadeusza Przybysza (nazwisko lega-lizacyjne „Nowak") „podpisał deklarację bez żadnych zastrzeżeń" i zgodził się na „przygotowanie do działań w razie potrzeby w Specjalnych Jednostkach Rozpoznaw-czych LWP". 23 maja szef AWO płk Przybysz pisał: „Ob. Ireneusz Sekuła zrobił na mnie bardzo dobre wrażenie. Jest inteligentny, zrównoważony i opanowany. Z jego wy-powiedzi wynikało, że jest gotowy do dużych poświę-ceń w imię patriotyzmu. W pełni popiera politykę Par-tii i Rządu PRL"[32].

W listopadzie ustalono termin kursu na turę od 2 stycz-nia do 28 marca 1970 r. Na kursie Ireneusz Sekuła wy-stępował pod nazwiskiem operacyjnym „Sosnowski". Swój udział w szkoleniu musiał zachować w tajemnicy przed rodziną i w pracy.

W kwietniu 1970 r. mjr Janusz Szatan[33] („Janusz Szcze-pański"), kierownik kursu AWO, pisał: „Opiniowany był jednym z bardziej zdolnych i inteligentnych kursantów. Wyróżniał się systematycznością w pracy i służbie. Prze-jawia zamiłowanie do służby wojskowej. [...] W czasie ćwiczeń w terenie przejawia wiele inicjatywy, pomysłowo-ści i samodzielności w rozwiązywaniu zadań wywiadow-czych. [...] Za wzorową służbę, zdyscyplinowanie i uzy-skanie bardzo dobrych wyników na kursie Szef Zarządu II Sztabu Generalnego wyróżnił kpr. Sekułę Ireneusza pochwałą w rozkazie"[34]. Jak podkreślano, Ireneusz „So-snowski" był hobbystyczne zainteresowany częścią pro-blematyki szkolenia, które ukończył z 9. lokatą.

7 maja 1970 r. na spotkaniu w Arkadach „Artur" „dał ocenę sylwetek niektórych słuchaczy kursu", a ponadto przygotował 28 stron uwag o jego metodyce i treści, które włączono do teczki szkoleniowej.

Na kursie AWO Sekuła poznał Bronisława Klimaszewskiego[35], zaprzyjaźnili się i odtąd ich losy splotły się.

Bronisław Klimaszewski po ukończeniu prawa na UW w 1967 r. rozpoczął pracę w Prezydium Stołecznej Rady Narodowej. W październiku 1968 r. ppłk Janusz Urbanik, przeglądając karty ewidencyjne szeregowych rezerwy z Żoliborza, wytypował Klimaszewskiego do werbunku i 6 listopada wezwał go do Dzielnicowego Sztabu Wojskowego pod pretekstem uzupełnienia danych. Klimaszewski „wyraził pełne poparcie dla polityki wewnętrznej i zagranicznej realizowanej przez rząd PRL" – zanotował Urbanik[36]. Zgodził się też na przydział do oddziałów rozpoznawczych. Teraz informacje o kandydacie zaczął zbierać kpt. Zbigniew Żółtaniecki, który po kursie specjalnym w Ośrodku Szkoleniowym Zarządu II został właśnie mianowany pomocnikiem szefa AWO płk. Tadeusza Przybysza. Po roku, 26 maja, Żółtaniecki złożył wniosek o werbunek.

27 czerwca 1969 r. w winiarni „Ewa" Klimaszewski „podpisał deklarację werbunkową bez żadnych zastrzeżeń" i to własnym nazwiskiem, a nie pseudonimem („Ludwik")[37].

Wywiadowca AWO już we wrześniu przedstawił sprawozdanie ze swego niedawnego pobytu we Francji. Było nieprofesjonalne, ale 15 listopada otrzymał przepustkę na nazwisko legalizacyjne do JW 1426 celem przejścia zakonspirowanego szkolenia pod koniec grudnia.

Na kolejnym szkoleniu wiosną 1970 r. Klimaszewski był już z Sekułą. Jak podkreślono w opinii służbowej, wykazał się inicjatywą, pomysłowością, „imponował nieszablonowym rozwiązaniem skomplikowanych problemów"[38] i został wyróżniony w rozkazie. AWO zdecydowało też opłacić kurs języka niemieckiego wywiadowcy „Ludwikowi" w wysokości 300 zł miesięcznie.

„Ludwik" dostarczył oficerowi prowadzącemu wykaz znajomych we Francji i ich dane. Kpt. Żółtanieckiego zainteresowała szczególnie osoba Ludwika Plater-Zyberka[39], przyjaciela Klimaszewskiego ze względu na jego pokrewieństwo z Tadeuszem Platerem z Belgii. Gdyby AWO udało się zwerbować Ludwika Plater-Zyberka, miałaby dostęp poprzez kręgi arystokratyczne do kół rządowych, w tym wojskowych, Belgii. Klimaszewski udzielił również informacji o żonie Ludwika Plater-Zyberka Jolancie, kuzynie Romanie Mycielskim i znajomym z Paryża Krzysztofie Mańkowskim. W 1973 r. Klimaszewski znów bawił we Francji i w lipcu przygotował charakterystyki spotkanych osób. Jedna z nich dotyczyła Ludwika Plater-Zyberka. Nie wiemy, czy AWO przystąpiło do werbunku, ale dokonał go kontrwywiad SB 11 kwietnia 1978 r. w „Adrii". Plater-Zyberk, który przyjął pseudonim „Ludwik-Ter", był potrzebny do objęcia kontrolą operacyjną sekretarza handlowego Ambasady Holandii T. Diessera (SO „Dedal"). Jak pisał Janusz Gierak[40], inspektor Wydziału IV Departamentu II (1976–1979), „Ludwik-Ter" „widzi potrzebę udzielenia nam niezbędnej pomocy"[41]. Plater-Zyberk jako pilot wycieczek Orbisu miał dostęp do obcokrajowców, ale informował SB przede wszystkim o własnej rodzinie zamieszkałej za granicą, np. obszernie opisał Krzysztofa Mańkowskiego z Paryża, syna siostry matki Klementyny Mańkowskiej.

1 sierpnia 1979 r. Plater-Zyberk został przekazany na kontakt rezydentowi „Eugeniuszowi". Chodziło prawdopodobnie o rezydenta w Orbisie. Jak pisał w grudniu 1984 r.

por. Włodzimierz Potkański, inspektor Wydziału IV Departamentu II, Plater-Zyberk „od roku 1980 wykorzystywany jest na kierunku realizacji zadań w zakresie operacyjnego rozpoznania i kontroli środowisk opozycyjnych PRL. [...] W czasie licznych pobytów w kk [krajach kapitalistycznych – *aut.*] realizuje zadania ogólnorozpoznawcze związane ze środowiskami polonijnymi oraz «nową emigracją». [...] Jest to źródło mocno związane ze współpracą ze Służbą Bezpieczeństwa". Jego informacje „posiadają wartość operacyjną" i nigdy nie zanotowano wypadku dezinformacji z jego strony[42]. Z sieci czynnej agentury „Ludwik- -Ter" został wyeliminowany 13 stycznia 1989 r.

W czerwcu 1971 r. wywiadowca „Ludwik" wybrał się w rejs po Morzu Śródziemnym statkiem PLO „Lewant II". AWO wypożyczyło mu Zorkę 4, by robił zdjęcia portów, ale aparat Klimaszewskiemu na początku rejsu ukradziono i musiał go odkupić.

Od 1969 r. Klimaszewski był radcą prawnym w biurze poselskim m.st. Warszawy i narzekał na niskie zarobki. W następnym roku został sekretarzem sejmowej komisji żeglugi i leśnictwa, ale nadal był niezadowolony. Klimaszewski chciał przejść do MSZ, jednakże we wrześniu 1971 r. kpt. Żółtaniecki zaproponował mu podjęcie pracy w LOT i pouczył, jak nawiązać kontakt z jego dyrektorem. Sprawę tę ustalono z płk. Marianem Petą, z-cą szefa Oddziału „Z" (tj. X, czyli krajowego) Zarządu II Sztabu Generalnego.

Sprawa przejścia do LOT-u przedłużała się, gdyż wywiadowca „Ludwik" nie mógł szybko zakończyć pracy w komisji sejmowej. Natrafił też na przeszkody biurokratyczne i w rezultacie, gdy w końcu odszedł z sejmu, musiał czekać miesiąc na bezrobociu na podjęcie pracy w LOT. Ostatecznie przyszły bohater „Solidarności" podjął pracę 1 maja 1972 r. w dziale akwizycji LOT (Francja, Belgia, Włochy) dzięki poparciu AWO. Aby zrekompensować bezrobocie, w kwietniu postanowiono wypłacić Klimaszewskiemu 3 tys. zł z funduszu operacyjnego AWO. Jak tłumaczył oficer prowadzący, „przejście Ludwika z Sejmu do PLL LOT odbyło się z naszej inicjatywy [...] w porozumieniu z Oddziałem Z"[43].

Od października 1971 r. „Ludwik" miał nowego oficera prowadzącego, por. marynarki Jerzego Reczkowicza („Rojewski"), pomocnika szefa AWO, który miesiąc później miał przejąć od Żółtanieckiego także Sekułę, w związku z wyjazdem oficera do rezydentury w Wiedniu[44].

W grudniu 1970 r. „Artur" musiał się wytłumaczyć na piśmie z odwiedzin obcokrajowców. Okazało się, że dalsza rodzina żony mieszka na stałe we Francji, o czym Sekuła nie wiedział. Do Warszawy przyjechali: siostra teściowej Irena Żaboklicka z domu Gabrysiak oraz Henryk Smoliński, inżynier włókiennik z żoną technikiem włókiennictwa. Najmłodszy z braci babki Bogumiły Tacik – Stanisławy Gabrysiak z d. Smolińskiej, Ludwik Smoliński wyjechał do Francji przed wojną i Sekułowie nic nie wiedzieli o istnieniu jego najmłodszego syna Henryka, który mieszkał w Lyonie. Miało to o tyle znaczenie, że do wywiadu na ogół nie werbowano osoby posiadającej rodzinę za granicą, chyba że obie strony nie utrzymywały ze sobą żadnych kontaktów. Zatajenie takiej informacji było poważnie traktowane. Stąd tłumaczenie się „Artura" na piśmie.

W 1971 r. Sekuła został pełnomocnikiem Przewodniczącego Komitetu Pracy i Płacy ds. zatrudnienia absolwentów szkół wyższych. W tym czasie pracę zmieniła również jego żona.

Dość często zmieniali się oficerowie prowadzący „Artura". Urbanik, który w lutym 1970 r. przeszedł do AWO, musiał przekazać Sekułę, ponieważ wyjechał do Belgii, by objąć stanowisko z-cy attaché wojskowego w Brukseli (1972–1975). W sierpniu 1971 r. płk Urbanik przekazał Sekułę na kontakt kpt. Zbigniewowi Żółtanieckiemu, od którego już w listopadzie „Artura" przejął por. marynarki Jerzy Reczkowicz[45] („Jerzy Rojewski"), pomocnik szefa AWO. Urbanik po powrocie z rezydentury zorganizował, a następnie kierował Wydziałem 3 AWO w Szczecinie (1975–1980).

Sekuła w razie wojny miał być przerzucony na tyły frontu niemieckiego. Dlatego AWO zależało, by poznał dobrze język niemiecki. 10 października 1972 r. na rutynowym spotkaniu w Arkadach Reczkowicz zwrócił mu 600 zł opłaty za kurs języka niemieckiego. „Artur" bardzo chętnie zgodził się na udział w kolejnym kursie szkoleniowym dla wywiadowców w następnym roku. Kurs miał trwać 5 tygodni. Ostatecznie szkolenie przeprowadzono od 28 maja do 20 czerwca 1973 r. Sekuła wziął w nim udział mimo obaw, że zwierzchnicy będą chcieli go wyreklamować z udziału w ćwiczeniach, gdyż oficjalnie został powołany na ćwiczenia rezerwy. „W trakcie szkolenia był przygotowywany do pełnienia funkcji rezydenta w rezydenturze wywiadu operacyjnego". Było to szkolenie kompleksowe „Zarys 1973, obejmujące działania rezydentury i agenturalnego wywiadu operacyjnego w terenie zurbanizowanym". Sekuła „w czasie ćwiczenia pełnił funkcję radiotelegrafisty"[46].

6 października na spotkaniu z kpt. Reczkowiczem oraz szefem Oddziału „Artur" podzielił się swoimi uwagami o odbytym przeszkoleniu w Ośrodku Szkoleniowym Zarządu II. Jego opinie przekazane na piśmie miały być przyjęte za podstawę opracowania szkoleniowego. Sekuła – jako pracę zleconą – podjął się opracować kryteria i testy psychologiczne dla prawidłowego doboru kandydatów do AWO.

Na szkoleniu „Zarys 1973" z „Arturem" był oczywiście „Ludwik", który również szkolił się na radiotelegrafistę i podobnie jak przyjaciel przekazał kilka stron krytycznych uwag o kursie.

W 1973 r. „Ludwik" został kierownikiem sekcji romańskiej w dziale akwizycji LOT. Co miesiąc spotykał się z oficerem prowadzącym. Jednocześnie starał się o wyjazd na placówkę i zwrócił się o pomoc do AWO, ale na razie nie było wakatów. Reczkowicz proponował we wrześniu „rozważyć możliwość udzielenia pomocy w załatwieniu pracy dla żony «Ludwika» w MGZ"[47], ale ostatecznie małżonka znalazła zatrudnienie, zanim AWO zadziałało. W lutym 1974 r. znowu Reczkowicz podjął interwencję u szefa pionu operacyjnego Zarządu II w sprawie wyjazdu Klimaszewskiego na placówkę[48]. Sprawa dotarła do Romana Misztala[49], który kierował wówczas Oddziałem „Z" (1973–1976) i rozważano Algierię lub Tunis, ale znów nie było wakatów. Wobec tego Reczkowicz zaproponował „Ludwikowi" awans na stanowisko z-cy kierownika działu handlowego w oczekiwaniu na wyjazd na placówkę[50]. Jako że Klimaszewski zaciągnął 250 tys. pożyczki na dom i potrzebował pieniędzy, to awans przyjął, zaś AWO miało uzgodnić z Oddziałem „Z" jego wyjazd na placówkę w ciągu 2 lat. Plany te legły jednak w gruzach, gdyż Klimaszewski i Lech Kozłowski[51] (wywiadowca AWO ps. „Milan") podczas wyjazdu służbowego do Rzymu wdali się w bójkę z homoseksualistą i w nocy z 17 na 18 grudnia 1975 r. zostali aresztowani. Po 6 dniach powrócili do kraju, ale AWO bało się dekonspiracji i szef Oddziału XII Kazimierz Węgłowski (nazwisko legalizacyjne „Morski") zastrzegł „Ludwikowi" wyjazd do krajów kapitalistycznych na dwa lata. Ostatecznie po roku przywrócono mu paszport, gdyż wyjazdy wywiadowcy były potrzebne AWO.

Lech Kozłowski był starszym asystentem w Instytucie Lotnictwa. Do AWO został pozyskany 16 października 1968 r. Jego oficerem prowadzącym także był kpt. Zbigniew Żółtaniecki. Razem z „Arturem" i „Ludwikiem" „Milan" wziął udział w kursie AWO wiosną 1970 r. jako radiotelegrafista. Przeszedł trzytygodniowe przeszkolenie w czerwcu 1972 r. w JW 1426 pod nazwiskiem operacyjnym „Orłowski". Brał również udział w ćwiczeniach „Lato 1978" jako radiotelegrafista w rezydenturze „Bizon". Za udział w ćwiczeniach we własnym ubraniu otrzymał 3 tys. zł nagrody. „Milan" zbierał informacje o kandydacie na agenta AWO, obywatelu austriackim Erwinie Hofkirchnerze. Poza tym również starał się za pośrednictwem AWO uzyskać pracę w Austrii, ale Zarząd II nie miał takich możliwości. Jak oceniał w styczniu 1982 r. ppłk Mieczysław Węgielski (nazwisko legalizacyjne „Czarnowski", „Kazimierz Marczewski"), starszy oficer AWO, „Milan" „na każdym spotkaniu przejawiał zadowolenie ze współpracy"[52], ale zakończono ją 20 stycznia 1983 r. z powodu wieku i braku możliwości wywiadowczych Kozłowskiego.

W latach 70. „Artur" poznał i zaprzyjaźnił się z gen. Czesławem Kiszczakiem, kiedy ten był jego zwierzchnikiem jako szef Zarządu II Sztabu Generalnego (1972–1979). W 1974 r. Sekuła przeszedł na trzy lata do aparatu partyjnego na stanowisko inspektora w Wydziale Nauki i Oświaty Komitetu Centralnego PZPR. Oznaczało to, że nie będzie często wyjeżdżał za granicę, co zmniejszało jego przydatność dla wywiadu wojskowego.

4 lutego 1976 r. z Sekułą spotkał się ppłk Zdzisław Sikora, ps. „Halicz", by zorientować się w jego przydatności na okres „W", czyli wojny, i omówić formy łączności. Ppłk Sikora stwierdził, iż skoro „obecnie «Artur» pracuje w Wydziale Oświaty KC, więc nie ma kontaktu z krajami znajdującymi się w zainteresowaniu AWO oraz nie może pracować dla AWO w okresie «P»", czyli pokoju, ani wyjeżdżać w teren „celem zapoznania się z rejonem swojego działania w okresie «W». Nasz wywiadowca wyraził jednak chęć odbycia takiej podróży w okresie urlopu". Ppłk Sikora doszedł do wniosku, że „Artur" doskonale nadaje się na okres „W" i postanowił „włączyć [go] do rezydentury wywiadowców na terenie Warszawy i zgodnie z planem AWO powołać do odbycia ćwiczeń"[53]. Ustalono, że spotkania z oficerem prowadzącym będą odbywały się raz na kwartał.

W 1977 r. Sekuła powrócił z aparatu partyjnego do administracji państwowej i objął stanowisko dyrektora Departamentu Dokształcania Kadr w Ministerstwie Pracy, Płacy i Spraw Socjalnych.

Nie wiemy, kiedy por. Reczkowicz („Rojewski") przekazał „Artura" na kontakt por. Markowi Głowickiemu („Kalinowski"), który w 1975 r. został przydzielony do

AWO. Kontakt ten mógł się jednak Sekule przydać w czasach demontażu socjalizmu, gdyż Głowicki służył następnie w Oddziale „Y" (1985–1986), który był zaangażowany w tworzenie spółek, a w latach 1991–1999, czyli w okresie świetności „Artura", był starszym oficerem Zarządu II WSI w stopniu podpułkownika.

13 maja 1978 r. w „Antycznej" por. Głowicki przekazał z kolei Sekułę na kontakt por. Markowi Kłoczewskiemu (nazwisko legalizacyjne „Korcz"), który w latach 1995–1999 będzie w stopniu podpułkownika starszym specjalistą w Zarządzie Studiów i Analiz WSI. Zabawne, że Kłoczewski i Sekuła znali się z dzieciństwa. W 1961 r. por. Kłoczewski, mając 12 lat, należał do zastępu zuchów, którym opiekował się „Artur" jako instruktor ZHP, ale teraz go nie rozpoznał, więc „Marek Korcz" nie uległ dekonspiracji.

Sekuła poprosił nowego oficera prowadzącego o poparcie wniosku o przydział dewiz na wyjazd urlopowy do Grecji i w zamian „zobowiązał się ze swej strony do wykonania zadań postawionych przez nas na czas wyjazdu" – meldował por. Kłoczewski[54]. Wywiad chciał, by Sekuła jeździł do strefy ich zainteresowania. Dlatego Korcz postawił mu zadania z zakresu OPT, czyli operacyjnego przygotowania terenu i legalizacji celem sprawdzenia przydatności „Artura".

Na spotkaniu 28 maja w kawiarni „Ewa" okazało się, że Sekuła z powodu braku dewiz jedzie na przełomie czerwca i lipca do Włoch, a nie do Grecji. Przykład ten znowu pokazuje, jak bardzo potrzebna była dla elity bezpieczniackiej transformacja – także z powodów bytowych.

20 czerwca podczas spotkania w lokalu konspiracyjnym (LK) „Magda" Kłoczewski przekazał „Arturowi" zadania do wykonania i wręczył 100 dolarów na przyszłe koszty. Powrót Sekuły przewidziano na 15 lipca. Do Włoch wyjechał samochodem 27 czerwca na okres 10 dni. W tym czasie miał przyjrzeć się, jak są sprawdzane dokumenty na granicy, jaki jest stosunek poszczególnych grup społecznych do cudzoziemców, poznać zwyczaje i obyczaje tubylców i nawiązywać kontakty z obcokrajowcami.

29 lipca w LK „Magda" Sekuła wręczył maszynopis sprawozdania: „Spostrzeżenia z pobytu w Austrii i Włoszech na przełomie czerwca i lipca 1978 r." Jak zanotował por. Kłoczewski, tekst był napisany „za krótko, zwięźle lub ogólnikowo, ale zawiera szereg spostrzeżeń trafnych"[55]. Jego zdaniem „Artur" może wykonywać zadania typowniczo-werbownicze i dostarczać dane o Polakach wyjeżdżających w najbliższym czasie na praktyki. Jako dyrektor Departamentu Dokształcania Kadr w swoim ministerstwie Sekuła miał dostęp do takich informacji.

12 stycznia 1979 r. Sekuła sam wywołał telefonicznie Kłoczewskiego, by poinformować, iż od 22 do 31 stycznia jedzie służbowo do Finlandii i chce otrzymać zadania do wykonania. Na spotkaniu w kawiarni „Ewa" Kłoczewski polecił „Arturowi" wytypowanie osób, które mają dostęp do danych personalnych obywateli zagranicznych przyjeżdżających do Polski na praktyki zagraniczne. Przed wyjazdem spotkali się jeszcze 17 stycznia, kiedy „Artur" „przekazał mi nazwiska osób z Ministerstwa Oświaty, które mają bezpośredni dostęp do akt personalnych"[56] osób wyjeżdżających na praktyki i studia do

RFN, Holandii, Belgii, Danii i przyjeżdżają z wyżej wymienionych państw do Polski – zanotował Kłoczewski. Jednocześnie polecił Sekule zorientować się, do czego można użyć wyjazdu służbowego, zebrać kontakty i znaleźć lokale na adresówki i na zatrzymanie się u kogoś, by nie musiał nocować w hotelu.

Po powrocie z Finlandii Sekuła przekazał 16 lutego dane personalne poznanych osób, które mogłyby przenocować kogoś lub służyć za adresówkę. Poinformował też, że Stanisław Kozłowski z Helsinek ma paszport konsularny.

18 września na kolejnym spotkaniu w kawiarni „Ewa" Sekuła wprawdzie wyraził chęć dalszej współpracy, ale ze względu na jego małe możliwości został przekwalifikowany na L(okal) K(orespondecyjny). Miał nagrywać w godzinach od 18 do 22 telefony z zagranicy od współpracownika wywiadu.

W czasie gdy aktywność wywiadowcza „Artura" musiała ulec ograniczeniu z powodu miejsca pracy, jego przyjaciel „Ludwik" zaczął wykonywać prawdziwe zadania operacyjne.

W latach 1976–1978 Klimaszewski wielokrotnie wyjeżdżał za granicę, zbierając materiały dla AWO z zakresu OPT, np. na temat lotnisk. Był w Szwajcarii, Afryce Wschodniej, Francji, USA, Austrii, Hiszpanii. Obiecano mu wreszcie i wyjazd na placówkę w roku 1980. W listopadzie 1979 r. otrzymał od ppłk. Urbanika zadanie podjęcia ze skrytki „Wieża" (dziupla w drzewie na wzgórzu) w Hamburgu materiału wywiadowczego pozostawionego przez „Edka", schowanie w paczce papierosów i przewiezienie do kraju. 2 grudnia „Ludwik" zadanie wykonał, za co otrzymał 3 tys. zł nagrody.

W styczniu 1980 r. „Ludwika" przejął na kontakt por. Marek Głowicki, który przekwalifikował go z wywiadowcy na współpracownika AWO. Wyjazd Klimaszewskiego do Kolonii w dniach 21–23 kwietnia postanowiono wykorzystać do powtórzenia operacji „Wieża". „Ludwik" poleciał przez Hamburg i ponownie podjął materiały od „Edka". I znów otrzymał 2 tys. zł nagrody. Po raz trzeci operację „Wieża" wykonał 28 września. AWO zwróciło mu w październiku 400 marek kosztów i wręczyło 4 tys. zł nagrody. W grudniu por. Głowicki przekazał Klimaszewskiego na kontakt ppłk. Henrykowi Urbaniakowi występującemu pod nazwiskiem legalizacyjnym „Michalski". Jednocześnie wręczył „Ludwikowi" kwiaty i zapalniczkę jako prezent ślubny[57].

Powstanie „Solidarności" skomplikowało sytuację „Ludwika". W kwietniu 1981 r. wziął udział w konkursie na dyrektora LOT-u, choć nominacja na to stanowisko znajdowała się w gestii ministra komunikacji. Gen. Misztal, który od 31 lipca 1981 r. kierował Zarządem II, radził Klimaszewskiemu, by wycofał swą kandydaturę, ale ten tłumaczył, iż nie może utracić twarzy przed załogą. Klimaszewski wybory wygrał i rozmowy płk. Urbaniaka z 5 czerwca i 7 lipca, by zrezygnował, również nie przyniosły rezultatu. Ostatecznie minister mianował dyrektorem LOT-u gen. Kowalskiego, natomiast „Ludwik", w obronie którego zastrajkowała załoga, został 1 września z-cą dyrektora ds. handlowych.

Wejście „Ludwika" do polityki i uzyskany rozgłos sprawiły, że jako osoba znana przestał być przydatny do wykonywania zadań operacyjnych dla AWO. 29 maja 1981 r. płk. Henryk Urbaniak („Michalski") i płk. Stefan

Szlęzak (nazwisko legalizacyjne) w charakterze dziennikarzy zjawili się w gabinecie „Ludwika" z kwiatami, by podziękować bohaterowi „Solidarności" za współpracę z wywiadem wojskowym. Nie oznaczało to wszak jeszcze zerwania. 9 września płk Urbaniak prosił „Ludwika" o ułatwienie wyjazdu Markowi Wesołowskiemu[58] (TW „Kawa"), tym bardziej, że bohater „Solidarności" wyrażał gotowość do dalszej współpracy[59]. Wesołowski został pozyskany 16 kwietnia 1980 r. przez WSW w czasie odbywania służby wojskowej. Jak czytamy w aktach, przestrzegał zasad współpracy i wykorzystywany był zgodnie z kierunkiem pozyskania[60].

Dopiero gdy Klimaszewski 2 lutego 1982 r. ujawnił gen. Janowi Raczkowskiemu, ówczesnemu wiceministrowi komunikacji, że otrzymał kwiaty od Zarządu II, a tym samym zdekonspirował się, doszło do zerwania, mimo że „Ludwik" został zwolniony ze stanowiska wicedyrektora naczelnego LOT-u jeszcze 14 stycznia. 27 lutego Klimaszewski podpisał zobowiązanie o zachowaniu tajemnicy i otrzymał zastrzeżenie na wyjazd za granicę do końca 1987 r., gdyż znał osobiście gen. Romana Misztala, ppłk. Mieczysława Węgielskiego („Kazimierz Marczewski"), ppłk. Stanisława Czuba ps. „Witan", ppłk. Janusza Urbanika („Młynarczyk"), płk. Henryka Urbaniaka ps. „Gerd" („Michalski"), ppłk. Zenona Kozłowskiego, ppłk. Bronisława Potockiego (nazwisko legalizacyjne „Marian Grabowski") ps. „Wagib", mjr. Janusza Szatana („Szczepański"), kpt. Marka Głowickiego („Kalinowski") i por. mar. Jerzego Reczkowicza („Rojewski), a więc czołówkę oficerów AWO i Oddziału X (krajowego).

7 sierpnia następnego roku Klimaszewski napisał list do Kiszczaka z prośbą o zezwolenie na wyjazd stały do Francji. Departament II nie zgłosił zastrzeżeń. Tak zakończyła się historia „Ludwika". W tym czasie jego przyjaciel robił karierę rządową.

3 stycznia 1980 r. kmdr ppor. Reczkowicz ponownie przejął od kpt. Kłoczewskiego T(elefon)K(ontaktowy) „Artur". Sekuła miał być wykorzystywany jako TK do łączności ze współpracownikiem o pseudonimie „Robert", którego miał nagrać, a następnie wywołać oficera prowadzącego i przekazać treść wypowiedzi rozmówcy.

W grudniu 1980 r. Sekuła jechał do Włoch i Reczkowicz polecił mu nawiązywać kontakty w Mediolanie i Turynie oraz wręczył 100 dolarów na koszty wykonania zadania. 15 grudnia w LK „Magda" Sekuła złożył relację z wyjazdu, przywiózł mapy, oznajmił, iż znalazł bardzo dobre miejsca oraz obiecał opracować charakterystyki spotkanych osób. Kontakty podane przez Sekułę przekazano do ówczesnego Oddziału IV, obejmującego Francję, kraje Beneluksu i śródziemnomorskie.

W 1981 r. Sekuła został dyrektorem Departamentu Zatrudnienia Ministerstwa Pracy, Płacy i Spraw Socjalnych. 22 stycznia przekazał sprawozdanie z wyjazdu do Włoch i miał przygotować „możliwości uplasowania naszych ludzi w Międzynarodowym Centrum Szkolenia Technicznego i Zawodowego funkcjonującego pod auspicjami Międzynarodowej Organizacji Pracy w Turynie" – pisał Reczkowicz[61]. Sekuła wyjaśnił, że ministerstwo będzie wysyłało do Centrum wykładowców, a umowę w imieniu PRL podpisze on sam, więc uplasuje tam stałego przedstawiciela wskazanego przez wywiad.

W styczniu 1982 r. Sekuła otrzymał służbową broń krótką do obrony przed „ekstremą" „Solidarności". Na spotkaniach 7 i 9 kwietnia z TK „Artur" rozmawiano na temat nowo powstałej Międzynarodowej Komisji do zatrudnienia obywateli polskich za granicą. Sekuła wyjaśnił, że na czele Komisji stoi minister pracy, płacy i spraw socjalnych, a dokumenty przechodzą przez jego osobę, więc zapewnił, że nie będzie problemu z dostępem do nich.

W czasie długiej współpracy z wywiadem wojskowym Sekuła poznał dobrze dziesięciu ważnych oficerów Zarządu II: ppłk. Janusza Urbanika („Młynarczyk"), płk. Tadeusza Przybysza („Nowak"), płk. Kazimierza Węgłowskiego („Morski"), szefa AWO (1975–1983), ppłk. Zenona Kozłowskiego, mjr. Janusza Szatana („Szczepański"), kpt. Zbigniewa Żółtanieckiego, por. mar. Jerzego Reczkowicza („Rojewski"), ppłk. Zdzisława Sikorę ps. „Halicz", por. Marka Głowickiego („Kalinowski") i kpt. Marka Kłoczewskiego („Korcz"). Co najmniej dwóch ostatnich było później, jak widzieliśmy, czynnymi oficerami WSI.

Ciekawe, że w aktach IPN znajduje się notatka służbowa z 21 czerwca 1986 r. dotycząca propozycji dalszego wykorzystania TK ps. „Artur", która została zanonimizowana, czyli zakryto widniejące w niej dane osobowe, mimo iż pochodzi sprzed 1990 r.

Od grudnia 1983 r. „Artur" zajmował stanowisko prezesa Zakładu Ubezpieczeń Społecznych, a 11 lutego 1988 r. został ministrem pracy i polityki socjalnej w rządzie Zbigniewa Messnera. 14 października mianowano go wicepremierem i przewodniczącym Komitetu Ekonomicznego Rady Ministrów w rządzie Mieczysława Rakowskiego.

Wywiad był zadowolony z pracy „Artura". Jak zanotował kpt. Zbigniew Rosiak 20 czerwca 1989 r. – a więc w czasie, gdy już dokonywał się teatralny akt demontażu komunizmu przez służby – „«Artur» obecnie jest wicepremierem i aktualnie nie planuje się wykorzystania go". Mimo to „po uzgodnieniu z szefem P[ionu]O[operacyjnego] płk. mgr. Henrykiem Dunalem w dniu 1989.06.20 zdecydowano nie rezygnować definitywnie z wykorzystania «Artura»", ponieważ „może być wykorzystywany w dalszej perspektywie do realizacji ewentualnych zadań zabezpieczających potrzeby funkcjonowania Z[arządu] II"[62]. Czy i jak „Artur" był wykorzystywany przez Zarząd II Sztabu Generalnego w okresie transformacji, możemy się więc tylko domyślać.

2 marca 1989 r. „Artur" uczestniczył w tzw. III Magdalence. W ośrodku MSW spotkali się wówczas z ramienia ekipy rządzącej: gen. Czesław Kiszczak, Stanisław Ciosek (nadzór nad organami administracyjnymi[63] 1985–1986), Andrzej Gdula (nadzór nad organami administracyjnymi 1986–1990), Aleksander Kwaśniewski (TW „Alek"), dawny promotor Sekuły prof. Reykowski oraz dwaj wiceprzewodniczący OPZZ: Romuald Sosnowski (1984–1990) i Jerzy Uziembło (1986–1990), a także Janusz Jarliński, szef OPZZ kopalni „Krupiński". Opozycję reprezentowali: Lech Wałęsa (TW „Bolek"), Bronisław Geremek, Tadeusz Mazowiecki, Lech Kaczyński, Witold Trzeciakowski (zar. jako TW „Savoy"[64]), Zbigniew Bujak, Władysław Frasyniuk i Mieczysław Gil. Z ramienia Kościoła obecni byli bp Gocłowski i ks. Orszulik (zar. jako TW „Pireus"[65]). Funkcje sekretarzy pełnili: Jacek Ambroziak, Krzysztof Dubiński i Kazimierz Kłoda.

W kwestiach ekonomicznych decydował Sekuła. W pełni zgodził się z Trzeciakowskim w sprawie demonopolizacji gospodarki, likwidacji dotacji do nierentownych przedsiębiorstw i ich upadku (był nawet bardziej radykalny) oraz zniesienia nomenklatury od wicedyrektora w dół i zaznaczył, że tylko 306 dyrektorów pozostanie mianowanych, a reszta pochodzić będzie z konkursu. Zapowiedział też, że 15 marca zostaną otwarte kantory wymiany walut oraz nastąpi zmniejszenie liczby zakładów produkujących dla wojska.

„Artur" wszedł w skład specjalnej grupy negocjacyjnej razem z Cioskiem, Gdulą, TW „Alkiem" i Reykowskim oraz Geremkiem, Mazowieckim, Michnikiem, Trzeciakowskim i Frasyniukiem, która spotkała się w obecności ks. Orszulika, Dubińskiego, Ambroziaka i Kłody 4 marca w URM[66], by przygotować na 7 marca kolejną Magdalenkę. W ośrodku MSW znów Sekuła i Trzeciakowski nie zanotowali punktów spornych i wicepremier powtórzył obietnicę likwidacji nomenklatury, a Kiszczak poparł go[67].

3 kwietnia w Magdalence po raz piąty i ostatni spotkało się „magdalenkowe ciało głównych decyzji politycznych". Oprócz „Artura" przybyli: gen. Kiszczak, Ciosek, Gdula, TW „Alek", Baka, Reykowski, Królewski, Janowski, Jarliński, Uziembło i Sosnowski ze strony rządowej oraz Geremek, Mazowiecki, Michnik, Kuroń, Trzeciakowski, Stelmachowski, Wałęsa, Bujak, Gil, Pietrzyk i Lech Kaczyński, reprezentujący wyselekcjonowaną opozycję. Obecni byli bp Gocłowski i ks. Orszulik oraz sekretarze: Ambroziak, Dubiński i Kłoda.

W obradach okrągłego stołu „Artur" uczestniczył w zespole do spraw gospodarki i polityki społecznej.

Sekuła poświęcał się odtąd budowie kapitalizmu i fundamentów III RP, kiedy jeszcze lud nie wiedział, że ta już nadchodzi i jak bardzo ją pokocha. „Artur" odpowiadał w czasie demontażu socjalizmu za inwestowanie majątku PZPR, a w praktyce za utworzenie kilkudziesięciu spółek nomenklaturowych wyjętych spod nadzoru likwidatora partii[68]. Jeszcze w roku 1983 przy Polskim Związku Żeglarskim powstało Towarzystwo Innowacyjno-Gospodarcze Interster, prototyp spółki nomenklaturowej, założonej przez Mieczysława Rakowskiego i Aleksandra Kwaśniewskiego. Prezesami Polskiego Związku Żeglarskiego w okresie pierestrojki i transformacji byli Mieczysław Rakowski (1985–1989) i Ireneusz Sekuła (1989–1991). Pierwszym prezesem Intersteru był Stanisław Tołwiński (1983–1985), a w zarządzie spółki zasiadali Rakowski, Kwaśniewski (TW „Alek") i Sekuła („Artur"), który następnie nią kierował. Kiedy późniejszy prezydent był szefem Komitetu do spraw Młodzieży i Kultury Fizycznej (1987–1990), któremu podlegał PZŻ, Interster pożyczył od Komitetu 440 tys. złotych. Nigdy ich nie zwrócił, ponieważ spółka splajtowała. W 1994 r. Interster był winien dawnemu Komitetowi 6,4 miliarda starych zł.

W 1989 r. Sekuła wykupił za symboliczną cenę 512 złotych pięciopokojowe mieszkanie w Alei Róż, o powierzchni 132 metrów kw., w którym mieszkał kiedyś premier Józef Cyrankiewicz. Dwa lata później sprzedał je szefowi spółki Art-B Bogusławowi Bagsikowi za 145 tysięcy złotych. Rozpoczynała się złota era III RP.

Rodzinne zamiłowanie do Zarządu II

Inklinacje do pracy dla organów bezpieczeństwa PRL były u młodych Sekułów rodzinne. Brat Ireneusza, Krzysztof Sekuła[69], po ukończeniu w styczniu 1970 r. SGPiS na kierunku handel zagraniczny, został instruktorem w Ogólnopolskim Komitecie Pokoju. Już po roku przeniósł się do Zjednoczenia Przemysłu Lotniczego i Silnikowego „Delta", gdzie otrzymał stanowisko inspektora w Wydziale Współpracy z Zagranicą, ze względu na dobrą znajomość języka angielskiego.

3 lipca 1971 r. Krzysztof Sekuła ożenił się z Ewą Zielińską[70], córką płk. Jerzego Zielińskiego, oficera LWP (1944–1970), będącego już wówczas na emeryturze. Brat Jerzego, Stefan Zieliński[71], we wrześniu 1939 r. opuścił Polskę i walczył w Anglii, po wojnie w Belgii ożenił się, po czym przeniósł się do Kanady, gdzie pracował jako inżynier w Kitchner w Ontario. Jerzy odwiedził brata dopiero w 1987 r.

Ewa Sekuła była lekarzem dziecięcym w warszawskim szpitalu na ul. Niekłańskiej, następnie asystentem w szpitalu na Bródnie (1983), a w 1989 r. pracowała w Instytucie Matki i Dziecka. Małżeństwo młodszych Sekułów ma córkę Magdalenę[72].

16 czerwca 1972 r. Krzysztof Sekuła zatrudnił się na stanowisku handlowca w PHZ Agromet-Motoimport. W marcu 1973 r. MSZ chciał go wysłać do Międzynarodowej Komisji Kontroli i Nadzoru w Indochinach[73]. Nie znamy jednak opinii w tej sprawie Departamentu I.

Agromet, w którym pracował Krzysztof Sekuła, posiadał w Szwecji spółkę June Masskiner Mats Hultgren, która przyniosła 40 mln dolarów strat. W czerwcu 1979 r. prowadzono śledztwo w sprawie kombajnów Bizon (SOS Bizon), w którym Sekuła występował jako podejrzany. Dlatego ppłk R. Wieczorek, naczelnik Wydziału Śledczego KSMO, wystawił mu negatywną opinię w odpowiedzi na zapytanie Departamentu I, czy Sekuła może zostać delegowany do spółki Agromet June.

Mimo negatywnej opinii Krzysztof Sekuła został wysłany w styczniu 1979 r. do Szwecji i odwołany 13 sierpnia w związku z zakończeniem procesu likwidacji spółki. 20 sierpnia złożył wymówienie w Agromecie i od 1 grudnia 1979 r. został zatrudniony jako z-ca kierownika działu eksportu samochodów w centrali Pol-Mot. W 1982 r. został kierownikiem działu eksportu samochodów ciężarowych i autobusów do Afryki, na Bliski Wschód i Ameryki. W październiku następnego roku Pol-Mot oddelegował go na 4 lata do pracy w delegaturze kairskiej.

Perspektywa wyjazdu do Egiptu spowodowała, iż również Krzysztofem Sekułą zainteresował się wywiad wojskowy. W kwietniu 1983 r. Sekułę wytypował mjr Jerzy Panowski, występujący pod nazwiskiem legalizacyjnym „Panek", a następnie opracowaniem i werbunkiem zajął się mjr Zbigniew Majewski z Agenturalnego Wydziału Operacyjnego, czyli tego samego, dla którego pracował starszy brat „Artur" od 1967 r.

Kontakt z Krzysztofem Sekułą nawiązano 23 czerwca 1983 r. w MHZ. Planowano, iż „obiektem jego penetracji będzie przede wszystkim przemysł maszynowy Egiptu i środowiska handlowe tego kraju"[74].

5 sierpnia mjr Majewski spotkał się z Krzysztofem Sekułą w kawiarni „Słoneczna". Jak relacjonował oficer,

„kandydat pozytywnie wyrażał się odnośnie potrzeby prowadzenia działalności wywiadowcy w tym rejonie świata. Stwierdził m.in. że w miarę posiadanych możliwości i kwalifikacji będzie starał się służyć nam pomocą"[75]. Na razie jednak Sekuła jechał do Grecji w sprawie sprzedaży 200 starów i otrzymał zadanie dotyczące zorientowania się w ogólnej sytuacji wywiadowczej (OPT), czyli zebrania informacji o odprawie paszportowej, sytuacji w hotelach, ewentualnych kontrolach itp.

15 sierpnia szef Oddziału X wydał zgodę na wszczęcie rozpracowania Krzysztofa Sekuły na współpracownika. Jak oceniano, kandydat „w kontaktach z przedstawicielami służb specjalnych wojska przyjął postawę wyczekującą [...] do problemów udzielenia nam pomocy z pozycji zagranicy ustosunkował się pozytywnie, twierdząc m.in. że rejon świata, do którego ma wyjechać, staje się bardzo interesujący, zwłaszcza w aspekcie zagadnień wojskowo-politycznych"[76]. Sekułą interesował się Wydział VIII, czyli angielski Zarządu II.

Po powrocie z Grecji 6 września Sekuła spotkał się z Majewskim w Horteksie. Stwierdzono, że wywiązał się ze zleconego zadania. Wobec tego 19 września płk Bronisław Wilczak, z-ca szefa Zarządu II, zatwierdził wniosek o zwerbowanie młodszego Sekuły. Trzy dni później podpisał on deklarację współpracy, przyjmując pseudonim „Samar". Przed wyjazdem do Kairu szkolenie wywiadowcze „Samara" przeprowadził w lokalu konspiracyjnym oficer kierunkowy kpt. Tadeusz Wasiukiewicz z Wydziału VIII. Trwało ono tydzień (26.09–3.10).

Pracą „Samara" w Kairze miał kierować rezydent wywiadu, czyli attaché wojskowy. Sekuła przybył do Kairu

13 października i nawiązał kontakt z rezydentem 24 października. Był nim kmdr por. Ryszard Tomaszewicz ps. „Stryj" (nazwisko legalizacyjne „Boyer"), attaché wojskowy, morski i lotniczy (13.09.1982–5.12.1985), poprzednio na placówce w Londynie (30.07.1973–30.09.1977), a później funkcjonariusz Oddziału „Y" i attaché w Izraelu (1992–1995).

Do Kairu Sekuła pojechał z rodziną. Jego żona otrzymała pracę lekarza w ambulatorium placówki PRL.

Tomaszewicz zlecił Sekule rozpracowanie w celu ewentualnego werbunku Amerykanina Normana Urbańskiego z firmy American Arab Vehicle i Egipcjanina Ahmeda al--Naqqara. Syn Urbańskiego pracował w USA jako inżynier i wywiad liczył na dojście do amerykańskich zakładów produkcyjnych.

W czasie wizyty w kraju 3 lutego 1986 r. „Samar" i Tomaszewicz spotkali się w kawiarni „MDM" i ustalono wówczas, że Sekuła zajmie się głównie typowaniem kandydatów do werbunku. Wcześniej z polecenia Tomaszewicza „Samar" najczęściej wykonywał tłumaczenia z angielskiego materiałów zawierających skomplikowane słownictwo techniczne.

Ogólnie praca Sekuły została oceniona jako słaba z dwóch powodów. Od lipca 1986 do lipca 1987 r. w Kairze nie było rezydenta i nie działała łączność z krajem. Dodatkowo „Samar" w kwietniu 1986 r. złamał udo w wypadku samochodowym i musiał po operacji pojechać do kraju, zaś do Kairu powrócił dopiero we wrześniu.

„Samar" wrócił do Polski 20 lipca 1987 r. Miał jechać znowu na kolejną placówkę do Pekinu, co wymagało wyjaśnień, gdyż Sekuła znał tamtejszego rezydenta kpt. Jana

Szczęsnego ps. „Sanders", pod nazwiskiem legalizacyjnym „Turlejski". Na razie Sekuła pozostał na kontakcie centrali, gdyż uznano, że ma duże możliwości wywiadowcze. W 1988 r. Krzysztof Sekuła został kierownikiem działu eksportu sprzętu turystycznego i sportowego w Universalu u Dariusza Przywieczerskiego[77] (TW „Grabiński"), ale już rok później był prezesem Zarządu Imapex SA[78]. Jak pisał Adam Chmielecki, „w centralach handlu zagranicznego funkcjonariusze służb specjalnych PRL zbierali kapitał, który wykorzystali po roku 1989"[79].

Ostatnia informacja dotyczy spotkania Krzysztofa Sekuły – „Samara" z oficerem prowadzącym 11 stycznia 1989 r. w kawiarni „MDM". Ustalono wówczas, że będzie informował wywiad o wszystkich zmianach miejsca pracy i wyjazdach, czyli nadal, podobnie jak jego brat Ireneusz – „Artur", pozostawał cennym współpracownikiem dla Zarządu II Sztabu Generalnego.

PRZYPISY

[1] Dorota Kania, *Cień tajnych służb. Polityczne zabójstwa, niewyjaśnione samobójstwa, niepublikowane dokumenty, nieznane archiwa*, Kraków 2013, s. 53–55.

[2] W 1996 r. W. Peciak został skazany na 2 lata i 2 miesiące więzienia. W lutym 1998 r. sąd apelacyjny uchylił wyrok i skierował sprawę do ponownego rozpoznania w sądzie I instancji. Później Peciak zgodził się dobrowolnie poddać karze.

[3] Leszek Kraskowski, A.M., Paweł Reszka, *Ireneusz Sekuła: Polityk, nomenklaturowy biznesmen*, „Rzeczpospolita", 23.03.2017, http://www.

rp.pl/Historia/170329534-Ireneusz-Sekula-Polityk-nomenklaturowy-biznesmen.html (dostęp: 23.06.2018).

[4] Dorota Kania, *Cień tajnych służb...*, s. 64.

[5] Ibidem, s. 65.

[6] Ibidem, s. 66.

[7] Januariusz Gościmski (ur. 2.02.1939), syn Januariusza i Reginy.

[8] IPN BU 001134/3085, mf 19209/1, Gościmski Januariusz.

[9] Dorota Kania, Jerzy Targalski, Maciej Marosz, *Resortowe dzieci. Politycy*, Warszawa 2016, s. 86–87.

[10] Na temat D. Przywieczerskiego patrz s. 109–112.

[11] Daniel Wicenty, *Afera FOZZ jako modelowy przykład funkcjonowania zakulisowych wymiarów transformacji ustrojowej w Polsce*, Instytut Socjologii UMK 2004, s. 14, https://docplayer.pl/24628590-Afera-fozz-jako--modelowy-przyklad-funkcjonowania-zakulisowych-wymiarow-transfor-macji-ustrojowej-w-polsce.html#show_full_text (dostęp: 21.03.2019).

[12] Zapisy ewidencyjne Leonard Marian Praśniewski.

[13] *Ireneusz Sekuła – poseł, prezes GUC*, MafiaPress.pl, 26.04.2006; http://www.mafiapress.pl/d_126.html?Chapter=3 (dostęp: 23.06.2018).

[14] Leonard Marian Praśniewski (ur. 30.05.1944, Częstochowa), syn Romana i Marianny z d. Bojakowskiej.

[15] Katarzyna Anna Praśniewska (ur. 17.03.1966), córka Leonarda (ur. 30.05.1944) i Bogumiły z d. Czarneckiej (ur. 15.11.1943).

[16] Zapisy ewidencyjne Leonard Marian Praśniewski.

[17] IPN BU 1121/81 t. 21, Akta osobowe cudzoziemca Kama International.

[18] W Kartotece Opiniodawczej OCK sygn. IPN BU 01975/113 widnieje zapis, że materiały Zarządu II dot. Bazylego Samojlika nie stanowią przeszkody w jego awansie, co znaczy, że został zarejestrowany, ale nie wiemy, w jakiej kategorii.

[19] Piotr Nisztor, *Skok na banki. Kto kontroluje pieniądze Polaków: historia transformacji polskiego sektora finansowego*, Warszawa 2017, s. 236.

[20] Ireneusz Ludwik Sekuła (22.01.1943–29.04.2000), syn Ignacego (ur. 22.07.1909), syna Ludwika i Salomei z d. Półtorak, oraz Zofii z d. Skibińskiej (ur. 9.05.1914), córki Józefa i Julii z d. Jeszke.

[21] Piotr Gontarczyk, *Wywiadowca Sekuła*, „Wprost" 2007, nr 21.

[22] Bogumiła Kazimiera Tacik (ur. 9.06.1944), córka Józefa (ur. 1915), syna Marcina i Marianny, oraz Pelagii z d. Gabrysiak (ur. 1922), córki Leona i Stanisławy.

[23] IPN BU 2602/22458, Teczka personalna WA „Artur". W latach 70. Bogumiła Sekuła pracowała jako starszy specjalista w Departamencie Finansów MON.

[24] Agata Sekuła (ur. 17.11.1973), córka Ireneusza i Bogumiły z d. Tacik.

[25] Henryk Tacik (ur. 5.12.1947), syn Józefa (ur. 1915) i Pelagii z d. Gabrysiak (ur. 1922).

[26] Dyrektorem ds. organizacyjno-prawnych MAW Telecom był Marek Cieciera, poprzednio zastępca (1997), następnie dyrektor Departamentu Prawnego MON (2001), a później pierwszy doradca szefa Biura Bezpieczeństwa Narodowego gen. Stanisława Kozieja, „szoguna" Bronisława Komorowskiego (2010).

[27] Anna Ambroziak, *Niech MON wytłumaczy się z przetargu*, Radio Maryja, 14.09.2010, http://www.radiomaryja.pl/bez-kategorii/niech--mon-wytlumaczy-sie-z-przetargu/ (dostęp: 23.06.2018).

[28] Leszek Misiak, Grzegorz Wierzchołowski, *Lobbysta Komorowski*, Niezależna.pl, 14.01.2011, http://niezalezna.pl/4414-lobbysta-komorowski (dostęp: 23.06.2018).

[29] *Raport o działaniach żołnierzy i pracowników WSI...*, publikacja w „Monitorze Polskim", nr 11, 16.02.2007, s. 144.

[30] Ibidem, przyp. 280 na s. 146.

[31] IPN BU 2602/22458, Teczka personalna WA „Artur".

[32] Ibidem.

[33] Zob. Dorota Kania, Jerzy Targalski, Maciej Marosz, *Resortowe dzieci. Służby*, Warszawa 2014, s. 552–559.

[34] IPN BU 2602/22458, Teczka personalna WA „Artur".

[35] Bronisław Klimaszewski (ur. 20.07.1943, Siedleckie), syn Romualda (ur. 1905, Łódź) i Jadwigi z d. Malinowskiej (ur. 1908).

[36] IPN BU 2602/20085, Teczka personalna WA „Ludwik", k. 31.

[37] Ibidem, k. 71.

[38] Ibidem, k. 86.

[39] Ludwik Cyryl Plater-Zyberk (ur. 20.10.1941), syn Ludwika i Izabeli z d. Czarkowskiej-Golańskiej.

[40] Janusz Gierak zakończył karierę w SB 31 lipca 1990 r. w stopniu majora na stanowisku naczelnika Wydziału XIII Departamentu II.

[41] IPN BU 002086/1801/J, Plater-Zyberk Ludwik Cyryl.

[42] Ibidem.

[43] IPN BU 2602/20085, Teczka personalna WA „Ludwik", k. 131.

[44] Żółtaniecki po powrocie z placówki w grudniu 1975 r. został z-cą szefa Wydziału 4 AWO, ale 2 lata później przeszedł do rozpoznania grupy dowodzenia. Karierę zakończył jako pracownik Komisji Planowania (23.03.1987) i Centralnego Urzędu Planowania w III RP (10.06.1989–16.04.1991).

[45] IPN BU 2602/20085, Teczka personalna WA „Ludwik", Notatka służbowa z 13.11.1971.

[46] Ibidem, Notatka służbowa z 6.10.1973.

[47] Ibidem, Notatka służbowa z 10.09.1973.

[48] Ibidem, Notatka z 18.02.1974, k. 176.

[49] Dorota Kania, Jerzy Targalski, Maciej Marosz, *Resortowe dzieci. Służby*, s. 515–525.

[50] IPN BU 2602/20085, Teczka personalna WA „Ludwik", Notatka służbowa z 27.05.1974.

[51] Lech Marcin Kozłowski (ur. 23.02.1940), syn Edmunda.

[52] IPN BU 2602/17907, Zeszyt ewidencyjny kandydata na wywiadowcę Kozłowski Lech, k. 136.

[53] IPN BU 2602/22458, Teczka personalna WA „Artur", Notatka służbowa z 5.02.1976 ppłk. Zdzisława Sikory.

[54] Ibidem, Notatka służbowa z 13.05.1978 por. Marka Kłoczewskiego.

[55] Ibidem, Notatka służbowa z 29.07.1978 por. Marka Kłoczewkiego.

[56] Ibidem, Notatka służbowa z 17.01.1979 por. Marka Kłoczewkiego, k. 128.

[57] IPN BU 2602/20085, Teczka personalna WA „Ludwik", Notatka służbowa z 4.12.1980.

[58] Marek Tomasz Wesołowski (ur. 22.09.1957), syn Ryszarda i Genowefy.

[59] IPN BU 2602/20085, Teczka personalna WA „Ludwik", k. 79.

[60] IPN BU 001121/4473/J, TW „Kawa" Wesołowski Marek Tomasz.

[61] IPN BU 2602/20085, Teczka personalna WA „Ludwik", Notatka służbowa z 22.01.1981 ze spotkania z TK „Artur".

[62] Ibidem, Notatka służbowa z 20.06.1989 kpt. Zbigniewa Rosiaka.

[63] Organy administracyjne (z ros. *Administratywnyje organy*), czyli MSW, MON, sądownictwo, prokuratura, sport.

[64] W memoriale dla gen. Jaruzelskiego, Jerzego Urbana, gen. Władysława Pożogi i Stanisława Cioska z 10 sierpnia 1988 r. przewidywany był na premiera rządu koalicyjnego. Trzeciakowski zarejestrowany był jako TW „Savoy"; IPN BU 00945/332, Trzeciakowski Witold Mieczysław.

[65] Bp Alojzy Orszulik (ur. 1928), pracował w sekretariacie Episkopatu Polski jako referent (1962–1968), następnie jako kierownik biura prasowego (1968–1993), członek-sekretarz Komisji Wspólnej Przedstawicieli Episkopatu Polski i Rządu PRL (1980–1989), uczestnik rozmów o nawiązaniu stosunków dyplomatycznych między PRL a Stolicą Apostolską (1987), biskup pomocniczy diecezji siedleckiej (1989), zastępca sekretarza Episkopatu (1989–1994). Ks. Orszulik został zarejestrowany 19 lipca 1977 r. przez Wydział I IV Departamentu pod numerem 49742 jako TW-k, a więc wytypowano go do pozyskania. 28 czerwca 1985 r. Wydział I przekazał go Wydziałowi II tego samego Departamentu. Widocznie pozyskanie było udane,

skoro 17 września 1986 r. pod tym samym numerem 49742 zarejestrowano ks. Orszulika jako kontakt operacyjny bez pseudonimu. Według karty ewidencyjnej E-16 z 12 kwietnia 1989 r. zarejestrowany pod numerem 49742 przez Wydział II IV Departamentu jako kontakt operacyjny (pseudonim zamazany), w dniu tym miał go przejąć „do dalszego prowadzenia" kpt. Michał Kurek, inspektor Wydz. II Dep. IV. Oznacza to, iż KO zmieniono oficera prowadzącego i teraz był nim kpt. Michał Kurek, bowiem przedtem był prowadzony przez kogoś innego, czyli zwerbowany został wcześniej, być może nieformalnie i dlatego zmiana rejestracji nastąpiła dopiero teraz. 9 listopada 1989 r., a więc za czasów rządu wielkiej koalicji „S" z PZPR, KO został przekazany do Wydziału V Departamentu Studiów i Analiz. 28 listopada został zdjęty z czynnej ewidencji operacyjnej; 29 listopada w karcie E-16 wpisano: „rezygnacja"; *Aparat represji wobec księdza Jerzego Popiełuszki 1982–1984*, t. 1, wstęp Jan Żaryn, red. nauk. Jolanta Mysiakowska, wybór i oprac. Jakub Gołębiowski, Jolanta Mysiakowska, Anna K. Piekarska, Warszawa 2009, s. 99 przyp. 3. Zdaniem Jana Żaryna, „W związku ze zniszczeniem dokumentów nie można ocenić skali podjętej współpracy". W 1986 r. pseudonimu nie podano, a w 1989 r. był on zamazany. Informacja, o ile jest prawdziwa, iż pseudonim brzmiał „Pireus", musiała pochodzić spoza źródeł IPN; „Fakty i Mity", 25.03.2009.

[66] Krzysztof Dubiński, *Magdalenka. Transakcja epoki*, Warszawa 1990, s. 78–88.

[67] Ibidem, s. 94–112.

[68] Kazimierz Turaliński, *Polityka, pieniądze, służby specjalne*, Warszawa 2012, s. 69.

[69] Krzysztof Zenon Sekuła (ur. 2.07.1947), syn Ignacego (ur. 22.07.1909) i Zofii z d. Skibińskiej (ur. 9.05.1914).

[70] Ewa Antonina Zielińska (ur. 30.09.1946), córka Jerzego (ur. 19.05.1921), syna Stefana (ur. 1878) i Feliksy z d. Hübner (ur. 1878), oraz Antoniny Łucji z d. Walczyk (ur. 14.01.1925).

[71] Stefan Zieliński (ur. 16.10.1915).

[72] Magdalena Sekuła (ur. 23.04.1974), córka Krzysztofa Zenona Sekuły (ur. 2.07.1947) i Ewy Antoniny z d. Zielińskiej (ur. 30.09.1946).

[73] IPN BU 01975/244, Sekuła Krzysztof.

[74] IPN BU 2602/22450, Teczka personalna „Samar" zał. 17.08.1983, k. 13.

[75] Ibidem, k. 74.

[76] Ibidem, k. 70.

[77] Dariusz Tytus Przywieczerski – nr. rej. 92442, data rej.: 11.07.1985, nazwa jednostki rejestr.: Wydz. I, Dept. II MSW, kategoria: zabezpieczenie operacyjne, później TW, pseudonim: „Grabiński", data rezygnacji: 21.12.1989. Od 1985 r. Przywieczerski był dyrektorem Universalu. Więcej na temat D. Przywieczerskiego patrz s. 109–112.

[78] Imapex SA został założony w 1988 r., RHB 16379 1988.09.29, KRS 0000140920.

[79] Adam Chmielecki, *W centralach handlu zagranicznego funkcjonariusze służb specjalnych PRL zbierali kapitał, który wykorzystali po 1989 r.*, Wpolityce.pl, 25.11.2011; https://wpolityce.pl/polityka/122606-w-centralach-handlu-zagranicznego-funkcjonariusze-sluzb-specjalnych-prl-zbierali-kapital-ktory-wykorzystali-po-1989-r (dostęp: 23.06.2018).

5. „SZPICA POLSKIEJ GOSPODARKI"[1]

(ALEKSANDER GAWRONIK)

„Znamiennym w działalności figuranta jest fakt stałego powiązania z resortem MSW"[2]

4 listopada 2014 r. został zatrzymany Aleksander Gawronik, w 1990 r. najbogatszy człowiek w Polsce, a w latach 1991–1992 zajmujący 6. miejsce na liście najbogatszych Polaków tygodnika „Wprost", senator III RP (1993–1997). Powodem aresztowania było podejrzenie o nakłanianie w 1992 r. ochroniarzy spółki Elektromis do porwania, pozbawienia wolności, a następnie zamordowania dziennikarza śledczego „Gazety Poznańskiej" Jarosława Ziętary, który ostatni raz widziany był 1 września 1992 r. Motywem zlecenia zabójstwa miał być fakt badania przez dziennikarza nielegalnych interesów spółki Elektromis Mariusza Świtalskiego[3] i Aleksandra Gawronika. Reporter rozpracowywał m.in. sprawę przemytu z Niemiec spirytusu

Royal, który miał być potem rozprowadzany przez Elektromis. Gawronika obciążyły zeznania poznańskiego gangstera Macieja B. ps. „Baryła", odsiadującego wyrok za zabicie policjanta. „Baryła" miał dostawać pogróżki, że jeśli nie wycofa zeznań, to ucierpi jego córka. Nie tylko on, ale również świadek incognito odwołał zeznania i wyjechał za granicę. Trzeci świadek poprosił o wycofanie policyjnej ochrony. 31 stycznia 2015 r., z powodu wycofania zeznań przez część świadków, Gawronika zwolniono, ale 29 czerwca do Sądu Okręgowego w Poznaniu wpłynął akt oskarżenia i 12 stycznia następnego roku proces się rozpoczął. Rozprawy toczyły się przez cały rok 2017 i 2018.

Na rozprawie w dniu 22 lutego 2019 r. „Baryła" zeznał, że był świadkiem rozmowy, podczas której Aleksander Gawronik polecił „zlikwidowanie dziennikarza". Następnie opowiedział o swoich działaniach:

> W mieszkaniu u Ziętary byliśmy z Lewandowskim, żeby zabrać filmy i go zastraszyć. Było to wiosną 1992 r. Pojechaliśmy tam na zlecenie senatora Gawronika. On wydał polecenia chłopakom z Elektromisu. Ja przyjaźniłem się z nimi, pracowałem dla nich i jeździłem z nimi. Szef wiedział, że dla nich pracuję. Szef, czyli Mariusz Świtalski. [...] Chodziło o to, żeby przestał się interesować firmą i interesami senatora Gawronika. Mieliśmy mu wytłumaczyć, żeby się odczepił. Wiedziałem, że Jarek robił zdjęcia pod firmą Elektromis. [...] Jarek został chwycony na kanapie i przyduszony. Zaczęliśmy mu mówić, żeby się odczepił i przestał bruździć. Jego aparat był zniszczony, rozwalony. Przeszukaliśmy mieszkanie,

znaleźliśmy filmy. Filmy były w lodówce, a za lodówką były małe pudełeczka, a w nich mikrofilmy. Ziętara mówił, że będzie problem, jak to weźmiemy. Mówił coś o UOP-ie, że to aparat i filmy z UOP-u. Nastraszyliśmy go, zabraliśmy te filmy i pojechaliśmy do firmy.

Ziętara miał dużą wiedzę o działalności Elektromisu i Gawronika. Na przełomie maja i czerwca 1992 r. „Senator Gawronik przyjechał z dwoma Rosjanami, ładnie ubranymi, samochodem na rosyjskich numerach. Rozmawiali z boku, o Jarku. [...] Wtedy właśnie była ta rozmowa, że trzeba uciszyć Jarka". „Baryła", powołując się na „Lewego", opowiedział, że do porwania doszło rano. „Widziałem radiowóz, który stał w hangarze. W porwaniu brał udział Dariusz L., Lewandowski, Kapelski i Mirosław R. Jechali w czwórkę, byli w mundurach. Pojechali do Ziętary, gdy wychodził rano do pracy. [...] Zabrali go na Wołczyńską. Był tam podobno trzy dni. Nie wiem, kto go bił, ale Lewandowski mi powiedział, że był bity. [...] Potem Jarek był rozpuszczony w kwasie. Robili to ci Rosjanie. Niszczenie zwłok miało miejsce w Chybach"[4]. Proces jest kontynuowany.

W 2004 r. Sąd Rejonowy w Słubicach skazał Gawronika na karę 8 lat pozbawienia wolności i grzywnę w wysokości 200 stawek dziennych po 250 zł każda (50 000 zł) za wyłudzenie ponad 9 mln zł nienależnego podatku VAT. Już w 2009 r. „szpica polskiej gospodarki" skorzystała z przedterminowego zwolnienia z więzienia. Termin okresu próbnego minął w maju 2011 r.

7 maja 2001 r. Centralne Biuro Śledcze zatrzymało Gawronika pod zarzutem dokonania oszustw celnych

i podatkowych, udziału w gangu pruszkowskim oraz nakłaniania jego członków do stworzenia procederu, który zmierzał do wyłudzenia podatku VAT o znacznej wartości. Tymczasowe aresztowanie było wynikiem m.in. zeznania świadka koronnego Jarosława Sokołowskiego ps. „Masa". Już rok wcześniej na zlecenie prokuratora Prokuratury Rejonowej w Słubicach dokonano przeszukania w biurach i magazynach firmy Gawronika.

W 1999 r. Gawronik za pieniądze gangsterów z „Pruszkowa" odkupił od ówczesnego posła AWS Marka Kolasińskiego udziały w jego firmie Italmarca. Należał do niej m.in. skład celny w Żarnowcu. Gawronik ze wspólnikami chcieli wykorzystać Italmarca do wyłudzeń VAT za papierosy i alkohol oraz jako przemytniczy punkt przerzutowy. Gangsterzy skorumpowali celników i w pobliskich Słubicach, gdzie znajduje się przejście graniczne z Niemcami, kupili sklep delikatesowy, w którym zatrudnili jako kasjerki żony „zaprzyjaźnionych" celników[5].

Dopiero w 2011 r. na Gawronika nałożono karę zastępczą 350 dni pozbawienia wolności w zamian za grzywnę wynikającą z wyroku Sądu Rejonowego dla Warszawy-Mokotowa. W 2012 r. Gawronik został doprowadzony do odbycia kary, ale już w październiku opuścił areszt z elektroniczną obrożą na nodze. W ten sposób odbywał karę za wyłudzenia jako areszt domowy.

W styczniu 2001 r. warszawski sąd skazał Gawronika na 3 lata i 8 miesięcy więzienia oraz 6 tys. zł grzywny za przywłaszczenie 1,8 mln zł z kasy Art-B. Po ucieczce z Polski w 1991 r. szefów Art-B, Bogusława Bagsika i Andrzeja Gąsiorowskiego, Gawronik został zarządzającym ich spółką. Później był także krótko szefem właśnie

bankrutującego Ursusa, a swoją dawną firmę przekształcił w duży holding Biuro Handlowo-Prawne AG. Był to
szczytowy punkt kariery Aleksandra Gawronika.
We wrześniu 1992 r. z nakazu prokuratorskiego Gawronik został aresztowany pod zarzutem przywłaszczenia
sobie obrazów i innego majątku spółki Art-B o wartości
1,8 mln zł. Zaraz jednak wyszedł z aresztu po wpłace-
niu 300 tys. zł kaucji przez Krzysztofa Niezgodę[6] (TW
„Krystyna"). 23 września zdążył jeszcze odwiedzić wicepremiera Henryka Goryszewskiego, który nazwał go
„szpicą polskiej gospodarki".
    Wzmiankowany wyżej Krzysztof Niezgoda w czasie za-
sadniczej służby wojskowej został pozyskany do współpracy z WSW 20 kwietnia 1979 r. przez por. Czesława
Wojtkuna, starszego pomocnika szefa Wydziału WSW
16. Dywizji Pancernej w Elblągu. Miał „rozpoznać charakter kontaktów szeregowych «K» i «F» z rodzinami za-
mieszkałymi w USA. Jego informacje potwierdziły się"[7].
    W 1993 r. Niezgoda (TW „Krystyna") przejął kan-
tory Gawronika, natomiast „szpica polskiej gospodarki"
poszła w „senatory", by uzyskać immunitet. Wielkopo-
lanie ochoczo zagłosowali na tak wybitnego budowniczego kapitalizmu. Proces został w sądzie zawieszony,
ponieważ Senat nie uchylił niezrzeszonemu i niezależ-
nemu koledze immunitetu. Proces mógł się więc rozpocząć dopiero po wyborach 1997 r. Prokuratura oskarżała
Gawronika o to, że od 1 sierpnia do 17 października
1991 r. działał na szkodę spółki Art-B w ten sposób, że
przywłaszczył sobie ponad 30 obrazów znanych malarzy
(m.in. Chełmońskiego, Kossaków, Malczewskiego i Wy-
czółkowskiego) oraz gotówkę i czeki należące do Art-B

na łączną sumę 1,8 mln zł. Gawronik natomiast twierdził, iż zgodnie z umową zawartą z zarządem Art-B wziął je jako spłatę długu. 10 lat wcześniej wartość tych dzieł oszacowano na 7 miliardów 600 milionów złotych. Warunkowe przedterminowe zwolnienie Gawronik uzyskał w 2009 r., na 11 miesięcy przed końcem upływu kary.

Dzieje Aleksandra Gawronika obrazują, nie tylko na czym polegał demontaż komunizmu, ale także jak wykuwały się elity III RP i czym była ta hybryda bezpieczniackich struktur i dzikiego kapitalizmu.

Aleksander Gawronik[8] nie pochodził z rodziny komunistycznej czy bezpieczniackiej. Wprost przeciwnie, na przykładzie jego losów możemy zobaczyć, jak uczciwe, patriotyczne rodziny ulegały w drugim pokoleniu asymilacji przez system sowiecki w Polsce.

Ojciec Aleksandra, Józef Gawronik, ukończył gimnazjum w Grodnie i po odbyciu służby wojskowej zdał maturę (1935). Przez dwa lata pracował jako instruktor w Okręgowym Urzędzie Wychowania w Grodnie, a następnie został referentem w starostwie w Czortkowie w województwie tarnopolskim. SB zbierając informacje o nim podejrzewała jednak, że w tym czasie był funkcjonariuszem policji państwowej.

Józef Gawronik miał jednak większe ambicje i w 1935 r. rozpoczął zaoczne studia prawnicze na Uniwersytecie Lwowskim, które po trzecim roku przerwała okupacja sowiecka. W czasie kampanii wrześniowej został internowany przez sowietów. Nie wiemy, gdzie przebywał, ale udało mu się dołączyć do armii gen. Andersa, w której służył do 1947 r. w stopniu sierżanta jako mechanik samolotowy. Po demobilizacji wrócił do Polski i pracował jako referent w Polskim Związku Zachodnim[9], jednocześnie wstąpił do PPS, zapewne na wszelki wypadek z obawy przed represjami za walkę o Polskę u Andersa. Jak wiele osób będących wówczas w jego sytuacji, wybrał PPS jako mniejsze zło. Po unifikacji jednak PPS z PPR znalazł się w PZPR, ale z powodu choroby skreślono go z listy członków w 1961 r.

W 1948 r. Józef Gawronik przeszedł do pracy w handlu państwowym, najpierw jako kierownik sekcji, następnie jako starszy referent w Miejskim Handlu Detalicznym w Poznaniu oraz w Wojewódzkim Przedsiębiorstwie Hurtu Spożywczego. Od roku 1959 aż do przejścia na rentę inwalidzką w 1965 r. był kierownikiem hurtowni zabawek. Wkrótce zmarł z powodu gruźlicy, której nabawił się na zesłaniu w Sowietach. Jak zanotowała bezpieka, „nigdy nie popełnił żadnych nadużyć"[10], które przecież w socjalistycznym handlu były regułą.

Józef Gawronik zawdzięczał awans społeczny niepodległej Polsce i należał do tworzącej się wówczas inteligencji II RP, która w PRL została zepchnięta na margines życia społecznego. Syn widocznie postanowił nie naśladować ojca.

Nie wiemy, kiedy Alina Woblijew, matka Aleksandra, przyjechała z Kijowa do Polski, ale ojca straciła w 1921 r., gdy miała 9 lat i do 19. roku życia mieszkała z matką. W 1931 r. wyszła za mąż za pracownika Polskiego Monopolu Tytoniowego w Poznaniu Edwarda Kwiecińskiego, który jednak wkrótce zmarł. Młoda wdowa ukończyła kursy pielęgniarskie i w 1938 r. podjęła pracę w Szpitalu Wojskowym w Poznaniu. Na początku okupacji niemieckiej została wywieziona do Radomia w Generalnej

Guberni, gdzie pracowała jako kasjerka w papierni. Do Poznania powróciła w 1945 r. i do przejścia na emeryturę w 1968 r. pracowała jako pielęgniarka. Za Józefa Gawronika Alina Woblijew, primo voto Kwiecińska, wyszła 7 lipca 1947 r. Rok później przyszedł na świat nasz bohater.

Młody Gawronik musiał po śmierci ojca i zdaniu matury podjąć pracę. Jako iż był człowiekiem nieustannie szukającym możliwości zyskania lepszego życia i awansu, stąd często zmieniał miejsce zatrudnienia. Od lipca 1968 r. do listopada roku następnego był zaopatrzeniowcem w Lekarskiej Przychodni Przemysłowej. W tym czasie założył w przychodni koło ZMS i działał przy Zarządzie Miejskim ZMS.

31 sierpnia 1968 r. Gawronik ożenił się z Barbarą Malczarską[11], córką palacza w PKS w Zamościu. Barbara Malczarska uczęszczała przez dwa lata do liceum plastycznego w Zamościu, a następnie przeniosła się do liceum ekonomicznego w Lublinie, gdzie zdała maturę i w 1963 r. podjęła pracę jako referent w Przedsiębiorstwie Budownictwa Miejskiego. Po roku przeniosła się do biura Wojewódzkiej Przychodni Przemysłowej w Lublinie, a w 1966 r. została instruktorem KO w Powiatowym Domu Kultury w tym mieście. Prawdopodobnie w 1968 r. poznała młodego zaopatrzeniowca.

Barbara Malczarska, teraz już Gawronik, po ślubie przeniosła się do Wojewódzkiego Związku Spółdzielni Pracy w Poznaniu, ale już 13 grudnia 1971 r. przeszła na rentę inwalidzką. Mimo to w 1977 r. ukończyła w Warszawie Państwowe Zaoczne Studium Oświaty i Kultury Dorosłych.

Po roku pracy w przychodni, w listopadzie 1969 r. Gawronik przeniósł się do działu zaopatrzenia Politechniki Poznańskiej, również na stanowisko starszego referenta. Jednocześnie jesienią 1970 r. rozpoczął studia na Wydziale Prawa UAM w Poznaniu. Po dwóch latach, 20 października 1971 r. podjął pracę w Wojewódzkim Zarządzie Zakładów Karnych na Młyńskiej jako wychowawca w dziale penitencjarnym. Po dziewięciu miesiącach, 8 sierpnia następnego roku napisał podanie o przyjęcie do Służby Bezpieczeństwa: „chciałbym być jednym z tych, którzy stoją na straży ładu i porządku publicznego" – motywował swą decyzję[12]. Syn byłego andersowca po prostu podjął decyzję, że nie będzie postępował jak ojciec i dorobi się w PRL.

Od 16 listopada 1972 r. do 31 stycznia następnego roku Gawronik pracował jako inspektor w Wydziale Śledczym KW MO w Poznaniu. Zwolnił się 1 lutego 1973 r., ponieważ musiał odejść za nadużywanie kompetencji służbowych.

Przełożeni oceniali, że charakteryzował się wybujałą fantazją i „cechuje go niemówienie prawdy – kłamstwo"[13], gdyż zataił fakt, że został skreślony z listy studentów prawa na UAM 10 października 1972 r. Zarzucali mu też, że niewłaściwie „walczył o praworządność". Kiedy zabrakło biletów do kina, kupił jeden za łapówkę w wysokości 50 zł i następnie żądał zwolnienia kasjerki. Przełożeni uznali to za przesadę. 24 stycznia 1972 r. ppłk Bogdan Jeleń, naczelnik Wydziału Śledczego, napisał o Gawroniku: „nieprzydatny do pracy i SB"[14].

Po odejściu z SB Gawronik spróbował biznesu; prowadził pieczarkarnię, a potem ośrodek jeździecki. Jednocześnie powrócił na studia i w roku 1979 uzyskał stopień magistra prawa na UAM.

30 września 1980 r., a więc kiedy powstała „Solidarność" i Gawronik mógł liczyć na zwiększone zapotrzebowanie MSW na nowe kadry, napisał podanie o ponowne przyjęcie do SB. Ppłk Zdzisław Wieczorek, naczelnik Wydziału Kadr w Poznaniu, zaopiniował go jednak negatywnie.

W tym samym roku Gawronik otrzymał od Klausa Wilfrieda Kecka z Berlina pełnomocnictwo do działalności gospodarczej związanej z naprawą samochodów osobowych w Polsce. Jeszcze krótko pracował jako kierownik obrotu towarowego Wojewódzkiego Przedsiębiorstwa Handlu Wewnętrznego, ale ostatecznie przeszedł do biznesu. Barbara Gawronik, jako członek Cechu Rzemiosł Włókienniczych, zarejestrowała na siebie zakład krawiecki, a Gawronik był oficjalnie współpracownikiem żony, zaopatrywał też firmy polonijne i zagraniczne.

W marcu 1982 r. Gawronikiem zainteresował się ppor. Leszek Krause, występujący pod nazwiskiem legalizacyjnym „Krawczyk", funkcjonariusz poznańskiego oddziału Rezydentury Krajowej Departamentu I (późniejszy Inspektorat I[15]), czyli placówki wywiadu w kraju. Gawronik był od dwóch lat przedstawicielem niemieckiej firmy Pockhanser und Kock i często jeździł do RFN. 2 czerwca Krause napisał raport o zezwolenie na pozyskanie Gawronika w charakterze kontaktu operacyjnego. Według ppor. Krausego, Gawronik „zaprezentował się jako lojalny obywatel wykazujący zrozumienie dla interesów Służby Bezpieczeństwa i wykazujący we współpracy dużo własnej inicjatywy [...] i ma kontakty z osobami pozostającymi w naszym zainteresowaniu"[16]. Dowiadujemy się także, że „posiada kontakty z grupą emigrantów zajmującymi się przemytem, którzy przesyłają materiały podziemiu. Za pośrednictwem pracownika ambasady RFN nawiązał kontakt z ludźmi businessu, którzy też nas interesują". Gawronik miał realizować zadania po linii Wydziału X, czyli kontrwywiadu Departamentu I. Rozmowa werbunkowa miała się odbyć w restauracji „Na Skarpie" w Rogalinku.

Doniesienia KO „Witka" lub „Witesa", bo obie formy pseudonimu Gawronika występują w dokumentach, okazywały się być jednak wytworami fantazji i mitomanii, co potwierdziło ocenę przełożonych o skłonności byłego funkcjonariusza SB do konfabulacji.

14 kwietnia, a więc jeszcze przed oficjalnym werbunkiem, ppłk Janusz Głuchowski, kierownik Rezydentury Krajowej w Poznaniu, meldował, że „Witek" poinformował, iż spotkał w Hanowerze kogoś, kto mówił o przerzucie z Danii do Polski 1000 tłumików do pistoletów 9 mm. Informacja ta zelektryzowała centralę i na spotkanie z „Witkiem" 14 maja w hotelu Merkury przybył do Poznania ppłk Henryk Adach[17], z-ca naczelnika Wydziału X Departamentu I. Ostatecznie informacje się nie potwierdziły, a Głuchowski wyraził przypuszczenie, że Gawronik mógł być tylko sondowany w tej sprawie przez grupę Giełżyckiego lub był to produkt jego wyobraźni[18].

Podobnie w listopadzie „Witek" z kolei informował, że bracia S. chcą rzucić na rynek 10 mln dolarów w fałszywych banknotach i jeden dali mu do sprawdzenia. Oddał banknot SB, ale wszystko okazało się zmyśleniem[19].

W 1982 r. Gawronik uzyskał poparcie ministra rolnictwa i gospodarki żywnościowej Jerzego Wojteckiego, który

udzielił mu pełnomocnictwa na zawarcie umowy koope-
racyjnej ze spółką Metro z RFN na zakup pasz. Gawronik znał Wojteckiego z Poznania, gdzie przyszły minister był sekretarzem KW PZPR w latach 1972–1974.
Środki na zakup pasz Gawronik miał uzyskać sprzeda-
jąc 0,5 mln sztuk jaj w Szwajcarii. Nasz „businessman"
żadnej transakcji jednak nie zawarł, choć wielokrotnie wyjeżdżał do Berlina Zachodniego i RFN. Tłumaczył się, że
w czasie wyjazdu został zatrzymany przez policję i w tym
czasie ceny jaj spadły, a jednocześnie przyjechała delegacja Animexu i w ministerstwie zablokowali jego pełnomocnictwo, gdyż bali się sprawniejszej konkurencji prywatnej. Wywiad twierdził, że „Wites" zajmował się tylko
prywatnymi sprawami i nie zrobił nic, by wywiązać się
z zadań dla Ministerstwa Rolnictwa. W 1982 r. był w sumie 20 razy w Berlinie Zachodnim.

W dniach 12–19 stycznia 1983 r. „Witek" przebywał
w Berlinie Zachodnim, RFN i w Szwajcarii. Odwiedził
hurtownię kwiatów Haffi i warsztat samochodowy Girscha Ljutrina, z którym założył spółkę. Kilka dni później
ppłk Janusz Głuchowski pisał do płk. Feliksa Kołeckiego,
naczelnika Wydziału I, czyli wówczas niemieckiego, Departamentu I (1982–1990) w sprawie możliwości aresztowania „Witesa" w Berlinie Zachodnim. Jak się później
okazało, Gawronik nie został zatrzymany przez policję za-
chodnioberlińską, a tylko sprawdzano jego dane w komputerze, gdyż wjechał w ulicę jednokierunkową.

11 lutego 1983 r. ppłk Głuchowski przeprowadził rozmowę z Gawronikiem i odebrał mu paszport (zastrzeżenie
na wyjazd na 2 lata do 20.02.1985), zaś 17 lutego dokonał regularnego przesłuchania. Następnie zameldował

zastępcy dyrektora Departamentu I Zbigniewowi Twer-
dowi: „figurant związki z ministrem rolnictwa oraz kontakty z naszą służbą używa jako parawanu do realizo-
wania własnych interesów. Przyznał, że skupuje dolary,
kupił 1000 m. tkaniny za 6 tys. DM, z czego będzie
miał 1 mln zł zysku"[20].

Sprawę przekazano kpt. Borowiakowi z Wydziału do
walki z przestępczością zorganizowaną, ale Gawronikowi
nic nie można było udowodnić[21].

Handel dewizami był wówczas przestępstwem, jednakże
władza nie miała prawa pytać obywatela, skąd ma posiadane dewizy, zaś źródeł zaopatrzenia Gawronika w dolary
nie wykryto. Gawronik mógł przywieźć tyle materiałów
tekstylnych, ile chciał, a firma do maja 1984 r. zwolniona
była z podatku. Pozostało nierejestrowanie pracowników
szyjących sukienki dla firmy żony, w której Gawronik był
zatrudniony. Bezpiece chodziło o to, że Gawronik twierdził, iż sukienki projektowała i szyła z zakupionego materiału tylko jego żona i sprzedawała w swoim sklepie,
a fizycznie nie mogła robić tego sama. Musiała więc zatrudniać nielegalnie szwaczki, nie płacąc za nie podatków,
jednak szwaczek nie udało się wykryć. Bezpieka skar-
żyła się, że nie mają żadnego dojścia, gdyż wszyscy pracownicy są lojalni wobec Gawronika i nie chcą donosić.

2 grudnia 1983 r. wydano postanowienie o zakończeniu sprawy „Wites" i przekazaniu jej do archiwum Departamentu I. Młodszy inspektor i oficer prowadzący Gawronika ppor. Leszek Krause pisał: „w trakcie współpracy
źródło przekazało szereg informacji z terenu k.k. [kraje
kapitalistyczne – *aut.*], które się nie sprawdziły. Analiza
sprawy wykazała, że źródło celowo dezinformowało naszą
służbę. Stwierdzono, że w trakcie wyjazdów wymieniony

naruszył przepisy celno-dewizowe. Sprawę skierowano do rozpatrzenia przez Wydział do Walki z Przestępczością Gospodarczą WUSWU w Poznaniu, a także wniesiono zastrzeżenie na wyjazd do k.k. i k.s. [kraje socjalistyczne – *aut.*] na okres najbliższych 2 lat"[22].

Biorąc powyższe pod uwagę Gawronik, zgodnie z logiką III RP, mógłby więc uchodzić za osobę prześladowaną przez organy komunistycznej bezpieki. Aż dziw bierze, że tego argumentu nie używał. Przecież zostałby bohaterem antykomunistycznego buntu salonów, nagradzanym orderami przez prezydentów III RP...

Warto wiedzieć, że według informacji SB to właśnie przez ministra Wojteckiego Gawronik w stanie wojennym nawiązał kontakty z późniejszym ministrem edukacji Jackiem Fisiakiem[23] i wicepremierem Ireneuszem Sekułą (wywiadowca AWO „Artur"), co miało znaczący wpływ na karierę finansową „szpicy polskiej gospodarki".

W marcu 1984 r. na zaproszenie Girscha Ljutrina Barbara Gawronik miała jechać do Berlina Zachodniego, ale Izba Skarbowa zawiadomiła, że wszczęto wobec niej dochodzenie w sprawie karno-skarbowej. 31 maja 1985 r. została skazana za przestępstwo karno-skarbowe na grzywnę 15 tys. zł i za wykroczenie skarbowe na 10 tys. zł. Wyrok był nieprawomocny, ale Gawronikowa wszystko zapłaciła 27 lipca, co odblokowało jej paszport. Tak zakończyła się sprawa przywozu tekstyliów z 1983 r.

W 1986 r. małżonkowie Barbara i Aleksander Gawronikowie rozstali się. Barbara Malczarska nadal prowadziła Zakład Krawiectwa Lekkiego na Ratajczaka.

W końcu 1986 lub na początku 1987 r. Gawronik poślubił Danutę Sierszeńską[24], która dwa lata wcześniej rozwiodła się z pierwszym mężem Piotrem Tomkowiakiem, kierowcą w MPT. Małżeństwo miało syna Pawła[25]. Danuta Tomkowiak z zawodu była monterem wyrobów jubilerskich, ale w 1986 r. nie pracowała. Danuta i Aleksander Gawronikowie mają córkę Aleksandrę[26]. Rok 1986 był przełomowy dla Gawronika także pod względem majątkowym. Wtedy kupił budynek w Goślinie pod Poznaniem i otworzył Biuro Handlowe i Doradztwo Prawne „Consulting". Budowę kapitalizmu rozpoczął razem ze swoim oficerem prowadzącym por. Leszkiem Krause. Dlatego zatrzymajmy się na chwilę przy tej postaci.

Leszek Krause[27] wywodził się z rodziny skromnej, ale popierającej nowy ustrój. Jego ojciec, gdy służył w KBW, brał udział w likwidacji zbrojnego podziemia niepodległościowego w Rembertowie (1945–1946), potem był kierowcą w różnych przedsiębiorstwach. Matka, aresztowana w 1942 r., trafiła do Oświęcimia, po wojnie zaś wstąpiła do partii i pracowała jako urzędniczka w Zakładach Metalowych do czasu przejścia na rentę inwalidzką w 1976 r. Po śmierci pierwszego męża wyszła za Mieczysława Welmana[28], pracownika spółdzielni transportowej.

Leszek Krause po ukończeniu technikum samochodowego (1976) i nauk politycznych na Uniwersytecie im. Adama Mickiewicza (1980) rozpoczął pracę w SB. Jeszcze 23 stycznia 1980 r. napisał podanie o przyjęcie do MSW, by „przyczynić się do utrwalania zdobyczy socjalizmu"[29] i szef Rezydentury Krajowej w Poznaniu skierował go do swego Departamentu. Po czterech latach otrzymał awans na starszego inspektora, ale w czerwcu 1986 r. na własną prośbę odszedł ze służby, by podjąć pracę na stanowisku dyrektora w Biurze Handlowym i Doradztwa

Prawnego swego byłego agenta Gawronika ps. „Wites", z którym utrzymywał cały czas kontakt. Przełożeni oceniali por. Krausego *ex post* negatywnie, podkreślając jego mierne osiągnięcia operacyjne, apodyktyczność i brak inteligencji, co jednak mogło wynikać z chęci usprawiedliwienia[30] jego odejścia z resortu.

W kwietniu 1980 r. młody utrwalacz socjalizmu ożenił się z Krystyną Haduch[31], inżynierem budowlanym zatrudnionym w Kombinacie Budowlanym Poznań Północ. Rodzina żony była bezpartyjna. Ojciec pracował jako kwestor w Akademii Medycznej, a matka, była sanitariuszka w 27. Wołyńskiej Dywizji Piechoty AK, pracowała w Studium Języków Obcych Akademii. Nie dziwi więc, że teściowie chcieli, by zięć zrezygnował z pracy w SB. Małżeństwo Krause miało syna Wojciecha[32].

11 lipca 1981 r. Krause został zakwalifikowany na kurs OKKW. Podczas szkolenia uzyskał dobre wyniki, z wyjątkiem języka obcego. Jak ocenił płk Wiesław Mickiewicz, z-ca naczelnika Wydziału XVI Departamentu I, Krawczyk „w zakresie poziomu intelektualnego nie spełnia stawianych wymagań". Nie miało to jednak wpływu na jego dalszą karierę.

9 lutego 1983 r. Krause napisał raport o zwolnienie ze służby. Tłumaczył w nim, że mieszka z teściami, którzy wywierają presję, by zerwał z SB, a wtedy dostanie od nich pieniądze na otwarcie warsztatu samochodowego, na co ma uprawnienia. Teściowie w grudniu 1982 r. wrócili po 2 latach z kontraktu w Libii i dysponowali odpowiednimi środkami.

Ppłk Janusz Głuchowski po rozmowie z ppor. Krause doszedł do wniosku, że przyczyną jego próby odejścia z SB jest „chęć szybkiego dorobienia się". Jednocześnie jego pracę po półtora roku służby oceniano jako dobrą. Głuchowski zaproponował zwolnić Krausego, ale ten 1 kwietnia poprosił o anulowanie swego raportu, gdyż – jak tłumaczył – już w lutym praktycznie zerwał stosunki z teściami i tylko prosi o pomoc w uzyskaniu mieszkania. I tak pozostał w SB.

9 lipca 1983 r. we wniosku o nadanie ppor. Krausemu statusu funkcjonariusza stałego podkreślono, że pozyskał samodzielnie 4 osobowe źródła informacji i 9 opracowuje na werbunek, oraz że wykazuje wiele aktywności i inwencji. Wśród owych czterech tajnych współpracowników był Aleksander Gawronik.

W październiku płk Bolesław Kamiński, z-ca szefa ds. SB, pisał, że Krause wykazał szczególne zaangażowanie w realizację zadań specjalnych w ramach SOR (sprawa operacyjnego rozpracowania) o krypt. „Podziemie" „dot. tzw. Tymczasowego Zarządu Regionu NSZZ «S» – członka tzw. TKW"[33]. Dlatego „rozkazem specjalnym z listopada 1983 r. został wyróżniony nagrodą oraz pochwałą za uzyskane wyniki w rozpracowaniu podziemia antysocjalistycznego"[34].

W czerwcu 1984 r. Krause został awansowany na starszego inspektora. W następnym roku prowadził zaledwie jednego TW (przy limicie 8 TW), a w 1986 r. pozyskał jednego TW.

23 marca 1986 r. Krause napisał drugi raport o zwolnienie ze służby z powodu stanu zdrowia i konfliktowej sytuacji rodzinnej. Teraz otrzymał opinie negatywne, choć realizował zlecenia na odcinku wywiadu amerykańskiego. Zarzucano mu brak konsekwencji w odbieraniu informacji pisemnych od swoich źródeł.

Ostatecznie 30 czerwca 1986 r. por. Krause został zwolniony ze służby i od teraz mógł wreszcie rozpocząć wraz z Gawronikiem budowę kapitalizmu. Oficjalnie jeździł na prywatnej taksówce osobowej i należał do Zrzeszenia Transportu Prywatnego. Dopiero w czerwcu 1989 r. został dyrektorem Zespołu Kantorów Wymiany Walut w firmie Gawronika Biuro Handlowo-Prawne w Długiej Goślinie 30. Wtedy sprawdzono w Warszawie jego akta funkcjonariusza.

W kwietniu 1986 r. Gawronikiem zainteresował się płk Bolesław Strzelec, który w lipcu 1983 r. zastąpił Głuchowskiego, ale nie wiemy, czy cokolwiek z tego wyniklo.

29 października 1987 r. wszczęto dochodzenie i 5 dni później przeprowadzono rewizję w Goślinie z powodu doniesienia obywatela Szwecji Kamila Danielewicza, który oskarżył Gawronika o niezapłacenie 25 tys. dolarów (z 35 tys. należnych) za dostarczone 10 komputerów. Umowę z Danielewiczem Gawronik zawarł w listopadzie 1986 r. Ostatecznie postawiono mu zarzut, że w latach 1986–1987 zakupił za swoje dewizy w Szwecji sprzęt komputerowy o wartości minimum 50 mln zł, sprzedał go państwowemu Dampolowi i nie zapłacił podatku. Gawronik twierdził, że komputery były spadkiem po matce i od spadku uiścił podatek w wysokości 7 mln, zaś Danielewiczowi nic nie jest winien.

1 października 1988 r. śledztwo dotyczące roszczeń Danielewicza zawieszono, gdyż nie było go w Polsce, a więc nie można go było przesłuchać. Pozostała sprawa niezapłaconego podatku w wysokości 25 mln zł. Wydział do walki z przestępczością gospodarczą RUSW w Poznaniu nadal prowadził postępowanie w sprawie podatkowej.

Zakończono je bez wyroku skazującego[35], ponieważ Gawronik wpłacił 25 mln w czerwcu 1989 r. i wówczas dostał paszport.

W 1989 r. Gawronik znów miał problemy, gdyż, dysponując dewizami, 4 stycznia zawarł umowę z PHZ Marko w sprawie dostarczenia towarów dla Północnej Grupy Wojsk Armii Sowieckiej w Polsce. Biuro Gawronika było tylko pośrednikiem; kupił 50 tys. par pończoch damskich, które 28 stycznia PHZ Marko dostarczyło Sowietom w Legnicy, inkasując 125 mln ówczesnych złotych, ale kontrola wykazała, że 40 proc. towaru jest wybrakowane. Dlatego Sowieci zażądali zwrotu pieniędzy. Gawronik odebrał wybrakowany towar, ale pieniędzy nie zwrócił i PHZ Marko skierowało sprawę do prokuratury. Gawronik wytoczył z kolei sprawę dostawcy z Berlina Zachodniego. Nie wiemy, jak się te rozliczenia zakończyły.

13 marca premier Mieczysław Rakowski podjął decyzję o wejściu w życie z dniem 15 marca nowego prawa dewizowego, które zezwoliło osobom krajowym na legalny skup i sprzedaż dewiz. Odtąd wnioskującym o otwarcie kantoru zezwolenia udzielał i określał zasady funkcjonowania prezes NBP i Ministerstwo Finansów.

Nie wszyscy funkcjonariusze wierni sowieckiej Polsce rozumieli w 1989 r., że mądrość etapu wymaga demontażu komunizmu, jakiemu mieli służyć. 11 kwietnia mjr Janusz Wyszkowski, p.o. szefa Wydziału Jednostek Wojskowych WSW w Szczecinie, pisał do szefa Zarządu WSW Jednostek Wojskowych MSW, by podzielić się informacjami napływającymi z granicznych punktów kontrolnych w Kołbaskowie i Świnoujściu, i poprosić o instrukcje. Według jego informacji w punktach wymiany pracują żony oficerów dowództwa Pomorskiej Brygady WOP, co jest powodem plotek. Już 20 lutego TW „Rubin" doniósł, że z-ca d-cy Granicznego Punktu Kontrolnego (GPK) w Świnoujściu mjr Stanisław Gajewski kazał oficerom pogadać z żonami o pracy w kantorze – należało wybrać takie kobiety, aby „WSW nie mogło zorganizować OZI [Osobowe Źródła Informacji – *aut.*]"[36]. Dotąd żony oficerów pracowały jako kasjerki w kasach walutowych w Baltonie, Orbisie i Pewexie.

Oznacza to, iż Gawronik o decyzji, która miała zapaść w marcu, wiedział już wcześniej i podjął odpowiednie kroki. Ciekawe, że w roku 1987 również WSW Wojsk Lotniczych w Poznaniu zainteresowało się Gawronikiem i miało podjąć z nim dialog operacyjny, gdyż znał on ciekawe osoby. Nie wiemy jednak, czy do dialogu tego doszło. Kontakty ze służbami wojskowymi – WSW i WOP mogą oczywiście się z tym nie wiązać.

Pierwszy wniosek o zezwolenie na otwarcie kantorów Gawronik złożył już 30 stycznia 1989 r., ale nie podał wówczas ich przyszłych adresów i dlatego musiał złożyć wnioski powtórnie. Uczynił to 13 marca na kantory na przejściu granicznym w Olszynie Lubuskiej, Zgorzelcu, Świecku i Świnoujściu.

Najpierw Gawronik zgłosił się do dyrektora NBP w Poznaniu i pytał o możliwości otwarcia kantorów powołując się na poparcie Ireneusza Sekuły (wywiadowca AWO „Artur"), jednak taką decyzję mogła podjąć tylko Centrala NBP w Warszawie. „Pozytywnym załatwieniem wniosku w/wym. zainteresowany był m.in. wicepremier I. Sekuła, który dzwonił w tej sprawie do prezesa NBP Z[dzisława] Pakuły"[37]. Gawronik zapłacił za zezwolenia zamiast wymaganych 12 tys. – 1 mln zł.

Pozytywna decyzja w sprawie pierwszych czterech kantorów zapadła 20 marca. Jeszcze 15 marca Gawronik zwrócił się do Departamentu Dewizowego NBP o zezwolenie na kupno i sprzedaż walut począwszy od 1 kwietnia w punkcie na Masztalarskiej 2 w centrum Poznania (zgodę wydano 29 marca), gdzie miał pracować Mariusz Grzybowski[38], syn płk. Henryka Grzybowskiego, d-cy Pomorskiej Brygady WOP, oraz na otwarcie kantoru na przejściu w Kołbaskowie[39]. Miała tu z kolei pracować Alina Grzybowska[40], żona płk. Henryka Grzybowskiego, który już 10 marca zezwolił na ustawienie kontenerów na przejściu i 14–16 marca czekał w Kołbaskowie na przyjazd właściciela. Z dowództwa WOP przyjechał ppłk Zając, który interesował się kontenerami. Oprócz żony płk. Grzybowskiego miały tu pracować także żony: z-cy dowódcy ds. politycznych płk. Wacława Pałyświta, szefa wywiadu płk. Stanisława Głąba oraz d-cy GPK w Kołbaskowie ppłk. Zbigniewa Misia[41]. W Świnoujściu pracowały natomiast córka płk. Henryka Grzybowskiego Grażyna Grzybowska-Połowniczak[42], żona d-cy batalionu granicznego ppłk. Edwarda Szczepaniaka i krewne d-cy GPK płk. Wiesława Chudzika oraz kierownika zmiany mjr. Grzegorza Bajerskiego. W Świecku były to z kolei Krystyna Konieczka, żona d-cy brygady WOP w Krośnie Odrzańskim i Jolanta Żurek, żona płk. Andrzeja Żurka, d-cy Lubuskiej Brygady WOP.

Dowódca Pomorskiej Brygady WOP płk Henryk Grzybowski proponował także autorowi doniesienia mjr. Wyszkowskiemu pracę dla żony, ale ten nie zgodził się, gdyż miał wątpliwości czy jest to legalne. We wnioskach raportu informowano, że „nie przewiduje się żadnych czynności operacyjnych z uwagi na delikatność tego tematu"[43]. SB miała jednak nieprecyzyjne informacje w tym czasie, gdyż doniesienia TW mówiły, że właścicielem kantorów jest osoba spokrewniona z wicepremierem Sekułą, która wyjechała w latach 80. do RFN i dorobiła się dzięki rodzinie[44].

Mimo problemów z urzędem podatkowym 30 listopada 1988 r. Gawronik otrzymał koncesję na prowadzenie handlu zagranicznego. Był wówczas udziałowcem Przedsiębiorstwa Handlowo-Usługowego i Innowacyjno-Wdrożeniowego Alimex Sp. z o.o. w Długiej Goślinie. W styczniu następnego roku ogłosił oferty pracy w związku z tworzeniem Biura Handlu Zagranicznego. Po selekcji wybrał swego byłego oficera prowadzącego por. Leszka Krausego, Zbigniewa Combę z Polmozbytu, Benona Połczyńskiego, wiceprezesa Społem Poznań, Władysława Jarosza i Agenora Gawrzyała, pracownika Akademii Ekonomicznej w Poznaniu i PISM.

Niestety, Departament Dewizowy NBP polecił przeprowadzenie kontroli, gdyż dowiedział się, że Gawronik tylko skupuje waluty, ale ich „nie sprzedaje"[45]. Pracownicy Gawronika w Kołbaskowie i Świnoujściu zachowali jednak czujność i odmówili kontrolerom wstępu. Jak notowała SB, „przed radykalnymi i pochopnymi interwencjami centralę NBP powstrzymuje"[46] fakt, że Gawronika popierał wicepremier Sekuła.

Wielu esbeków ciągle jeszcze działało standardowo, nadal nie rozumiejąc mądrości etapu. Gdy na przełomie 1988 i 1989 r. powstało Towarzystwo Polska–USA, okazało się, że Gawronik odgrywał tam marginalną rolą, choć formalnie był członkiem zarządu. Był po prostu jednym ze sponsorów Towarzystwa, za pośrednictwem którego chciał nawiązać kontakty gospodarcze z USA. KO „PR" doniósł natomiast, że Gawronik współpracuje z FBI. Czujna bezpieka wszczęła zatem 27 lutego 1989 r. SOS (Sprawa Operacyjnego Sprawdzenia) „Konsultant", by potwierdzić lub wykluczyć współpracę swego byłego funkcjonariusza ze służbami amerykańskimi. Ostatecznie stwierdzono brak symptomów wrogiej działalności, o czym szef poznańskiej SB płk Franciszek Szych zameldował w sierpniu gen. Januszowi Seredzie, dyrektorowi Departamentu II, zaś sprawę zakończono 23 listopada 1988 r. (byłoby to więc jeszcze przed wpisaniem do rejestru 1 stycznia 1989 r.[47], co może wskazywać na błąd w dacie rocznej i w rzeczywistości sprawę zakończono 23 listopada 1989 r.).

Raporty SB podkreślają, że „znamiennym w działalności figuranta jest fakt stałego powiązania z resortem MSW"[48]. Gawronik faktycznie miał stały kontakt z podwładnymi Sekuły: Kleniewskim i Stachurskim oraz gen. Józefem Rudawskim, szefem Zarządu Zwiadu WOP (16.02.1987–31.07.1990), gen. Feliksem Stramikiem, dowódcą WOP (1983–1990), oraz z płk. Henrykiem Grzybowskim, d-cą Pomorskiej Brygady WOP i płk. Andrzejem Żurkiem, d-cą Lubuskiej Brygady WOP[49]. W Ministerstwie Finansów z kolei Gawronik miał stały kontakt z dyrektorem Departamentu Zagranicznego Jeżakiem i naczelnikiem Wydziału Przepisów, Instruktażu i Nadzoru Dewizowego Zielińskim. Do tego dochodziły jeszcze znajomości w NBP i MWGzZ.

20 czerwca 1989 r., a więc już po wyborach czerwcowych, kiedy Wałęsa zapowiadał poparcie kandydatury gen. Kiszczaka na premiera[50], Gawronik rozmawiał z ministrem

edukacji Jackiem Fisiakiem, gen. Kiszczakiem i Ireneuszem Sekułą (wywiadowca AWO „Artur") w sprawie objęcia przezeń w przyszłym rządzie resortu przemysłu po Mieczysławie Wilczku[51]. W tym okresie komuniści rozważali powołanie rządu na czele z Kiszczakiem i udziałem przedstawicieli nowej „Solidarności".

Po półrocznej legalnej działalności prywatnych kantorów kpt. Dariusz Drewnowski, inspektor Wydziału IV DOG MSW (poprzednio Departament V)[52], napisał 10 listopada wniosek o wszczęcie Sprawy Operacyjnego Sprawdzenia krypt. „Mafia" celem ustalenia, czy istnieje nieoficjalne porozumienie między właścicielami kantorów walutowych w Warszawie i innych miastach, co wynikało z informacji agenturalnych[53]. Sprawę zakończono jednak 4 maja 1990 r. w związku z likwidacją SB.

Na wyznaczaniu kursów w kantorach traciły kantory PKO. Zachodziło podejrzenie, że o polityce kursowej decyduje 5–6 osób w Warszawie, w tym Aleksander Gawronik i Lech Grobelny[54]. Mieli oni często spotykać się w kantorze w Al. Jerozolimskich i ustalać kursy, zaś sprzeciwiający się być szantażowani i zastraszani[55]. Podejrzewano powiązania między „prominentami rynku walutowego" i pracownikami PKO. „Wymienia się tu nazwisko prezesa M. Krzaka, który ma podobno udziały w kantorze «Stara Miłosna» i wiceprezesa NBP Jerzego Kochańskiego[56], którego żona pracuje w prywatnym kantorze"[57].

Kpt. Drewnowski rozmawiał z trzema TW i trzema KO uplasowanymi w bankowości, w tym w PKO, rozpracowując sprawę zmowy kantorowej. Informatorzy zajmowali stanowiska kierownicze. TW „Hugon" był starszym arbitrażystą w Departamencie Rachunkowości i Obrotu

Pieniężnego PKO B.P., TW „Barbara" zajmował/a stanowisko kierownicze w X Oddz. PKO B.P., a KO „Jacek" w III Oddz. tego banku. TW „Perkun" zajmował z kolei stanowisko kierownicze w centrali PKO SA. W NBP stanowiska kierownicze zajmowali: w centrali KO „Miś", a KO „Andrzej" w Głównym Oddziale Walutowo-Dewizowym. Pod tym ostatnim pseudonimem krył się Stanisław Pacuk, dyrektor tego oddziału.

Stanisław Pacuk[58] po odbyciu zasadniczej służby wojskowej w październiku 1967 r. wstąpił do Wyższego Seminarium Duchownego w Białymstoku, ale dość szybko zrezygnował z tej drogi życiowej i wybrał bardziej perspektywiczną. W 1971 r. ukończył SGPiS i rozpoczął pracę w PKO. W latach 1978–1983 pracował w Moskwie w Międzynarodowym Banku Współpracy Gospodarczej RWPG. Zarejestrowany został w kategorii kontakt operacyjny Wydziału IV Departamentu V, a następnie przejęty przez wywiad, gdzie jego oficerem prowadzącym był por. Jacek Borkowski (nazwisko legalizacyjne „Jelnicki") z Zespołu IV. Ze współpracy z KO „Andrzejem" zrezygnowano dopiero 9 lutego 1990 r. Niestety, jej szczegółów nie znamy, gdyż materiały wybrakowano za rządów premiera Mazowieckiego 15 lutego 1990 r.[59] Po powrocie z Sowietów Pacuk został dyrektorem Głównego Oddziału Walutowo-Dewizowego PKO. W 1989 r. był już wiceprezesem Banku Rozwoju Eksportu S.A., a rok później założył pierwszy prywatny bank komercyjny w Polsce – Kredyt Bank S.A., którym kierował do 2003 r. Pacuk zasiadał również w radzie nadzorczej Banku Powierniczo-Gwarancyjnego, założonego przez Siergieja Gawriłowa. Gdy ujawniono związki wiceprezesa Gawriłowa ze służbami rosyjskimi, Pacuk wycofał się z rady nadzorczej jego banku.

Z kpt. Drewnowskim współpracował też konsultant „Jedi", specjalista od obrotu dewizowego w Banku Handlowym. Pod tym pseudonimem krył się Jerzy Szczudlik[60], zarejestrowany 24 czerwca 1985 r. przez ppor. Andrzeja Lubryczyńskiego z Wydziału IV Departamentu V, najpierw w kategorii zabezpieczenie operacyjne, a 26 czerwca w kategorii konsultant[61]. Szczudlik był naczelnikiem Wydziału Instrukcji i Analiz (1981). Wydział IV Departamentu V zajmował się ochroną wywiadowczą Banku Handlowego. „Jedi" służył stale pomocą Drewnowskiemu i Lubryczyńskiemu, np. przy SOS „Konto", dotyczącej braku kontroli nad funkcjonowaniem środków dewizowych polskich przedsiębiorstw gospodarczych przetrzymywanych na rachunkach w bankach zagranicznych[62]. Szczudlik wyjaśniał zasady funkcjonowania banków i przekazywał informacje o pracownikach Banku Handlowego i przeprowadzanych transakcjach m.in. za pośrednictwem Banku Handlowego International w Luksemburgu. „Jedi" został wyrejestrowany 16 lutego 1990 r., a materiały zniszczono[63]. Zanim jednak do tego doszło, „Jedi" został przejęty przez Wydział VIII wywiadu. 1 września 1990 r. udał się jako audytor wewnętrzny do BHI w Luksemburgu, gdzie miał badać nadużycia dokonane przez Grzegorza Żemka („Dik"). Następnie został dyrektorem BHI, który sprywatyzował w 2002 r., sam kupując spółkę, kiedy Citibank – nowy właściciel Banku Handlowego – postanowił zlikwidować BHI. W skład Rady Dyrektorów BHI SA, oprócz Szczudlika, wchodzili jeszcze Artur Nieradko, wiceprezes Zarządu Banku Handlowego

(2000–2002) i Jerzy Suchnicki, prezes i wiceprezes, członek Rady Nadzorczej BHI (1998–2004). W 2007 r. luksemburski prokurator wszczął sprawę o likwidację sądową spółki, ponieważ nie publikowała bilansów i nie istniała pod wskazanym adresem tj. w mieszkaniu Szczudlika w Luksemburgu. W grudniu 2007 r. sąd w Luksemburgu nakazał likwidacje spółki BHI SA. „Jedi" powrócił do Polski w 2005 r. i zamieszkał w Gietrzwałdzie. Zajął się pisaniem wierszy oraz prowadzeniem firmy handlu nieruchomościami „Piękno Warmii. Agencja Nieruchomości".

Można powiedzieć, że Jerzy Szczudlik odziedziczył skłonności ku SB po ojcu. Płk Tadeusz Szczudlik był bowiem zawodowym oficerem LWP. Po przejściu do rezerwy 15 czerwca 1978 r. podjął pracę w NRD na stanowisku z-cy kierownika grupy przemysłowej, a 1 listopada 1979 r. został kierownikiem grupy zatrudnionej w Zakładach Mięsnych w Dreźnie. Jako KO Wydziału VII Departamentu V ps. „Tadeusz" miał za zadanie donoszenie na polskich pracowników i tropienie kontaktów z „Solidarnością"[64]. Jego drugi syn Andrzej[65] był lekarzem w stopniu majora w Szpitalu Wojskowym na Szaserów w Warszawie. 28 maja 1988 r. Andrzej Szczudlik został zarejestrowany jako współpracownik WSW krypt. „Sebastian"[66].

Z wymienionych powyżej źródeł kpt. Drewnowski uzyskał informacje o Gawroniku. Dowiedział się, że ma on doskonałe układy z celnikami, zaś „jego pozycja na tej płaszczyźnie wypływa z osobistego stawiennictwa dyrektora GUC Ćwieka"[67].

Gen. Jerzy Ćwiek[68] do MBP przyszedł w najgorszym okresie stalinowskich represji (1950), ukończył Szkołę Oficerską Centrum Wyszkolenia MO w Słupsku (1950–1952), po której był referentem w Wydziale II Komendy Głównej MO (1952–1954). Następnie służył w MO, gdzie awansował na stanowisko dyrektora Biura do Walki z Przestępstwami Gospodarczymi KG MO (1972–1974), był zastępcą (1974) i wreszcie komendantem stołecznym MO (1976–1983) i jednocześnie zastępcą komendanta głównego MO. Na etacie niejawnym pełnił funkcję prezesa Głównego Urzędu Ceł (15.08.1985–4.02.1990) oraz dyrektora Biura Paszportów MSW (5.02–31.07.1990). Po odejściu z resortu został zatrudniony przez Zygmunta Solorza (TW „Zeg", „Zegarek"). W związku z obowiązkami pełnionymi w GUC stanął w 1997 r. przed Trybunałem Stanu, który uznał go winnym w tzw. aferze alkoholowej i skazał na utratę biernego prawa wyborczego na okres 5 lat. Niestety nie wiemy, ile lat Ćwiek turlał się ze śmiechu po usłyszeniu tego wyroku...

W otoczeniu Gawronika przebywało wiele osób, którymi interesowała się SB. O usługach np. Andrzeja Szkudlarka dla Gawronika wiedział Wydział VII Departamentu II. Szkudlarek[69] służył w WSW w Krośnie Odrzańskim. Prośbę o przyjęcie do SB napisał 4 lipca 1973 r. „Będąc w wojsku i organach WSW zapoznałem się z charakterem pracy, która bardzo odpowiada moim zainteresowaniom i chciałbym się jej poświęcić" – wyjaśnił swoje motywy[70]. Szkudlarek początkowo pracował jako wywiadowca w obserwacji (Biuro „B") w Poznaniu. Po dwóch latach przeniósł się do Sekcji I, czyli analitycznej, Wydziału III, który zajmował się opozycją, a w 1980 r. pełnił obowiązki jej kierownika. Trzy lata później został przeniesiony do sekcji operacyjnej i zajmował się ochroną placówek zamkniętych Służby Zdrowia. Pozyskał 7 osobowych źródeł informacji, ale skarżył się na stres i w 1986 r. przeniósł się do Biura Paszportów.

Raport o zwolnienie ze służby Szkudlarek napisał 21 marca 1989 r., swą prośbę „motywując niskimi zarobkami i bezsennością". Skarżył się też, że pod presją szykan rówieśników „zmuszony jestem poddać syna praktykom religijnym". Zaznaczył również, że „po zwolnieniu zamierza podjąć pracę w prywatnym przedsiębiorstwie handlowym". 31 maja odszedł z SB na emeryturę milicyjną. 12 października prosił z kolei o anulowanie dwuletniego zastrzeżenia na wyjazd do krajów kapitalistycznych, gdyż pracuje w Biurze Handlowo-Prawnym, które prowadzi handel z firmami zachodnimi i musi jeździć do Berlina Zachodniego, by podpisywać umowy. Chodziło o pracę dla firmy Gawronika. Już 17 października uczyniono zadość jego prośbie.

Rozpad struktur bezpieczeństwa i przechodzenie funkcjonariuszy do biznesu był procesem bardziej żywiołowym niż się wydawało.

Od Marka Roszaka[71], którym interesował się Wydział VII Departamentu II MSW, dowiedziano się o systemie łapówek Gawronika. Kilka razy jeździł on do Warszawy z dużymi kwotami, np. w marcu 1989 r. z 10 tys. DM i kilku mln zł – „w tym czasie przebywał tylko w KRM"[72]. Roszak zanim przeszedł na zasiłek po zawale, pracował przez kilka lat w zakładach Telefunken w Berlinie Zachodnim, dokąd wyjechał w 1981 r. 16 stycznia 1989 r. zarejestrowano go w GPK w Świnoujściu i stąd przejęła go SB w Poznaniu, by służył do rozpracowania środowiska polskiego w Berlinie. Oficjalnie został pozyskany 21 czerwca 1989 r. i przyjął ps. „Marek"[73].

Według innego doniesienia Gawronik „dysponuje olbrzymimi zasobami finansowymi, dzięki czemu kupuje lojalność ludzi, a płk Zając bada ich na wariografie"[74].

W zainteresowaniu Departamentu I znajdował się również Agenor Gawrzyał, były pracownik Akademii Ekonomicznej w Poznaniu i PISM (1988–1989), który współtworzył sieć kantorów Gawronika. Później był wiceprezesem Banku Staropolskiego (1990–1992), należał do władz Kongresu Liberalno-Demokratycznego Donalda Tuska, był wiceprezesem zarządu WBK SA odpowiedzialnym m.in. za restrukturyzację portfela kredytów oraz obsługę emisji akcji w czasie prywatyzacji banku (1992–1994) oraz prezesem Towarzystwa Funduszy Inwestycyjnych Korona SA (1995–1996). Gawrzyał został jednym z zaufanych współpracowników Jana Kulczyka, dzięki któremu uzyskał stanowisko prezesa zarządu firm z grupy Warta TUiR: Warta SA i TUNŻ Warta Vita SA (1997–2004).

23 sierpnia 1989 r. KO „Sem" doniósł, że do członka zarządu BRE Andrzeja Olszewskiego zwrócił się Jacek Fisiak, minister edukacji narodowej i poprosił o przyjęcie Gawronika, który zaraz się zgłosił. Gawronik chciał założyć prywatny bank razem z Deutsche Bankiem i prosił o zezwolenie maklerskie, czyli zgody na kupno i sprzedaż w BRE dziennie do 10 tys. dolarów. Wtedy cena dolara byłaby niższa niż w kantorze o 30–40 proc. Od lipca BRE robił przetargi walutowe zawierając transakcje m.in. za pośrednictwem swoich maklerów. Olszewski poinformował Gawronika, iż takie zezwolenie może wydać wiceprezes Stanisław Pacuk (KO „Andrzej"[75]) i tak się stało. Obawiano się, że rząd Niemiec będzie poprzez bank Gawronika realizował swoją politykę na Śląsku i Pomorzu,

tym bardziej, że on sam twierdził, iż „banki niemieckie są zainteresowane pewnymi inwestycjami na dawnych obszarach niemieckich"[76].

Dyrektor Departamentu w NBP poinformował wiceprezesa NBP Grzegorza Wójtowicza (KO „Camelo" i „Camel"[77]), że 17 października 1989 r. Gawronik proponował mu wypożyczenie na 1 do 3 miesięcy dealerów NBP za 5–10 mln zł od osoby na miesiąc. W wypadku braku zgody groził, że podkupi ich, płacąc 700 dolarów miesięcznie każdemu i udostępniając mercedesa oraz mieszkanie w Poznaniu[78]. W grudniu 1989 r. TW „Paweł" z BRE miał propozycję objęcia stanowiska prezesa w prywatnym banku Gawronika w Poznaniu, ale zrezygnował, gdyż bank miał pełnić rolę przykrywki dla działalności kantorowej[79]. Ponadto Gawronik „stwarzał wrażenie bufona, gdyż chwalił się częstymi kontaktami osobistymi z prof. W. Baką i Czesławem Kiszczakiem, a także bardzo dużymi pieniędzmi"[80]. Z planów utworzenia banku w oparciu o kantory ostatecznie nic nie wyszło, gdyż 1 stycznia 1990 r. wprowadzono stały kurs dolara.

Po podpisaniu umowy z niemiecką firmą „Tax-free", Polacy kupujący towary w RFN mogli w placówkach firmy Gawronika odbierać 14% ich wartości, jako zwrot podatku VAT. Gawronik uruchomił też firmę „Sezam", zajmującą się ochroną ludzi i mienia oraz organizującą konwojowanie przesyłek wartościowych.

Rok 1990, jak się okazało, był jednak szczytem kariery biznesowej Gawronika. Później były już przeważnie kłopoty a i czekały go kolejne odsiadki.

PRZYPISY

[1] Nina Nowakowska, *Wicepremier i szpica*, „Gazeta Wyborcza", nr 225, 24.09.1992, s. 3.

[2] IPN Po 654/262, Materiały dot. Aleksandra Gawronika, k. 48.

[3] Mariusz Świtalski (ur. 19.05.1962), z zawodu hydraulik, w 1979 r. aresztowany a w 1981 r. skazany na 3,5 r. więzienia za włamania. Po wyjściu na wolność handlował kawą i komputerami, w 1987 r. założył Elektromis Sp. z o.o., firmę importującą konfekcję, sprzęt RTV, piwo oraz spirytus. W 1995 r. uruchomił sieć sklepów Biedronka, którą sprzedał portugalskiej spółce Jerónimo Martins w 1998 r., i jeszcze w tym samym roku założył sieć sklepów Żabka, w której udziały sprzedał w 2000 r. funduszowi AIG.

[4] Depesza PAP z 22 lutego 2019 r.

[5] Jerzy Jachowicz, *Fortuny mafiosów – łatwo przyszło, czy łatwo pójdzie?*, Dziennik.pl, 5.11.2007, http://wiadomosci.dziennik.pl/opinie/artykuly/220664,fortuny-mafiosow-latwo-przyszlo-czy-latwo-pojdzie.html (dostęp: 27.07.2018).

[6] Krzysztof Niezgoda (ur. 1.02.1957), syn Tadeusza, z zawodu ślusarz, zaczynał jako cinkciarz, w 2003 r. z majątkiem wycenionym na 590 mln zł zajął 23. miejsce na liście tygodnika „Wprost". Właściciel Poznańskiej Grupy Kapitałowej, która posiadała 98 proc. akcji włocławskiej Fabryki Lin i Drutu „DRUMET" SA (jej upadłość ogłoszono w kwietniu 2009 r. i wtedy kupiła ją cypryjska spółka Sidonia Holding Limited), 98 proc. akcji Fabryki Dywanów „Agnella" SA w Białymstoku i 11 kantorów AG. Aresztowany w lipcu i zwolniony w październiku 1995 r. pod zarzutem działania na szkodę „Agnelli" SA, posiadanie depozytu w zagranicznym banku i nielegalny transfer dewiz. W styczniu 1998 r. został uniewinniony, w sierpniu 2002 r. skazany na 2 lata więzienia i 25 tys. zł grzywny, 15 lipca 2003 r. uniewinniony w apelacji.

[7] IPN BU 00744/693, Niezgoda Krzysztof TW ps. „Krystyna".

[8] Aleksander Gawronik (ur. 30.08.1948), syn Józefa (1911–1966) i Aliny z d. Woblijew, primo voto Kwiecińskiej (ur. 4.12.1912, Kijów), córki Włodzimierza (zm. 1921) i Wandy z d. Maliszewskiej.

[9] Polski Związek Zachodni powstał w 1934 r. z przekształcenia przez MSZ Związku Obrony Kresów Zachodnich. Reaktywowany w konspiracji w 1942 r. i legalnie w 1944 r., został ostatecznie zlikwidowany przez komunistów w roku 1950.

[10] BU 003273/401, MSW Dep. II dot. działalności kantorów. Wywiad ws. ob. Gawronika Aleksandra.

[11] Barbara Malczarska (ur. 11.03.1942, Zamość), córka Zygfryda (ur. 25.02.1908, Lublin), syna Józefa i Teofili z d. Pieńkowskiej, oraz Marii z d. Rogulskiej (ur. 13.01.1915), córki Józefa i Katarzyny Prządków.

[12] IPN Po 654/262, Materiały dot. Aleksandra Gawronika, k. 15.

[13] Ibidem.

[14] IPN Po 084/3273, Akta osobowe Gawronik Aleksander s. Józefa, k. 6.

[15] W 1984 r. Rezydenturę Krajową Departamentu I zastąpiły w głównych miastach Polski Inspektoraty I.

[16] IPN BU 01285/986, krypt. „Wites" dot. Aleksandra Gawronika (karta kieszeniowa J-8498), raport z 2.06.1982.

[17] Henryk Przemysław Adach (lub Przemysław Henryk) ps. „Jerzy", „Koryn", był poprzednio oficerem operacyjnym rezydentury berlińskiej, oficjalnie I sekretarzem ds. konsularnych Polskiej Misji Wojskowej w Berlinie Zachodnim (10.11.1974–2.07.1979). W latach 1985–1988 Adach został oddelegowany w charakterze rezydenta do Berlina i Berlina Zachodniego (oficjalnie: radca Ambasady PRL w Berlinie i Polskiej Misji Wojskowej w Berlinie Zachodnim). Henryk Adach szczególnie blisko zajmował się Henrykiem Kulczykiem i jego dziećmi Janem i Marią Iloną.

¹⁸ IPN BU 01285/986, krypt. „Wites", Notatka służbowa z 25.02.1983.

¹⁹ Ibidem, Notatka służbowa z 30.11.1982.

²⁰ Ibidem, Informacja z 19.02.1983.

²¹ Ibidem, Notatka służbowa z 7 i 28.03.1983 oraz z 23.04.1983.

²² IPN BU 02778/770/Jacket, Postanowienie z 2.12.1983.

²³ Jacek Fisiak (ur. 10.05.1936), prof. anglistyki na Uniwersytecie im. Adama Mickiewicza w Poznaniu, minister edukacji w rządzie Mieczysława Rakowskiego (1988–1989).

²⁴ Danuta Sierszeńska primo voto Tomkowiak (ur. 11.03.1948, Poznań), córka Zdzisława i Lubomiły z d. Bartoszkiewicz.

²⁵ Paweł Tomkowiak (ur. 25.03.1968), syn Piotra i Danuty z d. Sierszeńskiej (ur. 11.03.1948).

²⁶ Aleksandra Gawronik (ur. 5.09.1987).

²⁷ Leszek Wojciech Krause (ur. 11.03.1955), syn Bronisława (1921–16.05.1960) i Czesławy z d. Gawrońskiej (ur. 4.04.1928), córki Walentego i Antoniny Stefaniak.

²⁸ Mieczysław Welman (ur. 16.09.1929), syn Jana i Bronisławy.

²⁹ IPN Po 084/43572, Leszek Krause.

³⁰ IPN BU 0248/239, SOS krypt. „Mafia" dot. „nieprawidłowości w funkcjonowaniu kantorów wymiany walut".

³¹ Krystyna Haduch (ur. 4.02.1957), córka Bolesława (ur. 1.01.1925), syna Pawła i Marii z d. Posadzkiej, oraz Haliny z d. Gołczewskiej (ur. 16.01.1928), córki Zygmunta i Konstancji.

³² Wojciech Krause (ur. 6.08.1981).

³³ IPN Po 084/43572, Informacja z 20.10.1983.

³⁴ Ibidem, Wniosek o mianowanie na inspektora, 15.03.1984.

³⁵ IPN Po 654/262, Materiały dot. Aleksandra Gawronika.

³⁶ BU 003273/401, MSW Dep. II dot. działalności kantorów. Wywiad ws. ob. Gawronika Aleksandra. Raport mjr. Janusza Wyszkowskiego.

[37] IPN BU 0248/239, SOS krypt. „Mafia" dot. „nieprawidłowości w funkcjonowaniu kantorów wymiany walut". Zdzisław Pakuła (ur. 27.10.1934), syn Rocha i Janiny z d. Funk. Ppor. Jacek Borkowski (nazwisko legalizacyjne „Jelnicki") z Zespołu 4. Wydziału VIII Departamentu I dokonał w 1988 r. rejestracji Pakuły w kategorii zabezpieczenie operacyjne, ale do werbunku już nie doszło i 28 lutego 1989 r. złożył wniosek o wyrejestrowanie Pakuły z zaznaczeniem, iż brak jest materiałów operacyjnych (zapisy ewidencyjne). Zdzisław Pakuła był prezesem NBP od 13 lipca 1988 do 12 września 1989 r., kiedy zastąpił go na tym stanowisku Władysław Baka, sprawujący już tę funkcję poprzednio.

[38] Mariusz Grzybowski (ur. 24.12.1965), syn Henryka (ur. 8.09.1933) i Aliny z d. Krzywa (ur. 23.01.1935), w 1989 r. był studentem piątego roku w Wyższej Szkole Morskiej w Szczecinie.

[39] Siódmy kantor Gawronik otworzył później w Gnieźnie.

[40] Według doniesienia TW „Marka" Grzybowska zarabia 0,5 mln miesięcznie za przychylność; IPN Po 654/262, Materiały dot. Aleksandra Gawronika, k. 49.

[41] IPN BU 0248/239, SOS krypt. „Mafia", Notatka z 3 i 4.04.1989, TW „Efendi", „Marian".

[42] Grażyna Grzybowska (ur. 14.10.1961), córka Henryka (ur. 8.09.1933) i Aliny z d. Krzywa (ur. 23.01.1935), w 1989 r. pracowała jako stewardesa w PLL LOT. Jej mąż Jacek Połowniczak był synem płk. Henryka Połowniczaka z MON. Matka Jacka Połowniczaka pracowała w PRiTV.

[43] BU 003273/401, MSW Dep. II dot. działalności kantorów. Wywiad ws. ob. Gawronika Aleksandra, raport Wyszkowskiego.

[44] Ibidem.

[45] IPN BU 0248/239, SOS krypt. „Mafia", Notatka służbowa z 19.07.1989.

[46] Ibidem.

[47] IPN Po 084/3273, SOS „Konsultant".

[48] IPN Po 654/262, Materiały dot. Aleksandra Gawronika, k. 48.

[49] Ibidem.

[50] Gen. Czesław Kiszczak został desygnowany na premiera 2 a zrezygnował 24 sierpnia 1989 r.

[51] IPN Po 654/262, Materiały dot. Aleksandra Gawronika.

[52] Departament Ochrony Gospodarki powstał 1 września 1989 r. poprzez połączenie Departamentu V i VI oraz Głównego Inspektoratu Ochrony Przemysłu MSW.

[53] IPN BU 0248/239, SOS krypt. „Mafia" dot. „nieprawidłowości w funkcjonowaniu kantorów wymiany walut".

[54] Lech Grobelny (18.06.1949–28.03.2007), właściciel spółki Dorchem, w październiku 1989 r. założył Bezpieczną Kasę Oszczędności oferującą oprocentowanie wkładów rzędu 300 proc. w skali rocznej. BKO zbankrutowała latem 1990 r., a Grobelny uciekł do Niemiec. Po ekstradycji w 1992 r. po czterech latach skazany został na 12 lat więzienia za zagarnięcie 8 mld starych złotych. Rok później zwolniony po apelacji odpowiadał z wolnej stopy. W 2002 r. prokuratura umorzyła sprawę z braku dowodów. 28 marca 2007 r. Grobelny został zasztyletowany – sprawcy nie wykryto.

[55] IPN BU 0248/239, SOS krypt. „Mafia", Notatka służbowa z 14.09.1989.

[56] Jerzy Kochański był m.in. dyrektorem Oddziału PKO Rotunda, dyrektorem departamentu kredytowania indywidualnego budownictwa mieszkaniowego, wiceprezesem NBP (1987–1991), współorganizatorem Polsko-Amerykańskiego Banku Hipotecznego oraz Polskiego Banku Inwestycyjnego SA, wiceprezesem Zarządu Banku Gospodarstwa Krajowego (1993–1998), dyrektorem Stołecznego Oddziału Regionalnego PBK SA (1998–2000), członkiem Zarządu Krajowej Izby Rozliczeniowej SA odpowiedzialnym za finanse i współpracę z klientami (2000–2001), wiceprezesem (2002) i prezesem PZU Życie (od

kwietnia 2005 do lutego 2007), prezesem PTE PZU (marzec 2007–marzec 2008).

[57] IPN BU 0248/239, SOS krypt. „Mafia", k. 11.

[58] Stanisław Pacuk (ur. 20.01.1946, Kowale), syn Franciszka i Janiny z d. Jałoszewskiej.

[59] Zapisy ewidencyjne.

[60] Jerzy Szczudlik (ur. 7.01.1957, Sanok), syn Tadeusza (ur. 25.01.1922), syna Andrzeja i Bronisławy z d. Biodrowicz.

[61] Zapisy ewidencyjne Szczudlik Jerzy.

[62] IPN BU 0248/238, SOS „Konto".

[63] Zapisy ewidencyjne.

[64] IPN BU 001052/228/J, Szczudlik Tadeusz KO ps. „Tadeusz".

[65] Andrzej Szczudlik (ur. 16.09.1949), syn Tadeusza.

[66] Wypis z Centralnego Rejestru Współpracowników WSW, IPN BU 003200/7.

[67] IPN Po 654/262, Materiały dot. Aleksandra Gawronika.

[68] Jerzy Kazimierz Ćwiek (12.10.1930–6.04.2014), syn Piotra i Franciszki.

[69] Andrzej Szkudlarek (ur. 12.09.1951), syn Mieczysława (ur. 25.10.1914) i Janiny z d. Witrylak (ur. 28.05.1921).

[70] IPN P 084/3764, Akta personalne funkcjonariusza SB Szkudlarek Andrzej, k. 2.

[71] Marek Roszak (ur. 24.04.1951, Leszno), syn Franciszka.

[72] IPN Po 654/262, Materiały dot. Aleksandra Gawronika, k. 49. KRM – Komitet Rady Ministrów.

[73] IPN Po 0031/27-222, TW „Marek": Teczka Pracy, Teczka Personalna.

[74] IPN Po 654/262, Materiały dot. Aleksandra Gawronika.

[75] Według danych rejestracyjnych ppłk Jerzy Budnik z Wydz. IV Dep. V MSW zarejestrował Stanisława Pacuka w charakterze kontaktu operacyjnego ps. „Andrzej" 21 kwietnia 1984 r., a wyrejestrowano go

w lutym 1990 r. W 1984 r. Pacuk był dyrektorem Głównego Oddziału Walutowo-Dewizowego NBP. W następnych latach oficerami
prowadzącymi byli: ppor. Dariusz Drewnowski z Wydz. IV Departamentu V i ppor. Jacek Borkowski z Wydziału VIII Departamentu I.

[76] IPN Po 654/262, Materiały dot. Aleksandra Gawronika, Notatka służbowa z 23.08.1989.

[77] Wójtowicz podpisał własnoręczne zobowiązanie 7 czerwca 1982
r., Wydział VIII Dep. I, zob.: Sławomir Cenckiewicz, *Długie ramię
Moskwy. Wywiad wojskowy Polski Ludowej 1943–1991*, Poznań 2011,
s. 353; IPN BU 01789/392; IPN BU 763/49927.

[78] IPN BU 0248/239, SOS krypt. „Mafia", Notatka służbowa
z 23.11.1989.

[79] IPN BU 0248/239, SOS krypt. „Mafia".

[80] Ibidem, Notatka służbowa z grudnia 1989.

6. JAK ZOSTAĆ MILIARDEREM W III RP

(JAN KULCZYK)

17 lipca 2015 r. Jan Kulczyk został przyjęty do Publicznego Szpitala miasta Wiedeń (Allgemeines Krankenhaus der Stadt Wien) celem poddania się eksperymentalnemu zabiegowi usunięcia komórek nowotworowych prostaty, tzw. limfadenektomii. Pierwszy zabieg tego typu przeszedł półtora roku wcześniej w Detroit. W Wiedniu operacją kierował dr Shahrokh Shariat, szef wydziału urologii szpitala uniwersyteckiego. Z powodu uszkodzenia tętnicy operacja trwała 6 godzin. 5 dni później utworzył się zator płucny i skrzep zablokował tętnicę, wskutek czego pacjent zmarł 29 lipca.

Jan Kulczyk i historia zdobycia przez niego majątku szacowanego na 15 mld zł może być symboliczna dla III RP i transformacji ustrojowej, która zmieniła Polskę w żywiciela grup pasożytniczych konkurujących o jak największą działkę dla siebie.

Kulczyk był właścicielem Kulczyk Holdingu z siedzibą w Warszawie i kontrolował międzynarodową grupę inwestycyjną Kulczyk Investments SA skupiającą ponad 150 spółek zajmujących się m.in. poszukiwaniem i wydobywaniem surowców naturalnych, wytwarzaniem i obrotem energią elektryczną czy inwestycjami w infrastrukturę drogową. Zarejestrowany w Luksemburgu Kulczyk Investments SA posiadał biura w Londynie, Dubaju i Kijowie.

W styczniu 2014 r. Kulczyk przekazał władzę nad Kulczyk Investments dzieciom – Sebastianowi[1] i Dominice[2]. Syn przejął zarządzanie i został prezesem Kulczyk Investments, natomiast córka już od 2013 r. zasiadała w radzie nadzorczej, zaś w czerwcu 2016 r. została jej przewodniczącą. Dominika ukończyła sinologię i nauki polityczne, w latach 2001–2013 była żoną Jana Lubomirskiego, następnie związała się z Piotrem Wawrzynowiczem[3], lobbystą i biznesmenem kojarzonym z PO[4]. W 2006 r. Dominika Kulczyk razem z Jackiem Santorskim, psychologiem biznesu, założyła Values Grupa Firm Doradczych. 3 lipca 2018 r. została większościowym akcjonariuszem spółki Polenergia, odkupując od Kulczyk Investments 50,2 proc. udziałów Kulczyk Holding w Polenergii. Przewodniczącym Polenergii został Tomasz Mikołajczak[5]. Spółka ta ma inwestować w energię odnawialną.

12 lutego 2018 r. CBA zatrzymało 6 osób, w tym Pawła Tamborskiego[6], byłego prezesa Giełdy Papierów Wartościowych (2014–2015), który był wiceministrem skarbu w rządzie PO-PSL (2012–2014) nadzorującym sprzedaż Ciechu. Zatrzymanym zarzucono niedopełnienia ciążących

na nich obowiązków i nadużycie udzielonych im uprawnień w celu osiągnięcia korzyści majątkowej, co miało narazić skarb państwa na stratę 110 mln zł. Sąd nie zgodził się na aresztowanie Tamborskiego. Od lutego 2015 r. podejrzewa się, że prywatyzacja Ciechu nastąpiła dzięki łapówce od Kulczyka, a także, iż miliarder chciał jedynie zarobić na pośrednictwie, odsprzedając swoje akcje rosyjskiemu oligarsze, Wiaczesławowi Mosze Kantorowi, właścicielowi Acronu, który próbował przejąć kontrolę nad tarnowskimi Azotami.

W grudniu 2012 r. rząd zgodził się na sprzedaż na giełdzie 38,72 proc. akcji Ciechu. Formalnie Kulczyk nabył je 5 czerwca 2014 r. poprzez spółkę KI Chemistry należącą do grupy Kulczyk Investments, płacąc 32,13 zł za akcję (31 zł plus dywidenda w wysokości 1,13); w sumie 620 mln zł. Wraz z posiadanymi już akcjami KI Chemistry uzyskało 51-procentowy pakiet kontrolny Ciechu. Po transakcji cena akcji na giełdzie skoczyła do 50 zł za sztukę, co wywołało zarzuty o zaniżenie ceny sprzedaży.

W lutym 2015 r. Telewizja Republika w programie Anity Gargas „Zadanie Specjalne" ujawniła, że o prywatyzacji Ciechu rozmawiano u „Sowy" oraz w Pałacyku Sobańskich a przed wyborami parlamentarnymi nadała fragmenty rozmów Jana Kulczyka z Piotrem Wawrzynowiczem i prezesem NIK Krzysztofem Kwiatkowskim. U „Sowy" Wawrzynowicz mówił: „Dwie niezależne forpoczty badały Włodka, czy on nie spęka przy podejmowaniu decyzji. Posłałem Stasiu Gawłowskiego[7], to jest sekretarz w Ministerstwie Ochrony Środowiska, i Kaziu Plocke, sekretarz w Ministerstwie Rolnictwa, to jest jego kumpel. No i tam przy wódeczce gdzieś, chodzili go pytali, ale czy ten Włodek, który jest j... w Platformie, nie spęka, żeby Jankowi sprzedać Ciech. I powiedział, że absolutnie nie spęka, że to jest w ogóle transakcja taka jak powinna być. Nic takiego się nie dzieje".

Do Kwiatkowskiego w Pałacyku Sobańskich Kulczyk mówił: „Moim zdaniem ten Ciech będzie takim papierkiem lakmusowym. Jeżeli będzie Ciech, to wszyscy będą wiedzieli – dyskretni ludzie... z góry... Zgodzisz się?"[8]

Zgodnie z meldunkiem CBA z 2014 r. z rozmowy z osobowym źródłem informacji, którym był Marek Falenta[9], kierownictwo Ministerstwa Skarbu Państwa przyjęło łapówkę, którą przekazał Piotr Wawrzynowicz. W sprawie prywatyzacji Ciechu „były wiceminister Skarbu Państwa Paweł Tamborski (obecnie kandydat na szefa GPW) odpowiadał za tę transakcję i skupiał na sobie uwagę mediów. [...] Jednak to podczas nieformalnych spotkań Piotra Wawrzynowicza z wiceministrem Skarbu Państwa Rafałem Baniakiem[10] doszło do złożenia propozycji korupcyjnej i przekazania korzyści majątkowej. Informacje od oźi wskazują, że do spotkań Wawrzynowicza i Baniaka dochodziło kilkukrotnie w maju i czerwcu br. w lokalu w Warszawie. Podczas tych spotkań Piotr Wawrzynowicz działając w imieniu Jana Kulczyka napisał na kartce papieru kwotę korzyści majątkowej, którą zaakceptował Rafał Baniak. Następnie w tym samym lokalu i towarzystwie Rafał Baniak uczestniczył w imprezach z alkoholem, rachunki każdorazowo wynosiły kilkanaście tysięcy złotych"[11].

W kwietniu 2015 r. śledztwo dot. prywatyzacji Ciechu SA wszczęła Prokuratura Apelacyjna w Warszawie, a w grudniu NIK uznała, że Ministerstwo Skarbu Państwa

„dopuściło się niegospodarności i braku należytej dbałości o interes Skarbu Państwa".

Fragmenty rozmów Kulczyka zostały ujawnione prawie rok po wybuchu afery podsłuchowej – pierwsze informacje na jej temat ukazały się na portalu Wprost.pl jeszcze 14 czerwca 2014 r. Wiadomo, że istnieją jeszcze dokonane w gabinecie Aldony Wejchert w Pałacyku Sobańskich, koło „Amber Room", nagrania Kulczyka z Pawłem Grasiem oraz Donaldem Tuskiem, trzy rozmowy z Pawłem Tamborskim i Janem Krzysztofem Bieleckim, także trzy z Radosławem Sikorskim oraz z ministrem sportu Andrzejem Biernatem. Kelnerzy zeznali, że rozmowy dotyczyły zakupu pakietu kontrolnego Ciechu[12].

U „Sowy" Kulczyk został nagrany – co wiemy od kelnerów – także ze Sławomirem Nitrasem oraz Jackiem Krawcem, prezesem Orlenu (7.06.2008–16.12.2015), bratem Małgorzaty Bochenek, podsekretarz stanu (16.01.2006– 4 grudnia 2007) i sekretarz stanu w Kancelarii Prezydenta RP Lecha Kaczyńskiego (4.12.2007–6.07.2010). Miał rozmawiać o planach handlu energią z Ukrainy, połączeniu z Orlenem i o farmach wiatrowych.

2 kwietnia 2004 r. Wiesław Kaczmarek, były minister skarbu w rządzie Leszka Millera (19.10.2001–7.01.2003), udzielił wywiadu „Gazecie Wyborczej", który spowodował wybuch afery Orlenu. Powołana następnie sejmowa Komisja śledcza w sprawie PKN Orlen działała od 6 lipca 2004 do 20 września 2005 r.

7 listopada 2004 r. powracający z USA Jan Kulczyk, ostrzeżony przez Jana Wagę, członka Rady Nadzorczej Kulczyk Holding i byłego szefa Rady Nadzorczej Orlenu (kwiecień–sierpień 2004), zawrócił w powietrzu do

Londynu, rezygnując z powrotu do Warszawy, by nie stanąć przed Komisją śledczą ds. Orlenu. Przed Komisją Kulczyka reprezentował Jan Widacki[13]. Do Polski Kulczyk powrócił po utworzeniu rządu PO.

W październiku 2004 r. odtajniono dwie notatki Agencji Wywiadu. Autorem pierwszej był oficer AW, a drugiej Zbigniew Siemiątkowski, szef AW (2002–2005). Swoją notatkę sporządził na podstawie relacji Jana Kulczyka złożonej z jego inicjatywy zaraz po 1 sierpnia 2003 r.

Z obu notatek wynikało, że 18 lipca 2003 r. w restauracji „Nikis" w Wiedniu spotkali się Jan Kulczyk, Władimir Ałganow[14], były oficer I Zarządu Głównego KGB w rezydenturze warszawskiej (1981–1992), a także Andrzej Kuna[15] i Aleksander Żagiel[16], właściciele Polmarku, który wraz z Mitpolem[17] utworzył w 1991 r. spółkę Billa Polska. Kuna i Żagiel należeli to tzw. układu wiedeńskiego i zamieszani byli w sprzeniewierzenie funduszy FOZZ. W toku przesłuchań okazało się, że na spotkaniu obecny był też jego organizator Marek Modecki[18], członek rady nadzorczej firmy Rotch Energy i współwłaściciel firmy doradczej Concordia, a także doradca Kulczyka. Modecki był zarejestrowany w Zarządzie II Sztabu Generalnego[19]. Według zapisów ewidencyjnych z IPN Zarząd II Sztabu Generalnego zwrócił się do Wydziału II „B" Ewidencji UOP, a więc po lipcu 1990 r. (data została anonimizowana), z informacją: „zarejestrowana u was osoba Modecki Marek syn Józefa i Kazimiery ur. 27.12.1958 nie pozostaje w naszym zainteresowaniu. Proszę o wycofanie karty rejestracyjnej". Podpis anonimizowano. Oznacza to, że Marek Modecki został po lipcu 1990 r. wyrejestrowany z sieci czynnej wywiadu wojskowego. Żadne inne dokumenty nie zachowały się lub nie są udostępniane.

Ojciec Marka, Józef Modecki[20], znał dobrze Ałganowa. W styczniu 1983 r. Biuro ds. przestępstw gospodarczych podejrzewało Józefa Modeckiego, byłego dyrektora TU „Warta" (1977–1980), a wówczas prezesa Automobilklubu Warszawa (1974–1997), o udział w przemycie na wielką skalę. Funkcjonariusze zanotowali, że Józef Modecki „w latach 1970–1980 należał do grupy osób nietykalnych. [...] Kontakty figuranta z kierownictwem MSW, władz centralnych, KSMO, KC PZP (bardzo ustosunkowany)"[21]. Modecki był przedstawicielem firmy polonijnej Wellon w Zielonej Górze i faktycznym właścicielem sklepu z konfekcją w Warszawie, prowadzonym przez drugiego syna Zbigniewa[22]. Oficjalnie Józef Modecki występował jako dyrektor PPZ „Balgo". SB podkreślało, że Modecki ma pochodzenie żydowskie i powiązany jest z kierownictwem FSO i grupą rajdowców Andrzeja Jaroszewicza, syna byłego premiera[23].

Pozycja Modeckiego w środowisku służb musiała być silna, skoro 9 września 1989 r. na polecenie Departamentu I zorganizował w swoim mieszkaniu spotkanie Grzegorza Żemka (współpracownik Zarządu II ps. „Dik") z przedstawicielem wywiadu cywilnego Sroką, który w czasie rozmowy konsultował się telefonicznie z gen. Władysławem Pożogą, szefem wywiadu i kontrwywiadu SB. Sroka twierdził, że jest wicedyrektorem Departamentu I. Wywiadowi cywilnemu chodziło o zabezpieczenie poza Polską środków z funduszu operacyjnego. Wywiad „poszukuje możliwości obrotu za granicą i w kraju przejściowo wolnymi pieniędzmi pozabudżetowymi. Kwoty

są duże, czasu mało, instytucji zależy na całkowitej dys-
krecji, zatarciu wszelkich śladów ruchów pieniądza i na
umożliwieniu korzystania z procentów (zysków) w sposób nieskrępowany" – relacjonował „Dik"[24]. Chodziło
więc o ukrycie funduszy Departamentu I przed władzami
państwowymi i swobodne korzystanie z nich. Płk Zdzisław Żyłowski, szef Oddziału „Y" Zarządu II i płk Zenon Klamecki, starszy specjalista w tym oddziale, nie
zgodzili się jednak na swobodne wykorzystywanie przez
konkurencję „Dika", a tylko na zasięganie u niego konsultacji za ich wiedzą.

Warto jednak uściślić, że płk Andrzej Sroka, który twierdził, że jest wicedyrektorem Departamentu I, w rzeczywistości był p.o. dyrektora Departamentu II (1989–1990),
a wcześniej z-cą dyrektora tego departamentu gen. bryg.
Zdzisława Sarewicza (1986–1989). Płk Andrzej Sroka był
także kierownikiem Grupy Operacyjnej „Wisła" w Moskwie (1980–1986), czyli delegatury SB w Sowietach.
Zapewne to zdecydowało o objęciu przez Srokę Zarządu
II UOP w III RP[25].

Wróćmy jednak do spotkania wiedeńskiego. Kulczyk
tłumaczył Siemiątkowskiemu, że spotkał się z Ałganowem, by przedstawić i przedyskutować ofertę podpisania
umowy na zakup przez swoją firmę „Polenergia" energii
elektrycznej od rosyjskiej sieci energetycznej „RAO", re-
prezentowanej przez Anatolija Czubajsa i Andrieja Rap-
paporta i jej reeksport za pośrednictwem Polskich Sieci
Energetycznych. Rozmowa dotyczyła jednak także i Rafinerii Gdańskiej, która jest współwłaścicielem Naftoportu
oraz Płocka. Rosjanie chcieli uzyskać nad nią kontrolę za
pośrednictwem konsorcjum Rotch Energy-Łukoil. Podobne

plany mieli też wobec Orlenu – chcieli to uczynić poprzez Kulczyka, który miał sprzedać Łukoilowi za 30 mln dolarów[26] 14 proc. akcji Orlenu (35 proc. wystarczało do kontrolowania Orlenu). Kulczyk Holding już posiadał 5,6 proc. akcji, do czego Kulczyk miał dokupić 7 proc. od Funduszu Templetona i niecałe 2 proc. od Nafty Polskiej, a więc w sumie dysponowałby ok. 14 proc. akcji.

Ałganow miał pretensję o nieudaną prywatyzację Rafinerii Gdańskiej. Twierdził, że „wejście Rosjan do Rafinerii Gdańskiej poprzez konsorcjum ROTCH ENERGY – ŁUKOIL zostało wcześniej uzgodnione z ministrem W. Kaczmarkiem, który otrzymał za to korzyść finansową. W następstwie uzgodnień z min. Kaczmarkiem, do Moskwy przybył szef Nafty Polskiej – M(aciej) Gierej, który załatwiał formalności potwierdzające wcześniejsze ustalenia Rosjan z ministrem skarbu RP. Gierej przyjął za to korzyść w wysokości 5 mln USD. W odpowiedzi na zarzuty Ałganowa [...] J.K. miał stwierdzić, iż «postawili na złego konia», oraz że «należy dokonać nowych uzgodnień». J. Kulczyk uważa, iż wstrzymanie prywatyzacji RG odbiło się negatywnie na wartości jego akcji PKN Orlen, które kosztowały go 300 mln USD. J. Kulczyk twierdzi, iż osobą, która pośredniczyła w kontaktach z przedstawicielami ROTCH ENERGY, był Gromosław Czempiński, koordynujący ponadto kontakty pomiędzy tą firmą i ŁUKOILEM, za co był przez nie wynagradzany. Nie najlepsze obecnie relacje J.K. z G(romosław) Czempińskim[27] wynikają z roszczeń tego ostatniego do kwoty 1 mln USD za pomoc przy prywatyzacji TP S.A."[28].

Przypomnijmy, że Czempiński był kolegą Kulczyka ze studiów. W październiku 2002 r. w Londynie Kulczyk spotkał się z Wagitem Alekpierowem, prezesem Łukoilu. Już wówczas rozmawiali o planach połączenia PKN Orlen i Rafinerii Gdańskiej. Sam Kulczyk zeznał, że Alekpierowa nie zna. Jednocześnie pod koniec 2002 r. Żagiel spotkał się z kolegą z dzieciństwa Modeckim w sprawie interesów z Rosjanami. Należy podkreślić, że w latach 2002–2004 Kulczyk miał największe wpływy w Orlenie. Prezesem spółki od 28 lipca do 16 sierpnia 2004 r. był związany z Kulczykiem Jacek Walczykowski, od 8 kwietnia do 5 sierpnia tego roku prezesem rady nadzorczej był Jan Waga, prezes Kulczyk Holding, zaś od 21 marca 2002 do 8 kwietnia 2004 r. członkiem rady nadzorczej był Andrzej Kratiuk[29] (KO „A.K.", „Krist"), wiceprezes należącej do Kulczyka Warty i szef fundacji prezydentowej Jolanty Kwaśniewskiej. Jak z tego wynika, w latach 2002–2004 Jan Kulczyk starał się o zwiększenie swych wpływów w Orlenie.

Komisja ds. Orlenu w swoim przyjętym jednomyślnie raporcie domagała się postawienia przed Trybunałem Stanu prezydenta Aleksandra Kwaśniewskiego za udzielenie przez niego pełnomocnictwa Janowi Kulczykowi w negocjacjach sprzedaży Orlenu, byłego ministra skarbu Emila Wąsacza za utratę kontroli nad PKN Orlen, Włodzimierza Cimoszewicza za utratę kontroli nad rynkiem paliwowym, gdy był premierem, byłego premiera Leszka Millera za wydanie polecenia zatrzymania byłego prezesa Orlenu Andrzeja Modrzejewskiego, byłą minister sprawiedliwości Barbarę Piwnik za zatrzymanie Modrzejewskiego, a także ministra sprawiedliwości Andrzeja Kalwasa za niewypełnienie polecenia Komisji. Raport komisji oczywiście nie miał żadnych następstw.

Poza tym śledztwo nie potwierdziło przyjęcia łapówki przez Kaczmarka i na tym cała afera się skończyła – jak zwykle nikomu nie stała się krzywda.

Warto teraz pokrótce przyjrzeć się kolejnej głośnej prywatyzacji. 12 października 2000 r. France Telecom i Kulczyk Holding zapłaciły 4 mld dolarów za 35 proc. akcji Telekomunikacji Polskiej SA, a później konsorcjum dokupiło jeszcze 12,5 proc. akcji. Kulczyk za swoje 14 procent akcji zapłacił 1,3 mld zł z kredytu. W 2005 r. sprzedał swoje akcje Francuzom, którzy spłacili za niego kredyt w całości i wypłacili mu 40 mln euro prowizji. France Telecom nie mógł sam zawrzeć transakcji, gdyż Ministerstwo Skarbu postawiło jako warunek znalezienie krajowego partnera i Alicja Kornasiewicz, sekretarz stanu w ministerstwie (1997–2000), wstrzymała prywatyzację. Rzecz jasna znajomości Kulczyka w rządzie Jerzego Buzka i z Aleksandrem Kwaśniewskim (TW „Alek"), którego poznał, gdy przyszły prezydent był redaktorem naczelnym pisma studenckiego „ITD", w niczym mu nie pomogły. Gdyby jednak ktoś pomyślał inaczej, to powinien pamiętać o czujnych sądach III RP.

Kolejna z prywatyzacji, tym razem Browarów Wielkopolskich Lech, którą przeprowadził tuż przed odejściem z urzędu Janusz Lewandowski, minister przekształceń własnościowych (11.07.1992–26.10.1993), także przyniosła Kulczykowi zyski z pośrednictwa.

17 września 1993 r. firma Kulczyka Euro Agro Centrum za 40 proc. akcji browarów zapłaciła 20 mln nowych zł, przy czym Kulczyk miał zapłacić wekslami, które wykupił za pieniądze browarów[30], czyli dostał spółkę za darmo. Sam miliarder twierdził, że zapłacił pieniędzmi

ze sprzedaży spółek handlujących volkswagenami. Następnie nowy inwestor podniósł kapitał browarów, dzięki czemu zwiększył swój stan posiadania do 54 proc. akcji i po kolejnym podniesieniu kapitału miał już 75 proc. akcji. Na podnoszenie kapitału ministerstwo wydało zgodę.

Zarejestrowany w Holandii Kulczyk Investments kupił 25 proc. akcji Browarów Wielkopolskich Lech od Euro Agro Centrum, by z południowoafrykańskim koncernem SAB założyć nową spółkę, w której Afrykanerzy objęli 40 proc. udziałów.

30 września 1996 r. Kompania Piwna, w której Kulczyk Holding miał 66 proc. udziałów, a koncern z RPA South African Breweries 34 proc., kupił od państwa 52 proc. akcji Tyskich Browarów Książęcych. Trzy lata później Browary Lech i Tyskie połączyły się tworząc Kompanię Piwowarską, w której Euro Agro Centrum miało 25 proc., a SAB przez spółkę córkę 29 proc. udziałów. Pozostałe akcje Kompania odkupiła od państwa w roku 2000. W ten sposób Kulczyk, włączając się w prywatyzację z SAB, znacznie powiększył swój majątek.

W maju 2009 r. Kulczyk za swoje 28,1 proc. akcji Kompanii Piwowarskiej uzyskał od koncernu SABMiller 3,8 proc. jego akcji o wartości 1,2 mld dolarów (wcześniej SAB połączył się z Millerem). W 2016 r. Sebastian Kulczyk sprzedał akcje SABMillera za ok. 2 mld funtów. W 2018 r. japoński Asahi Group Holdings Ltd. odkupił browary od koncernu SABMiller.

W połowie 1993 r. powołano Radę Nadzorczą Kulczyk Holding, której przewodniczącym został Jan Kulczyk, wiceprzewodniczącą jego żona Grażyna, a członkami Jan Waga[31], Wojciech Zaremba[32] i Waldemar Frąckowiak[33].

W 1983 r. por. Jerzy Zając z Wydziału VIII Departamentu I, występujący pod nazwiskiem legalizacyjnym „Fedorczyk", chciał zwerbować Frąckowiaka, wówczas pracownika Instytutu Ekonomii Produkcji Akademii Ekonomicznej w Poznaniu i 29 lipca przeprowadził z nim rozmowę sondażową przed wyjazdem na stypendium do Uniwersytetu Clemson w Karolinie Południowej. Ostatecznie Frąckowiak na spotkaniu 28 września odrzucił propozycję wywiadu ekonomicznego i sprawę zamknięto[34].

Jan Waga był kierownikiem wydziału w KW PZPR w Katowicach, ale robił karierę w GS Samopomoc Chłopska. W 1986 r. został prezesem wojewódzkim Samopomocy Chłopskiej w Katowicach, a trzy lata później awansował na stanowisko wiceprzewodniczącego centrali ds. finansowych w Warszawie. Waga prywatyzował Samopomoc, której akcje kupował Kulczyk. W roku 1990 Waga został prezesem Zarządu CHZ Polcoop S.A., handlującej płodami rolnymi z zagranicą. W 1993 r. był już prezesem Zarządu Euro Agro Centrum S.A. i najbliższym współpracownikiem Jana Kulczyka[35]. 1 lipca 1997 r. został prezesem Zarządu Kulczyk Holding. W 2004 r. Waga na specjalnie zwołanej konferencji prasowej groził członkom sejmowej komisji śledczej w sprawie PKN Orlen procesami sądowymi za domysły na temat nielegalnego pochodzenia majątku Jana Kulczyka.

Waga odszedł z Kulczyk Holding w 2005 r. i założył rodzinny holding AKJ Capital, który poprzez spółkę zależną, połączoną z Kulczykiem, uzyskał 56 proc. akcji Pekaesu Auto-Transport. Waga przejął też XIX-wieczną kamienicę przy ul. Chmielnej w Warszawie, po czym wysiedlił mieszkańców i zburzył budynek, by na jego miejscu zbudować nowoczesny apartamentowiec.

W sierpniu 2012 r. CBA zatrzymało Jana Wagę w związku z podejrzeniem o wręczenie łapówki w wysokości 1,1 miliona dolarów przy okazji prywatyzacji Telekomunikacji Polskiej SA. Łapówka miała być zakamuflowana w postaci „usług doradczych". Waga został jednak zwolniony za poręczeniem majątkowym w wysokości 1,5 mln zł oraz po zatrzymaniu paszportu. Sprawa oczywiście ucichła.

Bratem Jana był admirał Romuald Waga, główna postać wojskowej mafii paliwowej.

Romuald Waga[36] służył w wojsku od 1954 r. Zaczynał od dowódcy kontrtorpedowca. Ukończył Kaspijską Wyższą Szkołę Marynarki Wojennej ZSRR w Baku (1961–1962) i Akademię Marynarki Wojennej ZSRR w Leningradzie (1967–1970). W PRL osiągnął stanowisko szefa Sztabu – z-cy dowódcy Marynarki Wojennej (1986), co pozwoliło mu zostać dowódcą Marynarki Wojennej III RP (1989–1996).

Jak w marcu 1980 r. notowało WSW, Romuald Waga „z Wydziałem WSW utrzymuje właściwe kontakty". W jego charakterystyce zauważono jednak, że „w sprzyjających ku temu okazjach [...] posiada skłonności do uzyskiwania korzyści materialnych"[37].

Wojskowa mafia paliwowa działała w 1991 r., kiedy zezwolono jednostkom wojskowym na zakupy bezpośrednie od prywatnych producentów materiałów pędnych i smarów. Transporty ropy przeładowywano w porcie wojennym na Helu. W tym celu anulowano zakaz wpływania cywilnych jednostek do portów wojennych.

Bazy paliwowe wykorzystywano jako mieszalnie. Paliwo na cysterny kolejowe pompowali marynarze i żołnierze WOP, następnie transporty odjeżdżały do rafinerii w Czechowicach-Dziedzicach. Największe zyski osiągali rosyjscy pośrednicy (np. spółka J&S) oraz wyżsi wojskowi, którzy nadzorowali ten handel (np. Romuald Waga, wieloletni szef logistyki MW a następnie udziałowiec jednej ze spółek paliwowych)[38]. Według dziennikarzy „Dziennika Bałtyckiego" organizatorem całego przedsięwzięcia był admirał Romuald Waga[39]. Oczywiście nikt nie został pociągnięty do odpowiedzialności, gdyż sprytna prokuratura umorzyła sprawę z powodu przedawnienia.

Po przejściu na emeryturę admirał Waga był członkiem rady nadzorczej spółki S.A.Z. Biuro Podróży First Class oraz Megagazu, spółki założonej m.in. przez oficerów WSI i SB[40]. To właśnie konsorcjum Prochem-Megagaz uzyskało w 2002 r. od PERN-u kontrakt wart miliard złotych na budowę III nitki gazociągu Jamalskiego, ale projekt nie został zrealizowany.

W kwietniu 1992 r. staraniem Jerzego Staraka (TW „JS"), Jana Wejcherta (TW „Konarski") i Jana Kulczyka powstała Polska Rada Biznesu. Oprócz nich członkami założycielami byli: Kazimierz Pazgan (TW „Docent"), Januariusz Gościmski (TW „Jan"), Zbigniew Niemczycki (TW „Jarex"), Krzysztof Białowolski, wiceminister przemysłu (1991) i jeden z założycieli Wałęsowego BBWR (1993), Piotr Büchner, Andrzej Czernecki, Willy Delvaux, Mirosław Drzewiecki, Zofia Graber, Wojciech Kruk, Feliks Kulikowski, Stefan Lewandowski, Jarosław Ulatowski i Witold Zaraska. W sumie więc wśród 17 członków

PRB 5 osób było zarejestrowanych jako współpracownicy komunistycznych służb specjalnych.

1 lutego 1995 r. firma Kulczyka Autostrada Wielkopolska S.A. wygrała przetarg na budowę, zarządzanie i eksploatację autostrady Świecko–Poznań–Konin–Stryków, liczącą 360 km. Oczywiście całkowicie przypadkowo i bez związku z wygraniem przetargu prezesem Autostrady Wielkopolskiej od lipca 2002 r. był Andrzej Patalas[41].

W latach 1993–1997, czyli za rządów SLD-PSL, Patalas był organizatorem i prezesem Agencji Budowy i Eksploatacji Autostrad, a w roku 1994 przygotował ustawę autostradową. Agencja m.in. prowadziła przetargi na koncesje na budowę i eksploatację autostrad. Poprzednio Patalas był udziałowcem firmy Imex-Bis, która produkowała sprzęt drogowy i była akcjonariuszem Autostrady Wielkopolska, którą kierował jako prezes od listopada 1992 do 1993 r.

Również zupełnie przypadkowo przewodniczącym komisji przetargowej był Andrzej Malinowski, a członkiem Agenor Gawrzyał, obaj związani z Kulczykiem, zaś jego znajomy Marek Pol był ministrem infrastruktury (2001–2004), kiedy otwierano kolejne odcinki autostrady. Pol doprowadził do przejęcia w 1993 r. głównej części Fabryki Samochodów Rolniczych w Poznaniu przez Volkswagena, którego dilerem był Kulczyk. Przyszły minister był wówczas dyrektorem finansowym poznańskiej FSR.

Ostatecznie we wrześniu 1997 r., a więc przed odejściem rządu SLD, minister transportu Bogusław Liberadzki przyznał Kulczykowi koncesję. Dodajmy, że umowa na budowę autostrady A2 jest tajna.

W październiku 2005 r. ludowcy (m.in. Jan Bury, Marek Sawicki i Eugeniusz Kłopotek) oraz postkomuniści uchwalili senackie poprawki do uchwały o autostradach płatnych i rząd SLD-PSL zawarł umowę z Autostradą Wielkopolską, że ciężarówki będą jeździć nimi za darmo, jeśli wykupią państwowe winiety, a skarb państwa wypłaci spółce rekompensatę. Dzięki wsparciu Pawlaka konsorcjum Jana Kulczyka otrzymało ok. 60 mln zł więcej odszkodowania z powodu likwidacji opłat dla ciężarówek. Później w wyniku sporu o nadmierną rekompensatę, ostatecznie na mocy decyzji Komisji Europejskiej z sierpnia 2017 r. orzeczono, iż Autostrada Wielkopolska musi zwrócić rządowi Polski 895 mln zł.

W 1995 r. za 16 mln dolarów Kulczyk objął 4,8 proc. akcji Polskiej Telefonii Komórkowej (PTC). Środki na ten cel pochodziły z kredytu udzielonego przez Bank Handlowy. Cztery lata później sprzedał akcje PTC Elektrimowi za 825 mln dolarów. Przypadkowo tak się składa, że Kulczyk znał prezesa Elektrimu Andrzeja Skowrońskiego, który zakładał PTC. Pośrednikiem był wspomniany już Józef Modecki, ojciec znanego nam Marka. Tajne porozumienie gwarantowało Kulczykowi prawo veta (konsultacje) i kupno 6,5 proc akcji od Elektrimu po cenie z okresu tworzenia PTC. Jak się okazało, w listopadzie 1998 r. za odstąpienie od umowy Kulczyk zainkasował 25 mln dolarów.

Dzięki Andrzejowi Skowrońskiemu Kulczyk w 1993 r. wszedł do Rady Nadzorczej „Warty" razem z innymi dealerami samochodów. W lutym 1998 r. po interwencji Kulczyka w ministerstwie, prezes „Warty" Andrzej Witkowski został odwołany i na jego miejsce mianowano Agenora

Gawrzyała, współpracownika Kulczyka, a poprzednio Aleksandra Gawronika. Do końca 1999 r. Kulczyk Holding wraz z podmiotami zależnymi przejął 70 proc. akcji „Warty". Rok później odsprzedał belgijskiej grupie KBC część akcji za nieujawnioną sumę, a pozostałe 25 proc. w 2006 r. za 400 mln zł.

W 1991 r. w Poznaniu Kulczyk założył swoją pierwszą firmę w III RP – Tradex, zajmującą się sprzedażą samochodów Volkswagena w Polsce. Jako przedstawiciel niemieckiego koncernu Kulczyk podpisał bez przetargu opiewającą na 150 mln zł umowę na sprzedaż 3 tysięcy samochodów dla policji i UOP. Ze strony rządu umowę podpisał Andrzej Milczanowski. Oczywiście fakt, iż ówczesna premier Hanna Suchocka była koleżanką ze studiów Kulczyka, na tyle bliską, że przed objęciem urzędu radziła się go, czy przyjąć tę propozycję, jak wszystko w Polsce było czystym przypadkiem. Były to pierwsze duże pieniądze przyszłego miliardera. Jak widać rada, by Suchocka przyjęła premierostwo, była doskonałą inwestycją i to bezkosztową. Interes samochodowy Kulczyk prowadził do stycznia 2012 r., kiedy sprzedał wszystko Niemcom.

Jak KS „Henryk" został TW „Pawłem" i milionerem

Henryk Kulczyk[42], ojciec Jana, urodził się w Wałdowie w powiecie sępoleńskim na Kujawach. Jego ojciec miał 4-hektarowe gospodarstwo i prowadził restaurację. W 1942 r. Władysław Kulczyk[43], z przekonania narodowiec, został aresztowany przez Niemców i zesłany do obozu, skąd miał go wyciągnąć szwagier narodowości niemieckiej Paweł Latzke. W dokumentach SB mowa jest o obozie w Lipce i Dachau, zaś sam Władysław pisał o Oranienburgu. Nie wiemy, kiedy to nastąpiło, bo dokumenty mówią o powrocie Władysława do Wałdowa dopiero po wojnie.

Siostra Władysława Kulczyka Leokadia[44] wyszła 11 września 1910 r. za mąż za Niemca Pawła Antoniego Latzke[45] z Międzyrzecza i w 1945 r. wyjechała z nim i ośmiorgiem dzieci do Niemiec. Małżeństwo miało czterech synów: Bruna[46], Edwarda[47], Pawła[48] i Alfonsa[49] oraz cztery córki: Hildegardę[50], Adelheid[51], Marię-Barbarę[52] i Margę[53]. Bruno Latzke był profesorem, prowadzącym własną praktykę lekarską w Bremie. Ks. Edward Latzke był proboszczem i radcą biskupa w Kościele katolickim. Dr Paweł Latzke, który mieszkał w Gemünd (na zachód od Bonn) w Nadrenii Północnej-Westfalii, był sędzią i radcą ministra sprawiedliwości. Z kolei profesor Alfons Latzke był malarzem i rzeźbiarzem, miał znajomości w niemieckim MSZ, działał w organizacji International Christian Leadership, w której członkami były osobistości ze sfer rządowych. To właśnie opiece niemieckiej części rodziny Henryk Kulczyk zawdzięczał uzyskanie wysokiej pozycji w Niemczech, co umożliwiło mu działalność biznesową.

Siostra Henryka Halina Kulczyk[54] zatrudniła się jako referent zaopatrzeniowy w Wydziale Zdrowia w Prezydium PRN w Sępolnie Krajeńskim. Po powrocie w 1963 r. z kilkumiesięcznego pobytu w Niemczech już nie podjęła pracy i mieszkała z rodzicami. Objęła po nich gospodarstwo rolne, które prowadziła. W rubryce zawód wpisywała: rolnik. Halina Kulczyk ma córkę Marię[55]. Obie jeździły często do brata do Berlina, gdzie mała Maria była operowana.

W czasie okupacji Henryk Kulczyk pracował jako goniec w niemieckim zarządzie miasta, a następnie w fabryce. W tym czasie miał należeć do organizacji wywiadowczej Gryf Pomorski[56]. W dokumentach SB na ten temat nie ma ani słowa, może dlatego, że Kulczyk nigdy się nie ujawnił. W 2002 r. Fundacja Pomorskie Archiwum Armii Krajowej potwierdziła, że Henryk Kulczyk był wywiadowcą AK od października 1943 r. do rozwiązania organizacji w 1945 r. Prezydent Aleksander Kwaśniewski nadał Kulczykowi stopień podporucznika, a minister obrony Bogdan Klich awansował go w 2009 r. na porucznika.

Po wojnie Henryk Kulczyk ukończył Liceum Handlowe (1946), a następnie przez dwa lata studiował prawo na Uniwersytecie Poznańskim. Studia jednak przerwał i założył firmę Wełnohurt (1948–1949). W czasach stalinizmu musiał pracować w spółdzielni „Dziewiarz", jako że dla prywatnej inicjatywy nie było miejsca. Kiedy we wrześniu 1951 r. chciał pojechać na wycieczkę zbiorową do Pragi, WUBP stwierdził, iż obywatel Kulczyk nie zasługuje na paszport.

19 lutego 1949 r. Henryk Kulczyk ożenił się z Ireną Marmurowicz[57], której rodzice jeszcze w czasie okupacji mieli w Bydgoszczy piekarnię. Małżeństwo miało dwójkę dzieci: Jana (ur. 24.06.1950) i Marię Ilonę Kulczyk (ur. 9.01.1954).

Po odwilży w 1956 r. Henryk Kulczyk powrócił do prywatnego biznesu i założył w Bydgoszczy zakład bieliźniarski, który prowadził do 1959 r. Był też działaczem Polskiego Związku Motorowego i członkiem Izby Rzemieślniczej.

W 1957 r. Kulczyk wziął udział w wycieczce Orbisu do Austrii i pojechał na Targi Lipskie. W lutym 1958 r. ponownie był na Targach Lipskich, wysłany przez Izbę Rzemieślniczą i na zaproszenie Bruna Latzke wyjechał do RFN, skąd powrócił w styczniu 1959 r. „Po powrocie w rozmowie z pracownikami SPZ [Sekcja Paszportów Zagranicznych – *aut.*] bardzo chętnie dzielił się informacjami z NRF[58] (gdzie również nawiązał szerokie kontakty) oraz zaproponował spotkanie poza urzędem"[59] i zostawił swoją wizytówkę. Po przyjeździe z Niemiec Kulczyk był bardzo ruchliwy, co wywołało podejrzenia SB i 19 września 1959 r. wszczęto sprawę organizacyjnego sprawdzenia „Kontakt" z podejrzenia o powiązania z wywiadem niemieckim. Kulczyk zaś po prostu jeździł po Polsce, szukając zbytu na swoje wyroby. Dla SB już sam fakt posiadania rodziny w RFN i kontakty z nią wydawały się podejrzane.

Gdy bydgoska SB nie stwierdziła wrogiej działalności, postanowiła nawiązać kontakt z Kulczykiem celem werbunku[60]. Jedynie naczelnik Wydziału II SB mjr Władysław Pożoga upierał się, że Kulczyk szpieguje i pod jego naciskiem postanowiono przeprowadzić z figurantem rozmowę wyjaśniającą.

Decydująca rozmowa odbyła się 26 marca 1960 r. w hotelu Polonia w Toruniu, a wzięli w niej udział mjr Władysław Pożoga i por. Emil Podpora, oficer operacyjny z Wydziału III Departamentu II z Warszawy[61], który był pomysłodawcą zwerbowania Kulczyka. Po złożeniu przez Kulczyka szczegółowych wyjaśnień i opowiedzeniu o wszystkich swoich kontaktach i podróżach wnioski SB były jednoznaczne: „Kulczykowi zależy bardzo, aby mieć jak najlepszą opinię w oczach Służby Bezpieczeństwa, co niejednokrotnie podkreślał i w związku z tym gotów jest udzielić nam pomocy. Niemniej jednak z rozmowy można było wyczuć, iż zbyt głęboko nie chciałby się angażować z uwagi na względy moralne i dobre imię kupca"[62]. We wnioskach Podpora i Pożoga pisali, że rozmowa potwierdziła duże możliwości kandydata i polecili zebrać o nim informacje.

Informacje przekazane przez Kulczyka zanalizował później por. Jan Brandenburg, kierownik Grupy III Wydziału II SB w Bydgoszczy. Kulczyk szeroko wyjaśniał, jakie kontakty ma w Niemczech i opowiadał o spotkanych tam Polakach i ich sytuacji rodzinnej, np. o braciach Waldemarze i Januszu Gritznerach, którzy byli spokrewnieni przez żonę wujka Kulczyka z Marmurowiczami. Janusz Gritzner miał śpiewać w Wolnej Europie. W sumie Kulczyk poinformował o 30 osobach, ale SB miała pretensje, że nie o wszystkich podał dokładne dane[63].

Jak później notował kpt. Zenon Jakubowski: „W tym czasie udzielił informacji o cudzoziemcach przybyłych w różnym celu do kraju, a szczególnie o handlowcach przybyłych z NRF"[64].

W czerwcu 1960 r. Bruno Latzke powtórnie zaprosił swego kuzyna i 5 lipca Kulczyk złożył wniosek o paszport na wyjazd do RFN. SB pomogła mu wówczas uzyskać pozytywną decyzję paszportową. „Zwróciliśmy się pismem do Dyrektora Biura „C" w Warszawie o pozytywne załatwienie sprawy jego wyjazdu do NRF, ponieważ zamierzmy mu przydzielić zadanie ogólne do wykonania na terenie NRF" – pisali Brandenburg i Kolaszewski[65].

14 lipca 1960 r. odbyła się druga rozmowa, podczas której Kulczyk także zdeklarował się, iż „na ile będzie miał możliwości, to bardzo chętnie udzieli nam pomocy, jednakże pod warunkiem, że nie będzie nigdzie figurował w ewidencji jako współpracownik i oprócz osób, które z nim prowadziły rozmowy, nikt więcej o tym nie będzie zorientowany" – pisał por. Brandenburg. Względy moralne już odpadły, pozostał tylko strach przed ujawnieniem, które – jak mówił – przekreśliłoby jego życie, a przecież nie ma gwarancji, że nie znajdzie się nowy Paweł Monat czy Józef Światło, którzy uciekli na Zachód. Tym razem SB była pewna, że podejrzenia o działania wywiadowcze na rzecz Niemiec są wykluczone.

Oficjalnie Henryk Kulczyk został pozyskany do współpracy jako kontakt służbowy ps. „Henryk" 17 sierpnia 1960 r.[66] przez mjr. Władysława Pożogę, naczelnika Wydziału II w Bydgoszczy (1.04.1959–9.06.1961)[67], oraz przez por. Emila Podporę, oficera operacyjnego Wydziału III Departamentu II. Jak zanotował Podpora, Kulczyk „pozostaje również na naszym kontakcie"[68]. To podwójne prowadzenie stało się później przyczyną wielu nieporozumień i konfliktów wewnątrz SB.

W sprawie kierunków wykorzystania „Henryka" por. Podpora przewidywał, iż należy „przygotować go do spełnienia roli łącznika między obywatelami NRF i ich znajomymi w Polsce i odwrotnie"[69], gdyż cieszy się zaufaniem u ludzi. „Henryk" będzie też prowadził rozpoznanie rodziny i znajomych oraz rozpracowywał powiązania obywateli Polski z RFN.

W związku z wyjazdem do Niemiec Kulczyk otrzymał 9 sierpnia szereg zadań szczegółowych. SB chciała dokładniejszych informacji o znajomych, o których Kulczyk opowiedział podczas wcześniejszych spotkań. Miał zebrać informacje na temat firmy krewnego żony Ireny Marmurowicz, kupca przemysłowego Dombrowskiego (lub Dąbrowskiego), dowiedzieć się, co sprzedaje, ile osób zatrudnia, z jakimi krajami handluje, czy wyjeżdża, czy jego przedstawiciele handlowi przyjeżdżają do Polski, czy jemu samemu zależy na przyjeździe do Polski i zdobyć dokładne dane personalne Dąbrowskiego. Dalej Kulczyk miał zebrać dane, adresy i wszystkie kontakty swoich kuzynów – braci Latzke. Miał także wywiedzieć się o kontaktach, stosunku do Polski i warunkach materialnych Günthera Müllera, który ożenił się z koleżanką Kulczyka Tolą. Również na temat swojej koleżanki Kulczyk miał zebrać bardziej szczegółowe dane.

Podobnie „Henryk" miał ustalić stan majątkowy, status, stosunek do Polski i kontakty w Polsce Niemca Kierschusa, którego poznał w Berlinie Zachodnim przez Antoniego Markiewicza. W Essen miał zebrać informacje o braciach Gritznerach (lub Critzner), w Bremie o Johanie Heyke, a w Monachium o Stegnerze, znajomym rodziny żony z czasów okupacji w Bydgoszczy. Takie informacje były potrzebne SB do ewentualnego werbunku.

Nie mamy raportu z wykonania zadań przez Kulczyka, ale z raportu mjr. Pożogi dowiadujemy się, że „Henryk" chciał mu podarować maszynkę do golenia Philips – oficer prowadzący prezentu jednak nie przyjął[70]. Z dokumentacji wynika też, że 9 lutego 1961 r. KS „Henryk" doniósł na przebywającego wówczas w Bydgoszczy niemieckiego fachowca Heppnera.

W 1961 r. Henryk Kulczyk został nieoficjalnym przedstawicielem w Polsce firmy Frucht Winkel, należącej do
Hansa Rehwinkela.

2 czerwca 1961 r. Zenon Jakubowski[71], kierownik Grupy
III w Wydziale II SB w Bydgoszczy, napisał wniosek
o werbunek Kulczyka. Podkreślił, że kontakt z kandydatem utrzymywany był od 26 marca 1960 r.: „W tym
czasie wykonywał już zadania operacyjne i przekazywał
z tego informacje". Po formalnym werbunku miał być
używany „do rozpracowania osób pozostających w zainteresowaniu grupy niemieckiej jako tzw. jednostka manew-
rowa z uwagi, iż posiada szerokie możliwości rozpracowania interesujących nas osób i może być wykorzystywany
do różnych kombinacji operacyjnych"[72]. Jakubowski dodawał, że Kulczyk zna wielu przedsiębiorców z Niemiec
i często załatwia dla nich różne sprawy w centralach handlu zagranicznego.

Z *Wniosku o zatwierdzenie dokonanego werbunku* dowiadujemy się, że 18 sierpnia 1961 r. doszło do spotkania
z Kulczykiem w mieszkaniu kontaktowym „Bajka", gdzie
zaproponowano mu podpisanie zobowiązania do współpracy. „Na podpisanie tego rodzaju dokumentu wyraził
zgodę, z zastrzeżeniem, iż o tym absolutnie poza mną
nikt nie będzie wiedział i na spotkanie nie będą przycho-
dziły osoby mu obce" – pisał kpt. Zenon Jakubowski[73].

Dalej z notatki Jakubowskiego dowiadujemy się, że
Kulczyk bał się jedynie o to, że straci pracę, gdy Niemcy
przestaną mu ufać, jeśli dowiedzą się, że współpracuje
z SB. Obecnie stara się o wyjazd do firmy de Grotta
w Holandii jako wspólnik lub kierujący działem handlu
z RFN. Ma też propozycję od kierownika firmy Werkhof

dr. Dąbrowskiego, kuzyna żony. Dąbrowski jest kupcem przemysłowym i pracuje w firmie, której właścicielem jest Niemiec – centrala jest w Waszyngtonie, a jego placówka jest w Bremie.

Dąbrowski chciał otworzyć biuro w Polsce, ale nie zapłacił łapówki urzędnikowi i ten zablokował mu przyjazd do Polski. Chodziło oczywiście o dr. Dombrowskiego, o którym Kulczyk miał zebrać informacje dla SB jeszcze jako kontakt służbowy „Henryk". Jak widać wywiązał się z zadania.

„Wspomniany wyjazd na czas dłuższy uzależnia od otrzymanych od nas zadań i koncepcji wyjazdu, gdyż jest mu wiadomo, że bez pomocy organów tego nie zrealizuje" – notował Jakubowski.

Po spotkaniu w mieszkaniu kontaktowym „Bajka" dotychczasowy kontakt służbowy przekwalifikowano na tajnego współpracownika SB ps. „Paweł" nr rej. 1762/62. 19 sierpnia 1961 r. narodził się więc TW „Paweł", gdyż taką datę nosi zobowiązanie podpisane przez Henryka Kulczyka: „Zobowiązuję się zachować w ścisłej tajemnicy utrzymywaną łączność z organami bezpieczeństwa w Polsce". Podpis: Henryk Kulczyk, a w nawiasie: (Paweł)[74].

W tym czasie TW „Paweł" spotykał się ze swoim oficerem prowadzącym raz w miesiącu. Wkrótce po werbunku, 12 września Kulczyk złożył wniosek o paszport na Holandię, dokąd otrzymał zaproszenie od kuzyna Wilhelma van Olsta. O przebiegu wyjazdu dowiadujemy się z późniejszego wniosku kpt. Jana Michałowskiego, naczelnika Wydziału II SB w Bydgoszczy (1961–1969), do naczelnika Wydziału II Departamentu II w sprawie wykorzystanie TW „Pawła" w czasie jego pobytu w Niemczech.

Michałowski informował, że Kulczyk we wrześniu 1961 r. wyjechał na pobyt czasowy do Holandii do firmy van Olsta Dreidel M Co. Stamtąd ściągnie go dr Dąbrowski na wizę wkładkową, tak aby w paszporcie nie było śladu, że był w Niemczech. Pojedzie do Hamburga, Bremy i Bielefeld. Chce go zatrudnić de Grott Intercontinental Import–Export. „Wyjazd w przyszłym roku tajny współpracownik ps. «Paweł» uzależnia od naszych organów. Zobowiązuje się do wykonywania wszelkich zleconych mu zadań, co warunkuje jednakowoż otrzymaniem paszportu na wielokrotne przekraczanie granicy, aby mógł odwiedzić rodzinę"[75].

Kpt. Michałowski prosił o ustosunkowanie się centrali kontrwywiadu do propozycji zadań, które „Paweł" miał wykonać w Niemczech. W Hamburgu powinien zebrać dokładne informacje o Karolu Locku, którego Biuletyn Departamentu II wymieniał jako pracownika tajnego działu firmy Bruns Larnsen, zbierającego informacje wywiadowcze z Polski. Kulczyk miał nawiązać z nim kontakt, zbadać jego zainteresowania i działalność oraz zorientować się, czy Lock i Dąbrowski prowadzą działania wywiadowcze w Polsce. W wypadku „otrzymania propozycji współpracy [miał] wyrazić zgodę", ale po kilkudniowym zastanowieniu. W Bielefeld „Paweł" miał wyjaśnić, czy uciekinier Dominikowski, były kierownik klubu Zodiak w Bydgoszczy, związany jest z wywiadem niemieckim. W czasie pobytu w Niemczech Kulczyk powinien zwrócić uwagę na obiekty wojskowe znajdujące się na trasie przejazdów.

W dniach 6–9 listopada 1961 r., przed kolejnym wyjazdem za granicę, „Paweł" i mjr Mieczysław Kolaszewski, z-ca naczelnika Wydziału II (1960–1969) i późniejszy oficer prowadzący Henryka Kulczyka, przebywali razem w Warszawie na przeszkoleniu. „Pawła" do pracy operacyjnej przygotowywali Pożoga i por. Zenon Jakubowski, a 6 listopada 1962 r. przejął go na kontakt mjr Mieczysław Kolaszewski.

Po powrocie z Niemiec, 20 lutego 1962 r. Kulczyk informował SB, że podejrzewa Dominikowskiego, iż jest on agentem wywiadu niemieckiego. Później meldował, że Dominikowski podpytywał go, czy nie współpracuje z SB i przeglądał jego walizkę. 28 maja „Paweł" otrzymał 700 zł tytułem zwrotu kosztów za wykonane zadanie. Wiemy, że w tym roku spotykał się jeszcze co najmniej cztery razy z oficerem prowadzącym: 4 i 7 czerwca, 28 lipca i 6 listopada.

6 marca 1963 r. ppłk Marian Grudziński[76], naczelnik Wydziału III Departamentu II, zwrócił się do Biura „C" o wydanie Kulczykowi paszportu na wyjazd do Danii, gdyż chodziło o wykonanie zadania w Kopenhadze. Kulczyk miał przebywać w Danii do 30 maja 1963 r. na zaproszenie kuzyna Uwe-Jensa Larnsena, z zawodu kupca. 8 kwietnia „Paweł" otrzymał instrukcję. W stolicy Danii miał nawiązać kontakt z Jerzym Zakrzewskim, podając się za znajomego Anny Drzycimskiej z Tucholi i przekazać rzekomo od niej wiadomość, iż miała wypadek na motorze i nie zgodzi się na wyjazd do Danii. Następnie „Paweł" w imieniu nieznanej sobie Drzycimskiej powinien przekonywać Zakrzewskiego, że może wrócić do kraju, ponieważ władze nie ukarzą go za ucieczkę. Oczywiście należało także zorientować się, jaką działalność prowadzi Zakrzewski. Kulczyk potwierdził otrzymanie

zadania: „Przyjąłem do wiadomości. Paweł", ale nie zachował się raport z jego wykonania. Wiemy tylko, że ppłk Grudziński wystawił Kulczykowi pozytywną opinię (patrz dalej).

W marcu 1963 r. Kulczyk wyjechał do Holandii, a stamtąd do Niemiec, o czym wiemy z późniejszego raportu płk. Bogusława Jędrzejczyka – od 27 kwietnia 1963 r. Kulczyk był w kontakcie z Misją Wojskową w Berlinie Zachodnim. „Za każdym razem informacje przekazywane przez niego mają coraz to większy ciężar gatunkowy, co sprawia wrażenie, że chce ich zainteresować sobą" – notował Jędrzejczyk. Możliwe więc, że „Paweł" już nastawiał się na kontakty z wojskowymi na miejscu w Niemczech w związku z planami wyjazdowymi.

W 1963 r. Kulczyk zajmował się nieoficjalnie pośrednictwem w eksporcie grzybów i jeżyn dla firmy Willy Bruns. Jednocześnie MHZ nie uwzględniło prośby firmy Rehwinkel, by Kulczyk został jej oficjalnym przedstawicielem na Polskę, co prawdopodobnie zdecydowało o opuszczeniu przez niego PRL-u. SB w każdym razie była zadowolona ze współpracy z „Pawłem", skoro na Nowy Rok 1964 podarowała mu w prezencie radioodbiornik Koliber o wartości 1303 ówczesnych złotych.

W końcu stycznia 1964 r. Henryk Kulczyk wyjechał na zaproszenie van Olsta na pobyt czasowy do Holandii, gdyż miał zostać przedstawicielem firmy Hans und Peter Rehwinkel w Rotterdamie. SB była zadowolona z jego osiągnięć: „W okresie współpracy z naszymi organami wyjeżdżał trzy razy do NRF, gdzie realizował nasze zadania. TW «Paweł» jest współpracownikiem sprawdzonym i związanym z naszymi organami"[77].

Mjr Kolaszewski i ppłk Marian Grudziński, naczelnik Wydziału III Departamentu II, dalej pisali: „Biorąc pod uwagę walory «Pawła» oraz fakt, że jest to tajny współpracownik sprawdzony i doświadczony w pracy z nami, jego pobyt za granicą mógłby przynieść nam znaczne korzyści operacyjne. Pozostaje więc do rozpatrzenia sprawa na jakich warunkach «Paweł» ma przyjąć propozycję Rehwinkela w kwestii osiedlenia na kilkuletni okres za granicą [Hamburg – *aut.*], ażeby to nie budziło podejrzeń u tamtejszych władz"[78]. I zaproponowali, by zgodzić się na osiedlenie się Kulczyka w Niemczech, ale pozostawić sprawę do załatwienia Dąbrowskiemu i firmie Rehwinkel. Jeśli „Paweł" wyjedzie, kontakt z nim będzie utrzymywany w Polsce, gdyż często będzie przyjeżdżał do kraju.

W styczniu 1964 r. pojawiły się pierwsze donosy na „Pawła" i wątpliwości, czy rzeczywiście przekazuje wszystkie informacje, które posiada. TW „Roman" doniósł, że siostra Kulczyka Halina pracowała w 1963 r. u Dominikowskiego, który ożenił się z Niemką i wyjechali do RFN, gdzie mają hotel. Kulczyk miał załatwić Dominikowskiemu przyjazd do Polski, w zamian za co ten zatrudnił jego siostrę[79]. SB nie dowiedziała się o tym od „Pawła", co potraktowała jako nielojalność. Miała też pretensje, że przewoził dla ludzi paczki i o tym nie meldował. Już wcześniej dochodziły pytania od SB z Zielonej Góry, czy mają tolerować przemyt grzybów przez Kulczyka do Berlina. Chodziło o jego rolę pośrednika dla firm niemieckich.

26 lutego 1964 r. Kulczyk zwrócił się do Polskiej Misji Wojskowej w Berlinie Zachodnim o przyznanie paszportu konsularnego jako pracownikowi firmy Fruchthof.

Dzień później do Misji pisał też Rehwinkel. Chyba to nie wystarczyło, gdyż 3 lipca płk Leon Dąbrowski, szef SB w Bydgoszczy, zwrócił się do dyrektora Biura „C" z prośbą o przyznanie Kulczykowi paszportu na wyjazd do RFN do 10 sierpnia tego roku, co oznacza, że „Paweł" jeszcze paszportu konsularnego nie miał i nie mógł swobodnie wrócić z Bydgoszczy do Berlina. Dąbrowski pisał: „W terminowym wyjeździe jego zainteresowani jesteśmy ze względów operacyjnych". Wreszcie 17 lipca płk Stanisław Bejm, wicedyrektor Departamentu II (1960–1965), zwrócił się do dyrektora Biura „C" o wydanie Kulczykowi paszportu konsularnego oraz „przyspieszenie załatwienia jego wniosku o wyjazd na czasowy pobyt do NRF". 1 sierpnia paszport konsularny był do odbioru w Misji Wojskowej w Berlinie. Ostatecznie Kulczyk odebrał paszport konsularny 22 września i pozostał w Berlinie na stałe. Bez interwencji SB „Paweł" nie mógłby więc oficjalnie zainstalować się w Berlinie, gdzie założył własną firmę H. Kulczyk Import–Export Vertretungen.

SB wpływała również na stosunki rodzinne Kulczyka, ułatwiając je. 14 kwietnia 1964 r. mjr Kolaszewski zwrócił się do szefa SB w powiecie sępoleńskim, aby umożliwić Edwardowi Latzke przyjazd do Polski. „Sprawą przyjazdu do Polski jesteśmy zainteresowani" – pisał oficer prowadzący „Pawła". Dzięki temu Latzke odwiedził Polskę w październiku 1965 i w roku 1967, a Władysław Kulczyk spędził u niego 5 ostatnich miesięcy 1968 r.

SB interweniowała także, by ułatwić odwiedziny u ojca młodego Jana Kulczyka. 9 lipca 1965 r. płk Bronisław Mądrzejowski, z-ca komendanta ds. SB na województwo bydgoskie (1957–1970), pisał do dyrektora Biura „C": „ze względów operacyjnych zainteresowani jesteśmy wyjazdem do NRF Kulczyka Jana lat 13, który udaje się w odwiedziny do ojca stale tam zamieszkałego". Jak z tego wynika współpraca układała się dobrze. Wiemy, że „Paweł" co najmniej dwa razy widział się w tym roku w Polsce z oficerem prowadzącym: 26 kwietnia i 29 września.

Służby niemieckie podejrzewały Henryka Kulczyka o pracę dla komunistycznego wywiadu. 1 czerwca 1964 r. Paweł Latzke poinformował go, że 1 marca odwiedzili go pracownicy Urzędu Badania Opinii (Meinungsvorschungsamt) i chcieli pogadać z „Pawłem" o stosunkach w Polsce. 30 listopada 1968 r. dr Paweł Latzke poinformował Kulczyka o wizycie funkcjonariuszy Urzędu Ochrony Konstytucji (Bundesamt für Verfassungsschutz – BfV), którzy się o niego dopytywali. Rok później UOK pytał o Kulczyka Wilhelma Sauerbreia, właściciela firmy spedycyjnej GFT Saarlonis, dla którego „Paweł" pracował. Sauerbrei opowiedział o wizycie funkcjonariuszy, którzy twierdzili, że „Paweł" jest szpiegiem, ale nie mają na to dowodów.

W 1966 r. „Pawłem" zainteresował się wywiad. Płk Eugeniusz Pękala, z-ca dyrektora Departamentu I (1965–1975), poprosił 25 maja bydgoską SB o przesłanie teczki personalnej i pracy „Pawła", gdyż chciano go wykorzystać do rozpracowania środowisk, do których miał dostęp. Okazało się jednak, że teczki miał już Wydział III Departamentu II i Kulczyk pozostał na kontakcie kontrwywiadu.

W tym roku rozpoczęła się wieloletnia współpraca Kulczyka z amerykańskim koncernem Sea-Land, który trudnił się przewozem towarów w kontenerach. Kulczyk prowadził niemiecki oddział Sea-Landu i był jego przedstawicielem na Polskę.

20 czerwca 1966 r. mjr Kolaszewski prosił o załatwienie Kulczykowi paszportu do 1 sierpnia. Jak możemy się domyślać chodziło o zakup zachodniego sprzętu dla SB, gdyż 10 stycznia 1967 r. „Pawłowi" zwrócono 3600 zł za zakup magnetofonu firmy Philips dla Wydziału „T", czyli techniki, i 2000 zł tytułem zwrotu kosztów za wykonane zadanie. Pokazuje to, jakim mizernym wyposażeniem technicznym dysponowała wówczas SB.

20 stycznia 1967 r. „Paweł" doniósł SB na Ulricha Grocholla, dla którego pracował. Jako przedstawiciel jego firmy zarabiał wówczas 2 tys. DM miesięcznie. Kulczyk informował: „sam Grocholl, to jestem w 100 proc. przekonany, że współpracuje dla jakiegoś Instytutu czy dla wywiadu niemieckiego pod takim czy innym płaszczykiem". 24 kwietnia Grocholl zwierzył mu się, że dwa tygodnie wcześniej został ponownie odwiedzony przez pracowników wywiadu. Wreszcie 9 września 1969 r. „Paweł" informował, że „dotychczas Grocholl doskonale prosperował, gdyż według mnie, udzielali mu pomocy finansowej określone związki przesiedleńców czy nawet wywiad, któremu ten na pewno obiecał realizować zadania. Widocznie z tego się nie wywiązał i pomoc ta została mu cofnięta" lub dawał informacje mało wartościowe i zerwano z nim współpracę[80].

13 stycznia 1969 r. płk Leon Dąbrowski, szef SB na województwo bydgoskie (1958–1969), przeprowadzał ocenę pracy podległej sobie jednostki i zlecił ppłk. Jerzemu Góreckiemu ocenę i zasadność wykonywanej pracy przez TW „Pawła", który w latach 1960–1968 był na kontakcie mjr. Kolaszewskiego i „na terenie NRF wykonywał określone zadania" m.in. dla Wydziału III Departamentu II.

Ppłk Górecki, inspektor Kierownictwa Jednostek Bezpieczeństwa Komendy Wojewódzkiej MO ds. SB w Bydgoszczy, przygotował wymaganą ocenę już 11 lutego. Była ona miażdżąca, ale dla mjr. Kolaszewskiego, a nie dla „Pawła". Górecki wskazywał przede wszystkim na brak dokumentacji pracy i wyjazdów TW, brak dat przyjęcia informacji od TW, brak planu wykorzystania TW i oceny jego pracy. Nie było wykazów stawianych zadań i oceny ich wykonania, a informacje nie były wnikliwie analizowane. Jednym słowem, według Góreckiego, był to przykład, jak nie powinna być prowadzona praca ze źródłem.

Przy okazji płk Górecki ocenił samego TW „Pawła", podkreślając, że winny zbyt małych osiągnięć był jego oficer prowadzący. TW udzielał informacji o osobach, które wyjechały i odmówiły powrotu, o właścicielach i przedstawicielach firm niemieckich i ich kontaktach z przedstawicielami central handlu zagranicznego, o kontaktach pracowników bazy runa leśnego w Rzepinie z Niemcami, o zachowaniu się osób z Polski na pobycie czasowym w RFN. Informacje dotyczyły też „wstępnego rozeznania dyslokacji obiektów strategicznych i wojskowych". Przeważały materiały o CHZ (Centrale Handlu Zagranicznego), co było naturalne ze względu na środowisko, w którym działał Kulczyk. „Część dokumentów z lat 1962–1968 przedstawia wartość dla służby bezpieczeństwa z tych względów, że TW wymienia, które z osób reprezentujących centrale handlu zagranicznego faworyzują dlaczego, które firmy zachodnioniemieckie"[81] – dowiadujemy się z tego niezbyt gramatycznego zapisu.

Kulczyk musiał wywiązywać się z poleceń, skoro 4 kwietnia otrzymał 200 DM tytułem zwrotu kosztów za wykonane zadanie. Pokwitowania podpisał jak zwykle jako „Paweł".

Górecki proponował, by uznać za zadowalające to, co TW rozeznał w Rzepinie oraz co dotyczyło kontaktów z CHZ i uciekinierów w RFN. Wnioskował też, by zbadać szczerość a także kwestię, czy korzyści operacyjne uzasadniają dalszy pobyt TW „Pawła" za granicą i przekazać Kulczyka na wyłączność Wydziałowi III Departamentu II. Podkreślał oprócz tego, by zbadać, ile i u kogo TW zarabia, odnaleźć zaginione dokumenty i wyjaśnić, dlaczego nie wykonał zadania dotyczącego Karola Locka.

W marcu 1969 r. mjr Kolaszewski w notatce, stanowiącej odpowiedź na zarzuty płk. Góreckiego, tłumaczył problemy z dokumentacją podwójnym prowadzeniem TW „Pawła" przez siebie w Bydgoszczy i Wydział III Departamentu II, dokąd odsyłano wszystkie informacje. „O sposobie wykorzystania tych informacji pisemnie nie byliśmy powiadamiani, natomiast ustnie «Paweł» był chwalony" – pisał Kolaszewski[82].

W sprawie Locka „zebrane przez Pawła informacje pozwoliły na zastosowanie przedsięwzięć w stosunku do Niemca przez Wydział III Departamentu II MSW"[83]. Okazało się, że była to inna osoba niż opisana w Biuletynie Departamentu II, której rozpracowanie zlecono „Pawłowi".

W swoim wyjaśnieniu mjr Kolaszewski informował także, że „z uwagi na inspirację Departamentu I i II «Paweł» poważnie zaangażował się w organizowanie firmy handlowej polsko-niemieckiej na terenie Berlina Zachodniego"[84].

Chodziło oczywiście o stworzenie przedsiębiorstwa, które stanowiłoby oparcie dla wywiadu na terenie Niemiec. W związku z tym teczki pracy i personalną TW „Pawła" wysłano z Bydgoszczy do Wydziału III Departamentu II, który przejął Henryka Kulczyka na wyłączny kontakt. Nie mamy dalszych informacji na temat spółki, ale z raportu płk. Jędrzejczyka dowiadujemy się, że właściciel GFT Saarlonis Wilhelm Sauerbrei razem z Centralą Handlu Zagranicznego Dom Handlowo-Agenturowy „Maciej Czarnecki" utworzyli spółkę do handlu z Polską DEWPOL w Berlinie Zachodnim. „Paweł" został jednym z jej dyrektorów. We wnioskach płk Jędrzejczak proponował „zatrudnienie w nowo powstałej spółce TW ps. «Lesław» z firmy «M. Czarnecki» (pozostaje na kontakcie Wydziału III Departamentu II i jest typowany na wyjazd do Berlina)"[85].

„Paweł" wykonywał też zadania na zlecenie. W sierpniu 1969 r. na zamówienie WSW złożył doniesienie dotyczące Edwarda Grabowskiego.

12 stycznia 1970 r. płk Bogusław Jędrzejczyk napisał dla dyrektora Departamentu II raport, w którym analizował pracę TW „Pawła" jako odpowiedź na zarzuty ppłk. Góreckiego. Zwrócił uwagę, że raport Góreckiego dotyczył strony formalnej, a nie merytorycznej pracy z TW. „Uważam, że werbunek «Pawła» był pewnym osiągnięciem naszej służby, a współpraca z nim przyniosła nam pewne korzyści" – pisał. Ze względu na zainteresowanie Urzędu Ochrony Konstytucji nie wykonuje on zadań typu wywiadowczego, ale „od 1964 roku, zgodnie ze swoimi możliwościami wynikającymi z charakteru pracy, TW ps. «Paweł» przekazywał naszej służbie wartościowe

informacje z dziedziny handlu zagranicznego oraz o pracownikach tego handlu – działających ze szkodą dla Polski, jak również o obywatelach NRF podejrzanych o powiązania ze specjalnymi służbami tego państwa". Jędrzejczyk wymienił np. doniesienia na temat dr. Dombrowskiego (lub Dąbrowskiego), Grocholla, Locka z NRF i Trafisza z Rolimpexu. „Paweł" „informował o ich powiązaniach ze służbami specjalnymi NRF w oparciu, o które prowadzone były rozpracowania. [...] Przekazywane przez niego dane o szkodliwej działalności w polskim handlu zagranicznym przez Morocznika, Grünberga, Zielińskiego, Horaczewskiego stanowiły podstawę do ich zwolnienia z pracy". Kulczyk „ujawnił szereg ujemnych zjawisk w polskim handlu zagranicznym, wynikiem którego było wycofanie się z niekorzystnych transakcji przez stronę polską, co dało dodatkowe dewizy dla naszego państwa, np. sprawa Hautz-Sauerbrei z Hartwigiem", a także „przekazał również szereg informacji o osobach rzekomo związanych z naszym aparatem (Dominikowski, Hallmann[86]), którzy ujawnili fakt współpracy z nami".

Wniosek płk. Jędrzejczyka był jednoznaczny: współpracę należy kontynuować i sprawdzać TW, tym bardziej, że brak jest sygnałów o nieszczerości Kulczyka wobec SB. „Wprowadzić do rodziny «Pawła» zamieszkałej w Polsce TW związanego z nim z okresu wspólnej pracy w Polskim Związku Motorowym. Na terenie Berlina Zachodniego przygotowuje się do werbunku E.D. – dobrego znajomego «Pawła», którego zadaniem będzie ścisła obserwacja zachowania się «Pawła» w tym mieście". W celu sprawdzenia prawdziwości informacji a także lojalności, Kulczyk miał wykonywać zadania jak dotąd: „rozpracowanie znanych mu kontaktów w NRF" oraz „rozpracowanie kół syjonistycznych w NRF i Austrii i ich powiązań z Polską"[87].

Po raporcie Góreckiego Wydział III Departamentu II przejął na kontakt Kulczyka, ale zanim do tego oficjalnie doszło TW „Paweł" otrzymał zakaz spotykania się z mjr. Kolaszewskim. Od marca 1969 r. nowym oficerem prowadzącym Kulczyka był płk Jędrzejczyk. 15 stycznia 1970 mjr Kolaszewski utracił stanowisko, a w grudniu Górecki został szefem miejskiego SB w Bydgoszczy.

Płk Jędrzejczyk, gdy pisał swą analizę i prowadził „Pawła", pracował już na etacie niejawnym w grupie pozaplacówkowej w rezydenturze berlińskiej (15.10.1969–31.08.1972), więc doskonale orientował się w stosunkach niemieckich. Oficjalnie był radcą-kierownikiem Wydziału Konsularnego w Ambasadzie PRL w Berlinie Wschodnim. Po powrocie do kraju kierował Wydziałem VII, a następnie został wysłany do Biura Paszportowego. Na koniec kariery Jędrzejczyk, teraz ps. „Ken", został jeszcze raz wysłany do rezydentury berlińskiej, oficjalnie na stanowisko kierownika Wydziału Konsularnego Ambasady PRL w stolicy NRD (16.09.1983–3.12.1987), mógł więc także stykać się ze swym byłym podopiecznym, chociaż oficjalnie prowadził wówczas KO „Kube" i KO „Trag".

W marcu 1970 r. płk Stanisław Hajdukiewicz z Wydziału IX Departamentu II oceniał, że „materiały uzyskiwane od «Pawła» są jego inicjatywą" i podejrzewał go o kontakty z wywiadem niemieckim. Dlatego proponował zrezygnować ze współpracy i odebrać Kulczykowi paszport konsularny. SB z jednej strony bała się przewerbowania Kulczyka przez Niemców, skoro nadchodziły informacje o zainteresowaniu służb jego osobą, a z drugiej chciała informacji, których zdobywanie wymagałoby profesjonalnego zainteresowania. Tymczasem „Paweł" mógł przekazywać tylko te dane, które uzyskał przy okazji swej pracy i kontaktów zawodowych. Oczywiście o żadnej rezygnacji z jego usług nie mogło być mowy. Kulczyk, naciskany przez bezpiekę, dał dowód swej szczerości i 5 maja 1970 r. wyjaśnił stan swego majątku. Od sierpnia 1969 r. miał 49 proc. udziałów w Gimex Handelsgesellschaft Sauerbrei und Kulczyk GmbH Import–Export Vertretungen. Firma ta miała ciche porozumienie z Centralą Handlu Zagranicznego Dom Handlowo-Agenturowy „Maciej Czarnecki". Oba podmioty miały w przyszłości założyć w Berlinie Zachodnim wspomnianą spółkę polsko-niemiecką DEWPOL.

Kulczyk by także przedstawicielem na Polskę, ZSRS i Czechosłowację firmy GfT Saarlonis, a tylko na terenie PRL reprezentował: Ackermann Fahrzeugbau AG, Paul Rosenkranz KG, Schenk-Anhänger Stuttgart i Fa-Georg und Jürgh Richertsen oraz właśnie załatwiał sobie przedstawicielstwo Sea-Landu na Europę. „Paweł" uzupełnił też wykaz znajomych o nazwiska Rędzikowskiego i Zenona Dziarłowskiego z Poznania.

Do „Pawła" SB miała też pretensje o to, że się zdekonspirował, ale w rzeczywistości fakt związków z bezpieką musiał być znany, gdyż do Szwecji po antysemickiej nagonce emigrował ppłk Mieczysław Jakubowicz, w latach 1959–1964 zastępca naczelnika Wydziału III Departamentu II, który posiadał wiele informacji o współpracy Henryka Kulczyka z SB[88].

W 1970 r. „Paweł" spotkał się w kraju cztery razy z płk. Marianem Nabiałkiem, ps. „Rojewski"[89], starszym inspektorem Wydziału III Departamentu II. Nabiałek już wcześniej pracował w Grupie „Karpaty", czyli delegaturze SB w NRD (1959–1961). 19 stycznia 1977 r. płk Nabiałek wyjechał w charakterze oficera operacyjnego do rezydentury w Berlinie Wschodnim. Należał do tzw. grupy pozaplacówkowej i nie miał prawa przekraczać granicy RFN. Do kraju powrócił 1 sierpnia 1981 r.

Nabiałek notował, że Kulczyk „informuje nas tylko o sprawach, które niczym nie naruszają jego interesów prywatnych [...] Po prostu, o czym się dowie i jeżeli chce, to nas o tym informuje. Nie widać też możliwości podstawienia go wywiadowi zachodnioniemieckiemu"[90]. Departament II miał więc wygórowane nadzieje i stąd rozczarowanie i pretensje do „Pawła".

W 1970 r. Kulczyk został przekazany wywiadowi, czyli Departamentowi I. Prowadził go nadal płk Jędrzejczyk, rezydujący w Berlinie Wschodnim. Jędrzejczyk, który podlegał szefowi rezydentury berlińskiej „Tellowi", swoje raporty do centrali podpisywał pseudonimem „Konrad". Ostatecznie 19 listopada 1970 r. ppłk Zenon Drynda[91], naczelnik Wydziału III Departamentu II (1970–1975), zakazał swoim funkcjonariuszom kontaktów z Kulczykiem, gdyż „gospodarzem sprawy powinna być rezydentura w Berlinie i obsługujący go ppłk Jędrzejczyk"[92]. Teczkę „Pawła" w Wydziale II Departamentu I prowadził kpt. Julian Wilczyński.

26 czerwca 1970 r. „Paweł" skarżył się „Konradowi", że mógł mieć rewizję i wskazywał na podejrzanego sąsiada Günthera Müllera. Dlatego „Konrad" obawiał się, że Kulczyk jest rozpracowywany przez Niemców. „Paweł" poinformował też, że na Targach Poznańskich spotkał

Działowskiego – brata żony dr. Kołodziejka i doniósł, że Kołodziejkowie nie mają zamiaru wracać do kraju.

W październiku „Konrad" meldował centrali, że Kulczyk od około roku prowadzi rozmowy z Domem Handlowo-Agenturowym „Maciej Czarnecki" i pracownicy tej centrali handlu zagranicznego pytali ppłk. Jędrzejczyka, czy „Paweł" jest oficerem SB[93]. Prawdopodobnie dlatego w listopadzie „Konrad" meldował centrali: „postanowiłem na pewien okres wstrzymać realizację przez «Pawła» zadań o charakterze ofensywnym w stosunku do osób podejrzanych o kontakty z policją na terenie Berlina Zachodniego"[94]. SB obawiała się, że Kulczyk jest rozpracowywany przez służby niemieckie i nie chciała, by przyciągał ich uwagę poprzez swoją nadmierną aktywność. Z drugiej zaś strony miała do niego pretensję o efekty mniejsze od spodziewanych.

W sierpniu 1972 r. ppłk. Jędrzejczyk wrócił do kraju i „Paweł" dostał nowego oficera prowadzącego. 29 listopada z Kulczykiem spotkał się w Berlinie Wschodnim „Held", czyli płk Kazimierz Prośniak[95], oficer operacyjny rezydentury berlińskiej od 17 sierpnia 1970 do 29 lipca 1974 r. Prośniak do UB wstąpił już 6 lipca 1945 r. i brał udział w walkach z „bandami i reakcyjnym podziemiem" w latach 1945–1949. Cały czas służył w wydziałach śledczych Olsztyna, Gdańska, Lublina i Warszawy oraz w centrali kontrwywiadu, skąd przeniesiono go do Departamentu I na okres wyjazdu do rezydentury. Karierę zakończył na stanowisku prezesa Głównego Urzędu Ceł (27.02.1980–30.04.1985). W czasie pobytu w rezydenturze „dokonał kilku udanych werbunków o średniej wartości operacyjnej", ale „wniósł poważny

wkład w rozeznanie obozów przejściowych dla uciekinierów w RFN i w Berlinie Zachodnim, środowisk syjonistycznych i wybranych zagadnień sytuacji wywiadowczej"[96].

„Held" należał do ubeków starej daty, mało elastycz-
nych, i chciał mieć szybkie wyniki, dlatego postanowił
potraktować „Pawła" ostro. Tym bardziej, że płk Stanisław Matusiak pisał w styczniu 1973 r. do szefa rezydentury „Tella", że podejrzewa Kulczyka o dwulicowość
i dekonspirację. „Held" przystąpił więc do działania.

2 lutego w Berlinie Wschodnim z Kulczykiem spotkali
się płk Prośniak i szef rezydentury „Tell". Obaj zarzucili
mu, że dostarcza za mało informacji. „Rezydent wskazał «Pawłowi» na jego korzystną sytuację bytową, która
powstała i istnieje m.in. z tytułu zadeklarowania przez
niego współpracy z nami, a która to współpraca niestety
nie daje oczekiwanych rezultatów"[97]. Esbecy zagrozili nawet odebraniem „Pawłowi" paszportu. Kulczyk tłumaczył
się, że dotychczas nie stawiano mu konkretnych zadań
i obiecał poprawę. Miano do niego także pretensję o to,
dlaczego służby RFN dają mu spokój, co SB wydawało
się podejrzane. Kulczyk wyjaśniał, że jego rodzina ma wysoką pozycję w Niemczech i zapewne ten fakt jest przyczyną tolerowania go.

Takie podejście nie zyskało poparcia centrali, która po-
leciła rezydentowi, by w czasie następnych spotkań rozmawiał łagodniej i nie straszył „Pawła" odwołaniem do
kraju, aby ten przyjeżdżał tu bez obaw[98].

W latach 70. Henryk Kulczyk eksportował z Niemiec do
Polski maszyny rolnicze, a do Niemiec z Polski sprowadzał
płody rolne. Został pośrednikiem Rolimpexu i Polcoopu
oraz niemieckiej firmy Willy Bruns, potem reprezentował

w Polsce różne firmy niemieckie z branży samochodowej, montażowej i spożywczej. Założył też własną firmę Aussenhandelsgesellschaft GmbH. Importowała ona z PRL grzyby, jagody i runo leśne. W 1973 r. dla współpracy z Polonią powstało Towarzystwo Handlu Zagranicznego Polimar. Organem założycielskim było państwowe przedsiębiorstwo DAL. 28 września 1974 r. odbyło się spotkanie w Berlinie Zachodnim, w którym uczestniczyli: Henryk Kulczyk (TW „Paweł"), ekonomista Eugeniusz Gritzner, Julian Bojmart (KS „Julian", KI a później KO „Juli"), właściciel Cooperation Consulting i Kazimierz Michalski (KO „Tadeusz"), dyrektor Polimaru. Omawiali oni plany powołania polonijnej spółki, która zajmowałaby się pośrednictwem w handlu między PRL i RFN. Obecni postanowili wówczas powołać spółkę o kapitale 20 tys. DM i nazwie Copolimar. Utworzono ją pod kontrolą Departamentu I w kwietniu 1975 r. w Berlinie Zachodnim.

Przyjrzyjmy się zatem nieco bliżej twórcom Copolimaru.

Eugeniusz (Eugen) Gritzner[99] urodził się w Łodzi i posiadał obywatelstwo niemieckie. W dniach 26–28 czerwca 1980 r. Wydział VII Departamentu III-A śledził jego kontakty z obywatelami PRL. Nie wiemy, czy zbieżność nazwisk z Gritznerami, na których wcześniej donosił „Paweł", jest przypadkowa. Zachował się jedynie raport z jego obserwacji przez SB[100].

Julian Bojmart[101] w 1951 r. miał kłopoty z powodu nielegalnego handlu, co w okresie stalinizmu nie było jednak rzeczą zdrożną. W 1956 r. pracował jako technik budowlany. W roku następnym złożył wniosek o wyjazd stały z żoną do Izraela, ale otrzymał odmowę. Następnie został z-cą redaktora naczelnego pisma „Uroda" (1959–1965). 25 lutego 1965 r. został pozyskany przez mjr. Jerzego Ryłko z Departamentu II do rozpoznania nielegalnych pośredników handlowych i oficjalnie zarejestrowany jako kontakt służbowy, ale w ankiecie występuje jako tajny współpracownik. „Julian zlecane zadania wykonuje dobrze i chętnie. [...] m.in. w znacznym stopniu przyczynił się do rozpracowania powiązań obywatela RFN Harlana z Burginem"[102] – oceniał oficer prowadzący. Chodziło o prezesa Spółdzielni Wydawniczej „Książka i Wiedza" Juliusza Burgina (1959–1963), byłego współpracownika NKWD, dyrektora Gabinetu Ministra Bezpieczeństwa Publicznego (1948–1949) i szefa I Inspektoratu Ministerstwa Obrony Narodowej (1949–1950) oraz – prawdopodobnie – o dziennikarza niemieckiego Thomasa Harlana.

W 1965 r. „Julian" wyjechał do RFN i nie wrócił. W rok po wyjeździe otrzymał paszport konsularny i przyjeżdżał do PRL, gdzie nadal mieszkała jego żona. W Niemczech zajmował się pośrednictwem handlowym z Polską, a majątku dorobił się pomagając w zakupach Pewexowi. W 1971 r. w Berlinie został dyrektorem firmy Habex.

Od 1966 do 14 lipca 1976 r. Bojmart jako KI „Juli" nie otrzymywał żadnego wynagrodzenia. 23 czerwca 1977 r. wypłacono mu 1000 DM, zaś 3 października tego roku 500 DM jako zwrot kosztów wyjazdu do Monachium w ramach sprawy „Polonez". W 1978 r. wyeliminowano go z sieci czynnej. KI „Juli" współpracował z Wydziałem XI wywiadu, który zajmował się dywersją ideologiczną za granicą i infiltracją łączności z krajowym podziemiem.

17 marca 1980 r. płk Henryk Wróblewicz, z-ca naczelnika Wydziału XI Departamentu I (1977–1990),

reaktywował sprawę „Julego", zmieniając kategorię rejestracji z kontaktu informacyjnego na kontakt operacyjny. Zaznaczył przy tym, że użyteczność KO „Juli" dla jego wydziału jest ograniczona. Dowiadujemy się, że Bojmart służy do kontroli peryferyjnego agenta „Sehu" oraz figuranta sprawy „Spred", zaś kontakty z nim odbywają się wyłącznie w Warszawie, gdy przyjeżdża z Berlina do firmy polonijnej „Yoko", na założenie której otrzymał zezwolenie 30 września 1981 r. Firma zajmuje się kaletnictwem i krawiectwem. Od maja 1982 roku pracuje u niego TW „Zbyszek", który go kontroluje dla Wydziału II KSMO. Od 1981 r. Bojmart starał się o zmianę obywatelstwa PRL na niemieckie[103].

W grudniu 1982 r. KO „Juli" wyeliminowano z sieci agenturalnej na polecenie płk. Czesława Jackowskiego, naczelnika Wydziału XVII wywiadu (1982–1987), z powodu, iż ukrywał zyski w firmie Yoko, by nie płacić podatków. W latach 1983–84 Biuro Śledcze prowadziło postępowanie przygotowawcze przeciwko Bojmartowi w sprawie ukrywania zysków w firmie Yoko, ale prokuratura umorzyła śledztwo, gdyż Urząd Skarbowy nałożył na Bojmarta karę finansową.

Mimo eliminacji KO „Juli" z sieci czynnej od grudnia 1982 do kwietnia 1983 r. ppłk Wróblewicz odbył z nim kilka rozmów z inicjatywy samego Bojmarta, który miał ciekawe informacje do przekazania, m.in. o planach powołania pod auspicjami Kościoła katolickiego chadeckich związków zawodowych.

Na spotkaniu 13 grudnia 1982 r. KO „Juli" opowiadał o indyjskim historyku polskiego Kościoła Peterze Rainie ps. „Pred" i możliwościach jego wykorzystania przez SB.

Wróblewicz uważał, że Bojmart ma rację i należy zbliżyć się do „Preda", co spowoduje „ugruntowanie roli Rainy jako konsultanta naszej służby"[104]. Raina został zarejestrowany przez wywiad jako agent „Sanyo". Oficer prowadzący był przeciwny rezygnacji z usług Bojmarta i chciał go wykorzystać do kontroli firmy polonijnej, która miała powstać we współpracy podziemia z redaktorem „Kultury" Jerzym Giedroyciem, by finansować działalność opozycyjną.

Jeśli chodzi o Rainę, został on zarejestrowany przez wywiad jako agent „Sanyo". „Wiele cennych informacji przekazał wywiadowi agent o pseudonimie Sanyo. Relacjonował on Służbie Bezpieczeństwa przebieg spotkań z najbliższymi przyjaciółmi Karola Wojtyły jeszcze z czasów krakowskich, m.in. z aktorką Haliną Mikołajską. Z doniesień agenturalnych można wywnioskować, że «Sanyo» był osobą świecką, która cieszyła się zaufaniem obu prymasów – Stefana Wyszyńskiego i Józefa Glempa" – pisał Cezary Gmyz[105], który po kilku latach zidentyfikował „Sanyo" jako Petera Rainę[106].

Na spotkaniach z KO „Julim" 21 i 30 marca 1983 r., odbytych już za zgodą naczelnika Wydziału XI płk. Henryka Bosaka, Wróblewicz znów uzyskał informacje o Rainie, jego aktualnej postawie politycznej i sytuacji w środowisku emigracji polskiej, która go odrzucała za zbliżenie do władz PRL[107].

Kolejny z założycieli Copolimaru, Kazimierz Michalski[108], po studiach na SGPiS pracował od 1959 r. w MHZ, był m.in. pełnomocnikiem dyrektora PHZ Dal, a w 1966 r. przeszedł do Domu Handlowego „Transactor" jako rzeczoznawca obsługujący firmę Hilti z Luksemburga oraz kilka spółek japońskich i włoskich. Michalski jako TW „Tadeusz" był wykorzystywany operacyjnie już od 1957 do kwietnia 1964 r. do rozpracowywania dyplomatów z krajów kapitalistycznych i z zadań „wywiązywał się należycie"[109].

Jak doszło do jego współpracy z SB? Otóż Michalski chciał mieć konwersacje w języku angielskim i w tym celu nawiązał poprzez znajomego kontakt z pracownikiem wydziału wizowego ambasady Wlk. Brytanii. Ów znajomy okazał się być agentem Wydziału VIII Departamentu II o ps. „Gburek". Mając informacje od „Gburka" SB postanowiła zwerbować Michalskiego do inwigilacji dyplomatów angielskich. 6 września 1957 r. Michalski zgodził się na współpracę i został TW „Tadeuszem". Za współpracę był wynagradzany, zwracano mu także koszty, jeśli organizował przyjęcie dla pracowników attachatu. Por. Andrzej Winnicki, oficer operacyjny Wydziału VIII, określał TW „Tadeusza" jako „bardzo dobrego, doświadczonego tajnego współpracownika"[110].

W okresie od 1967 do marca 1970 r. „Tadeusz" dalej pracował dla kontrwywiadu. Jego oficerem prowadzącym był znany już nam płk Kazimierz Prośniak, ps. „Held", naczelnik Wydziału VIII Departamentu II (1969–1970), późniejszy oficer prowadzący Henryka Kulczyka, który do rezydentury berlińskiej wyjechał 17 sierpnia 1970 r. Tak więc dwóch z czterech uczestników zebrania założycielskiego Copolimaru miało tego samego oficera prowadzącego, choć w różnym czasie. 23 marca 1970 r. sprawa TW „Tadeusza" powędrowała do archiwum, gdyż wstąpił on do PZPR i rzadko widywał się z obcokrajowcami.

Po krótkiej przerwie, jeszcze w tym samym roku, uznano jednak, że TW „Tadeusz" nabrał wartości operacyjnej i ponownie nawiązano z nim kontakt. Teraz jego zadaniem było rozpracowywanie firm, które obsługiwał w „Transactorze" oraz zbieranie informacji o ludziach i spółkach nawiązujących kontakt z Domem Handlowym, a także inwigilacja kolegów z pracy. Były TW „Tadeusz", bo tak go długo określano w raportach, mimo że 13 lutego 1971 r. został zarejestrowany jako KO „Tadeusz", z zadań wywiązywał się dobrze, skoro już 1 października 1971 r. zainkasował tysiąc złotych tytułem wynagrodzenia i zwrotu poniesionych kosztów[111].

Oficerem prowadzącym Michalskiego po wznowieniu kontaktu był płk Jan Ryłko z Wydziału VIII Departamentu II. W grudniu 1971 r. tak podsumował roczną pracę KO „Tadeusza" dla SB: „wykazał dużo własnej inicjatywy i uzyskane od niego informacje znajdują potwierdzenie innych źródeł. [...] Aktualnie b. tw. «Tadeusz» jest typowany przez Departament Kadr MHZ na stanowisko dyrektora mającego powstać nowego Przedstawicielskiego Domu Handlowego"[112]. Ów DH to właśnie późniejszy Polimar, który reprezentował zagraniczne firmy i biznesmenów wobec polskich central handlu zagranicznego. W dokumentacji brak jest informacji z 1972 r. W 1973 r. KO „Tadeusza" przejął na kontakt ppłk Tadeusz Gliński, ówczesny z-ca naczelnika Wydziału VII Departamentu III (1973–1979). Departament III zajmował się opozycją, ale wkrótce wyłoni się z niego Departament V, który będzie infiltrował przemysł. Dlatego takie przejęcie KO „Tadeusza" z rąk kontrwywiadu jest logiczne.

Jako dyrektor Polimaru Michalski dostarczał SB informacji o firmach zagranicznych i ludziach, którzy pojawiali się w interesach w jego biurze. SB miała dzięki niemu kontrolę nad handlem i nad cudzoziemcami, ale też i Polakami kontaktującymi się z nim. Michalski miał za zadanie rozpracowywać te firmy i pracowników Polimaru, którzy je reprezentowali. Polimar był ściśle kontrolowany przez tajne służby PRL. KO „Tadeusz" został przekazany przez Departament III do warszawskiej SB, czyli Wydziału III, potem III-A KSMO, zmieniali się też jego oficerowie prowadzący: ppor. Stefan Ciepliński (1974), kpt. Bogdan De Fleury (1975), ppor. Artur Wencel (1978). Wszyscy byli z niego zadowoleni, ale 1 listopada 1980 r. KO „Tadeusz" odszedł na emeryturę i z tego powodu po 23 latach współpracy został ostatecznie wyeliminowany z sieci czynnej.

Jak więc widzimy, cała inicjatywa założenia Copolimaru była realizowana przez współpracowników różnych wydziałów wywiadu i kontrwywiadu cywilnego PRL.

Kulczyk kierował sekcją polską przy Niemieckiej Izbie Przemysłowo-Handlowej, przewodniczył Polonijnemu Komitetowi Współpracy Gospodarczej z Polską oraz Stowarzyszeniu Polskich Przemysłowców i Handlowców BERPOL (1977–1991). Doskonałe stosunki z ekipą Edwarda Gierka umocnił tworząc w Berlinie Zachodnim Polonijny Komitet Budowy Centrum Zdrowia Dziecka. Kierował nim i sam kilka razy wpłacił na ten cel darowizny. Poza tym jego dobre stosunki z nomenklaturą partyjną czyniły współpracę z SB już nie tak atrakcyjną czy konieczną dla rozwoju własnego biznesu.

28 maja 1973 r. gen. Józef Osek, dyrektor Departamentu I (1971–1974), pisał do gen. Władysława Pożogi, dyrektora Departamentu II (1973–1980), na temat sprawy „Pawła" przekazanej we wrześniu 1971 r. wśród innych dossier przez Grupę Operacyjną „Karpaty" z Berlina. Osek był niezadowolony z wyników pracy Kulczyka, oskarżał go o machlojki i wnioskował o wszczęcie rozpracowania[113]. W czerwcu 1978 r. Departament II wszczął sprawę operacyjnego sprawdzenia „Antyk"[114], by po raz kolejny wyjaśnić, czy „Paweł" współpracuje z obcym wywiadem. 10 grudnia 1984 r. ppłk Jarosław Gowin, naczelnik Wydziału III Departamentu II (1983–1990), nie był zainteresowany SOS „Antyk", gdyż uważał, że powinien przejąć ją Wydział XIII, który zajmował się firmami polonijnymi i podlegała mu kontrola kulczykowego Interkulpolu (patrz dalej). Analizę sprawy przeprowadził mjr Andrzej Brążkiewicz z Wydziału XIII Departamentu II i zamknął SOS „Antyk" 9 listopada 1989 r. Mimo tych pretensji współpracę z „Pawłem" kontynuowano do 1989 r. Zamykając sprawę, kpt. Jerzy Skoczylas (nazwisko legalizacyjne „Sawicki") wpisał uzasadnienie, iż „TW ps. «Paweł» przez blisko 27 letni okres współpracy nie przekazał żadnych istotnych informacji operacyjnych".

Dr Jan w zainteresowaniu SB i Zarządu II Sztabu Generalnego

Jan Kulczyk[115] chodził do szkoły podstawowej w Bydgoszczy i siedział w jednej ławce z Mieczysławem Wachowskim. Po maturze w 1968 r. rozpoczął studia prawnicze na Uniwersytecie Mikołaja Kopernika w Toruniu, ale jesienią 1971 r. przeniósł się na prawo do Poznania, gdzie w roku następnym uzyskał stopień magistra.

Do liceum w Bydgoszczy Jan Kulczyk chodził z Andrzejem Malinowskim[116], a później razem studiowali przez rok prawo na Akademii Ekonomicznej w Poznaniu. W 1984 r. Malinowski, działacz ZSL od 1966 r., został wiceprezesem WK ZSL, w latach 1986–1988 był podsekretarzem stanu w Ministerstwie Rolnictwa, a następnie w Ministerstwie Handlu Wewnętrznego i Usług. W 1992 r. Malinowski wszedł do rady nadzorczej kulczykowej Euro Agro Centrum.

Andrzej Malinowski po ukończeniu Akademii Ekonomicznej (1969) wyjechał na roczne stypendium naukowe do USA, a w 1975 r. został doktorem nauk ekonomicznych. W 1983 r. uzyskał rekomendację od ZSL do pracy za granicą w Biurze Radcy Handlowego w Oslo lub Hadze. Informacja o tym spowodowała uruchomienie procedury werbunkowej przez placówkę poznańską wywiadu wojskowego. Rozpracowaniem zajął się płk. Mieczysław Fuczkiewicz, od lipca 1982 r. wojewódzki przedstawiciel Oddziału X, czyli krajowego. Poznał Malinowskiego osobiście na kursach WUML-u[117] przy jednostce wojskowej Obrony Powietrznej Kraju w Poznaniu, na których Malinowski był wykładowcą.

Płk Fuczkiewicz pisał o Malinowskim 1 września 1983 r.: „jest świadomy jaką służbę reprezentuję i chętnie będzie dostarczał interesujące nas informacje z pozycji kraju i zagranicy w wypadku wyjazdu na placówkę dyplomatyczną. Obecnie mógłby dostarczać bardziej cenne materiały – informacje, gdyby został przeszkolony. […] dzieli się chętnie posiadanymi informacjami. Chętnie angażuje się do spełniania próśb. Jest bardzo operatywny w działaniu i sprytny a jednocześnie dyskretny i słowny"[118].

W listopadzie 1983 r. płk Fuczkiewicz został w Poznaniu wojewódzkim przedstawicielem Agenturalnego Wywiadu Operacyjnego, co spowodowało, że Malinowski związał się w przyszłości z AWO.

We wrześniu 1983 r. Malinowski udał się służbowo do Moskwy, gdzie rozmawiał z byłym konsulem sowieckim w Poznaniu Podlipniakiem, który poinformował go, że „ministrem obrony narodowej PRL nie będzie gen. Siwicki, a gen. Kiszczak"[119].

W październiku płk Fuczkiewicz, który karierę zaczynał w maju 1947 r. w Informacji Wojskowej, został odwołany i miesiąc później objął stanowisko szefa wydziału WSW w Wojskach Lotniczych w Poznaniu. Rozpracowanie Malinowskiego dokończył i formalnego werbunku dokonał mjr Bohdan Sienkiewicz (nazwisko legalizacyjne „Rutkowski"), który przejął kandydata 2 listopada 1984 r. Przewidywał, że Malinowski może dokonywać pracy typowniczo-werbunkowej z pozycji kraju i zagranicy w środowisku cudzoziemców[120]. Sienkiewicz (ps. „Popiel") był poprzednio szefem rezydentury wywiadu wojskowego w Holandii (1978–1980).

Rozpracowanie kandydata mjr Sienkiewicz zakończył 20 kwietnia 1985 r. W podsumowaniu pisał o zadaniach przyszłego współpracownika: „prowadzenie pracy typowniczo-werbunkowej z pozycji zagranicy, w mniejszym stopniu z pozycji kraju, w środowisku cudzoziemców oraz w środowisku Polonii. Z k/k podczas swych służbowych wyjazdów za granicę oraz przyjmowania delegacji

zagranicznych – wykorzystanie kandydata w przyszłości jako współpracownika w rezydenturze za granicą"[121].
Wniosek o zgodę na werbunek Malinowskiego zatwier-
dzono 28 maja. W tym czasie w związku ze służbowym
wyjazdem do RFN Malinowski otrzymał zadanie specjalne i 150 DM na pokrycie kosztu jego wykonania.
Oficjalne pozyskanie i przeszkolenie, w jaki sposób zachować konspirację i typować kandydatów do werbunku,
nastąpiło w LK „Anna" w Poznaniu 24 czerwca 1985 r.
Malinowski został poinstruowany o zasadach przestrzegania konspiracji oraz rozpracowania kandydata na współpracownika. Wybrał pseudonim „Roman" i tak został
współpracownikiem AWO. Podpisał też nazwiskiem formularz deklaracji:
„Deklaracja. Ja, niżej podpisany A. Malinowski (ręcz-
nie) zobowiązuję się na mocy dobrowolnej umowy współpracować z Wywiadem Wojskowym PRL [...]"[122].
Dowiadujemy się też, że „W trakcie szkolenia «Roman» przekazał informację na temat kandydata Jana
Kulczyka"[123].
W drugiej połowie lipca „Roman" udał się służbowo
do RFN i znów otrzymał zadanie specjalne zatwierdzone
przez szefa Oddziału A, czyli AWO. Malinowski w pełni
wykonał zadanie specjalne. Zdał z niego sprawozdanie
12 września 1985 r. w kawiarni „Smakosz" oraz LK
„Anna", gdzie „na miejscu sporządził notatkę na temat
swego znajomego obywatela H. Kulczyka"[124]. Oczywiście
chodziło o Jana, syna Henryka Kulczyka, który występuje w samej notatce.
Notatka dotyczyła Jana Kulczyka, jego rodziny, sła-
bości do kobiet i alkoholu. Malinowski informował też,

że Kulczyk „ma kontakt z dyrektorem gabinetu Olszow-skiego". Stała się ona dla wywiadu wojskowego podstawą do wszczęcia rozpracowania celem werbunku. Zadanie to przekazano por. Binasowi[125]. W latach 1984–1988 sze-fem Zarządu Wojsk Lotniczych w Poznaniu był płk Ze-non Binas, należący do tzw. Francuzów, który karierę w Informacji Wojskowej rozpoczął w grudniu 1945 r. Jego synem był por. Lech Binas, ps. „Salix", występujący pod nazwiskiem legalizacyjnym „Leszek Borowski". Por. Binas, awansowany wkrótce na kapitana, był funkcjona-riuszem Oddziału „K", czyli europejskiego, Zarządu II w Poznaniu[126].

Jak zobaczymy, w tym samym czasie i w takim sa-mym celu doktora Jana rozpracowywał wywiad cywilny. Nie wiemy, jaki był przebieg i efekt rozpracowania wy-wiadu wojskowego.

Malinowski nie wyjechał do BRH na placówkę, lecz zo-stał podsekretarzem stanu w Ministerstwie Handlu We-wnętrznego i Usług, a później w Ministerstwie Rolnic-twa i Gospodarki Żywnościowej. „Roman" zaproponował podczas spotkania w hotelu Forum 22 czerwca 1986 r. oficerowi prowadzącemu, że będzie umieszczać ludzi wy-wiadu w podległych sobie departamentach ministerstwa. Mjr Sienkiewicz meldował, że „Roman" „widzi możliwość uplasowania ludzi [...] pomimo dużego obciążenia pracą w ministerstwie widzi on dalszą możliwość, a nawet po-trzebę współpracy z nami"[127].

25 czerwca 1986 r. nowym oficerem prowadzącym „Romana" został ppłk Romuald Boryszczyk, który po ukończeniu kursów GRU 1 sierpnia 1985 r. objął stano-wisko p.o. szefa Agenturalnego Wywiadu Operacyjnego.

Pomagał mu jego zastępca ppłk Zygmunt Biernat, który do AWO przeszedł 1 lipca 1984 r. z Oddziału „Y". W sumie „Roman" odbył 32 spotkania operacyjne. Po raz ostatni z oficerami prowadzącymi Malinowski spotkał się, według zachowanej dokumentacji, 7 czerwca 1990 r. w hotelu Forum, celem „określenia perspektywy jego dalszego wykorzystania"[128]. Sprawy nigdy nie zakończono, gdyż brak jest informacji o przekazaniu teczki pracy do archiwum, natomiast na aktach widnieje adnotacja z 16 września 1992 r. o pracy Malinowskiego w Kulczyk Holding. W 2001 r. teczka została utajniona przed jej przekazaniem do IPN.

Po 1989 r. Malinowski działał w PSL, gdzie blisko współpracował z Waldemarem Pawlakiem, a w latach 1993–1997 był posłem. W rządzie Cimoszewicza (KO „Carex") w okresie od 7 lutego 1996 do 31 października 1997 r. Malinowski był wiceministrem gospodarki. W tym czasie jego byli oficerowie prowadzący kontynuowali kariery w Wojskowych Służbach Informacyjnych III RP. Płk Boryszczyk został attaché wojskowym w Egipcie (1992–1995) i Chorwacji (1995), a po powrocie szefem oddziału (1996–1998) Zarządu II WSI. Płk Biernat z kolei, który w sierpniu 1987 r. ukończył kurs GRU, został z-cą szefa Biura Studiów i Analiz WSI (1997–1999). Kursy GRU stanowiły jak widać gwarancję promocji w służbach III RP.

W 1998 r. Malinowski odszedł z polityki i został prezesem zarządu Sava Investment Group S.A. W 2000 r. objął stanowisko wiceprezesa, a rok później został wybrany prezesem założonej w listopadzie 1989 r. Konfederacji Pracodawców Polskich (od 15 czerwca 2010 r. Pracodawcy Rzeczypospolitej Polskiej) i uzyskiwał reelekcję na kolejne kadencje. PRP zrzeszają wiele ważnych spółek skarbu państwa. Organizacja zrzesza także 19 tys. firm, które zatrudniają 5 mln pracowników.

Po ujawnieniu teczki Malinowski przekonywał, że oficerowie wywiadu wojskowego PRL spreparowali dokumenty agenta „Romana". Wobec tego Piotr Woyciechowski, autor materiału na temat Malinowskiego w tygodniku „Do Rzeczy", złożył do naczelnika Oddziałowej Komisji Ścigania Zbrodni przeciwko Narodowi Polskiemu w Warszawie zawiadomienie o podejrzeniu popełnienia zbrodni komunistycznej przez oficerów Zarządu II Sztabu Generalnego Wojska Polskiego.

Jan Kulczyk przyjaźnił się także z Kazimierzem Olesiakiem, wicepremierem i ministrem rolnictwa (1988–1989), a na studiach poznał Hannę Suchocką, późniejszą premier (1992–1993), i Zbigniewa Napierałę, za czasów Gierka dyrektora programowego ośrodka TVP w Poznaniu.

Pod koniec lat 60. Jan Kulczyk poznał z kolei Gromosława Czempińskiego, który był wówczas studentem Wyższej Szkoły Ekonomicznej w Poznaniu. Wszystkie te znajomości przydały się później w działalności biznesowej.

Dwa lata Jan Kulczyk pracował w Instytucie Zachodnim im. Zygmunta Wojciechowskiego i 31 maja 1976 r. obronił tam doktorat pt. *Układ o podstawach stosunków NRD–RFN z 21.12.1972 jako umowa międzynarodowa*. Jego promotorem był prof. Alfons Klafkowski. Jednocześnie w 1977 r. Kulczyk rozpoczął studia podyplomowe w Akademii Ekonomicznej w Poznaniu, ale po roku przerwał je.

Działalność biznesowa Jana Kulczyka zaczęła się w 1976 r. dzięki ojcu, który w sierpniu tego roku zaproponował Animexowi, żeby zatrudnić syna do kontaktów z Sea-Landem. W następnym roku Henryk Kulczyk wysłał syna do USA na staż do Sea-Landu. Po powrocie Jan Kulczyk zamieszkał w Berlinie i w kwietniu 1978 r. został pełnomocnikiem firmy Kulczyk und Co GmbH. Kulczyk senior miał dobre kontakty z Januszem Wieczorkiem, szefem URM (1956–1980), zaufanym Gierka[129]. Dzięki takiemu wsparciu 1 stycznia 1979 r. otrzymał zezwolenie na otwarcie oddziału swojej firmy w Warszawie i jego kierownictwo objął dr Jan. Długo jednak w Polsce nie pozostał, gdyż w 1981 r. przeniósł się do ojca do Berlina.

W 1974 r. Kulczyk ożenił się z Grażyną Łagodą[130], również absolwentką prawa UAM w Poznaniu. Początkowo Grażyna Kulczyk pozostała na Uniwersytecie jako pracownik naukowo-badawczy w Instytucie Prawa Cywilnego. W 1974 r. była aplikantem w Sądzie Wojewódzkim w Zielonej Górze. W 1993 r. została wiceprzewodniczącą rady nadzorczej Kulczyk Holding, ale w 2005 r. małżeństwo rozwiodło się.

W 1982 r. weszła nowa ustawa o spółkach polonijnych. Wtedy Jan Kulczyk założył Interkulpol – Wielobranżowy Zakład Wytwórczości Drobnej w Komornikach pod Poznaniem. Firma Kulczyka produkowała kosmetyki „Reve", korzystając z fabryki Polleny-Lechii i eksportowała domy z bali.

Interkulpol należał do kontrolowanej przez SB Izby Przedsiębiorstw Polonijnych Inter-Polcom. Do współzałożycieli Inter-Polcomu należał z kolei TW „Paweł", nie dziwi więc, że Jan Kulczyk został wiceprezesem, a w 1983 r. na krótko prezesem[131]. Jan Kulczyk miał też poparcie znajomego ojca, Edwarda Mazura, tajnego współpracownika

Departamentu II ps. „Martel"[132], o którego ekstradycję z USA w związku z zabójstwem gen. Papały na próżno starały się później władze polskie.

Edward Mazur[133] z zawodu jest inżynierem elektrykiem. W 1962 r. wyjechał na paszport emigracyjny do USA, gdzie skończył studia i w 1983 r. uzyskał obywatelstwo amerykańskie[134], a do 1980 r. pracował w firmie The Arthur G. McKee Co., w której był odpowiedzialny za kontakty z Polską. W 1996 r. powtórnie otrzymał obywatelstwo polskie. W latach 1973–1976 Mazur znajdował się w zainteresowaniu rzeszowskiego SB, ale wrogiej działalności nie stwierdzono i sprawę zamknięto (SOS „Dębicki").

Mazur 60 razy przyjeżdżał do PRL jako przedstawiciel firm rolno-spożywczych, a więc sektora, w którym działał także Henryk Kulczyk. Służba Bezpieczeństwa podejrzewała Mazura, że pracuje dla służb amerykańskich i 8 stycznia 1974 r. założyła podsłuch w jego pokoju w Hotelu Europejskim. Departament I zlecił Biuru „B" obserwację Mazura i ustalenie jego kontaktów w okresie od 25 do 31 maja 1980 r., kiedy po przyjeździe z USA zatrzymał się w tym hotelu. Starano się również obserwować go w czasie podróży po kraju. W Chicago Mazur stykał się już ze współpracownikami wywiadu, którzy przekazywali o nim informacje.

W 1976 r. Mazura rozpracowywał Wydział IV, czyli amerykański (USA, Kanada), ale 19 marca 1980 r. przekazał go Wydziałowi X (kontrwywiad) Departamentu I, który nakazał go śledzić, podsłuchiwał rozmowy telefoniczne i sprawdzał wszystkie kontakty[135].

20 czerwca 1983 r. Mazur złożył wniosek o zezwolenie na działalność gospodarczą. Chodziło o naprawę aut

i sprzedaż części samochodowych Mercedesa. Po zgodzie MSW Wydział Przemysłu i Handlu w Skierniewicach udzielił zezwolenia 24 lutego 1984 r. Przedsiębiorstwo Zagraniczne Maz-Pol-Mer działało formalnie do 31 maja 1986 r.[136]

29 listopada 1985 r. Wydział V (przemysł ciężki) Departamentu I zarejestrował Edwarda Mazura w kategorii zabezpieczenie, co oznaczało, że ma zamiar dokonać próby zwerbowania go, ale zapisy rejestracyjne pokazują, że również Wydziały VII i X dokonały zabezpieczenia[137].

Z Mazurem SB rozmawiała początkowo pod legendą załatwiania spraw formalnych w Biurze Paszportowym. Wówczas „w czasie rozmowy sondażowej przekazał on dane o kontaktach z funkcjonariuszami CIA i FBI"[138].

Kpt. Tadeusz Awdankiewicz, ps. „Żaltis", „Marzec", występujący pod nazwiskiem legalizacyjnym „Tyszkiewicz", z Wydziału X Departamentu I przedstawił plan pozyskania Mazura. Miał on udzielić informacji o funkcjonariuszach CIA i FBI, z którymi się stykał i opracować ich charakterystyki. Ppor. Jarosław Grajewski, występujący pod nazwiskiem legalizacyjnym „Dąbecki", miał doprowadzić kandydata do werbunku do pokoju w hotelu Victoria, który okablowano celem nagrania całej rozmowy. Zrezygnowano przy tym z legendowania i kpt. Awdankiewicz miał przeprowadzić rozmowę sondażowo-werbunkową jako oficer wywiadu[139].

Kpt. Awdankiewicz rozmawiał z Mazurem 7 marca 1985 r. SB rozmowę nagrała i wykonała zdjęcia. Nagranie trwa 201 minut i 33 sekundy. Panowie najpierw rozmawiają o Mercedesach i firmie Mazura, popijając coś mocniejszego. W miarę trwania konwersacji i opróżniania kieliszków przechodzą na „ty" i Mazur opowiada szczegółowo o swoich kontaktach i Polonii. Na końcu kpt. Awdankiewicz dyktuje treść zobowiązania, pomagając w ortografii. Na taśmie słyszymy, że zobowiązanie do współpracy składa się z trzech punktów. Mazur pisze, że zobowiązuje się do przekazywania: „informacji o wszelkich kontaktach z funkcjonariuszami, którzy podejmą ze mną kontakt. Informować o wrogiej Polonii USA działaniach [...]. Informować o niektórych szczegółach stosunków polsko-amerykańskich, których znajomość nabędę w wyniku uczestnictwa w pracach mieszanej komisji Polska-Ameryka"[140]. Niezbyt gramatyczny tekst świadczy, że dyktujący kpt. Awdankiewcz był już nieco „zmęczony".

Mazur „przekazał [...] dane o kontaktach z funkcjonariuszami CIA i FBI" oraz obiecał dać ich wizytówki i sporządzić charakterystyki. „[...] sporządził własnoręczne zobowiązanie o współpracy, zakresie realizowanych zadań, zachowaniu w tajemnicy faktu rozmów z przedstawicielami naszej służby". Przyjął też ps. „Martel". Mazur napisał: „zobowiązuję się do udzielenia pomocy służbie wywiadu PRL" i podpisał deklarację pseudonimem[141].

„Martel" podał nazwiska znanych sobie dwóch funkcjonariuszy FBI: Jamesa Healeya i Newcombe'a oraz osób ze swego otoczenia utrzymujących kontakt z CIA, w tym wymienił brata swej partnerki Mary Franklin, funkcjonariusza CIA, Jana Małkowskiego, właściciela restauracji „Bristol", ks. Edwarda Pająka i Edwarda Nowaka, swego wspólnika w firmie elektronicznej P.A.C. w Korei Płd.

SB liczyło, że za jej pośrednictwem będzie można zdobywać zaawansowane technologie.

Mazur przekazał też, iż szefem sekcji CIA w Chicago jest Thomas Weber. SB poleciło mu zebrać o nim więcej informacji, ale „Martel" twierdził później, że już się z nim nie spotkał.

W czasie kolejnych przyjazdów do Polski, kiedy „Martel" reprezentował wciąż nowe firmy amerykańskie, głównie zbożowe, takie jak Conagra, Rovol Interprise czy Tradex Gestion, spotykał się z kpt. Awdankiewiczem lub ppor. Grajewskim 18, 23 i 26 kwietnia, 2, 10 i 15 października oraz 1 i 3 grudnia 1985 r., a także 7 i 9 kwietnia 1986 r. „Martel" opowiedział o swoich kontaktach z Healeyem i pomógł sporządzić jego portret pamięciowy[142].

Ostatnie spotkanie z „Martelem" miało miejsce 9 czerwca 1987 r. w „Honoratce". Mazur przekazał wówczas kpt. Awdankiewiczowi materiał przygotowany przez Departament Handlu dla delegacji amerykańskiej na rozmowy ze stroną polską podczas sesji Polsko-Amerykańskiej Rady Gospodarczej. „Martel" przyjechał jako członek delegacji USA. Zdążono tylko omówić zadania, które Mazur miał realizować w czasie obrad i na Targach Poznańskich, dokąd udawał się po sesji[143]. „Martel" miał jeszcze spotkać się po targach z Awdankiewiczem, ale SB później nie nawiązywała już kontaktu, choć Mazur bez przeszkód przyjeżdżał do PRL. SB doszła do wniosku, że jest on podwójnym agentem i rozmowy z oficerami wywiadu wykorzystywał do rozpracowania ich dla CIA. W dokumentach IPN data zdjęcia „Martela" z ewidencji jest zamazana, co oznacza, że nastąpiło to po 31 lipca 1990 r.

W 1988 r. ministrem rolnictwa w rządzie Mieczysława Rakowskiego został kolega Kulczyka Kazimierz Olesiak. W tym czasie dr Jan współpracował z producentem maszyn rolniczych Franzem Rauem oraz został przedstawicielem Volkswagena na Polskę. Rozpoczynała się transformacja. Wywiad starał się utrzymywać bliskie kontakty z Janem Kulczykiem. Por. Ryszard Rojek, ps. „Rewal", który w Departamencie I pracował od 1979 r., został skierowany jako samodzielny pracownik operacyjny do punktu operacyjnego w Kolonii krypt. „Dworek" na okres od 15 sierpnia 1986 do 31 sierpnia 1990 r. Jego specjalnością był wywiad ekonomiczny i dywersja polityczna. Miał zbierać informacje m.in. o niemieckiej polityce gospodarczej i finansowej „w aspekcie restrukturyzacji gospodarki kraju w kierunku rolno-spożywczym"[144]. Wśród zadań, które miał wykonywać dla pionu „G" (Gospodarka), znalazło się „dalsze pogłębienie kontaktów z dr. J. Kulczykiem – koordynatorem konsorcjum firm rolnych w RFN. Stymulującego zakupy importowe PRL w RFN na potrzeby przemysłu rolno-spożywczego w naszym kraju (obecnie zgromadzone materiały skłaniają do założenia na jego osobę SMW)"[145]. SMW to Segregator Materiałów Wstępnych, czyli najniższa kategoria rejestracji, mająca na celu zgromadzenie odpowiednich informacji, umożliwiających rejestrację w wyższej kategorii, np. kontakt operacyjny. Często w SMW byli rejestrowani już faktyczni współpracownicy, których nie przerejestrowywano do kategorii kontakt operacyjny. Czy było tak w tym wypadku, nie wiemy. Rojek utrzymywał bliskie kontakty z Janem Kulczykiem i pisał raporty o jego sytuacji i działalności.

Kierownictwo oceniło pozytywnie działalność por. Rojka. Po dwóch latach pobytu w Kolonii stwierdzono, że „Rewal" dobrze rozpracowuje praktykę ekonomiczną RFN i obiekty oraz osoby z nią związane, oraz że rozbudował kontakty przykrycia i dotarł do instytucji gospodarczych, zwłaszcza finansowych. W podsumowaniu działalności w punkcie operacyjnym w Kolonii w maju 1990 r. stwierdzono, że „utrzymywał swoją aktywność informacyjno-operacyjną na poziomie efektywności z poprzedniego okresu"[146].

To właśnie raport por. Rojka z 12 lipca 1988 r. na temat roli Jana Kulczyka przy ministrze rolnictwa Stanisławie Ziębie[147] w czasie jego odwiedzin w RFN spowodował założenie Segregatora Materiałów Wstępnych na Jana i Marię Kulczyków[148]. „Rewal" pisał, iż „decyzją firm RFN, które podpisały współpracę konsorcji i firm rolniczych PRL/RFN jej koordynatorem został J. Kulczyk, reprezentując jako udziałowiec ANPOL Auschlußgruppe DG Bank. [...] Jan Kulczyk wykorzystywany jest przez RFN do kontraktowych kontaktów w PRL i ZSRR (od 7 do 14 bm. przebywał na rozmowach w Moskwie). [...] Obecnie zlecono mu rozpracowanie (RFN) możliwości lokaty zamówień przez PRL w koncernie «Salzgitter»"[149]. Rojek pytał centralę o status Kulczyka juniora, czy pozostaje on w zainteresowaniu wywiadu czy też związany jest z Zarządem II, czyli wywiadem wojskowym. Nadmienił również, że już dwa razy wszedł w kontakt z Janem Kulczykiem przy okazji wizyty Olesiaka i Zięby.

Młodymi Kulczykami interesował się także Inspektorat I w Poznaniu, czyli lokalna placówka wywiadu, który zarejestrował Jana Kulczyka w kategorii zabezpieczenie, a więc miał nadzieję na jego pozyskanie. Nie znamy daty tej rejestracji. Wiemy tylko, że informował o tym 14 września 1988 r., w odpowiedzi na pytanie z centrali, szef Inspektoratu I płk Bolesław Strzelec (1983–1990).

W Warszawie Janem i Marią Kulczykami interesował się z kolei Wydział VIII, czyli wywiad ekonomiczny Departamentu I. Dlatego zasięgnął informacji u szefa SB na województwo poznańskie płk. Zenona Dryndy, który znał Jana Kulczyka osobiście z czasów, gdy był delegowany przez Departament I do NRD celem rozpracowania struktur „Solidarności" (1981–1987). 19 września płk Drynda poinformował, że poznańska SB nie posiada żadnych materiałów operacyjnych dotyczących Kulczyka, ale został on zarejestrowany przez poznański Inspektorat I jako zabezpieczenie, co oznacza, że brano pod uwagę jego werbunek. Dlatego zastrzegł sobie „przesłanie nam ew. zadań jakie winien realizować dla Was ob. Janusz [błąd w imieniu – *aut.*] K."[150]. Jednocześnie Drynda zaznaczył, iż wie, że Kulczyk załatwia bardzo ważne sprawy dla wicepremiera Olesiaka. Potwierdził to „Rewal", pisząc, iż Kulczyk „z uwagi na «zażyłość» z obecnym v-ce premierem i ministrem rolnictwa, leśnictwa i gospodarki żywnościowej Kazimierzem Olesiakiem (ZSL)" ma możliwości „wymuszania" zakupów dla rolnictwa w RFN[151].

Bliskie stosunki z Kulczykami[152] utrzymywał płk Przemysław Adach[153], ps. „Koryn", który specjalizował się w tematyce niemieckiej. Do UB wstąpił 9 marca 1950 r. w Łowiczu. Pobyt w rezydenturach zaczął od stanowiska drugiego szyfranta w Ambasadzie PRL w Wiedniu (1965–1967), następnie był oficerem operacyjnym rezydentury w Berlinie Zachodnim (10.11.1974–2.07.1979), oficjalnie na stanowisku I sekretarza ds. konsularnych w Polskiej Misji Wojskowej i ponownie od października 1985 do połowy lutego 1990 r., zatem często rozmawiał z Kulczykami, gdy odwiedzali Misję Wojskową. Doktora Jana „Koryn" znał około 10 lat, a Henryka Kulczyka jeszcze dłużej i spotykał się z nimi, jak sam przyzna, także na płaszczyźnie towarzysko-prywatnej.

5 lipca 1988 r. płk Adach przesłał informację o „Klodzie", bo taki pseudonim SB nadała Janowi Kulczykowi. „Nawiązał kontakty na płaszczyźnie handlowo-gospodarczej z wysokimi czynnikami rządowo-społecznymi w kraju i gospodarczymi w RFN. Uczestniczył w wielu pertraktacjach gospodarczych między Polską i RFN, prowadzonych nieraz kulisowo między obu stronami w okresach zamrożonych stosunków. [...] Reprezentuje poglądy polityczno-społeczne [o] trwałości ustroju socjalistycznego w kraju, ale potrzebie dokonania zmian w strukturze gospodarczo-finansowo-handlowej jako bardziej efektywną w odniesieniu do niekluczowych gałęzi przemysłu. [...] Jednocześnie negatywnie odnosi się do opozycyjnej działalności ugrupowań prosolidarnościowych, traktując to jako wrogą działalność określonych elementów politycznych. [...] Robi wrażenie jakoby pozostawał w kontakcie z kimś znaczącym z resortu MSW i Służby Bezpieczeństwa. Do Służby Bezpieczeństwa PRL odnosi się z przyjaznym i lojalnym uznaniem oraz chyba podjąłby dialog operacyjny, jeżeli nie jest kontynuowany"[154] – pisał płk Adach. Kulczyk był więc idealnym partnerem w dobie transformacji.

Dalej dowiadujemy się od płk. Adacha, że dr Jan „utrzymuje kontakty z Misją Wojskową PRL w Berlinie

Zachodnim w zasadzie na wszystkich szczeblach kierowniczych. Pozostaje w dobrych układach z szefem misji gen. Z. Zielińskim[155], z radcą handlowym Chryszczanowiczem i z pozostałym personelem BRH, z radcą konsularnym Zbitowskim[156] i niektórymi merytorycznymi pracownikami"[157].

Płk Adach należał do wywiadu cywilnego, więc mógł nie wiedzieć, iż radca handlowy to płk Walerian Chryszczanowicz ps. „Parnas II" z Zarządu II, oficer operacyjny rezydentury „Forum". Ppłk Chryszczanowicz pracował w latach 70. pod przykryciem w Impexmetalu, skąd często wyjeżdżał na negocjacje handlowe za granicę. Służył wówczas w Oddziale X, czyli krajowym, Zarządu II Sztabu Generalnego. 17 marca 1984 r. wywiad wojskowy wysłał go do rezydentury w Berlinie Zachodnim, oficjalnie na stanowisko radcy handlowego w Misji Wojskowej PRL w Berlinie Zachodnim. W rezydenturze podlegał płk. Stanisławowi Prugarowi, szefowi rezydentury (18.08.1982–17.06.1987). „Parnas II" początkowo miał pracować samodzielnie, poza rezydenturą, ale ostatecznie włączony został do „Forum". Jego głównym zadaniem miała być praca typowniczo-werbunkowa[158].

Na raporcie płk. Adacha widnieje dopisek jego szefa „Nolda", iż w wypadku poważnych zamiarów werbunkowych wobec dr. Jana należałoby ściągnąć „Koryna" do kraju, by wykorzystać jego wiedzę. „Nold" to płk Feliks Kołecki, występujący pod nazwiskiem legalizacyjnym „Tadeusz Branicki", rezydent wywiadu w Berlinie Zachodnim (1985–1988), oficjalnie na stanowisku radcy Ambasady PRL w Berlinie Wschodnim i Polskiej Misji Wojskowej. Kołecki już wcześniej musiał znać Kulczyków, gdyż w latach

1973–1976 był samodzielnym pracownikiem operacyjnym punktu operacyjnego w Kolonii, oficjalnie I sekretarzem Ambasady PRL w Bonn.

W kolejnej notatce, już ze stycznia 1989 r., płk Adach omawiał możliwości wywiadowcze Kulczyka, które określał jako „dość duże [...] w dziedzinie stosunków gospodarczo-finansowych na linii RFN–Polska oraz kulis układów prywatno-politycznych z wpływowej elity w niektórych sferach społecznych RFN"[159].

Płk Adach wykluczał przy tym możliwość współpracy Jana Kulczyka z zachodnimi służbami specjalnymi „z uwagi na znaczące wsparcie znaczących czynników rządowo-gospodarczych od strony kraju"[160]. Na koniec „Koryn" podkreślił, iż uważa za uzasadnione podjęcie dialogu operacyjnego z Kulczykiem i oferował się, że może z nim się spotkać na dłuższą rozmowę w kraju. Przyznał też, że dr Jan doskonale zdaje sobie sprawę z jego prawdziwej roli. Ostrzegał przy tym, by nie używać terminu „współpraca", lecz mówić o „pomocy konsultacyjnej".

3 lutego 1989 r. płk Henryk Jasik[161], ówczesny z-ca dyrektora Departamentu I, zwrócił się w sprawie Jana Kulczyka do szefa SB w Poznaniu płk. Zenona Dryndy: „W związku z rejestracją [jako zabezpieczenie – *aut.*] przez Inspektorat I w Poznaniu proszę o nadesłanie kompletnej notatki dotyczącej jego kontaktów z naszą służbą oraz ewentualnie posiadanych materiałów do wglądu"[162]. Płk Jasik, ps. „Jelski", mógł znać Kulczyków, gdyż w okresie od 1 września 1976 do 22 lipca 1980 r. był oddelegowany do punktu operacyjnego krypt. „Dworek" w Kolonii. Był też dobrym znajomym jeszcze z czasów poznańskich Gromosława Czempińskiego. W marcu 1990 r.

Jasik, już jako dyrektor Departamentu I, wnioskował o zamknięcie sprawy krypt. „Klod" i odesłanie materiałów do archiwum.

Joanna Jaroszek

W latach 2005–2013 Jan Kulczyk związany był z Joanną Przetakiewicz[163], znaną obecnie jako projektantka mody.

Joanna Jaroszek ukończyła technikum farmaceutyczne, co wynikało z zawodu matki, która pracowała w Aptece Homeopatycznej Cefarmu. Ojciec, Czesław Jaroszek[164], ukończył Wydział Prawno-Ekonomiczny UW i od 1956 r. był lektorem KW PZPR, a następnie prokuratorem Prokuratury Generalnej.

W 1988 r.[165] Joanna Jaroszek wyszła za mąż za Jerzego Przetakiewicza[166], pochodzącego z rodziny lekarskiej, postać dość barwną[167]. Ojciec Jerzego był dziekanem Wydziału Lekarskiego Akademii Medycznej, a następnie kierownikiem III Kliniki Chirurgicznej AM, zaś matka pracowała jako lekarz w rządowej Lecznicy Ministerstwa Zdrowia i Opieki Społecznej na ul. Emilii Plater. Jerzy Przetakiewicz po ukończeniu studiów ekonomicznych na SGPiS w 1981 r. prowadził sklep nr 514 na Bazarze Różyckiego. Często jeździł za granicę i – jak wielu młodych ludzi – chciał się wyrwać z komunistycznej beznadziei. W marcu 1986 r. Przetakiewicz złożył wniosek o paszport, by udać się do Szwecji w celu wzięcia ślubu z Ludmiłą Korbelarovą-Kowalską[168], reżyserem teatralnym, zamieszkałą w Göteborgu, co też wkrótce nastąpiło. Nie wiemy, kiedy doszło do rozwodu.

W 1989 r. przyszedł na świat pierwszy syn Przetakiewiczów – Aleksander[169], a w 1991 r. Joanna Przetakiewicz ukończyła prawo na Uniwersytecie Warszawskim. Razem z bratową Marią prowadziła kliniki stomatologiczne Vita-Dent. W 2010 r. Kulczyk sfinansował Joannie Przetakiewicz dom mody La Mania. Całość akcji posiadała Aboxne Limited, spółka powiązana z Kulczykiem za jego życia[170].

Ilona Kulczyk – siostra dr. Jana

Maria Kulczyk[171] ukończyła w 1974 r. IV Państwowe Liceum Sztuk Plastycznych w Bydgoszczy i dostała się na Wydział Malarski, Grafiki i Rzeźby Państwowej Wyższej Szkoły Sztuk Plastycznych, którą ukończyła w 1980 r.

Ilona Kulczyk – bo wolała używać drugiego imienia – już w 1970 r. uzyskała osobny od matki paszport konsularny, ponieważ często jeździła między domem w Bydgoszczy a Berlinem, gdzie mieszkał ojciec. Jak wiadomo paszport konsularny dla nieletniej oczywiście nie był żadnym przywilejem w komunizmie. W czerwcu 1974 r. bezpieka interesowała się paszportówką Marii Kulczyk, nie wiemy jednak, w jakim celu.

Już w czasie studiów Ilona Kulczyk pracowała w firmie ojca. Wiosną 1982 r. była oficjalnie konsultantką ds. plastycznych, reklamy i asystentką prezesa Polonijnego Przedsiębiorstwa Zagranicznego Interkulpol, członka Polsko-Polonijnej Izby Przemysłowo-Handlowej. Właścicielami Interkulpolu – Wielobranżowego Zakładu Wytwórczości Drobnej w Komornikach pod Poznaniem byli Henryk i Jan Kulczykowie.

11 sierpnia 1982 r. Maria Kulczyk wyszła za mąż za Kajetana Pyrzyńskiego[172], który w Mełpinie w gminie Dolsk w powiecie śremskim pracował na własnym gospodarstwie rolnym. Pyrzyński ukończył technikum chemiczne, następnie Wydział Maszyn Roboczych i Pojazdów na Politechnice Poznańskiej (1974). Działał w ZSP i był przewodniczącym Sądu Koleżeńskiego. Pyrzyński należał do ruchu esperantystów i dzięki tym kontaktom sporo podróżował. Zaraz po studiach został asystentem w Instytucie Mechaniki Technicznej na Politechnice, a jesienią 1975 r. podjął pracę w Polskich Liniach Oceanicznych. W tym czasie ożenił się z Małgorzatą Juszczak[173]. Żona była asystentką w Biurze Projektów Budownictwa Wiejskiego, a następnie pracowała jako technik w Akademii Rolniczej. Małżeństwo ma córkę Joannę[174]. W 1979 r. Pyrzyński ostatecznie wrócił na gospodarstwo w Mełpinie. W 1981 r. Małgorzata pozostała w Szwecji, a córka Joanna z ojcem w Polsce.

Po ślubie córki Henryk Kulczyk zaprosił ją wraz z zięciem do Berlina i na wspólną podróż do Ameryki Płd. Po powrocie małżeństwo zamieszkało osobno; Kajetan Pyrzyński w gminie Dolsk, a Ilona Kulczyk w Berlinie, gdyż wkroczyła za sprawą ojca na drogę biznesową.

W lutym 1983 r. Henryk Kulczyk poprosił o paszport konsularny dla córki, by mogła stać się współwłaścicielem firmy Kulczyk – Außenhandelsgesellschaft mGH w Berlinie.

Odwiedziny Pyrzyńskiego u żony wymagały każdorazowego zaproszenia. Razem też podróżowali, na przykład w 1986 r. do Chin, ale w następnym roku małżeństwo się rozpadło. W 1985 r. Pyrzyński prowadził

już warsztat rzemieślniczy – Wytwórnia Artykułów Chemicznych „Delta", która jako spółka z o.o. działa do
dziś[175]. Pyrzyński zajmuje się produkcją chemii gospodarczej, jest też konsulem honorowym Peru na Wielko-
polskę i Dolny Śląsk.

Płk Adach równie szczegółowo opisał Ilonę Kulczyk,
którą znał od ponad 10 lat. Szczególnie dużo miejsca poświęcił jej życiu prywatnemu. Podkreślił, że wprawdzie
po rozwodzie z Pyrzyńskim związała się z niemieckim
dyplomatą pochodzącym z Poznania, Reichertem, który
pracuje w Wiedniu w UNIDO, ale ojciec, mający na nią
przemożny wpływ, chciałby, by wyszła za Polaka z zagranicy. „O powyższym wspominam w kontekście wykorzystania powyższej sytuacji do wprowadzenia odpowied-
niego kandydata" – pisał „Koryn". Płk Adach planował
więc, by SB wyszukało kandydata na męża i podstawiło
go Marii Kulczyk. Nie było to łatwe, gdyż „w zasadzie
dysponuje w nieograniczony sposób finansami ojca, których część jest na jej kontach" – podkreślał „Koryn" i dodawał, że obawia się jej wykorzystania ze względu na
posiadany majątek. Płk Adach skończył swój opis Marii Kulczyk słowami: „ogólnie oceniam «Ilonę» jako kobietę – osobę godną zainteresowania o różnych profilach
przydatności". Rezydent „Nold" dopisał na notatce, iż
należy rozpracować „Ilonę" od strony kraju[176].

Widocznie centrala chciała wykonać to zadanie, gdyż po-
leciła płk. Adachowi ustalić terminy pobytu „Ilony" w kraju.
„Koryn" poinformował, że jeździ ona dwa, trzy razy w miesiącu na kilka dni do Poznania, a na dłużej przybędzie na
okres Targów Poznańskich od 10 do 20 czerwca 1989 r.[177]
Na dalsze działania SB było już prawdopodobnie za późno.

Jeszcze 10 stycznia 1991 r. kpt. Stanisław Witkowski, z-ca naczelnika Wydziału II Delegatury Urzędu Ochrony Państwa w Łodzi, zwrócił się do Kartoteki Ewidencyjnej Zarządu Wywiadu UOP z prośbą o informację o charakterze materiałów dotyczących Marii Kulczyk lub o ich wypożyczenie. W odpowiedzi uzyskał potwierdzenie, że Maria Kulczyk była w zainteresowaniu byłego Departamentu I, ale rozmów operacyjnych z nią nie prowadzono.

PRZYPISY

[1] Sebastian Kulczyk (ur. 16.11.1980), syn Jana (ur. 24.06.1950) oraz Grażyny z d. Łagoda (ur. 5.11.1950), córki Stanisława.

[2] Dominika Kulczyk (ur. 30.07.1977), córka Jana (ur. 24.06.1950) oraz Grażyny z d. Łagoda (ur. 5.11.1950), córki Stanisława.

[3] Cezary Bielakowski, Piotr Nisztor, *Jan Kulczyk. Biografia niezwykła*, Warszawa 2015, s. 238.

[4] Piotr Wawrzynowicz (ur. 1976) ukończył nauki polityczne (marketing polityczny) na UW, był szefem Funduszu Wyborczego PO (2003–2006), asystentem Mirosława Drzewieckiego, skarbnika PO. W czasie wyborów prezydenckich w 2005 r. został pełnomocnikiem finansowym w komitecie Donalda Tuska. W tym czasie razem z innym działaczem PO Marcinem Rosołem podczas kampanii płacił tzw. słupom za fikcyjne usługi wyborcze, za co następnie obaj otrzymywali sowitą zapłatę. Miał kupić zegarek Sławomirowi Nowakowi za jego pieniądze. Wawrzynowicz był doradcą różnych spółek, np. Elektrimu (2008–2011).

[5] Tomasz Mikołajczak (ur. 1956) od 1980 r. prowadzi działalność głównie przez spółkę holdingową Towarzystwo Inwestycji Kapitałowych S.A., od lipca 2014 r. na stanowisku zastępcy przewodniczącego Rady Nadzorczej CIECH S.A.

⁶ Paweł Tamborski (ur. 17.01.1966) po ukończeniu Akademii Ekonomicznej w Poznaniu pracował jako makler, został szefem bankowości inwestycyjnej i członkiem zarządu UniCredit CAIB Poland (1994), odpowiadał za londyński zespół rynków kapitałowych Europy Środkowo-Wschodniej (2008–2010), następnie kierował bankowością inwestycyjną w banku inwestycyjnym Wood & Company (2010–2012); podsekretarz stanu w Ministerstwie Skarbu (2012–2014), prezes Giełdy Papierów Wartościowych (2014–2015).

⁷ Stanisław Gawłowski (ur. 27.11.1968), działał w Ruchu Wolność i Pokój, KPN (1988) i SKL, z-ca burmistrza Darłowa (1994), z-ca prezydenta Koszalina (2002–2005), poseł na sejm (od 2005), sekretarz stanu w Ministerstwie Środowiska (2007–2015), sekretarz generalny PO (grudzień 2017–kwiecień 2018). W związku z aferą melioracyjną w Zachodniopomorskim Zarządzie Melioracji i Urządzeń Wodnych w Szczecinie tymczasowo aresztowany na trzy miesiące (15.04.2018), zwolniony za poręczeniem majątkowym 0,5 mln zł (13.07.2018).

⁸ *Ta sprawa śmierdziała od samego początku. Jak doszło do prywatyzacji Ciechu?*, Stefczyk.info, 12.02.2018, http://www.stefczyk.info/wiadomosci/polska/ta-sprawa-smierdziala-od-samego-poczatku-jak-doszlo-do-prywatyzacji-ciechu,22460195520#ixzz5Le2JpNIH (dostęp: 18.07.2018).

⁹ Marek Falenta po studiach w Legnicy pracował jako specjalista od majątku trwałego w KGHM (1997–2000), następnie skupywał długi samorządów i szpitali publicznych; skazany za wyłudzanie kredytów (2009), przedsiębiorca handlujący węglem rosyjskim, główny oskarżony w aferze podsłuchowej, został skazany na 2,5 roku więzienia za zlecenie i zorganizowanie nagrywania polityków i biznesmenów w stołecznych restauracjach (29.12.2016).

¹⁰ Rafał Baniak (ur. 12.02.1976), doradca ministra pracy i polityki społecznej (2002–2003), doradca premiera oraz p.o. dyrektora sekretariatu wicepremiera Jerzego Hausnera (2003–2004), podsekretarz

stanu w Ministerstwie Polityki Społecznej (14.5.2004–17.11.2005), dyrektor, następnie doradca prezydenta i zastępca dyrektora generalnego w Konfederacji Pracodawców Polskich Lewiatan, podsekretarz stanu w Ministerstwie Gospodarki (2007–2011), podsekretarz stanu w Ministerstwie Skarbu Państwa (2011–2015). Po wybuchu afery taśmowej został wiceprezydentem Wykonawczym Pracodawców RP, od października 2015 r. reprezentuje Pracodawców RP w Radzie Dialogu Społecznego.

[11] *Nieprawidłowości przy zbyciu „Ciechu"? – nieznany wątek afery taśmowej*, Parezja.pl, 12.02.2015, http://parezja.pl/nieprawidlowosci-przy--zbyciu-ciechu-nieznany-watek-afery-tasmowej/ (dostęp: 18.07.2018).

[12] Cezary Bielakowski, Piotr Nisztor, *Jan Kulczyk...*, s. 232.

[13] Jan Widacki (ur. 6.01.1948) ukończył prawo na UJ (1969), obronił doktorat (1972), habilitację (1977), profesor (1988), kierownik katedry kryminalistyki na UŚ (1977), wykładowca na KUL (1983–1990). Jako wykładowca był etatowym pracownikiem Wyższej Szkoły Oficerskiej MSW im. Feliksa Dzierżyńskiego w Legionowie, szkolącej funkcjonariuszy SB (1980). W rządzie Mazowieckiego jako wiceminister spraw wewnętrznych pomagał gangsterom założyć fundację Bezpieczna Służba, która miała czerpać zyski m.in. z gier losowych i pomagać policjantom. Ambasador na Litwie (1992–1996), praktyka adwokacka (od 1996), poseł Lewicy i Demokratów (2007–2011), poparł Palikota (2012).

[14] Dorota Kania, Jerzy Targalski, Maciej Marosz, *Resortowe dzieci. Politycy*, Warszawa 2016, s. 13, 93, 140, 309, 463.

[15] Andrzej Roman Kuna (ur. 17.05.1954), syn Piotra i Teresy z d. Urbańskiej, 19 listopada 1978 r. wyjechał na pobyt czasowy do Belgii i nie wrócił, a w styczniu 1980 r. przeniósł się do Austrii. W PRL studiował na Akademii Ekonomicznej (1973–1976), ale przerwał naukę i podjął pracę w usługowym zakładzie złotniczym „Ślęzak" jako uczeń. Razem z bratem Bartłomiejem prowadził firmę Terpal, wysyłającą

paczki do Polski. W 1981 r. założył firmę Andrzej Kuna OHG. Wraz z Aleksandrem Żaglem jest współwłaścicielem firm Polmarck i Ananex Warenhandel Kuna OHG. Ananex z kolei był udziałowcem Billi. Jego bracia Paweł (ur. 1960) i Bartłomiej (ur. 1957) pracowali u niego w Austrii, a Wojciech (ur. 1975) i Maciej (ur. 1972) pozostali w Polsce. Mjr Janusz Gierak z Wydziału XIII Departamentu II zarejestrował Andrzeja Kunę 29 października 1986 r. w kategorii „kandydat na TW" (k-TW). Kunę zdjęto z ewidencji 5 lutego 1990 r., a materiały operacyjne zniszczono (zapisy ewidencyjne). Mjr Janusz Gierak prowadził również TW „Ludwika-Ter" (zob. rozdział nt. Ireneusza Sekuły).

[16] Aleksander Żagiel (ur. 22.10.1953), syn Juliana (ur. 31.05.1909), syna Lejzora, oraz Marii z d. Wróblewskiej (ur. 22.07.1933), córki Edwarda i Franciszki z d. Osielskiej. 8 stycznia 1969 r. Julian i Maria Żagiel razem z synami Aleksandrem i Benedyktem emigrowali do Izraela. Na początku lat 70. małżeństwo rozpadło się i Maria Żagiel z synem Aleksandrem wyjechała do RFN, gdzie oboje uzyskali obywatelstwo niemieckie. Od 1975 r. Maria Żagiel starała się wrócić do Polski. Eugenia Żagiel (ur. 27.07.1945, Wrocław), córka Touvii i Wali z d. Uszakowa, obywatelka RFN zamieszkała w Austrii, była pierwszą żoną Aleksandra Żagla. Ganit Żagiel (ur. 27.07.1945, Wrocław) z d. Katz, obywatelka Izraela i RFN zamieszkała w Austrii, jest drugą żoną Aleksandra Żagla.

3 maja 1983 r. Aleksander Żagiel otrzymał zezwolenie na założenie PPZ „Alex" w Sarnowie gm. Rybno w woj. skierniewickim. W listopadzie przekazał firmę matce. W Austrii Żagiel był współwłaścicielem firm Mabur Sp. z o.o., Denim Team Sp. z o.o., Alan Sp. z o.o., Polmarck, Ananex, Bicarco i Polcommerz Gmbh, której filię otworzył w Bielsku-Białej. Od 1985 r. Polmarck miał oddział w Warszawie przy Królowej Marysieńki 11/2 w dzielnicy Wilanów.

[17] Patrz: Dorota Kania, Jerzy Targalski, Maciej Marosz, *Resortowe dzieci. Politycy*, s. 13, 462–464, 459-466.

[18] Marek Modecki (ur. 27.12.1958), ukończył prawo na UW (1981) i podjął pracę na tej uczelni, skąd został wysłany na stypendium doktorskie do Hamburga, gdzie ukończył prawo międzynarodowe w Instytucie Maxa Plancka w Hamburgu (1982–1984). Podjął tam pracę jako handlowiec i uzyskał paszport konsularny. Brał udział w sprzedaży Agros SA na rzecz Pernod Ricard, sprzedaży Warta Ubezpieczenia do KBC, zakupu Multivita przez Coca-Cola Company, sprzedaży Banku Pocztowego PKO BP i przejęć Asseco Poland w Danii, Francji, Włoszech, Niemczech i Szwajcarii. W 2009 r. uczestniczył w sprzedaży HTL-STREFA do EQT fundusz private equity. Razem z Wojciechem Fibakiem stworzył grupę spółek kupujących i zarządzających wydawcami gazet w Polsce, doradzał przy zakupie, a następnie nadzorował: lokalna „Gazeta Poznańska" – sprzedana później Passauer Neue Presse, „Sport", „Express Wieczorny", „Sztandar Młodych" – dzienniki krajowe – sprzedane później do JM Verlagsgruppe (1992–1996). Po sprzedaży gazet, w imieniu Socpresse S.A. nadzorował proces zakupu większościowego pakietu akcji, a następnie sprzedaż Prespublica S.A., wydawcy „Rzeczpospolitej" do Grupy Orkla (Norwegia). Był także założycielem i akcjonariuszem HCM A.G. (Hilfer, Clauss, Modecki), spółki działającej w branży elektroniki użytkowej, a także reprezentantem Polkolor S.A. na rynkach Europy Zachodniej. Modecki jest Członkiem Rady Nadzorczej Pegas Nonwovens SA, SMT SA oraz EGB Finance sp. z o.o. Był członkiem następujących rad nadzorczych: Immobel SA, Empik Media & Fashion SA, Agros SA, Clif SA, Atlantis SA, Metalexport SA, Prokom Software SA, Petrolinvest SA oraz Polnord SA, patrz: Hollywood S.A., http://hollywoodsa.pl/pl/marek-modecki (dostęp: 1.10.2018).

[19] *Wszyscy ludzie teczek*, „Newsweek" 2005, nr 24, http://www.newsweek.pl/peryskop/wszyscy-ludzie-teczek,16896,1,1.html (dostęp:

1.10.2018). W katalogu IPN po częściowym odtajnieniu Zbioru „Z" żadnych informacji o Marku Modeckim nie ma, chociaż członkowie komisji orlenowskiej je otrzymali.

[20] Józef Modecki (21.12.1923–10.01.1997), syn Jana.

[21] IPN BU 01220/261, Materiały operacyjne poza teczkami, Modecki Józef ps. „Adam", k. 10. Są to materiały z obserwacji przeprowadzonej 14 stycznia 1983 r. przez funkcjonariuszy Biura „B".

[22] Zbigniew Modecki (ur. 25.11.1955), syn Józefa (1923–1997) i Kazimiery z d. Karaskiewicz (1929–2016).

[23] IPN BU 01220/261, Materiały operacyjne poza teczkami, Modecki Józef... .

[24] IPN BU 2602/23006, Teczka współpracownika ps. „Dik", Notatka służbowa współpracownika „Dik" dotycząca rozmowy ze Sroką z 9.09.1989, k. 30–31.

[25] Sławomir Cenckiewicz, *Długie ramię Moskwy. Wywiad wojskowy Polski Ludowej 1943–1991*, Poznań 2011, s. 355–356.

[26] Cezary Bielakowski, Piotr Nisztor, *Jan Kulczyk...*, s. 39.

[27] Sylwetka Gromosława Czempińskiego patrz: Dorota Kania, Jerzy Targalski, Maciej Marosz, *Resortowe dzieci. Służby*, Warszawa 2014, s. 25–41.

[28] Notatka nr 2 – tekst odtajnionej notatki ze spotkania Jana Kulczyka z Władimirem Ałganowem w Wiedniu w lipcu 2003 r. sporządzonej przez Zbigniewa Siemiątkowskiego, http://hotnews.pl/artpolska-324.html (za: PAP, 21.10.2004).

[29] Dorota Kania, Jerzy Targalski, Maciej Marosz, *Resortowe dzieci. Politycy*, s. 140–150, 174–175.

[30] Cezary Bielakowski, Piotr Nisztor, *Jan Kulczyk...*, s. 87.

[31] Jan Waga (ur. 16.08.1950).

[32] Wojciech Zaremba był szefem grupy prawników pracujących dla Kulczyka. Zmarł jeszcze przed swoim patronem.

³³ Waldemar Frąckowiak (ur. 6.07.1950), profesor Akademii Ekonomicznej w Poznaniu, kierownik Katedry Inwestycji i Rynków Kapitałowych Uniwersytetu Ekonomicznego w Poznaniu, członek Rady Nadzorczej Kulczyk Investments.

³⁴ IPN BU 001052/242, Frąckowiak Waldemar krypt. „Rolf".

³⁵ Jan Waga był także członkiem zarządu spółki zależnej Tele-Invest S.A., wiceprzewodniczącym Rady Nadzorczej Towarzystwa Ubezpieczeń i Reasekuracji WARTA S.A., przewodniczącym Rady Nadzorczej WARTA Vita S.A., Powszechnego Towarzystwa Emerytalnego DOM S.A., Mobitel sp. z o.o., Euro Invest sp. z o.o., a także członkiem rad nadzorczych Autostrady Wielkopolskiej S.A., Kompanii Piwowarskiej S.A., Skody Auto Polska S.A., Point of View sp. z o.o.

³⁶ Romuald Andrzej Waga (26.01.1936–29.11.2008).

³⁷ IPN BU 2386/32135, Teczka ewidencyjna Waga Romuald Andrzej prowadzona przez szefostwo WSW, k. 9, 12.

³⁸ *Raport o działaniach żołnierzy i pracowników WSI...*, publikacja w „Monitorze Polskim", nr 11, 16.02.2007, s. 232 z 374.

³⁹ Karolina Ołoś, Darek Janowski, *Wojskowa mafia paliwowa*, „Dziennik Bałtycki", 14.11.2005.

⁴⁰ Z firmą Megagaz, założoną w 1997 r., związani byli: od 2001 r. wiceprezes rady nadzorczej Wiesław Huszcza, były skarbnik SdRP, w 2002 r. prezes rady nadzorczej Jerzy Napiórkowski, były wiceminister finansów (1986–1990), wiceprzewodniczący rady nadzorczej (2000–2003) Roman Kurnik, były kadrowiec SB, gen. Andrzej Ratajczyk, były pełnomocnik Wojsk Lądowych, gen. Marian Robełek, zastępca szefa Sztabu Generalnego Wojska Polskiego, Zbigniew Sowiński, były funkcjonariusz, emerytowany oficer Wojska Polskiego. Sowiński, prezes Megagazu (od 2002), jak również prezes i udziałowiec firmy Biura Podróży First Class, próbował popełnić samobójstwo w lipcu 2014 r. Gen. Marian Robełek przejął na terenie Warszawy nieruchomości warte min. 100 mln złotych, był też doradcą ministra

obrony Bronisława Komorowskiego, a następnie Jerzego Szmajdzińskiego (SLD).

[41] Andrzej Patalas (1941–2013).

[42] Henryk Kulczyk (26.06.1925–18.02.2013), syn Władysława (1890–1981), syna Józefa (1847–1929), oraz Heleny z d. Jędrzejewskiej.

[43] Władysław Kulczyk (1890–1981), syn Józefa (1847–1929), syna Andrzeja (ur. 1815) i Katarzyny z d. Dunarskiej (ur. 1820), oraz Teodozji Weyna (1858–1932), córki Józefa Weinerta i Antoniny Teichner (ur. 1826).

[44] Leokadia Kulczyk (1885–1970), córka Józefa (1847–1929) oraz Teodozji Weyna (1858–1932).

[45] Paul Anton Latzke (1885–1965).

[46] Bruno Latzke (ur. 20.07.1911), stomatolog z Legnicy, 18 lipca 1939 r. ożenił się z Anną Luizą Thomas (ur. 16.02.1916), córką starszego inspektora sądowego ze Świerzawy.

[47] Edward Latzke (12.08.1912–2012).

[48] Paul Latzke (1914–2011).

[49] Alfons Latzke (1918–2002).

[50] Hildegarda Jörg (ur. 1915).

[51] Adelheid Reichert (ur. 1924). Małżeństwo miało syn Michaela.

[52] Maria-Barbara Hammling (1920–1954).

[53] Marga Latzke (1921–2015).

[54] Halina Elżbieta Kulczyk (ur. 5.11.1929), córka Władysława (1890–1981) oraz Heleny z d. Jędrzejewskiej (9.06.1900). W aktach paszportowych nosi też imię Hanna.

[55] Maria Władysława Kulczyk-Sienkiewicz (ur. 1.05.1971, Bydgoszcz), córka Leona i Haliny. W aktach paszportowych nazwiska ojca nie podaje. W zaproszeniu od wuja Maria często nazywana jest Marylą.

[56] Cezary Bielakowski, Piotr Nisztor, *Jan Kulczyk...*, s. 133.

[57] Irena Marmurowicz (ur. 1923), córka Władysława.

[58] Do czasu podpisania traktatu pomiędzy Republiką Federalną Niemiec (Niemcy Zachodnie) a PRL w 1970 r. w PRL stosowana była oficjalnie nazwa Niemiecka Republika Federalna (NRF) – przez analogię do Niemieckiej Republiki Demokratycznej.

[59] IPN BU 002086/2045, Kulczyk Henryk ps. „Paweł", Wyciąg z raportu z podróży służbowej do Wydziału II w Bydgoszczy z dn. 23.02.1960 r. w sprawie organizacyjnego sprawdzenia krypt. „Kontakt".

[60] Ibidem.

[61] Emil Podpora (ur. 1930) doszedł do stopnia pułkownika i stanowiska z-cy naczelnika Wydziału VIII Departamentu II (1980–1984).

[62] IPN BU 002086/2045, Kulczyk Henryk ps. „Paweł", Raport z 28.03.1960 r. – rozmowa z figurantem sprawy „Kontakt" w hotelu Polonia w Toruniu 26.03.1960.

[63] Ibidem, Analiza z materiałów przeprowadzonej rozmowy z kandydatem na werbunek H. Kulczykiem, 23.04.1960, k. 9.

[64] Ibidem, Wniosek o zatwierdzenie dokonanego werbunku.

[65] IPN BU 002086/2045, Kulczyk Henryk ps. „Paweł", Raport o zezwolenie na przekazanie zadania z 8.08.1960.

[66] W dokumentacji widnieje błędnie wpisany rok 1900.

[67] Władysław Pożoga 1 grudnia 1981 r. zostanie szefem Służby Wywiadu i Kontrwywiadu, czyli Departamentu I i II MSW.

[68] IPN BU 002086/2045, Kulczyk Henryk ps. „Paweł", Raport z 31.08.1960 dla Naczelnika Wydz. III Dep. II.

[69] Ibidem.

[70] Ibidem, Raport mjr. W. Pożogi z 11.11.1960.

[71] Zenon Jakubowski (ur. 25.09.1930) w 1979 r. został szefem SB w Koninie. W bezpiece służył od 1949 r. Na emeryturę przeszedł w listopadzie 1981 r. Przez ten czas najdłużej służył w kontrwywiadzie.

[72] IPN BU 002086/2045, Kulczyk Henryk ps. „Paweł", Wniosek o werbunek z 2.06.1961.

[73] Ibidem, Wniosek o zatwierdzenie dokonanego werbunku z 28.09.1961.

[74] Ibidem, Zobowiązanie, k. 23.

[75] Ibidem, Wniosek o wykorzystanie TW „Pawła" z 12.10.1961.

[76] Ppłk Marian Grudziński był pracownikiem rezydentury Departamentu I MSW w Berlinie Zachodnim, oficjalnie pełniąc funkcję II sekretarza Polskiej Misji Wojskowej (15.08.1969–1970). Musiał więc później stykać się z Henrykiem Kulczykiem, który utrzymywał ścisłe kontakty z Misją i jej pracownikami.

[77] IPN BU 002086/2045, Kulczyk Henryk ps. „Paweł", Raport z 30.01.1964.

[78] Ibidem.

[79] Ibidem, Doniesienie TW „Romana" z 5.01.1964.

[80] Ibidem, Doniesienie z 9.09.1969.

[81] Ibidem, Raport – analiza ppłk. Góreckiego z 11.02.1969.

[82] Ibidem, Notatka wyjaśniająca mjr. Kolaszewskiego z 17.03.1969.

[83] Ibidem.

[84] Ibidem.

[85] Ibidem, Raport płk. Jędrzejczaka.

[86] Chodziło o Polkę Ewę Juśkowiak (ur. 23.11.1939, Bydgoszcz), która wyszła za Niemca Henri Hallmanna i o której Kulczyk szeroko informował SB, zwłaszcza o jej życiu prywatnym.

[87] IPN BU 002086/2045, Kulczyk Henryk ps. „Paweł", Raport płk. Bogusława Jędrzejczyka z 12.01.1970.

[88] IPN BU 01591/661/Jacket, Kulczyk Jan i Maria SMW, Notatka służbowa kpt. Jerzego Fedorczyka, insp. Wydziału VIII Dep. I MSW.

[89] Takie samo nazwisko legalizacyjne miał por. marynarki Jerzy Reczkowicz z AWO Zarządu II Sztabu Generalnego.

[90] IPN BU 002086/2045, Kulczyk Henryk ps. „Paweł", Raport płk. Bogusława Jędrzejczyka z 12.01.1970.

[91] Ciekawe, że ppłk Zenon Drynda w 1975 r. został szefem SB właśnie w Bydgoszczy. W 1981 r. wysłano go do NRD celem rozpracowania „Solidarności" na Zachodzie. W 1988 r. Drynda został szefem SB w Poznaniu.

[92] IPN BU 002086/2045, Kulczyk Henryk ps. „Paweł", Pismo ppłk. Zenona Dryndy z 19.11.1970.

[93] Ibidem, Notatka służbowa z 9.10.1970.

[94] Ibidem, Notatka służbowa z 5.11.1970.

[95] Kazimierz Stanisław Prośniak (ur. 15.10.1925, Łódź), syn Józefa (ur. 1897) i Ewy.

[96] IPN BU 003088/2, Akta osobowe funkcjonariusza SB Prośniak St. Kazimierz.

[97] IPN BU 002086/2045, Kulczyk Henryk ps. „Paweł", Raport „Helda" dot. Kulczyka z 9.02.1973.

[98] Ibidem, Instrukcja dla „Tella" z 26.02.1973.

[99] Eugen Gritzner (ur. 10.03.1928, Łódź).

[100] IPN BU 01220/10, Materiały operacyjne przechowywane poza teczkami operacyjnymi dotyczące figurantów (cudzoziemcy), t. 557, figurant „Ren".

[101] Julian Bojmart (ur. 4.02.1929, Jędrzejów), syn Izaaka/Józefa i Neszy/Natalii z d. Frydman.

[102] IPN BU 001102/2180/J, Bojmart Julian, ankieta TW ps. „Julian".

[103] IPN BU 02778/797 Bojmart Julian.

[104] Ibidem, Notatka służbowa z 14.12.1982.

[105] Cezary Gmyz, *Zaraza za Spiżową Bramą*, „Rzeczpospolita", 3.10.2009.

[106] Cezary „Trotyl" Gmyz, wpis na Twitterze, 21.03.2019.

[107] IPN BU 02778/797 Bojmart Julian, raport z 22.03.1983; raport z 1.04.1983.

[108] Kazimierz Michalski (ur. 28.02.1925, Włocławek), syn Feliksa i Ewy z d. Łupińskiej.

[109] IPN BU 00277/1426, Teczka kandydata na KO „Tadeusz", 3.12.1974–23.03.1982.

[110] IPN BU 00945/2533/J, Michalski Kazimierz.

[111] IPN BU 00277/1426, Teczka kandydata na KO „Tadeusz"..., k. 12.

[112] Ibidem, Informacja z 4.12.1971.

[113] IPN BU 002086/2045, Kulczyk Henryk.

[114] IPN BU 002082/696, SOS „Antyk".

[115] Jan Kulczyk (ur. 24.06.1950), syn Henryka (26.06.1925–18.02.2013), syna Władysława, oraz Ireny z d. Marmurowicz (ur. 20.10.1923), córki Władysława.

[116] Andrzej Malinowski (ur. 29.08.1947, Bydgoszcz), syn Leszka i Lucyny Baczewskiej.

[117] Wieczorowy Uniwersytet Marksizmu-Leninizmu powołany w 1952 r. w celu szkolenia aparatu partyjnego szczebla wojewódzkiego.

[118] IPN BU 2602/22781, Teczka kandydatów Danii [tak w oryginale – *aut.*], sprawa prowadzona przez Oddział 24; IPN BU 2602/23474, Teczka pracy współpracownika ps. „Roman" Malinowski Andrzej; Piotr Woyciechowski, *Prezydent „Roman"*. *Andrzej Malinowski był agentem wywiadu wojskowego PRL*, „Do Rzeczy" 2019, nr 4, s. 66–69.

[119] IPN 2602/23474, Teczka pracy współpracownika ps. „Roman" Malinowski Andrzej, Notatka z 19.09.1983, k. 58.

[120] Ibidem, k. 112.

[121] Ibidem, Notatka z 24.04.1985.

[122] Ibidem, Raport z pozyskania z 26.06.1985.

[123] Ibidem.

[124] IPN 2602/23474, Teczka pracy współpracownika ps. „Roman" Malinowski Andrzej, k. 91.

[125] Ibidem, k. 93.

[126] IPN BU 2602/21928, Teczka pracy kpt. L. Binasa, ps. „Salix".

[127] IPN BU 2602/23474, Teczka pracy współpracownika ps. „Roman" Malinowski Andrzej, k. 118.

[128] Ibidem, dane ogólne.

[129] Cezary Bielakowski, Piotr Nisztor, *Jan Kulczyk...*, s. 155.

[130] Grażyna Łagoda (ur. 5.11.1950), córka Stanisława i Marii.

[131] Cezary Bielakowski, Piotr Nisztor, *Jan Kulczyk...*, s. 168.

[132] IPN BU 3246/448 t. 1, Teczka rozpracowania operacyjnego kryptonim „Martel": Edward Andrew Mazur.

[133] Edward Mazur (ur. 25.10.1946), syn Jana i Katarzyny z d. Struzik lub Strózik (obie pisownie występują w dokumentach).

[134] Decyzja o zmianie obywatelstwa polskiego na amerykańskie to 28 września 1983 r.

[135] Zapisy ewidencyjne.

[136] IPN BU 1423/8466, Akta osobowe cudzoziemca Mazur Edward.

[137] Zapisy ewidencyjne.

[138] IPN BU 3246/448 t. 1, (...) Raport z 6.03.1985.

[139] Ibidem.

[140] IPN BU 3246/448/CD, Nagranie rozmowy werbunkowej z Edwardem Mazurem.

[141] IPN BU 3246/448 t. 1, (...) Raport z 12.03.1985.

[142] IPN BU 3246/448 t. 3.

[143] IPN BU 3246/448 t. 2.

[144] IPN BU 3246/654 t. 1, Ryszard Rojek Dep. I „Rewal" J-15564, k. 55.

[145] Ibidem.

[146] Ibidem, Arkusz kwalifikacyjny, 8.05.1990.

[147] Stanisław Andrzej Zięba (ur. 22.11.1934, Kraków), minister rolnictwa i gospodarki żywnościowej (1983–1985), minister rolnictwa, leśnictwa i gospodarki żywnościowej (23.03.1983–14.10.1988).

[148] IPN BU 01591/661/jacket, Kulczyk Jan i Maria.

[149] Ibidem, k. 3.

[150] Ibidem, k. 18.

[151] Ibidem, Notatka Informacyjna „Rewala" z 22.10.1988, k. 23.

[152] Cezary Bielakowski, Piotr Nisztor, *Jan Kulczyk...*, s. 178.

[153] Przemysław Adach (ur. 15.06.1931), syn Antoniego.

[154] IPN BU 01591/661/jacket, Kulczyk Jan i Maria, Notatka informacyjna „Koryna" z 5.07.1988.

[155] Gen. dyw. Zygmunt Zieliński był szefem Misji Wojskowej, ministrem pełnomocnym w latach 1987–1990.

[156] Jerzy Zbitowski był kierownikiem Wydziału Konsularnego Misji Wojskowej PRL w Berlinie Zachodnim (1988).

[157] IPN BU 01591/661/jacket, Kulczyk Jan i Maria, Notatka informacyjna „Rewala" z 22.10.1988.

[158] IPN BU 2602/27774, Teczka pracy Chryszczanowicz Walerian, „Parnas II".

[159] Ibidem, Notatka informacyjna „Koryna" z 5.01.1989.

[160] Ibidem.

[161] Henryk Jasik patrz: Dorota Kania, Jerzy Targalski, Maciej Marosz, *Resortowe dzieci. Służby*, s. 42–52.

[162] IPN BU 01591/661/jacket, Kulczyk Jan i Maria.

[163] Joanna Jaroszek (ur. 11.12.1967), córka Czesława (ur. 7.07.1930) i Marii Grażyny z d. Wojdat (ur. 6.04.1941, Mielec), córki Mieczysława.

[164] Czesław Henryk Jaroszek (ur. 7.07.1930), syn Kazimierza i Franciszki z d. Pozerskiej.

[165] W wywiadzie Joanna Jaroszek twierdzi, że wyszła za mąż w wieku 20 lat; Alex, *Przetakiewicz pierwszy raz o rozstaniu z Kulczykiem*, Plotek. pl, 24.03.2014; http://www.plotek.pl/plotek/1,78649,15675681,Przetakiewicz_pierwszy_raz_o_rozstaniu_z_Kulczykiem_.html (dostęp: 7.09.2018).

[166] Jerzy Zbigniew Przetakiewicz (ur. 8.04.1955, Wołomin), syn Zbigniewa (ur. 14.09.1924) i Krystyny z d. Majewskiej (ur. 2.12.1924).

[167] IPN BU 728/2018, Akta paszportowe Joanna Przetakiewicz.

[168] Ludmiła Korbelarowa-Kowalska (ur. 28.07.1947). Czeska pisownia oryginalna – Korbelářová.

[169] Aleksander Przetakiewicz (ur. 31.07.1989), syn Jerzego (ur. 8.04.1955) i Joanny z domu Jaroszek (ur. 11.12.1967).

[170] Cezary Bielakowski, Piotr Nisztor, *Jan Kulczyk...*, s. 220.

[171] Maria Ilona Kulczyk (ur. 9.01.1954, Bydgoszcz), córka Henryka (26.06.1925–18.02.2013) i Ireny z d. Marmurowicz (ur. 20.10.1923), córki Władysława.

[172] Kajetan Wojciech Pyrzyński (ur. 22.04.1946, Sarbia pow. Czarnków), syn Jana Pyżyńskiego (ur. 22.07.1922) i Elicjary Marii z d. Bednarek (ur. 28.11.1923). Nazwisko Pyrzyński w dokumentach występuje w dwóch wersjach ortograficznych.

[173] Małgorzata Juszczak (ur. 27.03.1951), córka Jana.

[174] Joanna Pyrzyńska (ur. 14.08.1976), córka Kajetana (ur. 22.04.1946) i Małgorzaty z d. Juszczak (ur. 27.03.1951).

[175] Przedsiębiorstwo Innowacyjno-Wdrożeniowe DELTA Sp. z o.o.

[176] IPN BU 01591/661/jacket, Kulczyk Jan i Maria, Notatka informacyjna „Koryna" z 22.01.1989.

[177] Ibidem, Notatka informacyjna „Koryna" z 1.05.1989.

7. „ZEG" BUDUJE IMPERIUM

(ZYGMUNT KROK-PODGÓRSKI-SOLORZ-ŻAK)

Majątek Zygmunta Solorza-Żaka, założyciela i właściciela Polsatu, w 2017 r. wyceniony został przez „Forbesa" na 10,305 mld zł. Miliarder jest poprzez jego spółki zależne udziałowcem Grupy Cyfrowy Polsat, do której należą Telewizja Polsat, Cyfrowy Polsat, Plus i Plus Bank (dawniej InvestBank), jest także udziałowcem stacji telewizyjnych na Łotwie i Litwie oraz właścicielem grupy firm producenckich i reklamowych, a także kontrolnych pakietów Polisy Życie i Towarzystwa Emerytalnego Polsat. Pod koniec 2003 r. Solorz-Żak odkupił 35 proc. udziałów w Elektrimie, który jest współwłaścicielem Zespołu Elektrowni Pątnów, Adamów, Konin (ZE PAK) oraz właścicielem Portu Praskiego. W 2018 r. Solorz kontrolował 78 proc. akcji Elektrimu. Cyfrowy Polsat i należąca do Solorza spółka Kraswell od połowy maja 2018 r. są większościowym udziałowcem Netii.

Najstarszy syn Zygmunta Solorza Tobias Markus[1] ukończył ekonomię na Uniwersytecie Warszawskim (1999–2004) i rozpoczął pracę w dziale marketingu w Cyfrowym Polsacie (2007–2008), następnie został członkiem zarządu Sferii (2008–2010), firmy telekomunikacyjnej dostarczającej szybki internet na terenie Warszawy, był prezesem rady nadzorczej spółki Spartan Capital Holding (2011–2013), członkiem (2011–2014) i prezesem zarządu Polkomtela (od 2014) oraz członkiem rady nadzorczej spółki Polkomtel Business Development (od 2012), rady nadzorczej Liberty Poland S.A. (od 2012) i wreszcie wiceprezesem (2014) oraz prezesem Cyfrowego Polsatu (od grudnia 2015).

Tobias w 2008 r. ożenił się z Aleksandrą Fajęcką[2], prezenterką programu Polsatu „Muzyczna winda". W 2013 r. doszło jednak do rozwodu – już z właścicielką agencji marketingu mobilnego AFA Media. Trzy lata później Tobias ożenił się z Moniką Suchocką[3], miss nastolatek z 2009 r.

Młodszy syn Piotr Solorz-Żak[4] ukończył ekonomię na Royal Holloway, będącego częścią Uniwersytetu Londyńskiego i w 2016 r. wszedł do rady nadzorczej Polsatu, a w czerwcu 2018 r. został powołany do rady nadzorczej Netii i Cyfrowego Polsatu.

Córka Aleksandra Solorz-Żak[5] ukończyła studia z ochrony środowiska w Londynie i od 2012 r. wraz z matką Małgorzatą Żak mieszka na ranczo w Kenii, gdzie prowadzą fundację i klinikę dla dzikich zwierząt.

W 1991 r. Zygmunt Solorz rozwiódł się z Iloną Solorz i w roku następnym wziął ślub z Małgorzatą Żak[6], dołączając z kolei jej nazwisko do poprzedniego. Odtąd Zygmunt Krok nazywał się oficjalnie Solorz-Żak. Małgorzata

Żak ukończyła ekonomię na Uniwersytecie Marii Curie-
-Skłodowskiej w Lublinie i podyplomowe studium dziennikarskie na UW. Po ślubie zdążyła jeszcze zagrać rolę hra-
biny Jacques w serialu „Trędowata" (1999), a potem już
mogła zostać wyłącznie działaczką społeczną – jako zało-
życielka i prezes zarządu Fundacji Polsat (1996) do czasu
wniesienia sprawy rozwodowej przez męża w 2012 r.,
kiedy to zaangażowała się w działalność na rzecz dzikich
zwierząt i zamieszkała w Kenii. Rozwód z winy żony został orzeczony w 2014 r.

Zygmunt Solorz[7] urodził się jako Zygmunt Krok w Radomiu w biednej rodzinie, której musiał pomagać finansowo. Ukończył zawodówkę i technikum wieczorowe przy
Zakładach Mechanizacji Budownictwa „Zremb". Pracował w hurtowni Elmat i próbował handlować produktami
zakupionymi w NRD.

Zygmunt Krok ma brata Zbigniewa[8] oraz siostrę Mo-
nikę Tomczuk[9].

W 1977 r. Zygmunt Krok wyjechał na wczasy do Buł-
garii z zamiarem przedostania się na Zachód. W Buka-
reszcie, jak twierdził, ukradziono mu dokumenty, dlatego w ambasadzie na powrót do kraju dostał paszport
blankietowy. Wykorzystując adnotację na paszporcie: „na
wszystkie kraje świata", udał się wraz z Januszem Dud-
kiem z Radomia starą syrenką przez Jugosławię do Austrii, gdzie policja zatrzymała samochód ze względu na
jego stan techniczny.

W Wiedniu Krok z grupą spotkanych Polaków, wśród
których był złodziej, o czym wiedział, poszedł do domu
towarowego. Gdy następnego dnia udał się tam sam, został
rozpoznany jako członek tej grupy i oskarżony o kradzież.

Aresztowano go na trzy miesiące, ale zwolniono z braku dowodów. W tym czasie paszport wygasł, więc bez dokumentów zgłosił się do obozu dla uchodźców w Traiskirchen pod Wiedniem, gdzie został poddany kwarantannie. Otrzymał nowe papiery na nazwisko Krok i prawo do pracy, ale postanowił wyjechać do RFN.

W tym celu Krok udał się do Salzburga, gdzie podał, że zgubił dokumenty i uzyskał nowe na nazwisko sąsiada z Radomia Piotra Podgórskiego, dzięki czemu mógł pojawić się w Niemczech bez bagażu odsiadki. Przeszedł pieszo niestrzeżoną granicę i rozpoczął życie w Monachium jako Piotr Podgórski, uzyskując na to nazwisko – z nieco zmienioną datą urodzenia na 14 zamiast 4 sierpnia – *Reiseausweiss*, czyli dokument podróży dla azylanta i prawo jazdy.

Jak sam dalej opowiadał SB, przez 2 lata pracował w firmie transportowej w Monachium jako kierowca i odłożył 30 tys. DM. Następnie razem z obywatelem RFN Tomaszem Kudlejem, który wyjechał z Polski w 1978 r., założył firmę przewozową Solmex. Kudlej reprezentował ją w Niemczech, a w Polsce Kazimierz Goss, którego Solorz poznał w BRH (Biuro Radcy Handlowego) w Bonn. Goss służył w KBW w latach 1947–1949, a następnie pracował jako kierowca. W 1977 r. miał początkowo jechać do BRH do Moskwy jako kierowca, ale ostatecznie został wysłany do RFN.

Solmex wszedł w kontakt z Polską Misją Katolicką w Monachium, kierowaną przez ks. Jerzego Galińskiego i woził paczki do Polski. Z Kudlejem Krok zerwał, gdyż ten był niesolidny i w listopadzie 1982 r. założył własną firmę Solorz Export-Import, którą firmowała Ilona Solorz.

Ilona Solorz urodziła się w Mikołowie i wyjechała z kraju w 1978 r. Jako Ślązaczka otrzymała obywatelstwo niemieckie. Krok poznał przyszłą żonę w 1979 r. W 1980 r. przyszedł na świat ich syn Tobias Markus Solorz, późniejszy prezes cyfrowego Polsatu. Za odpowiednią opłatę adwokat Winter załatwił Krokowi meldunek w Austrii i ten już jako Zygmunt Krok 24 stycznia 1983 r. poślubił w Wiedniu Ilonę Solorz[10] oraz postanowił przyjąć jej nazwisko. Następnego dnia złożył w Wiedniu wniosek o paszport konsularny i wtedy zainteresowała się nim SB, która jednocześnie dowiedziała się, że prowadził firmę przesyłającą paczki do Polski. Początkowo SB sądziła, że firma działa w Wiedniu.

11 kwietnia 1983 r.[11] Zygmunt Krok przyjechał do Radomia, by przypilnować interesów, gdyż uważał, że współpracownicy okradają jego firmę. Chciał też uzyskać paszport konsularny, by swobodnie krążyć w interesach między Niemcami i Polską. O przyjeździe Kroka poinformował SB KO „Ge".

Ponadto „Ge" uprzedził SB, że Krok będzie się starał o paszport konsularny i przybędzie do biura paszportowego, zresztą niepotrzebnie, gdyż złożenie wniosku w Wiedniu wystarczało[12]. Por. Eugeniusz Gurba z Inspektoratu I, czyli wojewódzkiej placówki wywiadu w Radomiu, dokonał rejestracji Kroka w kategorii zabezpieczenie w dniu 28 kwietnia, co oznaczało, że chce podjąć próbę werbunku i inne jednostki SB nie powinny takich starań podejmować. Por. Gurba przygotował się na rozmowę z Krokiem w Biurze Paszportowym.

Pierwsza rozmowa z Krokiem odbyła się w Biurze Paszportowym 2 maja. To wtedy opowiedział on Gurbie swoją historię i wyjaśnił, że wróci do Berlina jako Krok, a stamtąd do Monachium już jako Podgórski. Gurba podkreślił, że Krok „stara się być szczery", a za paszport konsularny „w miarę swoich możliwości chciałby się odwdzięczyć" i przywieźć do Radomia dary z Niemiec, ale będzie musiał ich dystrybucję powierzyć Kościołowi. Gurba wyraził aprobatę i w notatce zaznaczył, że Krok „z księżmi utrzymuje kontakty, bo mu się to opłaca".

We wnioskach Gurba zapisał, iż należy z Krokiem prowadzić dialog w celu jego pozyskania. Wywiad miał dalekosiężne plany, gdyż przewidywał, że „firma prowadzona przez Kroka stwarza możliwości zorganizowania kontrolowanego przez nas kanału łączności"[13]. Było to standardowe postępowanie, które zakończyło się sukcesem w wypadku firmy prowadzonej przez Rudolfa Skowrońskiego[14]. Gurba planował też, by poprzez kombinację operacyjną wprowadzić Kroka do nielegalnych struktur. Gdyby ten zamiar się nie powiódł, Kroka miano wykorzystać jako tzw. źródło naprowadzenia na ks. Jerzego Galińskiego, proboszcza Polskiej Misji Katolickiej w Monachium, współpracującego z Sekcją Polską Radia Wolna Europa.

Do drugiego spotkania doszło 10 maja. Krok wyjaśnił, że będzie zmieniał nazwisko na Solorz i w tym celu uda się do Augsburga, ale dokumenty na nazwisko Podgórski, pod którym znany jest w Bawarii, zachowa.

Por. Gurba poradził Krokowi w sprawie transportu darów nawiązać kontakty z dostojnikami Kościoła w Radomiu. Oficer zanotował, że rozmówca wie, iż SB będzie chciała go wykorzystać i – jak zaznaczył: „nie zauważyłem, aby ta sytuacja zniechęcała go do dalszych z nami kontaktów"[15]. Wobec tego na następne spotkanie umówili się na czerwiec, kiedy Krok miał znów przyjechać do kraju.

24 maja kpt. Józef Klusek, z-ca komendanta MO ds. SB z Radomia, informował Wydział XI wywiadu (dywersja ideologiczna), że tutejsza SB prowadzi dialog operacyjny z Krokiem, który chce otrzymać paszport konsularny i założyć spółkę polonijną, i że obecnie tutejsza SB zbiera informacje o jego kontaktach.

Informacje z Radomia były na tyle obiecujące, że por. Andrzej Buczak (nazwisko legalizacyjne „Andrzej Przedpełski") z Wydziału XI Departamentu I zwrócił się 14 czerwca do swojego naczelnika ppłk. Henryka Bosaka o zgodę na rozmowę sondażową z Krokiem. Oznaczało to, że przejmie go bezpośrednio Wydział XI (dywersja ideologiczna) wywiadu.

Trzecią rozmowę z kandydatem do werbunku Gurba przeprowadził 17 czerwca. Dowiedział się, że Krok chce uruchomić firmę polonijną produkującą środki ochrony roślin i sprzedawać części zamienne do samochodów. W tym celu zamierza odkupić od Tadeusza Wężyka skład rozbitych samochodów. Wężyk uciekł do Niemiec przez zieloną granicę w 1946 r. i teraz wracał do kraju, gdzie miał willę, by uniknąć zapłacenia zaległych podatków – ustaliła później SB.

Krok opowiedział o swoich kontaktach w Monachium z ks. Jerzym Galińskim, Tadeuszem Podgórskim, szefem redakcji robotniczej RWE, i „młodym Wojtkiem" z RWE. Gurba polecił mu ustalić, kim jest ów Wojtek. Zaznaczył też, że Krok ze względu na zatarg z Galińskim nie ma dużych możliwości wywiadowczych i przewidywał, że odpowiednim momentem dla pozyskania Kroka będzie czas, gdy złoży wniosek o zezwolenie na otwarcie firmy polonijnej[16].

20 czerwca por. Buczak napisał do Bosaka raport o wyrażenie zgody na założenie sprawy wstępnej na obywatela PRL Zygmunta Kroka.

W czasie nieobecności Kroka w Polsce por. Gurba rozmawiał 12 lipca z KO „SP", który był w Monachium. Okazało się, że spotkał Podgórskiego i Kudleja w garażu Wężyka. Kudlej zwierzył mu się, że podejrzewa, iż Podgórski ma drugie nazwisko – Krok. Była to sytuacja niebezpieczna, bowiem gdyby fakt ten wyszedł na jaw, Krokiem zainteresowałaby się policja, co wykluczyłoby werbunek. Informacje KO „SP" potwierdziły prawdziwość opowiadania Kroka.

Po przyjeździe do Polski Krok telefonicznie zgłosił się do Gurby i spotkali się po raz czwarty 15 lipca. Krok wyjaśnił, że mieszka już w Berlinie Zachodnim, gdyż w Bawarii jest znany jako Podgórski, zaś w Austrii ma kartę stałego pobytu na nazwisko Krok. Dodał też, że złożył właśnie wniosek o zezwolenie na otwarcie firmy polonijnej Krecpol pod Radomiem, która będzie produkowała środki chemiczne. Jego pełnomocnikiem będzie rzemieślnik Stefan Guzin, który ma odpowiednie pomieszczenie i produkuje świece. Oczywiście SB natychmiast zaczęła zbierać informacje o pełnomocniku.

Moment był odpowiedni i Gurba wyjaśnił Krokowi, że może mu pomóc tylko jako oficer SB, więc on powinien coś zrobić w zamian dla tej instytucji. „Zaproponowałem mu usankcjonowanie naszych dotychczasowych kontaktów w formie jego pisemnego zobowiązania się do współpracy z moją instytucją. Krok przystał na moją propozycję i własnoręcznie napisał takie zobowiązanie" – relacjonował Gurba[17].

„Ja Zygmunt Solorz (Krok) zobowiązuję się zachować w tajemnicy fakt współpracy z oficerem SB. Zobowiązuję się wykonywać ustalone ze mną polecenia. Informacje będę podpisywać Zegarek" (podpis: Krok Zygmunt)[18].

„Zegarek" poinformował oficera prowadzącego o przywiezieniu do Polski farby drukarskiej. Dowiedział się o tym od ratownika GOPR Piotrowskiego. Farbę – jako farbę samochodową – przekazał działacz emigracyjnej „Solidarności" Olczak i poprosił o jej przewiezienie do ojca w Warszawie, co się udało. SB zaraz przystąpiła do zidentyfikowania Olczaka seniora.

Por. Gurba wstępnie przeszkolił Solorza i polecił powtórnie ustalić nazwisko Wojtka z RWE. Następne spotkanie miało już odbyć się z udziałem oficera Wydziału XI Departamentu I[19].

16 września w lokalu kontaktowym radomskiej SB spotkali się „Zegarek", por. Gurba oraz funkcjonariusze Wydziału XI Departamentu I MSW: mjr Eugeniusz Fulczyński, ps. „Lars", „Atex" (nazwisko legalizacyjne „Karel") i ppor. Zbigniew Przybylski, ps. „Smic", występujący pod nazwiskiem legalizacyjnym „Poławski". Spotkanie miało charakter sondażowy. Funkcjonariusze uznali, że Solorz ma potencjalne możliwości dotarcia do emigracji w Monachium. Okazało się też, że zna ich agenta „Nokturna", który już kilka miesięcy wcześniej informował, że „Zeg" kontaktuje się z ks. Galińskim i Tadeuszem Podgórskim. W konsekwencji 22 września Fulczyński napisał do ppłk. Bosaka, naczelnika Wydziału XI (1982–1985), raport z rozmowy sondażowej i Wydział XI wszczął rozpracowanie operacyjne krypt. „Zeg". Dlatego dalej Solorz występował pod tym pseudonimem.

O treści dalszych rozmów z „Zegiem" dowiadujemy się bardzo ogólnikowo, ponieważ nie dysponujemy notatkami oficera prowadzącego ze spotkań z agentem, a tylko krótkimi informacjami przygotowanymi przez Wydział XI dla płk. Bronisława Zycha, z-cy dyrektora Departamentu I (1982–1990).

14 października ppor. Zbigniew Przybylski napisał raport kontrasygnowany przez ppłk. Bosaka do płk. Zycha o zezwolenie na dokonanie werbunku agenta „Zega". SB bała się jednak dekonspiracji Solorza z powodu używania przez niego trzech nazwisk. Formalny werbunek przez centralę miał nastąpić w Warszawie, a gdyby się nie powiódł, chciano cofnąć mu paszport konsularny.

18 października na decydujące spotkanie z „Zegiem" w kawiarni, a później w pokoju hotelowym w Warszawie przybył ppor. Przybylski. Solorz „zajął przychylne stanowisko wobec naszych propozycji współpracy"[20] – informowali płk. Zycha Przybylski i Bosak. Następnie Solorz podpisał imieniem i nazwiskiem oraz pseudonimem umowę o współpracy ze Służbą Wywiadu PRL, natomiast zrezygnowano z pobrania od niego zobowiązania o współpracy, gdyż podpisał je wcześniej w Radomiu.

Dość enigmatycznie dowiadujemy się, że „Zeg" zrelacjonował fakty ze środowiska interesującego SB i zobowiązał się wykonywać zlecone mu zadania dotyczące „rozpoznania instytucji, organizacji i osób działających przeciwko interesom PRL". Miał zebrać adresy i dane personelu RWE oraz członków bawarskiego Komitetu „Solidarności", zbadać charakter ich działalności a także zebrać informacje o Polskiej Misji Katolickiej w Monachium. Podobnie jak w wypadku Henryka Kulczyka SB popełniła jednak błąd stawiając zadania, które mógłby wykonać tylko zawodowy szpieg. Solorz zajmował się przede wszystkim działalnością biznesową i nie miał ani czasu, ani możliwości na zebranie informacji trudno dostępnych jak np. adresy pracowników RWE.

„Zeg" został przeszkolony w zakresie podstawowym w metodach pracy kontrwywiadu, konspiracji, realizacji zadań i docierania do interesujących źródeł informacji.

„Zeg", który dysponował już biurem swojej firmy w Warszawie, miał się kontaktować z oficerem prowadzącym po telefonicznym zgłoszeniu do Zbigniewa Wojciechowskiego, czyli ppor. Przybylskiego – „Poławskiego". W przyszłości przewidywano możliwość spotkań na terenie NRD.

9 listopada ppor. Przybylski wystąpił o założenie teczki Zygmuntowi Krokowi, który miał posiadać możliwości dotarcia do kadrowych pracowników RWE[21].

30 grudnia na spotkaniu z ppor. Przybylskim w Warszawie „Zeg" przekazał informacje dotyczące ks. Stanisława Ludwiczaka, redaktora działu religijnego Sekcji Polskiej RWE, Polskiej Misji Katolickiej w Monachium i jej proboszcza ks. Galińskiego oraz działalności bawarskiego Komitetu „Solidarności".

„«Agent» otrzymał zadanie nawiązania kontaktu z ks. Stanisławem Ludwiczakiem i wzmocnienia znajomości z Wojciechem Słomkowskim". Był to ów Wojtek, którego nazwisko Solorz ustalił. „Odnotowano dalszą pozytywną ewolucję postawy agenta" – pisał ppor. Buczak i podkreślał, że prowadzenie agenta nie wymaga kosztów, ale można podarować Solorzowi butelkę alkoholu[22].

Do kolejnego spotkania „Zega" z ppor. Przybylskim doszło 20 stycznia 1984 r. Solorz otrzymał zadanie rozpracowania ks. Ludwiczaka, ks. Galińskiego i Wojciecha Słomkowskiego z RWE. Przybylski i Bosak stwierdzili, że „kolejne spotkania z «Zegiem» wskazują na postępujący proces wdrażania go do bardziej efektywnej współpracy [...] często sam inicjuje interesujące nas tematy (np. perspektywiczne wykorzystanie kontaktu z ks. Ludwiczakiem)"[23].

W maju 1984 r. funkcjonariusz zachodnioniemieckiej policji po cywilnemu dokonał kontroli w berlińskim mieszkaniu Solorza, o czym SB dowiedziała się najpierw od swojej agentury.

8 czerwca w Warszawie ppor. Przybylski przyjął od „Zega" informacje o Polskiej Misji Katolickiej. Solorz poinformował też, że przekazał ks. Stanisławowi Ludwiczakowi pozdrowienia od ks. Ryszarda Słoniewskiego, co miało być wstępem do zawarcia bliższej znajomości z redaktorem działu religijnego Sekcji Polskiej RWE. „Podczas spotkania odebrano informacje dotyczące działalności Polskiej Misji Katolickiej w Monachium i jej szefa ks. Jerzego Galińskiego (sprawa «Luigi»), sytuacji w bawarskim Komitecie «Solidarności» oraz pracownika sekcji polskiej RWE/RL Wojciecha Słomkowskiego"[24]. Oficer prowadzący polecił „Zegowi" nawiązać kontakt z młodymi pracownikami RWE poprzez Słomkowskiego i Tadeusza Podgórskiego. SB chciała, by ludzie z tego środowiska przekazywali listy do kraju za pośrednictwem Solorza, co umożliwiłoby kontrolę ich kontaktów. „Proces wdrażania agenta do efektywnej współpracy przebiega prawidłowo" – zanotował Przybylski[25].

Sytuacja miała się jednak zmienić z powodu zmiany profilu działalności gospodarczej przez Solorza, który zaczął właśnie sprowadzać używane samochody. W latach 80. prowadzenie importu i komisowej sprzedaży używanych samochodów i części zamiennych w PRL było możliwe tylko po uzyskaniu licencji od ministra handlu zagranicznego i gospodarki morskiej, ministra finansów i Głównego Urzędu Ceł. Kontrolowany przez SB Polimar prowadził składy konsygnacyjne używanych samochodów i części zamiennych. Jak twierdził jeden z pracowników Polimaru, kontrakt z Solorzem na dostawy aut podpisano „na wyraźne polecenie z góry"[26]. Tylko w roku 1984 firma Solorza sprzedała Polimarowi 132 auta za 1,3 mln DM, co stanowiło 4,9% całości importu[27].

Należy zaznaczyć, że dyrektorem Polimaru po TW „Tadeuszu"[28] został w 1980 r. KO ps. „Mario", czyli Czesław Leśniak[29]. Zwerbował go 11 grudnia 1969 r. kpt. J. Cendrowski, inspektor Wydziału VI (romańskiego) Departamentu I. Leśniak, po ukończeniu Wyższej Szkoły Handlu Morskiego w Sopocie (1957) i rocznym pobycie na stypendium we Francji, objął stanowisko dyrektora ekonomicznego w Centromorze (1966). „Mario" został przeszkolony i w 1973 r. wyjechał do pracy w konsulacie w Glasgow. Po powrocie w 1978 r. został od razu wysłany do Francji na stanowisko Konsula Generalnego w Strasburgu. Po dwóch latach, w maju 1980 r. odwołano go jednak, gdyż wdał się w podejrzane powiązania handlowe. Nie przeszkodziło mu to wszakże w uzyskaniu stanowiska dyrektora Polimaru. Wywiad zakończył współpracę z KO ps. „Mario" w marcu 1982 r. z powodu nikłych możliwości wywiadowczych. Oficer wywiadu przyznał, że Leśniak może się raczej przydać na niwie krajowej[30].

W połowie 1984 r. nastąpiła zmiana oficera prowadzącego i „Zega" przejął na kontakt wspomniany już Andrzej Buczak, inspektor Wydziału XI. 9 listopada w Radomiu spotkali się z Solorzem por. Buczak i por. Gurba. „Zeg" poinformował, że zakończył już przewóz paczek, dlatego stracił kontakt ze środowiskiem monachijskim i teraz sprzedaje używane samochody.

Buczak zanotował, że Solorz ma dobre stosunki z aktorką Barbarą Kwiatkowską-Lass („Ewa chce spać"), która uaktywniła się w środowisku emigracyjnej „Solidarności" i SB liczyła, że będzie mogła kontrolować ją za pośrednictwem agenta. „Zeg" otrzymał zadanie odnowienia kontaktów z pracownikami RWE: Słomkowskim, redaktorem Aleksandrem Świejkowskim i spikerem Andrzejem Prusińskim.

Buczak oceniał, że Solorz „chętnie udziela wyjaśnień i informacji" i choć zanotował pewien „regres" w jego pracy, „nie zaobserwowano zniechęcenia do współpracy, chce ją kontynuować, oczekuje z naszej strony konkretnych zadań"[31]. SB planowała, żeby uplasować „Zega" jako kanał łączności między „Solidarnością" emigracyjną i krajową.

5 stycznia 1985 r. mjr Wojciech Sobisiak, z-ca naczelnika Wydziału II z Poznania, poinformował ppłk. Bosaka, że rozmawiał z TW „Peterem", który doniósł, że Solorz mieszka w Berlinie Zachodnim i ma warsztat samochodowy oraz kupił pod Warszawą parcelę na warsztat. Obecnie ma sprowadzać używane samochody do Polski i przyjeżdża do Polimaru, z którym współpracuje. W marcu TW „Peter" jedzie do Berlina i może zebrać dodatkowe informacje.

W kwietniu nadeszły informacje z Radomia, że ambasada RFN zwróciła się do tutejszego wydziału komunikacji z zapytaniem, czy ten wydał Solorzowi prawo jazdy. Dokument wprawdzie wydano, ale na innym blankiecie niż zazwyczaj i rodziły się podejrzenia, że jest sfałszowane[32]. SB widziała w tej sprawie niebezpieczeństwo dekonspiracji agenta.

Ostatecznie 22 czerwca 1985 r. ppor. Buczak napisał dla płk. Zycha analizę pracy agenta „Zeg" (nr rej 15562), z kontrasygnatą Bosaka, naczelnika Wydziału XI, który od 1 sierpnia miał zostać szefem wywiadu. Propozycję zakończenia współpracy z „Zegiem" uzasadniał zmianą profilu jego działalności, która spowodowała ograniczenie możliwości wywiadowczych (brak kontaktu z emigracją w Monachium) oraz obawą o dekonspirację spowodowaną zainteresowaniem zachodnioniemieckiej policji, podejrzewającej go o sfałszowanie prawa jazdy. Obawy budziło posługiwanie się trzema nazwiskami i przeszukane przez policję mieszkanie w Berlinie Zachodnim. Buczak i Bosak pisali o „obserwowanym od dłuższego czasu braku korzyści informacyjnych" i „małym zaangażowaniu we współpracę [...] poza pierwszym okresem wzajemnych kontaktów" oraz „unikaniu przez «Zega» kontaktów z utrzymującymi z nim w przeszłości i obecnie oficerami centrali"[33].

Postanowienie o zakończeniu współpracy por. Buczak napisał 26 czerwca, zatwierdził je dwa dni później płk Aleksander Makowski, p.o. naczelnika Wydziału XI (1985–1988). W trakcie współpracy SB wydała 7486 złotych i 6 dolarów. Owe 6 dolarów to prawdopodobnie cena butelki alkoholu kupiona w Pewexie, choć nie mamy potwierdzenia, że Solorz taki prezent otrzymał.

Biorąc pod uwagę współpracę z kontrolowanym przez SB Polimarem i liczbę najbliższych współpracowników związanych ze służbami specjalnymi PRL, trafnym jest wniosek prof. Andrzeja Zybertowicza, że „Solorz przestał być wykorzystywany po linii politycznej, gdyż np. stał się współpracownikiem (partnerem?) biznesowym"[34] tego środowiska, co było dlań w momencie transformacji ważniejsze.

Budowa podstaw imperium

W 1988 r. we Wrocławiu Solorz założył firmę Solpol, importującą maszyny do szycia, telewizory i samochody. W maju 1989 r. Solpol uzyskał od FOZZ pożyczkę 100 mln zł pod depozyt 70 tys. dolarów. Solorz spłacił ją po 3 miesiącach. Trzeba jednak pamiętać, że zadaniem FOZZ nie było udzielanie kredytów. W 1991 r. dyrektorem biura handlowego Solpolu został Piotr Nurowski[35], współpracownik Zarządu II Sztabu Generalnego o ps. „Tur".

W latach 1986–1991 Nurowski pracował w rezydenturze wywiadu wojskowego w Maroko, oficjalnie na stanowisku radcy ambasady w Rabacie[36]. Wtedy poznał Zygmunta Olawińskiego. „Tur" był członkiem zarządu Polsat SA (1992–1998), członkiem rady nadzorczej TV Polsat SA (1998–2010) i prezesem zarządu Elektrimu (2003–2010).

W 1990 r. Solorz kupował w NRD za ruble transferowe Wartburgi i Trabanty, na co miał zezwolenie Ministerstwa Współpracy Gospodarczej z Zagranicą. Zarabiał na różnicy kursów wymiany. W 1997 r. wytoczono sprawę współpracownikom Solorza o sfałszowanie jego podpisu, ale objęło ją przedawnienie.

15 listopada 1990 r. prezes Agencji ds. Inwestycji Zagranicznych wydał zezwolenie na działalność w Polsce spółki Vireco. Sprawą w Agencji zajmował się mjr Maślankiewicz. 5 dni później spółka Vireco rozpoczęła działalność w Polsce. Jej udziałowcem był Zbigniew Niemczycki („Jarex"), mieszkający wówczas jeszcze w USA. Vireco było w pierwszym okresie nadawcą telewizji Polsat. W listopadzie 1992 r. Zygmunt Solorz przejął w całości Vireco Sp. z o.o. 21 września następnego roku przekształcił ją w PAI Film, który zlikwidował w grudniu 2000 r.

W 1991 r. Agencja ds. Inwestycji Zagranicznych wydała Solorzowi zezwolenie na utworzenie spółki z o.o. Solar z udziałem kapitału zagranicznego i siedzibą we Wrocławiu. Sprawą również zajmował się mjr Jerzy Maślankiewicz, dyrektor Biura Analiz i Wniosków Inwestycyjnych AIZ, oficer wywiadu i kontrwywiadu. Przeszedł on m.in. szkolenie prowadzone przez KGB (30.08–30.11.1985). Od 1 maja 1989 r. pracował w AIZ jako instytucji przykrycia, a jednocześnie był z-cą naczelnika Wydziału II Departamentu II[37].

W październiku 1992 r. Solorz kupił poprzez PAI Media 51 proc. udziałów w spółce wydającej „Kurier Polski". Prezesem spółki został Andrzej Majkowski, zaś prezesem zarządu „Kuriera" Andrzej Szeląg. Obaj byli związani ze służbami specjalnymi.

Solorz i córka Zygmunta Olawińskiego założyli w 1992 r. spółkę Polbred, która wykupiła prawa do transpondera. Dzięki temu Polsat zaczął nadawać 5 grudnia 1992 r. W marcu następnego roku Polsat został zarejestrowany jako samodzielna spółka. Jej udziałowcami, oprócz Solorza, zostali Andrzej Rusko i Józef Birka. Kiedy 2 marca 1993 r. na posiedzeniu KRRiT Bolesław Sulik i Andrzej Zarębski zapytali Solorza, „czy w PTS Polsat są pracownicy związani ze służbami bezpieczeństwa, wywiadu czy kontrwywiadu", usłyszeli w odpowiedzi „nazwiska p. Rusko, p. Birki, p. Nurowskiego, p. Majkowskiego"[38]. Polsat uzyskał koncesję na telewizję ogólnopolską w 1994 r.[39]

W uzyskaniu koncesji pomogło przedstawienie we wniosku koncesyjnym opinii banku BRE S.A. o spółce Solorz Export-Import na dowód, że spółka Polsat posiada majątek.

W Universalu Dariusza Przywieczerskiego (TW „Grabiński") tajne służby wojskowe miały ulokowanych 19 współpracowników[40]. 28 lipca 1994 r. podwyższono kapitał zakładowy spółki Polska Telewizja Satelitarna „POLSAT" o 250 mld starych złotych w drodze emisji akcji imiennych uprzywilejowanych serii D i E. 1000 akcji serii E było przeznaczonych do objęcia przez Universal, który zapłacił po 1 mln starych złotych za akcję o cenie emisyjnej 3 mln starych złotych. Pod koniec lat 90. Polsat odkupił akcje Universalu.

BRE Bank sprzedał z kolei spółce Polsat Media SA posiadane przez siebie akcje Elektrimu, a w kwietniu 2003 r. pomógł Polsatowi przejąć kontrolę nad radą nadzorczą Elektrimu. Warto zaznaczyć, że w Elektrimie służby wojskowe miały 24 współpracowników[41].

Partia Solorza

W 1997 r. osoby powiązane z Zygmuntem Solorzem zaczęto nazywać „partią Solorza". Wśród nich większość była związana w przeszłości z komunistycznymi służbami wojskowymi i cywilnymi. Byli to m.in.:

1. Ppłk Gromosław Czempiński[42], naczelnik Wydziału X Departamentu I (1.03.1988–31.07.1990), jako szef UOP (1993–1996) zataił w czasie starań o koncesję telewizyjną informację o współpracy Solorza z Departamentem I. Członek rady nadzorczej BRE Banku (maj 2000–czerwiec 2008).

2. Gen. Jerzy Ćwiek, szkolony w ZSRS i na Kubie, z-ca komendanta i komendant KGMO w Warszawie (1.07.1974–4.02.1990), na etacie niejawnym jako prezes Głównego Urzędu Ceł (15.08.1985–4.02.1990), został zatrudniony przez Solorza w Polsacie.

3. Lech Falandysz, TW „Wiktor" (Dep. II)[43], był doradcą Marka Pietkiewicza[44] z kierownictwa Handlu Międzynarodowego DAL S.A., centrali handlu zagranicznego kontrolowanej przez Departament I.

4. Janusz Kaczurba, KO „Kaj" (Dep. I)[45], był przewodniczącym Rady Funduszu Rozwoju Eksportu administrowanego przez BRE oraz przewodniczącym rady nadzorczej BRE Banku z ramienia Ministerstwa Współpracy Gospodarczej po 1989 r.

5. Andrzej Majkowski (KO Dep. I)[46], absolwent Akademii Dyplomatycznej w Moskwie i pracownik MSZ, był prezesem zarządu spółki wydającej „Kurier Polski" (październik 1992–luty 1995). Jak powiedział Lew Rywin do Adama Michnika: „Nurowski, Nurowski to wtedy

przez Majkowskiego i poprzez te, twierdzi że on załatwiał wszystko. I był układ taki z Universalem, nie wiem, czy siedzi, czy nie siedzi, pierwsze pieniądze stamtąd dostał. Jak on się nazywał [...] Przywieczerski"[47].

6. Edward Mikołajczyk współpracował niejawnie z żołnierzami WSI w zakresie działań wykraczających poza sprawy obronności państwa i bezpieczeństwa Sił Zbrojnych RP[48]. Mikołajczyk, znajomy Nurowskiego („Tur"), pomógł uruchomić 5 grudnia 1992 r. pierwszy program Polsatu ze studia w pokoju na Saskiej Kępie.

7. Andrzej Nierychło[49], tajny współpracownik służb wojskowych[50], były redaktor naczelny tygodników „ITD" i „Przegląd Tygodniowy", komentator radiowy i telewizyjny, pracował w „Kurierze Polskim" Solorza, był wydawcą i redaktorem naczelnym wydawnictwa Bonnier Business Polska („Puls Biznesu") w latach 2000–2008.

8. Piotr Nurowski, agent „Tur", był prezesem zarządu Elektrimu (2003–2010), uważany za inicjatora zakupu przez Solorza „Kuriera Polskiego". Rywin powiedział o nim do Michnika w kontekście Polsatu: „Nurowski załatwiał te sprawy politycznie i organizacyjnie"[51].

9. Zygmunt Olawiński[52], Polak urodzony we Francji, w czasie wojny służył w armii polskiej w Wlk. Brytanii. Po wojnie pracował w przemyśle francuskim. Był oficerem służb specjalnych.

10. Józef Oleksy, wywiadowca AWO „Piotr"[53], wypowiedział się na łamach „Kuriera Polskiego" za przyznaniem Polsatowi „pewnej preferencji" w postępowaniu konkursowym na ogólnokrajową licencję telewizyjną.

11. Jacek Podgórski[54], pracował w Urzędzie Ochrony Państwa i był dziennikarzem „Kuriera Polskiego" za

Solorza, a następnie doradcą Aleksandry Jakubowskiej, szefowej gabinetu politycznego premiera Leszka Millera (2002–2003).

12. Sławomir Prząda[55], TW WSI „Tekla" (1995–1996)[56], był rzecznikiem prasowym BRE Banku (1992–1994).

13. Dariusz Przywieczerski, TW „Grabiński (Dep. II), prezes Universalu, był akcjonariuszem Telewizji Polsat S.A. i wiceprezesem jej rady nadzorczej.

14. Lew Rywin, TW „Eden" (Dep. III)[57], wielokrotnie negocjował w sprawach zawodowych z Solorzem, jak przyznał sam miliarder[58].

15. Janusz Sawicki, KO „Jasa" i „Kmityn" (Dep. I), w kwietniu 1989 r. wszedł do rady nadzorczej BRE Banku.

16. Andrzej Stuglik[59], oficer Departamentu I (1974–1975) i Departamentu II (1975–1980), pracował w PHZ Polimex, w październiku 1989 r. rozpoczął pracę jako doradca finansowy Marka Pietkiewicza w centrali handlu zagranicznego DAL SA, służącą za przykrywę do działań Departamentu I. Por. Stuglik utrzymywał ścisłe kontakty z firmą Solorz Import-Export z Monachium oraz z Dorchemem Lecha Grobelnego, a także Polmarckiem Aleksandra Żagla i Andrzeja Kuny. Stuglik został zastrzelony przed blokiem, w którym mieszkał, w 1991 r.

17. Andrzej Szeląg współpracował niejawnie z żołnierzami WSI w zakresie działań wykraczających poza sprawy obronności państwa i bezpieczeństwa Sił Zbrojnych RP[60]. Po ukończeniu Akademii Dyplomatycznej MSZ ZSRS w Moskwie pracował w MSZ, następnie w Kancelarii Prezydenta RP Wojciecha Jaruzelskiego (TW „Wolski") i Lecha Wałęsy (TW „Bolek"). Szeląg był prezesem zarządu „Kuriera Polskiego" (1992–1995) i zarządu PAI Film (1992–1994).

18. Jerzy Tepli, współpracował niejawnie z żołnierzami WSI w zakresie działań wykraczających poza sprawy obronności państwa i bezpieczeństwa Sił Zbrojnych RP[61]. W latach 60. był szefem „Dziennika Telewizyjnego", korespondentem w RFN, współtwórcą powołanego przez WSI „Przeglądu Międzynarodowego", później został korespondentem Polsatu w Berlinie.

19. Sławomir Wiatr, KO „Krac"[62], był członkiem rady nadzorczej BRE Banku (maj 2000–1 luty 2002).

20. Edward Wojtulewicz[63], tajny współpracownik służb wojskowych PRL[64], był dyrektorem generalnym CHZ Impexmetal (1989–1998), w którym „zatrudniał [...] oficerów pod przykryciem", kierował pracą Żemka[65], wszedł do rady nadzorczej Banku BRE (marzec 1994–kwiecień 2000). W Impexmetalu, który współpracował z FOZZ, na początku lat 90. pracowało pod przykryciem 35 osób związanych ze służbami wojskowymi[66]. 11 stycznia 1994 r. Wojtulewicz wystosował pismo, w którym wyraził „zainteresowanie nabyciem odpowiednich pakietów akcji Polskiej Telewizji Satelitarnej Polsat S.A."[67]. Pismo włączono do wniosku koncesyjnego.

21. Grzegorz Żemek, współpracownik Zarządu II ps. „Dik", dyrektor BHI w Luksemburgu, dyrektor generalny FOZZ. W 1992 r. Solorz zeznał, że w 1986 r. prowadził rozmowy wstępne z Żemkiem w Luksemburgu, kiedy bezskutecznie starał się tam o 150 tys. dolarów kredytu. W 1991 r. Solpol uzyskał kredyt 100 mln zł od FOZZ.

PRZYPISY

[1] Tobias Markus Solorz (ur. 1980), syn Zygmunta i Ilony Solorz.

[2] Aleksandra Danuta Fajęcka (ur. 1984).

[3] Monika Suchocka (ur.1993).

[4] Piotr Mateusz Solorz-Żak (ur. 1992), syn Zygmunta i Małgorzaty Żak.

[5] Aleksandra Solorz-Żak (ur. 1993), córka Zygmunta i Małgorzaty Żak.

[6] Małgorzata Żak (ur. 12.03.1960, Warszawa).

[7] Zygmunt Józef Krok (ur. 4.08.1956, Radom), syn Henryka (ur. 28.01.1919) i Moniki (ur. 1.05.1925) z d. Furgał.

[8] Zbigniew Maksym Krok (ur. 1.03.1959) wziął ślub z Elżbietą Cisek (ur. 13.11.1958), córką Antoniego.

[9] Monika KrystynaTomczuk z d. Krok (ur. 9.10.1951), córka Henryka i Moniki.

[10] Ilona Solorz (ur. 28.10.1959, Mikołów), córka Ludwika i Małgorzaty z d. Wyrwok.

[11] W notatce służbowej błędnie podano rok 1982.

[12] IPN BU 00221/6, Karta kieszeniowa Jacket nr 9468, RO „Zeg", Notatka służbowa z 29.04.1983. Rozmowa z KO „Ge".

[13] Ibidem, Notatka służbowa z 2.05.1983.

[14] Zob.: Dorota Kania, Jerzy Targalski, Maciej Marosz, *Resortowe dzieci. Służby*, Warszawa 2014, s. 799 i nast.

[15] IPN BU 00221/6, Karta kieszeniowa Jacket nr 9468, RO „Zeg", Notatka służbowa z 14.05.1983.

[16] Ibidem, Notatka służbowa z 17.06.1983.

[17] Ibidem, Notatka służbowa z 23.07.1983.

[18] Ibidem, Raport z dokonanego werbunku z 5.11.1983.

[19] Ibidem, Notatka służbowa z 23.07.1983.

[20] Ibidem, Raport z dokonanego werbunku z 5.11.1983.

²¹ IPN BU 00221/6, Karta kieszeniowa Jacket nr 9468, RO „Zeg".

²² Ibidem, Raport dla płk. B. Zycha, Poławskiego i Bosaka z 2.01.1984.

²³ Ibidem, Raport dla płk. B. Zycha, Poławskiego i Bosaka z 31.01.1984.

²⁴ Ibidem, Raport dla płk. B. Zycha, Poławskiego i Bosaka z 14.06.1984.

²⁵ Ibidem.

²⁶ Andrzej Zybertowicz, *Przemoc „układu" – na przykładzie sieci biznesowej Zygmunta Solorza*, [w:] *Transformacja podszyta przemocą. O nieformalnych mechanizmach przemian instytucjonalnych*, pod red. R. Sojaka i A. Zybertowicza, Toruń 2008, s. 220.

²⁷ Wiesław Kudła, Maria Żołnierska-Dobrowolska, Tomasz Dobrowolski, *Działalność przedstawicielska i gospodarcza Towarzystwa Handlu Zagranicznego „Polimar" S.A. w latach 1972–1984*, UW Wydział Nauk Ekonomicznych, seria D, zeszyt 5 (do użytku służbowego), Warszawa 1986, s. 126–127.

²⁸ Patrz rozdział dotyczący rodziny Kulczyków, s. 273 i 276–279.

²⁹ Czesław Leśniak (ur. 1.01.1932), syn Jakuba.

³⁰ IPN BU 001043/3059, Leśniak Czesław ps. „Mario", „Marios".

³¹ IPN BU 00221/6, Karta kieszeniowa Jacket nr 9468, RO „Zeg", Raport dla płk. B. Zycha, Przedpełskiego i Bosaka z 20.11.1984.

³² Ibidem, Notatka służbowa z 16.04.1985.

³³ Ibidem, Analiza rozpracowania operacyjnego „Zeg" z 22.06.1985.

³⁴ Andrzej Zybertowicz, *Przemoc „układu"...*, s. 226.

³⁵ Dorota Kania, Jerzy Targalski, Maciej Marosz, *Resortowe dzieci. Politycy*, Warszawa 2016, s. 647–649.

³⁶ Ibidem, s. 12–13, 647–649, 673; idem, *Resortowe dzieci. Służby*, s. 184, 435.

³⁷ IPN BU 003088/126, k. 205.

³⁸ Protokół posiedzenia KRRiTV z 2.03.1994, s. 8.

[39] Zob. Dorota Kania, Jerzy Targalski, Maciej Marosz, *Resortowe dzieci. Media*, Warszawa 2013, rozdz. 5: *Wojna służb. Koncesja dla Polsatu*, s. 227–268.

[40] *Raport o działaniach żołnierzy i pracowników WSI...*, publikacja w „Monitorze Polskim", nr 11, 16.02.2007, s. 14.

[41] Ibidem.

[42] Dorota Kania, Jerzy Targalski, Maciej Marosz, *Resortowe dzieci. Służby*, s. 28–42, 50–52, 74–75, 106–108, 233–235.

[43] Idem, *Resortowe dzieci. Politycy*, s. 594–604.

[44] Marek Pietkiewicz (ur. 20.07.1950, Cieplice), syn Wacława i Wandy, zanim został prezesem DAL S.A. pracował w Pewexie, a wcześniej w Polservice.

[45] Dorota Kania, Jerzy Targalski, Maciej Marosz, *Resortowe dzieci. Politycy*, s. 12, 104, 154–156, 176.

[46] Ibidem, s. 98–101.

[47] Paweł Smoleński, *Ustawa za łapówkę. Przychodzi Rywin do Michnika*, „Gazeta Wyborcza", 26.12.2002.

[48] *Raport o działaniach żołnierzy i pracowników WSI...*, s. 341.

[49] Dorota Kania, Jerzy Targalski, Maciej Marosz, *Resortowe dzieci. Media*, s. 250, 268; idem, *Resortowe dzieci. Służby*, s. 168, 169, 254.

[50] *Raport o działaniach żołnierzy i pracowników WSI...*, s. 91, 96, 341.

[51] Paweł Smoleński, *Ustawa za łapówkę...*

[52] Dorota Kania, Jerzy Targalski, Maciej Marosz, *Resortowe dzieci. Media*, s. 229–230.

[53] Idem, *Resortowe dzieci. Służby*, s. 106–109; idem, *Resortowe dzieci. Politycy*, s. 86–87.

[54] Idem, *Resortowe dzieci. Media*, s. 249, 259.

[55] Ibidem, s. 345–346, 372.

[56] *Raport o działaniach żołnierzy i pracowników WSI...*, s. 92–93, 342.

[57] Dorota Kania, Jerzy Targalski, Maciej Marosz, *Resortowe dzieci. Media*, s. 76, 155–156, 228, 259, 263–264, 265, 321.

[58] Stenogram z 34. posiedzenia Komisji Śledczej do zbadania ujawnionych w mediach zarzutów dotyczących przypadków korupcji podczas prac nad nowelizacją ustawy o radiofonii i telewizji (SRTV) w dniu 25 kwietnia 2003 r., strona Sejmu RP: http://orka.sejm.gov.pl/KomSled.nsf/SRTVramkaw70penFrameset (dostęp: 27.11.2018).

[59] Dorota Kania, *Cień tajnych służb. Polityczne zabójstwa, niewyjaśnione samobójstwa, niepublikowane dokumenty, nieznane archiwa*, Kraków 2013, s. 7–22.

[60] *Raport o działaniach żołnierzy i pracowników WSI...*, s. 343.

[61] Ibidem.

[62] Dorota Kania, Jerzy Targalski, Maciej Marosz, *Resortowe dzieci. Politycy*, s. 128, 459–466, 468, 479.

[63] Idem, *Resortowe dzieci. Media*, s. 367.

[64] *Raport o działaniach żołnierzy i pracowników WSI...*, s. 338.

[65] Ibidem, s. 346.

[66] Ibidem, s. 14.

[67] Andrzej Zybertowicz, *Przemoc „układu"...*, s. 245.

8. NA GRANICY WYWIADÓW

(ZBIGNIEW NIEMCZYCKI)

Na okres schyłku systemu komunistycznego jego prominenci zaplanowali uwłaszczanie się i zyskanie przewagi finansowej, gwarantującej utrzymanie wpływów politycznych. Doszło do raptownego bogacenia się dawnych działaczy i ich zaufanych. Potęgi finansowe rosły wśród tych, którzy za aprobatą komunistycznych władz mieli przywilej rozwijania prywatnych interesów. Gdy w latach 80. szykowali się do zajęcia czołowych miejsc w biznesie po przemianach, reszta Polaków borykała się z problemem zdobycia podstawowych produktów. Z upływem lat od okresu transformacji ustrojowej właściciele fortun namnażanych od czasów PRL-u od trzech dekad III RP tworzą grupę najbogatszych Polaków.

344 NA GRANICY WYWIADÓW

Jednym z biznesmenów zdobywających fortunę jeszcze w czasach PRL jest Zbigniew Niemczycki[1]. Miliarder znany jest dziś jako twórca i właściciel Curtis Group, działającej m.in. na rynku farmaceutycznym, lotniczym i hotelarskim.

To jeden z nielicznych przedsiębiorców, który niezmiennie przewija się przez rankingi najbogatszych Polaków od 1990 r. Według tygodnika „Wprost", w 1993 r. był najbogatszym Polakiem. Długo utrzymywał się w pierwszej dziesiątce takich rankingów, zaś w 2017 r. z majątkiem szacowanym na 1,8 mld zł znalazł się na 17. pozycji wśród 100 najmajętniejszych Polaków. Niemczycki znany jest dziś też jako współzałożyciel i obecny szef Polskiej Rady Biznesu.

3 sierpnia 2015 r. Niemczycki został odznaczony przez prezydenta Bronisława Komorowskiego Krzyżem Oficerskim Orderu Odrodzenia Polski.

SB była blisko narodzin fortuny

W PRL Zbigniew Niemczycki został zarejestrowany przez SB w 1972 r. jako TW ps. „Jarex"[2]. Zdjęto go z ewidencji kontrwywiadu w październiku 1982 r. Akta sprawy przekazano do Wydziału II Departamentu I MSW[3]. Pozyskano go na zasadzie dobrowolności w 1972 r. w sprawie dotyczącej dziennikarzy i studentów o krypt. „Mendoza"[4]. Materiały przesłano do Dep. I MSW w październiku 1982 r. W 1989 r. pojawiła się informacja, że Niemczycki zarejestrowany jest przez wywiad MSW – z karty ewidencyjnej z 1990 r. wynika, że tym razem jako rozpracowanie operacyjne o krypt. „Jarex". Akta sprawy zniszczono w całości[5]. Postanowienie o zniszczeniu akt sprawy czynnej nr 12689 kryptonim „Jarex" Departamentu I złożył w styczniu 1990 r. kpt. T. Mykowski, st. insp. Wydz. II (amerykańskiego) Departamentu I MSW[6]. Materiały miały być zniszczone „z uwagi na utratę możliwości wywiadowczych «J». Dalsze prowadzenie sprawy jest niecelowe. Materiały nie przedstawiają wartości operacyjnej" – uzasadniał kpt. T. Mykowski. Decyzję tę zatwierdził z-ca dyrektora Departamentu I MSW płk Bronisław Zych.

Mimo tych adnotacji w postanowieniu o zniszczeniu akt kilka dokumentów zachowało się, ale Niemczycki, korzystając z tego, iż SB określiła sprawę prowadzoną przez wywiad jako Rozpracowanie Operacyjne, a nie sprawę KO „Jarex", zastrzegł ich ujawnianie, tzn. IPN nie może ich udostępniać naukowcom i dziennikarzom. Publikowanie treści owych dokumentów zostałoby natychmiast wykorzystane przez czujne sądy do wydania wyroku skazującego.

„Nie potwierdzam, bym kiedykolwiek był tajnym współpracownikiem SB" – odniósł się do problemu Niemczycki w rozmowie z ujawniającym jego akta w IPN dziennikarzem „Gazety Polskiej"[7]. „Nie kontaktowałem się z oficerami kontrwywiadu. To sprawa w ogóle mi nie znana. Znałem świat dziennikarski jako konferansjer na imprezach artystycznych. Miałem też do czynienia z urzędnikami państwowymi w MSZ, ministerstwie gospodarki – mówił biznesmen odnosząc się do okresu PRL. – To, że musiałem być włączony w działania bezpieki, to pewne. Byłoby dziwne, gdyby to nie miało miejsca". Jak przyznał, nie zainteresował się jednak materiałami IPN na swój temat.

Po publikacji tekstu w „GP" oraz akt IPN na stronach portalu Niezalezna.pl miliarder zagroził serwisowi i „Gazecie Polskiej" pozwem, domagając się też ogromnych pieniędzy za rzekome zniesławienie. Tak zareagował na ujawnienie archiwów bezpieki na temat jego przeszłości.

W jednym z wezwań pełnomocnik Zbigniewa Niemczyckiego zażądał m.in., by w terminie 7 dni od dnia doręczenia pisma wpłacić solidarnie 1 mln złotych na Fundację TVN „Nie Jesteś Sam". Po niezastosowaniu się portalu do żądania biznesmena w kolejnym piśmie jego pełnomocnik zażądał wpłacenia w ciągu tygodnia dalszej sumy pół miliona złotych na ten sam cel społeczny, czyli Fundację TVN „Nie Jesteś Sam"[8].

Zbigniew Niemczycki od początku lat 90. budował swój wizerunek przedsiębiorcy borykającego się z trudnościami, jakie stawiano mu w PRL w rozwijaniu działalności biznesowej[9]. Jego problemy nie dotyczyły jednak generalnie wyjazdów[10] za żelazną kurtynę, nawet w okresie po wprowadzeniu stanu wojennego. Jedyna informacja o zastrzeżeniu jego wyjazdu nie miała podłoża represyjnego, ale była wynikiem interwencji Heleny Duszyńskiej[11] oraz pierwszej żony Elżbiety, matki Doroty Niemczyckiej[12], której zalegał z alimentami[13]. Proces z Duszyńską Niemczycki przegrał 3 lutego 1977 r. i został skazany na zapłacenie powódce 76 400 złotych plus odsetek i kosztów procesowych. Z tego powodu otrzymał zastrzeżenie na wyjazd i nie popłynął jako konferansjer na statku „Stefan Batory". Dopiero po zapłacie zasądzonej sumy i zaległych alimentów mógł wyjechać. Warto jednak pamiętać, że od 1983 r. Zbigniew Niemczycki pełnił funkcję dyrektora przedstawicielstwa Curtisa w Polsce, która to

347 of 576 ZBIGNIEW NIEMCZYCKI

firma działała za zgodą i na licencji Ministerstwa Handlu Zagranicznego, ale na stałe mieszkał w USA.

Przy okazji rozmowy z miliarderem zapytaliśmy go o sympatie polityczne w kontekście polityków lewicy. Był bowiem od zawsze widywany u boku Aleksandra Kwaśniewskiego (zarejestr. przez SB jako TW „Alek"), Leszka Millera czy Józefa Oleksego. „Wspieram Platformę. Sympatyzuję z tą partią otwarcie, nie kryję tego" – mówił w 2013 r., gdy już długo wcześniej SLD zostało zmiecione ze sceny parlamentarnej, a w jej miejscu działała nowa siła – Platforma Obywatelska, gwarantująca zachowanie wpływów przez postkomunistów. Oprócz tych znajomości Niemczycki jednak nie zdradza swoich długoletnich przyjaźni z ludźmi lewicy postkomunistycznej. Dlatego nie mogło go zabraknąć na ślubie córki byłego prezydenta Aleksandra Kwaśniewskiego – Oli Kwaśniewskiej. Aleksander Kwaśniewski w 2012 r. narzekał na zbyt niską, jego zdaniem, emeryturę prezydencką. „Gdybyśmy z Lechem Wałęsą nie zarabiali poza Polską, normalne życie byłoby niemożliwe" – skarżył się były prezydent w jednym z wywiadów[14]. Niedługo po tym jak wybrzmiały jego żale, został przygarnięty przez Zbigniewa Niemczyckiego na luksusowym jachcie „Jurata", kołyszącym się na falach przy Lazurowym Wybrzeżu. Tam też biznesmen ma swoją okazałą rezydencję. Kwaśniewscy są stałymi gośćmi hotelu Niemczyckich „Bryza" w Juracie.

Biznesmen wspierał także próby powrotu Kwaśniewskiego z politycznego niebytu po skandalach, w których były prezydent występował publicznie jako wyraźnie niedysponowany. Tak było w roku 2012, gdy skompromitowany polityk usiłował wrócić na scenę polityczną przy poparciu tuzów polskiego biznesu i zaprzyjaźnionych z lewicą mediów oraz zamówionych przez nie sondaży. Elementem tej próby rewitalizacji wizerunku była wyprawa Kwaśniewskiego w tymże roku na Kubę w towarzystwie żony oraz biznesmenów – Jana Kulczyka i Zbigniewa Niemczyckiego[15].

CIA i SB

Okoliczność zainteresowania SB Niemczyckim staje się jeszcze bardziej intrygująca, jeśli przyjrzeć się postaci biznesowego mentora Niemczyckiego Beurta SerVaasa, związanego przez dekady z Partią Republikańską, głównego politycznego ośrodka w Stanach Zjednoczonych podejmującego walkę z systemem komunistycznym.

Beurt SerVaas podczas II wojny światowej został zrekrutowany przez CIA (wtedy jeszcze pod nazwą Biuro Służb Strategicznych – Office of Strategic Services, OSS)[16]. W czasie wojny uczestniczył w akcji służb, przerzucony na teren południowo-zachodnich Chin. Dowodził piętnastoosobową grupą, której misją było zakłócanie transportu rzecznego zaopatrującego Japończyków. Grupa działała też na rzecz służb specjalnych OSS, by zdobyć źródła wywiadowcze niezbędne w przygotowaniach inwazji na teren Japonii.

SerVaas zasłynął również później, gdy wojna ustąpiła z obszaru Chin, samotną, brawurową i potencjalnie samobójczą akcją, której legenda pozostała na długo w CIA. Zaopatrzony jedynie w tabletki z cyjankiem dostał się do mocno ufortyfikowanej jednostki japońskiej na wyspie Formoza (Tajwan) dla przekazania żądania złożenia broni przez Japończyków. Misja zakończyła się sukcesem. Japończycy poddali się a SerVaasa odznaczono[17]. SerVaas udzielał się później społecznie. Pełnił przez 40 lat funkcję członka rady miasta Indianapolis, z czego 27 lat kierował jej pracami. Odszedł na emeryturę w 2002 r.

Pozostaje niejasne, czy związki ze służbami USA i służbami państwa satelickiego ZSRS, jakim była PRL, były znane Stanom Zjednoczonym i Związkowi Sowieckiemu. Czy jednoczesna zażyłość z SerVaasem i związki Niemczyckiego z SB, na które wskazują akta IPN, była grą obu wywiadów, czy tylko jednego z nich?

Pierwszy milion

Niemczycki twierdzi, że wbrew obiegowemu powiedzeniu pierwszego miliona nie musiał ukraść.

„Pierwszy milion zarobiłem pracując dla doktora Beurta SerVaasa, a później współpracując z nim. To był mój guru" – stwierdził biznesmen[18].

Pierwsze w ogóle pieniądze w swoim życiu Niemczycki zarobił podczas studiów na Politechnice Warszawskiej. Pracował w Polskim Radiu przy ul. Myśliwieckiej. W początku lat 70. w warszawskiej dyskotece w klubie „Remont" Niemczycki stał za konsoletą dyskdżokeja, a porządku pilnowali bramkarze – późniejszy biznesmen Marek Goliszewski i znany po latach, jako działacz związków zawodowych, Maciej Jankowski[19].

Niemczycki podczas studiów udzielał się w komunistycznej młodzieżówce – Zrzeszeniu Studentów Polskich (ZSP). „Ważnym doświadczeniem było też działanie w Zrzeszeniu Studentów Polskich, byłem współtwórcą klubu Riwiera i pierwszych międzynarodowych hoteli studenckich, na które w czasie wakacji zamienialiśmy akademiki. To było pierwsze doświadczenie z pracą menedżerską"[20]. Wspominając o tym po latach, przedstawia wizję tej organizacji jedynie jako dającej szansę do działania i rozwoju młodym i energicznym ludziom. Warto przypomnieć, że z organizacji tej, już po połączeniu ze Związkiem Młodzieży Socjalistycznej (ZMS), przemianowanej na Socjalistyczny Związek Studentów Polskich (SZSP), wywodzi się cały garnitur polityków PZPR, łącznie z późniejszym prezydentem Aleksandrem Kwaśniewskim, którzy grali pierwsze skrzypce w niezdekomunizowanym aparacie państwowym po 1989 r.

W 1977 r. Niemczycki wyjechał do USA. W Ameryce zaczynał od reklamowania parasolek, potem pracował w warsztacie samochodowym, firmie elektrycznej, studiu nagrań, by wreszcie w Indianapolis poznać multimilionera Beurta SerVaasa, właściciela firmy Curtis International, co stało się początkiem piorunującej biznesowej kariery polskiego przedsiębiorcy. Do zapoznania się ich miało dojść przypadkowo na kortach tenisowych w Indianapolis[21]. SerVaas miał szybko mianować Niemczyckiego swoim asystentem do spraw Europy Wschodniej. Bezpośrednim następstwem tej znajomości było założenie w 1983 r. w Warszawie przedstawicielstwa kompanii inwestycyjno-handlowej Curtis International Inc., będącej częścią składową korporacji SerVaas Inc. Przypomnijmy, że akta „Jarex" przekazano do wydziału amerykańskiego wywiadu PRL w roku 1982.

Biznes w III RP

W 1991 r. Niemczycki wykupił od SerVaasa Curtis Int. i założył w Polsce Curtis Group. Grupa składa się z czterech firm: White Eagle Aviation – branża lotnicza, Curtis Development – budownictwo, hotelu Bryza – branża hotelarska i Curtis Healthcare[22] – produkcja parafarmaceutyczna. O przewadze finansowej, jaką w Polsce miał nad innymi Niemczycki, świadczyć może choćby to, że jako pierwszy w naszym kraju wybudował biurowiec klasy A (o wyśrubowanym standardzie budowlanym) i jako pierwszy został posiadaczem amerykańskiego śmigłowca Bell[23].

Na początku lat 90. Niemczycki udzielił telewizyjnego wywiadu, w którym został zapytany o proces uwłaszczania się nomenklatury.

„Czy ludzie, którzy mieli doświadczenie w życiu partyjnym, organizacyjnym czy w ruchu młodzieżowym, z którym pan był związany, są lepiej przygotowani do zarządzania, czy są to ludzie w nowym ustroju niebezpieczni i trzeba szukać ludzi zupełnie z zewnątrz?" – pytał dziennikarz.

„Mam inne zdanie, jestem przeciwny temu, co się dzieje w kraju od czterech lat. Jestem przeciwny podziałom w społeczeństwie. Z jednej strony uważam, że trzeba ścigać i karać ludzi, którzy działają w sposób nielegalny, wykorzystują swój urząd dokonując nadużyć. Natomiast uważam, że zdecydowana większość ludzi w Polsce, która pracowała w poprzednim systemie, była przekonana, że buduje nasz kraj. W wielu przypadkach ci ludzie oskarżani są dzisiaj, że budowali komunizm. Myślę, że ci ludzie źle się czują. W ich przekonaniu większość społeczeństwa przekonana była, że buduje swój kraj w takich, a nie innych warunkach. Myśmy nie mieli prawa wyboru kraju i ustroju, w jakim będziemy żyli, za nas to zrobiono i większość społeczeństwa miała przekonanie, że buduje swój kraj" – stwierdził Niemczycki[24].

Zbigniew Niemczycki, nazywany przez niektórych ojcem polskiej elektroniki, działalność w branży rozpoczynał od importu do Polski japońskich telewizorów Otake. W 1991 r. otworzył w Mławie fabrykę produkującą telewizory Curtis, a rok później w pobliżu tego miasta Zakład Przetwórstwa Tworzyw[25].

Niemczycki wraz z Markiem Goliszewskim i grupą innych biznesmenów brał aktywny udział w pracach nad nową konstytucją z 1997 r. I tu jeszcze raz objawiła się zażyłość Niemczyckiego z liderem postkomunistów Aleksandrem Kwaśniewskim. Biznesmeni omawiali z nim jako szefem Komisji Konstytucyjnej Sejmu RP propozycje zapisów w ustawie zasadniczej. Wiele z tych propozycji zostało przyjętych w finalnym akcie prawnym[26].

Sam Niemczycki uważa, że sukces osiągnął w życiu dzięki pasji i zaangażowanej pracy przez trzy dekady[27].

Zbigniew Niemczycki jest współtwórcą i członkiem zarządu Business Center Club. BCC istnieje od 1991 r., jest prestiżowym klubem przedsiębiorców i największą w kraju organizacją indywidualnych pracodawców. Ma swoje oddziały regionalne – loże, kodeks członka, a nawet hymn.

Rodzina Niemczyckiego

Nazwisko Niemczycki mocno zaznaczyło się w biznesowym światku III RP, nie tylko za sprawą samego właściciela Curtis Group. Zbigniew Niemczycki jest, jak sam powiedział, dalszym krewnym Piotra Niemczyckiego, wieloletniego szefa spółki Agora[28].

Brat biznesmena Lesław Niemczycki[29], z zawodu elektronik, był członkiem PZPR w latach 70. i na początku lat 80.[30] Jako inżynier automatyk zajmujący się projektowaniem systemów elektronicznych zatrudniony był m.in. we wrocławskich zakładach Mera-Elwro. W okresie PRL wyjeżdżał na zagraniczne kontrakty nie tylko do krajów Europy Zachodniej, ale i na Kubę[31].

Lesław Niemczycki został właścicielem firmy ENES. To zakład usługowy automatyki[32]. Zakład reklamuje się, że działa od 1986 r. Zajmuje się projektowaniem, montażem i serwisem systemów automatyki przemysłowej – w stacjach uzdatniania wody, kotłowniach, systemach wentylacyjnych i klimatyzacji[33]. W 1987 r. Lesław Niemczycki miał wyjechać do USA na zaproszenie brata Zbigniewa, dyrektora ds. europejskich Curtis Int. Ltd. z Indianapolis. Wówczas służby paszportowe odnotowały, by przy wyjeździe Lesława Niemczyckiego każdorazowo przed decyzją o wydaniu paszportu powiadomić mjr. Jerzego Olkiewicza, kierownika Inspektoratu I SB we Wrocławiu, czyli krajowej ekspozytury Departamentu I MSW, co wskazywało na zainteresowanie osobą elektronika wywiadu PRL.

Żona elektronika, Halina Niemczycka[34], z którą ma on córkę Izabelę[35], była starszym referentem w Akademii Ekonomicznej we Wrocławiu.

Zbigniew Niemczycki wżenił się w rodzinę Franków. Ojcem żony biznesmena, Katarzyny Frank-Niemczyckiej, był Ksawery Frank[36], podczas II wojny światowej żołnierz AK. Z wykształceniem średnim rolniczym po wojnie był pośrednikiem w sprzedaży samochodów i kierowcą rajdowym. Był jedenastokrotnym mistrzem Polski w rajdach i wyścigach samochodowych.

W 1947 r. Frank zgłosił się przed komisję amnestyjną[37] i podpisał oświadczenie o udziale w formacjach podziemnych[38]. Siostra Ksawerego Franka – Kazimiera Złotnicka, mieszkała po wojnie w Gdańsku[39].

Z dzieci Ksawerego Franka i jego żony Haliny[40] tylko jedno mieszkało na stałe w Polsce – córka Agnieszka Frank-Komorowska, absolwentka SGGW[41]. Druga córka Katarzyna Frank-Niemczycka[42] i syn Jan Frank, mający w Indianapolis od 1974 r. własną stację firmy Mercedes[43], byli obywatelami USA, podobnie jak wnuki: Magdalena Frank i Jan Frank.

Ksawerego Franka służby rejestrowały dwukrotnie. W czerwcu 1955 r. Powiatowy Urząd Bezpieczeństwa Publicznego Kutno zarejestrował sprawę pod krypt. „Obszarnik". Zaniechano jej w kolejnym roku wobec braku podstaw do jej prowadzenia[44]. Po raz drugi Ksawery Frank był rejestrowany w 1963 r. przez Wydział II KWMO w Łodzi w celu werbunku[45].

Najstarszy syn Zbigniewa Niemczyckiego Michał tworzy własne spółki[46]. Jego żona Anna Czartoryska-Niemczycka wspiera feministki w czarnych marszach. Zachęcała do pojawienia się na demonstracji w marcu 2018 r., gdy Obywatele RP wraz z feministkami obrzucili balonami z czerwoną farbą siedzibę PiS na Nowogrodzkiej w Warszawie dewastując elewację budynku[47]. Z kolei najmłodszy z juniorów, Max Niemczycki, został pilotem LOT-u[48].

Dorota Niemczycka[49], córka z pierwszego małżeństwa Zbigniewa Niemczyckiego, zdobywała wykształcenie w USA i Hiszpanii. Pracowała w firmie CMG World w Indianapolis i znanej z produkcji słodyczy firmie Chupa Chups jako menadżer ds. komunikacji. Założyła też działającą w Barcelonie firmę Econano[50]. W lipcu 2017 r., gdy wzrastała temperatura sporu wokół ustaw sądowych i protestujący wymuszali decyzję zawetowania ustaw rządu PiS przez prezydenta Andrzeja Dudę, Dorota Niemczycka propagowała w internecie hasło #WolneSądy[51].

System nagród wśród „autorytetów"

Establishment krajowy po 1989 r. przywiązuje dużą wagę do kształtowania i umacniania postaci wyznaczonych przez siebie do odgrywania roli autorytetów. Dużą rolę spełniają w tym nagrody i wyróżnienia dla liderów z różnych dziedzin.

Niemczyckiego wielokrotnie wyróżniano[52] nagrodami i tytułami honorowego obywatela miasta. Z kolei on sam jako prezes Zarządu Polskiej Rady Biznesu i wiceszef Rady Głównej Stowarzyszenia Business Center Club[53] także rozdzielał nagrody. Został m.in. przewodniczącym jury Nagrody Biznesmena Roku.

Biznesmen jest członkiem kapituły Nagrody Polskiej Rady Biznesu im. Jana Wejcherta[54]. W 2018 r. nagrodę specjalną przyznano niekojarzonemu z ekonomią czy gospodarką ks. Adamowi Bonieckiemu, znanemu za to jako nieprzejednany krytyk działań rządów prawicowych, duchownemu wspierającemu tak ostentacyjnie lewicę laicką, że otrzymał od przełożonych Kościoła właśnie w roku nagrody zakaz udzielania wypowiedzi medialnych.

W skład kapituły nagrody PRB wchodzą autorytety świata biznesu, mediów i polityki III RP, a także członkowie rodziny Jana Wejcherta (TW „Konarski"). W tym gremium obok dziennikarki Moniki Olejnik (córka mjr. SB) znalazł się Mariusz Walter (TW „Mewa"), żona nieżyjącego już Jana Wejcherta – Aldona Wejchert i ich córki Victoria i Agata Wejchert-Dworniak. Kapitułę uzupełniają Alicja Kornasiewicz, była wiceminister Skarbu Państwa, córka zmarłego biznesmena Jana Kulczyka (syn TW „Pawła") – Dominika Kulczyk, minister kultury rządu SLD-PSL Waldemar Dąbrowski, ekspremier Leszek Balcerowicz, a także syn Andrzeja Olechowskiego – Jacek Olechowski. Wspomniana dziennikarka Monika Olejnik jest dobrą znajomą biznesmena. Przy różnych uroczystych okazjach, jak choćby bale charytatywne, dziennikarka i biznesmen robią sobie wspólne zdjęcia, które obiegają później prasę kolorową.

W gronie finalistów „biznesowych Oskarów", jak nazywana jest w światku biznesu III RP nagroda PRB im. Jana Kulczyka, znalazł się także m.in. Zbigniew Grycan (zarejestr. przez SB jako TW „Zbyszek") – założyciel i prezes Lodziarni Firmowych Grycan[55].

Pod koniec 2011 r. w Mławie, w której Niemczycki stworzył fabrykę produkującą telewizory, odebrał on honorowe obywatelstwo tego miasta. Radni miasta Mława jednogłośnie poparli wniosek burmistrza Sławomira Kowalewskiego[56].

Choć biznesmen twierdzi, że żyje polityką, to jednocześnie zaprzecza, by zamierzał powołać partię polityczną. Za to bardzo silnie wyeksponował swoją rolę u boku konkretnej formacji – PO. To za rządów Donalda Tuska „zaproponowaliśmy premierowi [...], że powołamy zespoły, które przygotują koncepcje programów naprawczych w służbie zdrowia, budownictwie, w kolejnictwie i drogach" – tłumaczył w 2012 r. Niemczycki[57].

PRZYPISY

[1] Zbigniew Niemczycki (ur. 23.01.1947, Nisko), syn Władysława (ur. 8.06.1910) i Stanisławy z d. Sereda (ur. 14.11.1914); w latach 1961–1965 uczeń Liceum Ogólnokształcącego im. Komisji Edukacji Narodowej w Stalowej Woli.

[2] Wypis z karty Dziennika Rejestracyjnego SUSW W-wa na podstawie karty nr BU-I-00-1900/K/07 z dnia 11.12.2006.

[3] Ibidem.

[4] Wypis z kart kartoteki odtworzeniowej Biura „C" MSW na podstawie karty nr BU-I-00-1901/K/07 z dnia 27.10.2006.

[5] Wypis z bazy protokołów brakowania Departamentu I na podstawie karty nr BU-I-161890/09 z dnia 26.02.2009.

[6] IPN BU 01746/4, Protokoły zniszczenia akt spraw prowadzonych przez Departament I MSW, Postanowienie o zniszczeniu akt sprawy czynnej nr 12689 Rozpracowanie Operacyjne „Jarex", 15.01.1990.

[7] Rozmowa telefoniczna Macieja Marosza ze Zbigniewem Niemczyckim, archiwum autora, 18.01.2013.

[8] *Niemczycki chce od nas półtora miliona. Bo ujawniliśmy dokumenty IPN*, Niezalezna.pl, 12.09.2013, http://niezalezna.pl/45918-niemczyc-ki-chce-od-nas-poltora-miliona-bo-ujawnilismy-dokumenty-ipn (dostęp: 24.07.2018).

[9] W wywiadzie udzielonym w 1994 r. na pytanie dziennikarza o zainteresowanie służb wewnętrznych PRL jego osobą Zbigniew Niemczycki stwierdził: „Dość poważną obserwację na pewno miałem, odczuwałem to, miałem poważne kontrole bagażu", *A teraz konkretnie. Zbigniew Niemczycki w rozmowie z Andrzejem Tadeuszem Kijowskim*, Nowa Telewizja Warszawa, 22.01.1994, https://www.youtube.com/watch?v=c-gf5Nb2x8PE (dostęp: 24.07.2018).

[10] IPN BU 728/89672, Akta paszportowe Zbigniewa Niemczyckiego, PZ-4. Z karty paszportowej wynika, że Niemczycki wyjeżdżał w 1969 r. do ZSRS, a w 1977 r. z Pagartu służbowo do Anglii.

[11] Ibidem. „Zastrzegła Helena Duszyńska. W/w jest dłużnikiem. 92.000 zł. [Zastrz.] na kraje kapitalistyczne i Jugosławię".

[12] Dorota Niemczycka (ur. 1974), córka z pierwszego małżeństwa Zbigniewa Niemczyckiego.

[13] Wypisy ewidencyjne, sygnatura brakowanych akt: EAWA 207021, karta Pz-35, Zastrzeżenie wyjazdu przez nr Z-III 24/77.

[14] Andrzej Stankiewicz, Piotr Śmiłowicz, *„Władcy wysokich klamek". Kwaśniewski doradza Komorowskiemu*, Newsweek.pl, 9.08.2010, http://www.newsweek.pl/polska/wladcy-wysokich-klamek--kwasniewski-doradza-komorowskiemu,62991,1,1.html (dostęp: 12.07.2018).

[15] Piotr Lisiewicz, *Kwaśniewski powraca w rosyjskim stylu*, Niezalezna. pl, 21.04.2013, http://niezalezna.pl/40590-powrot-kwasniewskiego-w--rosyjskim-stylu (dostęp: 22.05.2018).

[16] Matthew Tully, *Beurt SerVaas bids farewell to City-County Council*, tekst przedrukowany po śmierci SerVaasa 3.02.2014 (data oryginału: 28.10.2002), https://eu.indystar.com/story/news/politics/2014/02/03/city-builder-beurt-servaas-bids-farewell-to-council/5182795/ (dostęp: 18.05.2018).

[17] *The Saturday Evening Post mourns the loss of owner Dr. Beurt R. SerVaas*, „The Saturday Evening Post", 17.04.2014, http://www.saturdayeveningpost.com/2014/04/17/uncategorized/the-saturday-evening-post-mourns-the-loss-of-owner-dr-beurt-r-servaas.html (dostęp: 12.05.2018).

[18] *BizSylwetki. Niemczycki*, 11.03.2013, https://www.youtube.com/watch?v=6S8IzbED0r4 (dostęp: 12.05.2018).

[19] *Życie jest walką*, artykuł „Magazynu Sukces", maj 2005, http://goliszewski.bcc.org.pl/pliki/artykuly/2005-05_sukces.pdf (dostęp: 12.07.2017).

[20] Jakub Kurasz, Anita Błaszczak, *Niech każdy robi swoje*, „Magazyn Sukces", 24.04.2012, http://arch.sukcesmagazyn.pl/artykul/0,863299.html?p=3 (dostęp: 28.05.2018).

[21] *BizSylwetki. Niemczycki...*

[22] Ibidem.

[23] Zbigniew Niemczycki – sylwetka, Stalowka.NET – Encyklopedia miasta Stalowa Wola, http://www.stalowka.net/encyklopedia.php?dx=88 (dostęp: 12.07.2018).

[24] *A teraz konkretnie. Zbigniew Niemczycki w rozmowie z Andrzejem Tadeuszem Kijowskim...*

[25] Bronisław Tumiłowicz, *Kolos na zagranicznych nogach*, TygodnikPrzegląd.pl, 4.09.2011, https://www.tygodnikprzeglad.pl/kolos-na-zagranicznych-nogach (dostęp: 12.05.2018).

[26] Marek Goliszewski, *Życiorys zawodowy – najważniejsze fragmenty*, http://goliszewski.bcc.org.pl/pliki/goliszewski/zyciorys_zawodowy.pdf (dostęp: 12.07.2018).

[27] Małgorzata Pawłowska, *Czempioni. Rozmowa ze Zbigniewem Niemczyckim, właścicielem Curtis Group, członkiem Rady Głównej BCC. Trzeba zawsze mieć plan B*, „Gazeta BCC", nr 5, maj 2013.

[28] Rozmowa telefoniczna Macieja Marosza ze Zbigniewem Niemczyckim, archiwum autora, 18.01.2013.

[29] Lesław Niemczycki (ur. 2.02.1944, Wrocław), syn Władysława (ur. 8.06.1910) i Stanisławy z d. Sereda (ur. 14.11.1914).

[30] IPN Wr 524/56898, Podanie o wyjazd czasowy z żoną do USA, 20.04.1980.

[31] Ibidem, Akta paszportowe Niemczyckiego Lesława, Karta paszportu służbowego Pz-13, 25.02.1981.

[32] Lesław Niemczycki, linkedin.com, https://www.linkedin.com/in/les%C5%82aw-niemczycki-b92546135/?trk=public-profile-join-page (dostęp: 22.07.2018).

[33] http://www.enes.neostrada.pl/ (dostęp: 22.07.2018).

[34] Halina Niemczycka (ur. 8.06.1951, Żagań) z d. Markowska, córka Jana i Janiny.

[35] Izabela Barbara Niemczycka (ur. 25.04.1983).

[36] Ksawery Krzysztof Frank (16.04.1923–1994), syn Jana.

[37] Wypisy ewidencyjne oraz IPN BU 27/837, Frank Ksawery, oświadczenie z 1947 r.

[38] „W 1941 r. wstąpiłem do organizacji ZWZ gdzie pełniłem funkcję kolportera. Następnie będąc w PZP dostałem się na szkołę podchorążych pod Konstancinem. Po ukończeniu szkoły otrzymałem st. kaprala podchorążego. W 17. dniu Powstania przedarłem się do Warszawy, gdzie walczyłem na Mokotowie. Po wyzwoleniu Polski zarejestrowałem się w RKU jako poborowy ukrywając swój stopień wojskowy. W lipcu 1945 r. otrzymałem wezwanie do wojska i po zameldowaniu się otrzymałem bezterminowe zwolnienie z wojska. Obecnie chcę wrócić do swojego stopnia wojskowego. Zgłaszam się przed Komisją Amnestyjną. Otrzymałem zaświadczenie nr 30625".

[39] Kazimiera Złotnicka (ur. 6.01.1925), zam. Gdańsk Oliwa, emerytka.

[40] Halina Frank z d. Lewińska (ur. 4.09.1922, Słomczyn k. Warszawy), córka Antoniego.

[41] Agnieszka Frank-Komorowska (ur. 24.06.1959).

[42] Katarzyna Frank-Niemczycka (ur. 6.01.1951).

[43] IPN BU 659/31826, Podanie Ksawerego Franka o paszport na wyjazd do USA, 6.04.1990.

[44] IPN Ld Pf 10/491 t. IV, Sprawy ewidencyjno-obserwacyjne, lata 1955-1960.

[45] Wypisy ewidencyjne, sprawa IPN Ld 0313/11.

[46] Michał Niemczycki (ur. 2.08.1981) prowadzi przedsięwzięcia biznesowe, jak Vodanaturalna czy Freebee.

[47] https://www.facebook.com/photo.php?fbid=101600664601206 96&set=a.10150270385860696.501072.590675695&type=3&the ater (dostęp: 12.07.2018).

[48] Max Niemczycki, https://www.facebook.com/max.niemczycki (dostęp: 13.07.2018).

[49] Dorota Niemczycka (ur. 5.10.1973).

[50] Dorota Niemczycka, linkedin, https://www.linkedin.com/in/dorota-niemczycka-86315146/ (dostęp: 12.07.2018).

[51] Dorota Niemczycka, https://www.facebook.com/dorota.niemczycka.5/posts/10154899663641608 (dostęp: 14.07.2018).

[52] Otrzymał: Krzyż Komandorski Orderu Św. Grzegorza z Gwiazdą II Klasy (1992), Krzyż Kawalerski Orderu Odrodzenia Polski (1998), Krzyż Oficerski Orderu Odrodzenia Polski (2015). Uzyskał też tytuły „Businessmen Roku" oraz „Lider Polskiego Biznesu", a także „Oskar Serca" przyznawany przez Fundację Rozwoju Kardiochirurgii. Ma tytuły honorowego obywatela miast Stalowej Woli (2002) i Mławy (2011).

[53] *Niemczycki Zbigniew, biznesmen*, „Dziennik Polonijny", 30.10.2006, http://www.poland.us/strona,9,532,0,niemczycki-zbigniew.html (dostęp: 12.05.2018).

[54] Nagrody Polskiej Rady Biznesu im. Jana Wejcherta, http://nagrodaprb.pl/#nagroda (dostęp: 23.05.2018).

[55] *Nagrody Polskiej Rady Biznesu. Zenon Ziaja z biznesowym Oskarem w kategorii sukces*, „Dziennik Bałtycki", 21.05.2018, http://www.dziennikbaltycki.pl/strefa-biznesu/wiadomosci/z-regionu/a/nagrody-polskiej--rady-biznesu-zenon-ziaja-z-biznesowym-oskarem-w-kategorii-sukces--zdjecia,13195791 (dostęp: 24.05.2018).

[56] *Zbigniew Niemczycki będzie honorowym mieszkańcem Mławy*, Mlawa-info.pl, 25.10.2011, http://mlawainfo.pl/3595/zbigniew-niemczycki-bedzie-honorowym-mieszkancem-mlawy (dostęp: 12.07.2018).

[57] Jakub Kurasz, Anita Błaszczak, *Niech każdy robi swoje...*

9. JAK TW „ERNEST" SPRAWDZIŁ SIĘ W BIZNESIE

(LESZEK CZARNECKI)

Przez całe lata w III RP znajdował się na liście najbogatszych Polaków. W 2018 r. zaliczył jednak spektakularny spadek – jego majątek gwałtownie stopniał, a Leszek Czarnecki, bo o nim mowa, znalazł się „dopiero" na 22. miejscu listy najbogatszych Polaków tygodnika „Wprost"[1].

Leszek Czarnecki[2] urodził się we Wrocławiu. W latach 80. ubiegłego stulecia jego ojciec był projektantem w Biurze Studiów i Projektów Służby Zdrowia, a matka była tam ekonomistką[3]. Brat Waldemar[4] studiował na Politechnice Wrocławskiej budownictwo lądowe[5].

W zasobach Instytutu Pamięci Narodowej zachowały się liczne dokumenty dotyczące biznesmena[6]. Z ogólnodostępnych życiorysów można się dowiedzieć, że Leszek

Czarnecki był jednym z najmłodszych instruktorów nurkowania w Polsce. Uprawnienia zdobył mając 22 lata, na początku lat 80. Jego pierwszą firmą było Przedsiębiorstwo Techniki Alpinistyczno-Nurkowej TAN S.A., prowadzące prace podwodne. W latach 1986–1990 pracował jako nurek zawodowy (nurek klasyczny korzystający z ciężkiego sprzętu do wykonywania prac podwodnych)[7]. Nie ma tam jednak informacji o śledztwie, które było prowadzone w drugiej połowie lat 80. ubiegłego stulecia. Jak czytamy w aktach IPN[8], Prokuratura Rejonowa we Wrocławiu prowadziła w sprawie śmierci nurka Leszka Kruczkowskiego postępowanie, w którym Leszek Czarnecki miał postawione zarzuty.

Tragedia wydarzyła się 9 grudnia 1987 r. – w tym dniu Dzielnicowy Urząd Spraw Wewnętrznych został zawiadomiony o wypadku śmiertelnym. Miesiąc wcześniej Zakład Usług Podwodnych działający przy Polskim Towarzystwie Turystyczno-Krajoznawczym Polskiej Akademii Nauk zawarł umowę z Okręgową Dyrekcją Gospodarki Wodnej na wykonanie prac remontowych. Kierownikiem grupy płetwonurków był Leszek Czarnecki – w dniu rozpoczęcia prac zginął Leszek Kruczkowski.

Leszkowi Czarneckiemu oraz Wiesławowi Kacaperowi postawiono zarzut braku nadzoru nad pracami podwodnymi i niezachowanie warunków BHP, co stało się przyczyną utonięcia nurka. Z powodu toczącego się śledztwa służby PRL-u zastrzegły Czarneckiemu paszport. „Ze względu na ekonomikę procesową nie jest wskazane, by w/w opuszczał granice PRL" – czytamy w uzasadnieniu odmowy wydania paszportu[9]. Czarnecki odwołał się od tej decyzji.

„Uprzejmie proszę o anulowanie decyzji unieważnienia mojego paszportu. Obawa o fakt mojego pozostania za granicą jest niczym nie uzasadniona. Informuję, że nie czuję się winny przedstawionych mi zarzutów i proszę o powtórne wydanie paszportu. Podkreślam, że czasowa nieobecność w kraju nie stanowi przeszkody w czynnościach, a umożliwi realizację pracy, której przygotowanie pochłonęło ogromne środki finansowe i cały wolny czas ostatnich lat" – pisał Czarnecki 15 lutego 1988 r. w odwołaniu do Ministra Spraw Wewnętrznych[10].

Ostatecznie dochodzenie w sprawie nieumyślnego spowodowania śmierci nurka zostało umorzone 25 czerwca 1988 r. „z powodu braku cech przestępstwa" – jak napisał w uzasadnieniu umorzenia dochodzenia prokurator Zbigniew Kępa z Prokuratury Rejonowej Wrocław Psie Pole[11]. Ta informacja wpłynęła do Dzielnicowego Urzędu Spraw Wewnętrznych Wrocław Psie Pole, który wystąpił do Wydziału Paszportów WUSW o cofnięcie zastrzeżenia na wyjazdy za granicę Czarneckiemu i Kacaperowi[12]. I po tym piśmie paszporty zostały zwrócone.

Gdy Czarnecki odbierał decyzję o umorzeniu postępowania, od ośmiu lat figurował w dokumentach Służby Bezpieczeństwa jako tajny współpracownik. Ze zgromadzonych w IPN dokumentów wynika, że zaledwie 18-letni Czarnecki został zarejestrowany w czerwcu 1980 r. przez Służbę Bezpieczeństwa jako tajny współpracownik o ps. „Ernest"[13].

W jego teczce znajduje się własnoręcznie napisane zobowiązanie. „Zobowiązuję się do udzielenia wszechstronnej pomocy organom Służby Bezpieczeństwa. Dla utajnienia Kontaktu przyjmuję pseudonim Ernest" – czytamy w dokumencie[14].

„Dnia 9.08.1980 r. w hotelu «Piast» przeprowadziłem rozmowę pozyskaniową z kand. na TW Leszkiem Czarneckim, studentem I roku Inżynierii Sanitarnej Politechniki Wrocławskiej. Rozmowa została przeprowadzona w szczerej i życzliwej atmosferze. Kandydat chętnie udzielał informacji o sobie oraz o swoich kolegach. Własnoręcznie napisał i przyniósł mi na spotkanie (prosiłem go o to wcześniej) charakterystyki kilku osób spośród grona licealistów III LO. Jak sądzę przy użyciu odpowiednich, przekonywujących argumentów, udało się osłabić i zredukować dysonans poznawczy wynikający z różnicy przekonań ideowych i moralnych. Rzeczowa argumentacja wskazująca prawdziwe oblicze wrogiej działalności wśród niektórych środowisk studenckich spowodowała rozmycie wątpliwości w kwestii, jak się wyraził «donosicielstwa». W konsekwencji zasygnalizowałem konieczność utrzymywania kontaktu z organami ścigania, na co TW wyraził zgodę, po czym wskazałem wymogi formalne, które nas obowiązują i podyktowałem kandydatowi treść zobowiązania o współpracę z naszymi organami. W/w zaproponował pseud. «Ernest», którym będzie podpisywał informacje o środowisku studenckim Politechniki Wrocławskiej. Również pouczono kandydata o podstawowej zasadzie pracy konspiracyjnej, a przede wszystkim uczulono go na problem utrzymywania w tajności swoich kontaktów z funkcjonariuszem SB" – pisał w raporcie z rozmowy pozyskaniowej Jerzy Madej, inspektor wydziału III Wojewódzkiego Urzędu Spraw Wewnętrznych we Wrocławiu[15].

TW „Ernest" otrzymywał pieniądze od SB, o czym świadczą podpisane przez niego pokwitowania przyjęcia gotówki. Pierwsze z nich nosi datę 24 września 1980 r. – miesiąc po podpisaniu zobowiązania przyjął od SB 500 zł, co poświadczył własnoręcznym podpisem. „W dniu dzisiejszym wręczyłem TW ps. «Ernest» kwotę 500 zł na wydatki związane z realizacją zadań" – napisał w raporcie insp. Jerzy Madej[16].

Pokwitowań przyjęcia pieniędzy w teczce TW „Ernesta" jest więcej – dotyczyły one m.in. zwrotu kosztów poniesionych na zakup literatury bezdebitowej, ale nie tylko. „Poświadczenie. Potwierdzam odbiór 2000 (dwa tysiące złotych) od funkcjonariusza SB" – czytamy w odręcznym dokumencie podpisanym przez TW „Ernesta", datowanym na 24 lipca 1981 r. Pod podpisem tajnego współpracownika funkcjonariusz SB zanotował: „Wrocław. 24.07.81 Tajne spec. znacz. egz. poj. W dniu 24.07.81 wręczyłem TW ps. «Ernest» kwotę 2000 zł (dwa tysiące złotych) tytułem zwrotu kosztów poniesionych podczas realizacji zadań oraz za przekazane informacje"[17]. W latach 1980–1981 TW „Ernest" przyjmował kwoty opiewające na 400–500 zł.

Służba Bezpieczeństwa wyrażała się bardzo pozytywnie o swoim tajnym współpracowniku.

„[...] Utrzymywał koleżeńskie kontakty z członkami SKS-u. Poprzez te kontakty w październiku 1980 r. wstąpił do NZS-u, był członkiem komitetu założycielskiego na Wydziale Inżynierii Sanitarnej. W kwietniu 1981 r. został członkiem Kongresu NZS na Politechnice Wrocławskiej oraz członkiem Komisji Rewizyjnej NZS. Był w Komitecie Organizacyjnym I Zjazdu NZS, który miał się odbyć pod koniec grudnia 1981 r. Uczestniczył w zajęciach duszpasterstwa akademickiego na Politechnice

Wrocławskiej. W trakcie współpracy przekazał szereg interesujących informacji ze środowiska studenckiego, a w szczególności [dotyczących – *aut.*] członków SKS-u i NZS-u. Przekazywał także informacje ze środowiska członków UKOS-u [Uczniowski Komitet Oporu Społecznego – *aut.*] oraz duszpasterstwa akademickiego. Był wykorzystywany m.in. w sprawach operacyjnych krypt. «Sesja», «Klamra», «Aromat». Na podstawie jego informacji założono sprawę operacyjną «Lechici» [...]" – czytamy w charakterystyce TW „Ernesta" nr rej 42601[18].

W maju 1981 r. wrocławska SB wystąpiła do naczelnika Wydziału Paszportów KW MO we Wrocławiu z pismem dotyczącym natychmiastowego wydania paszportu dla Leszka Czarneckiego, co było „podyktowane ważnymi względami operacyjnymi znanymi Kierownictwu SB KWMO"[19].

W 1982 r. Czarneckim zainteresował się Departament I MSW, czyli komunistyczny wywiad cywilny. Na podstawie jego teczki personalnej oraz teczki pracy sporządzono szczegółową informację przeznaczoną dla naczelnika Wydziału II (amerykańskiego) Departamentu I MSW[20]. W notatce przytoczono dane o jego licznych zagranicznych wyjazdach oraz o rodzinie: rodzicach, bracie – Waldemarze Czarneckim, studencie Wydziału Budownictwa Lądowego Politechniki Wrocławskiej oraz stryju Karolu Czarneckim, który od 1944 r. mieszkał w Doncaster w Wielkiej Brytanii, gdzie pracował w fabryce traktorów[21].

„W styczniu 1982 r. [miesiąc po wprowadzeniu stanu wojennego – *aut.*] «E» podpisał zobowiązanie do przestrzegania prawa stanu wojennego, w szczególności do zaprzestania działalności związkowej".

Podpisał też deklarację, w której zobowiązał się „udzielić pomocy SB w każdym miejscu i każdej sytuacji". Spotkania z „E" odbywały się kilka razy w miesiącu. „Fig. dostarczał inf. pisemne i ustne dot. gł. wybranych osób, ich rodzin, środowiska studenckiego i naukowego Politechniki Wrocławskiej, m.in. składał relacje ze spotkań, zebrań, działalności NZS, z przebiegiem strajków na terenie PWr, w których osobiście uczestniczył («E» wstąpił do NZS w październiku 80 r. [od dwóch miesięcy był już zarejestrowany przez SB jako TW „Ernest" – *aut.*] Był członkiem komitetu założycielskiego NZS na Wydz. Inżynierii Sanitarnej Polit. Wrocł. Od lutego 1981 – członek zarządu Wydziału, a od kwietnia 1981 członek Kongresu NZS. Od października 1981 «E» był przewodniczącym Komitetu Organizacyjnego II Zjazdu NZS, który miał się odbyć we Wrocławiu). Uzyskane od «E» informacje posiadały wysoką wartość operacyjną, gł. ze względu na funkcje pełnione przez w/w w NZS oraz liczne bliskie kontakty z działaczami NZS oraz NSZZ Solidarność. «Ernest» w toku dotychczasowej współpracy przekazał ok. 90-ciu infor. wykazując b. dużą aktywność i inicjatywę operacyjną (m.in. w/w umożliwił kontrolę sytuacji w III LO we Wrocławiu). «Ernest» pragnie obecnie wyjechać do USA lub W. Brytanii celem kontynuowania tam studiów, gdyż, jak sam określił, jest «spalony» i czuje się zdekonspirowany we Wrocławiu. Dotychczasowy przebieg współpracy z «E», postawa figuranta, oraz osiągnięte wyniki operacyjne przemawiają za celowością przekwalifikowania sprawy t.w. pseud. «Ernest» na kontakt operacyjny z perspektywą aktywnego ew. wyjazdu figuranta na teren USA. T.w. «Ernest» jest wstępnie przeszkolony w zasadach pracy

konspiracyjnej i posiada w tym zakresie praktyczne doświadczenie" – czytamy w raporcie z 22 czerwca 1982 r.
młodszego inspektora Zbigniewa Klimasa z Wydziału II
Departamentu I MSW[22].

Trzy miesiące później, 15 września 1982 r. doszło do
spotkania „Ernesta" z funkcjonariuszem Departamentu I
mł. insp. Zbigniewem Klimasem.

„Rozmowa miała miejsce we Wrocławiu, w jednym z pokoi hotelu «Monopol» w godz. 13–15. Aby nie wzbudzać
zainteresowania osób postronnych i gości hotelowych na
miejsce spotkania przybyliśmy z figurantem oddzielnie,
z kilkuminutową różnicą w czasie [Z. Klimas przyszedł
razem z funkcjonariuszami wrocławskiej SB, którzy znali i prowadzili TW „Ernesta" – *aut*.]. Zaproponowałem
mu przejście na «ty», biorąc pod uwagę b. młody wiek
«E» i niewątpliwe ułatwienie ew. rozmowie, a także pewne rozluźnienie atmosfery spotkania. Stwierdziłem, że figurant znalazł się w kręgu zainteresowania naszej Służby
głównie z powodu planów wyjazdu do Stanów Zjednoczonych. Wspomniałem też o naszym zainteresowaniu jego dotychczasową działalnością jako t.w. na terenie kraju oraz zasugerowałem dyskretną ewentualną pomoc przy
wyjeździe, oczywiście w zamian za pewną pomoc ze strony «E» dla naszej służby. «Ernest» zareagował na moje wyjaśnienia ze spokojem i zrozumieniem dodając, że liczył
się z taką możliwością, a nawet spodziewał się podobnej
«wizyty». «E» uważa, że jego ponowne «dotarcie» do podziemnej działalności rozwiązanego NZS i zawieszonego
NSZZ Solidarność wymaga wiele czasu, ale jest możliwe.
Fig. posiada na terenie kraju duże możliwości wywiadowcze z racji pełnionych uprzednio funkcji w organach NZS,

b. szerokie kontakty i znajomości wśród byłych lub obecnych działaczy (konspiracja) NZS i «Solidarności». Jak sam twierdzi zna wszystkich czołowych działaczy NZS z terenu całego kraju.

W trakcie dalszej rozmowy zasugerowałem figurantowi ew. pomoc w załatwieniu planowanego wyjazdu [do USA – *aut.*], w zamian za «usługi» z jego strony wobec naszej Służby. Figurant bez namysłu wyraził zgodę na jej podjęcie oraz własnoręcznie sporządził i podpisał pisemne zobowiązanie do współpracy z wywiadem PRL. Na moją propozycję przyjęcia ew. koncepcji wyjazdu związanej z elementami gry operacyjnej (tj. zgoda figuranta na internowanie i późniejszy wyjazd z kraju) «E» wyraził zgodę i gotowość uczestniczenia w w/w przedsięwzięciu. Już wcześniej, będąc na kontakcie SB KW MO «E» wysunął samodzielnie podobną koncepcję" – raportował mł. insp. Zbigniew Klimas[23].

W dalszej części tego dokumentu funkcjonariusz komunistycznego wywiadu napisał, że „Ernest" ma „realistyczne wyobrażenie nt. krajów Europy Zachodniej i warunków życia tam panujących. Realnie i w sposób przemyślany ocenia własne szanse wyjazdu i warunków pobytu na terenie USA. «E» jest samodzielny i ambitny, chciałby szybko dojść do czegoś"[24].

W Ministerstwie Spraw Wewnętrznych uznano, że sprawa pozyskania TW „Ernesta" dla wywiadu PRL jest bardzo interesująca – przedstawiciele Departamentu I zaczęli utrzymywać kontakt z „Ernestem"[25].

W czerwcu 1983 r. mł. insp. Zbigniew Klimas napisał w kolejnym raporcie: „«E» pozostaje nadal wartościowym źródłem informacji posiadającym duże, potencjalne

372 JAK TW „ERNEST" SPRAWDZIŁ SIĘ W BIZNESIE

możliwości wywiadowcze; istnieje realna szansa wykorzystania osoby «E» do «wejścia» w środowisko b. działaczy NZS i «Solidarności», a nawet w struktury podziemne «Solidarności» na terenie Wrocławia; dotychczasowa postawa i nabyte doświadczenie «E» w zakresie pracy operacyjnej przemawiają za możliwie pełnym wykorzystaniem figuranta w realizacji zadań na odcinku krajowym jak i za granicą"[26].

Ostatecznie 12 października 1983 r. wydział SB we Wrocławiu przekazał „Ernesta" na kontakt Departamentu I MSW, a „teczki TW zostały złożone w archiwum Wydz. «C» w/w urzędu"[27].

Od momentu pozyskania „Ernesta" przez Departament I MSW jako kontakt operacyjny w jego teczce nie ma szczegółowych raportów. Ostatni dokument nosi datę 4 sierpnia 1986 r. i jest to „Postanowienie o zakończeniu i przekazaniu sprawy do archiwum Dep. I". Leszek Czarnecki jest w nim opisany jako „Ternest". Insp. Zbigniew Klimas napisał w dokumencie m.in.:

„Z uwagi na trudności obiektywne planowany przez «T» wyjazd do USA lub innego kk. nie doszedł do skutku do dnia dzisiejszego. W związku z powyższym kontakt z «T» został przez naszą Służbę stopniowo ograniczany, głównie z uwagi na zmniejszenie się «operacyjnej wartości» figuranta w związku z pozostawaniem w kraju. Do czasu ew. wyjazdu za granicę «T» powinien pozostawać na kontakcie WUSW we Wrocławiu, gdzie może być informacyjnie wykorzystany w ramach zainteresowań tamtejszego terenu. W przypadku powstania możliwości wyjazdu «T» do USA, figurant może zostać ponownie przejęty na kontakt na nasz Wydział"[28].

W 1986 r., o czym wspominaliśmy na początku, Leszek Czarnecki założył Przedsiębiorstwo Techniki Alpinistyczno-Nurkowej TAN S.A. Rok później zawarł związek małżeński z Joanną Bojdo, z którą się rozwiódł w 2002 r.

W końcu 1988 r. Czarnecki uzyskał paszport na wyjazd do Meksyku oraz USA – jak czytamy we wniosku – „na imprezę PTTK", która miała trwać do 5 stycznia 1989 r. Dwa lata później, w 1991 r. Czarnecki założył Europejski Fundusze Leasingowy.

„Początki EFL były trudne, bo wówczas w Polsce termin «leasing» brzmiał obco i egzotycznie, zwłaszcza na przedmieściach Głogowa, gdzie mieścił się pierwszy oddział firmy. W jednym z wywiadów Leszek Czarnecki wspominał, że przez pierwsze trzy miesiące działalności do firmy nie zgłosił się ani jeden klient. Trzeba było zamknąć biuro i spróbować na bardziej podatnym gruncie, jakim okazała się Warszawa. To był strzał w dziesiątkę. Potem wiele lat skutecznego zarządzania i konsekwencji w rozwoju EFL i efekt był nadzwyczajny" – czytamy w biografii Leszka Czarneckiego[29]. Nazwisko Czarneckiego szerszej publiczności stało się znane w 2002 r., kiedy to media podały, że biznesmen zamierza polecieć turystycznie w kosmos.

„Zaczęło się od sensacyjnej poniedziałkowej informacji rosyjskiej agencji Interfax – polski obywatel ma być trzecim na świecie kosmicznym turystą, który wraz z rosyjską załogą uda się na Międzynarodową Stację Kosmiczną. Te nieoficjalne informacje pochodziły z podmoskiewskiego Ośrodka Przygotowań Kosmonautów oraz z Instytutu Problemów Medyczno-Biologicznych, który zajmuje się doborem kandydatów do podróży w kosmos. Nazwisko turysty utajniono. Wiadomo było tylko, że ma tytuł naukowy doktora i jest gotów pokryć koszty swojego lotu. Informację potwierdził «Gazecie» Mirosław Hermaszewski, pierwszy Polak w kosmosie. I dodał, że to mężczyzna w wieku ok. 40 lat, który pracuje w sektorze bankowym, mieszka na przemian w Polsce i we Francji. Hermaszewski nie chciał jednak zdradzić jego nazwiska" – pisała 20 lutego 2002 r. „Gazeta Wyborcza"[30]. Według informacji „GW" tym tajemniczym biznesmenem miał być Leszek Czarnecki.

„Czarnecki ma na swoim koncie liczne nagrody, m.in. wyróżnienie w Światowym Konkursie na Najbardziej Utalentowanego Biznesmena Roku (konkurs organizuje międzynarodowa sieć firm public relations WorldCom). Znalazł się też w gronie dziesięciu najlepszych biznesmenów z Europy Środkowej wybranych przez prestiżowy amerykański dziennik «The Wall Street Journal». W październiku Czarnecki sprzedał pakiet akcji EFL francuskiemu bankowi Credit Agricole. Ale to, że pozbył się udziałów, nie oznacza, że rozstał się z firmą. Twórca EFL został jednym z dwóch prezesów grupy Credit Agricole w Polsce (odpowiedzialnym za działalność leasingową)" – tak działalność biznesową opisywała „GW"[31].

Dzień później na konferencji prasowej Czarnecki potwierdził, że zamierza polecieć w kosmos.

„Leszek Czarnecki poinformował, że na początek marca ma uzgodniony dwutygodniowy pobyt w Gwiezdnym Miasteczku im. Jurija Gagarina, podczas którego mają się odbyć testy medyczne. [...] Rzecznik rosyjskiej agencji kosmicznej Siergiej Gorbunow potwierdził, że jednym z kandydatów do lotu na Międzynarodową Stację Kosmiczną (ISS) jest polski biznesmen Leszek Czarnecki.

(IPN Wr 0095/4348 (J.-2)
I/6463-2, I/56077-2

NACZELNIK WYDZIAŁU III-
SŁUŻBO wo Wrocławiu

Wrocław, dnia 29.09.1983 r.

Tajne spec. znaczenia

Egz. poj.

C H A R A K T E R Y S T Y K A
t.w. ps. "Ernest" nr rej. 42601

T.W. ps. "Ernest" został pozyskany do współpracy ze Służbą
Bezpieczeństwa dnia 9.08.1980 r., celem zwalczania dywersji
politycznej w środowisku studentów Politechniki Wrocławskiej.
Był studentem I roku Wydziału Inżynierii Sanitarnej. Utrzymywał
koleżeńskie kontakty z członkami SKS-u. Poprzez te kontakty
w październiku 1980 r. wstąpił do NZS-u, był członkiem komitetu
założycielskiego na Wydziale Inżynierii Sanitarnej. W kwietniu
1981 r., został członkiem Kongresu NZS na Politechnice Wrocławskiej
oraz członkiem Komisji Rewizyjnej NZS. Był w Komitecie Organizacyjnym I Zjazdu NZS, który miał się odbyć pod koniec grudnia 1981 r.
Uczestniczył w zajęciach duszpasterstwa akademickiego o DOK-u na
Politechnice Wrocławskiej. W trakcie współpracy przekazał szereg
interesujących informacji ze środowiska studenckiego a w szczególności członków SKS-u oraz NZS-u. Przekazywał także informacje
ze środowiska członków UKOS-u oraz duszpasterstwa akademickiego.
Był wykorzystywany między innymi w sprawach operacyjnych krypt.
"Sesja", "Klamra", "Aromat". Na podstawie jego informacji założono
sprawę operacyjną "Lechici". Informacje przekazywał przeważnie
pisemnie. W okresie współpracy był 6 razy wynagradzany tytułem
zwrotu poniesionych kosztów związanych z realizacją zleconych
zadań. Był systematycznie szkolony na spotkaniach z zachowania
zasad konspiracji, sposobów przekazywania i zbierania informacji.
Brał udział w kilku kombinacjach operacyjnych polegających na
wprowadzeniu przychylnych nam ludzi do organizacji przez nas
kontrolowanych. Dezinformacji w przekazywanych nam wiadomościach
nie stwierdzono. T.w. podczas współpracy wykazywał dużą rozwagę
i rozeznanie naszych potrzeb. Miał duże możliwości przenikania
do interesujących nas środowisk, mogąc realizować najbardziej
skomplikowane zadania.
      Zgodnie z poleceniem Departamentu I MSW w Warszawie z t.w.
rozwiązano współpracę a materiały złożono w tut. Wydziale "C" z
zastrzeżeniem nie wydawania ich bez wiedzy i zgody Departamentu I.

                              por. M. Nawrocki   17 z 20

Zdjęcia 1–22. Dokumenty ze zbiorów IPN poświadczające agenturalną przeszłość
Leszka Czarneckiego.

WARSZAWA dn.22 VI 1982r.

JAWNE
egz.pojed.

6 4

NACZELNIK WYDZIAŁU II DEP.I MSW
PŁK JULIAN KOWALSKI

N O T A T K A

dot. t.w.pseudonim "ERNEST",sporządzona na podstawie
posiadanej teczki personalnej i teczki pracy t.w.ps."ERNEST"
nr.rejestrac.42601.

CZARNECKI Leszek Janusz -"ERNEST"/dalej "E"/,ob.
i narod.PRL,s.Ludwika i
Zofii Pietrzykowskiej,
ur.9 V 1962r.we Wrocławiu,

█████████████████,student
Wydziału Inżynierii Sani-
tarnej Politechniki Wrocł.

Dane o Rodzinie:

Ojciec - Ludwik Czarnecki,ur.7 I 1930r.,starszy
projektant w Biurze Studiów i Projektów
Służby Zdrowia,Wrocław ul.Podwale 7.
Matka - Zofia Pietrzykowska,ur.1 I 1932r.,pozost.
na rencie.
Brat - Waldemar Czarnecki,ur.17 I 1959r.,student
Wydz.Budownictwa Lądowego Politechn.Wrocł.
Stryj - Karol Czarnecki,od 1944r.zamieszkały w W.
Brytanii,w Doncaster,pracuje jako robotnik
w fabryce traktorów.

Dotychczasowe wyjazdy "E" za granicę:

Rok 1971 - Jugosławia,1972 - W.Brytania, 1973 - Turcja, 1974 - Gre-
cja,1976 - Syria, 1977 - Irak,1978 - Syria,W.Bryt.,1979 - W.Bryt.,
Turcja,1980 - RFN.
                                        verte

3 z 23

- "ERNEST" pozyskany został do współpracy jako t.w. przez S3 we Wrocławiu,w dn.9 sierpnia 1980r. "E" podpisał własnoręcznie zobowiązanie do współpracy z organami SB. Przyjął pseud."ERNEST".
Ustalono z fig.telefoniczny sposób nawiązania kontaktu,na wypadek
doraźnej potrzeby."E" zobowiązał się dostarczać na spotkania pisemne informacje,osobiście uprzednio sporządzone i podpisane.
- w styczniu 1982r."E" podpisał zobowiązanie do przestrzegania prawa
stanu wojennego,w szczególności do zaprzestania działalności związkowej.
Podpisał też deklarację,w której zobowiązał się "udzielić pomocy SB
w każdym miejscu i każdej sytuacji"
- Spotkania z "E" odbywały się b.często,kilka razy w miesiącu.
- Fig.dostarczał inf.pisemne i ustne dot.gł.wybranych osób,rodzin,
środowiska studenckiego i naukowego Politechniki Wrocławskiej,
m.in.składał relacje ze spotkań,zebrań i działalności NZS,z przebiegu strajków na terenie PWr,w których osobiście uczestniczył.
/"E"wstąpił do NZS w październiku 1980r.Był członkiem komitetu założycielskiego NZS na Wydz.Inżynierii Sanitarnej Polit.Wrocł.Od lutego
1981r.-członek zarządu Wydziału,a od kwietnia 1981r. członek Kongresu
NZS.Od października 1981r."E"był przewodniczącym Komitetu Organizacyjnego II Zjazdu NZS,który miał się odbyć we Wrocławiu./

- Uzyskiwane od "E" informacje posiadały wysoką wartość operacyjną,
gł.ze względu na funkcje pełnione przez w/w w NZS oraz jego liczne,
bliskie kontakty z działaczami NZS i NSZZ "Solidarność".
"ERNEST" w toku dotychczasowej współpracy przekazał ok.90-ciu infor.,
wykazując b.dużą aktywność i inicjatywę operacyjną./m.in.w/w umożliwił kontrolę sytuacji w III LO we Wrocławiu/
- fig.był wynagradzany finansowo.
- ostatnie spotkanie z "E",oznaczone raportem w sprawie,odbyto dn.21 IV
br.
we Wrocławiu.

- "ERNEST" pragnie obecnie wyjechać do USA lub W.Brytenii celem kontynuowania tam studiów,gdyż jak sam określił,jest "spalony" i czuje się
zdekonspirowany we Wrocławiu./Brak w sprawie określenia przyczyn
czy faktów świadczących jednoznacznie o dekonspiracji "E" jako
współpracownika Służby Bezpieczeństwa/

- "E" chciałby po skończeniu studiów w USA lub W.Brytanii pozostać
tam na okres 2-3 lat pracując na siebie,a następnie powróciłby
do kraju.
- Figurant wyraził chęć dalszej współpracy po ew.wyjeździe do USA
albo W.Brytanii.   verte

4

8 4B

Dotychczasowy przebieg współpracy z "E", postawa figuranta, oraz
osiągnięte wyniki operacyjne przemawiają za celowością przekwalifikowania sprawy t.w. pseud."ERNEST" na kontakt operacyjny,
z perspektywą aktywnego operac.wykorzystania ew.wyjazdu figur.
na teren USA.
T.w."ERNEST" jest wstępnie przeszkolony w zasadach pracy konspiracyjnej i posiada w tym zakresie praktyczne doświadczenie.

. Szczegóły dot.ew.dalszego toku postępowania w sprawie t.w.
 "ERNEST" - do omówienia i uzgodnienia z tow.płk J.Kowalskim.

                                    mł.insp.wydz.II Dep.I MSW
                                    ppor.Zbigniew Klimas
oprac.ZK/druk ZK

29

„ZATWIERDZAM"

Warszawa, dnia 04 sierpnia 19 86 r.

Z-ca Rzecznika Wydziału
Departamentu I MSW

Tajne ppec. znaczenia

Dnia 2/10 1986 r.

Į 9932

POSTANOWIENIE

o zakończeniu i przekazaniu sprawy do archiwum Dep. I — ~~Biura~~

Ja, Por. Zbigniew KLIMAS, Inspektor Wydz. II Dep. I MSW
(stopień, imię i nazwisko pracownika oraz stanowisko i Wydz.)

rozpatrzywszy materiały sprawy kontaktu operacyjnego krypt. "TERNES"
(rodzaj sprawy, kryptonim i nr., a przy sprawach na osoby,

nr ewid. 1:538 dot. CZARNECKI Leszek/s. Ludwika i Zofii Pitrzy-
imię i nazwisko oraz bliższe dane personalne głównego figuranta)

kowskiej, ur. 1962.05.09, zam. ████████████████

████████████, kawaler, student Politechniki Wrocławskiej, bezpartyjny,

stwierdziłem, że sprawa została założona przez Wydział II Dep. I MSW
(podać charakterystykę sprawy obejmującą datę rozpoczęcia, jednostkę która wszczęła sprawę,

w dniu 26 X 1983 r. "T" pozyskany został do współpracy jako TW.
przebieg i rezultaty rozpracowania oraz powód zaniechania i złożenia sprawy do archiwum

przez SB we Wrocławiu w 1980 r. Przekazywał wartościowe informacje
a w przypadku źródła informacji także okoliczności przerwania kontaktu

/pisemne i ustne/ dot. wybranych osób, rodzin, środowiska studenckiego
oraz ewent. możliwość i sposób nawiązania łączności)

i naukowego Politechniki wrocławskiej. M.in. składał relacje z zebrań,

narad i spotkań NZS oraz przebiegu strajków na PW, w których sam

uczestniczył jako członek NZS i NSZZ "Solidarność". W toku współpracy

"T" wykazywał b. dużą aktywność i inicjatywę operacyjną. W związku

z planowanym przez "T" wyjazdem w 1983 r. do USA, celem kontynuowania

tam studiów lub pozostania na stałe, WUSW we Wrocławiu przekazał

nam sprawę do dalszego prowadzenia. Celem planowanych przez nas

dalszych przedsięwzięć wobec "T" miało być formalne pozyskanie go

do współpracy z naszą Służbą na terenie USA oraz odpowiednie przy-

gotowanie go do pracy operacyjnej za granicą. W związku z powyższym

w dniu 14 X 1983 r. dokonano formalnego pozyskania "T" do współpracy

ze Służbą Wywiadu PRL. "T" zadeklarował gotowość kontynuowania

współpracy

Ei-1

22 z 23

po ew. wyjeździe do USA lub innego kk.Podpisał własnoręcznie
zobowiązanie do takiej współpracy.W trakcie dalszych spotkań
z figurantem został on przeszkolony w zakresie podstawowych zasad
pracy operacyjnej za granicą. Z uwagi na trudności obiektywne
planowany przez "T" wyjazd do USA lub innego kk. nie doszedł
do skutku do dnia dzisiejszego. W związku z powyższym kontakt
z "T" został przez naszą Służbę stopniowo ograniczany,głównie
z uwagi na zmniejszenie się "operacyjnej wartości" figuranta w
związku z pozostawaniem w kraju.Do czasu ew. wyjazdu za granicę
"T" powinien pozostawać na kontakcie WUSW we Wrocławiu,gdzie może
być informacyjnie wykorzystany w ramach zainteresowań tamtejszego
terenu. W przypadku powstania możliwości wyjazdu "T" do USA figurant może zostać ponownie przejęty na kontakt przez nasz Wydział.

W związku z powyższym za celowe uważam na obecnym etapie złożenie sprawy do Archiwum Dep.I MSW i przejęcie "T" na kontakt przez
Wnoszę o zaniechanie dalszego prowadzenia sprawy WUSW we Wrocławiu.

Kryptonim _____ "TERNES" _____ Nr ewid. _____ 15538

i przekazanie jej do arch. Ewid. Operac. Departamentu XXXXXXXX.

Sprawę XXXXXX (nie można *) wydawać z archiwum bez uprzedniego porozumienia

z zainteresowaną jednostką.

Uwagi i wnioski _Sprawa nie nadaje się do celów szkolenio-
wych_

"Zgadzam się"   Inspektor Wydz.II Dep.I MSW

(podpis, stopień)   (podpis pracownika)
Dnia _____ 19__ r.   Por Z. KLIMAS

Sprawę przyjęto do archiwum Ewid. Operac. Departamentu I dnia 1986 PAŹ 1 6.19 r.
Nr archiwalny _9 9932_

                                           (podpis pracownika ewid.)

* Niepotrzebne skreślić.

Kwituję pobranie kwoty 500 zł
w dniu 24.09.1980r. od funkcjonariusza S.B.

Ernest

RAPORT   Wr. 24.09.80.
                       Tajne spec. znacz.
                       Egz. poj.

W dniu dzisiejszym wręczyłem tw. ps. "Ernest"
kwotę 500 zł na wydatki związane z
realizacją zadań.

starszy insp. Wydz. III

sierż. Jerzy Modej

IPN BU 0 1789/390

16 M

Warszawa, dnia 12. października 1983r.

T A J N E
~~Spec. zn.~~

11

NACZELNIK WYDZIAŁU II DEP.I MSW
PŁK J. KOWALSKI
========================

R A P O R T

o pozyskanie TW. ps."ERNEST" w charakterze
kontaktu operacyjnego.

"ERNEST" — CZARNECKI Lesek Janusz
s. Ludwika i Zofii Pietrzykowskiej,
ob. i. narod. PRL, ur.9.05.62r. we Wrocławiu, student Wydziału Inżynierii Sanitarnej Politechniki Wrocławskiej, zamieszkały: ██████████████████

"ERNEST" pozyskany został do współpracy w charakterze tajnego
współpracownika przez Inspektorat SB we Wrocławiu, w sierpniu 1980r..
Figurant podpisał zobowiązanie do współpracy z SB i przyjął ps."ERNEST"
Na spotkania operacyjne, które organizowane były kilkakrotnie w ciągu
miesiąca, "E" dostarczał pisemne i ustne informacje, dot. m.in. wybranych osób i rodzin, środowiska studenckiego i naukowego. Składał m.in.
relacje ze spotkań, zebrań i działalności Niezależnego Związku Studentów /NZS/, z przebiegu strajków na terenie Politechniki Wrocławskiej, w których osobiście uczestniczył.
/"E" wstąpił do NZS w październiku 1980r.. Był członkiem
komitetu założycielskiego NZS na Wydziale Inżynierii Sanitarnej PW.
Od lutego 1982r. - członkiem zarządu Wydziału, a od kwietnia 1981r.
- członkiem Kongresu NZS. Od października 1981r. "E" był przewodniczącym Komitetu Organizacyjnego II Zjazdu NZS, który miał odbyć się
we Wrocławiu/.
Uzyskiwane od "E" informacje posiadały wysoką wartość operacyjną,
przede wszystkim z uwagi na funkcje pełnione przez w/w we władzach
lokalnych i ogólnokrajowych NZS, oraz jego liczne kontakty z działaczami b. "Solidarności".

16 z 23

- 2 -

17

W toku dotychczasowej współpracy "E" przekazał ponad 90 informacji, wykazując dużą aktywność i inicjatywę operacyjną.

W związku z ujawnionymi przez "E" planami wyjazdu do Stanów Zjednoczonych w celu kontynuowania studiów lub podjęcia pracy zawodowej, na okres 3-5 lat, materiały dot. "E" przesłane zostały przez WUSW we Wrocławiu, w połowie 1982r. do naszego Wydziału celem dalszego wykorzystania.

W okresie: wrzesień 1982r. - czerwiec 1983r., odbyłem z "E" trzy spotkania operacyjne /vide oddzielne raporty/, które pozwoliły na dalsze rozpoznanie osoby "E" i związanie go z naszą Służbą. / "E" podpisał zobowiązanie do współpracy z wywiadem PRL/. Przeprowadzone spotkania potwierdziły pełną przydatność w/w do współpracy z naszą Służbą, oraz uprzednie spostrzeżenia dot. jego cech charakterologicznych i osobowych.

Figurant posiada znaczne, potencjalne możliwości wywiadowcze, wynikające z jego poprzedniej działalności w NZS i licznych kontaktów w środowisku b."Solidarności" na terenie Wrocławia. "ERNEST" potwierdził gotowość i zainteresowanie kontynuowaniem współpracy z nami, również po ew. wyjeździe do USA lub innego kraju kapitalistycznego. Istnieje realna możliwość, operacyjnego wykorzystania osoby "E" w realizacji zadań zarówno na odcinku krajowym, jak i za granicę.

Biorąc pod uwagę dotychczasowy przebieg kontaktu, postawę figuranta oraz potencjalne korzyści operacyjne, proszę o wyrażenie zgody na przeprowadzenie rozmowy z TW.ps."ERNEST".

Rozmowę zamierzam przeprowadzić w dniu 14.10.br. we Wrocławiu.

Mł.Insp.Wydz.II Dep.I MSW
Ppor Zbigniew Klimas

Wyk w 1 egz DW
L. dz. masz. - 1120

Wydz. III WUSW we Wrocławiu przekazał "ERNESTA" na nasz kontakt - teczki TW zostały złożone w archiwum Wydz. "C" w/w Wydz.

12.10.83

WARSZAWA 24 X 1983r.

18

T A J N E
Egz. poj...

NACZELNIK WYDZIAŁU II DEP. I MSW
PŁK JULIAN KOWALSKI

R A P O R T

z rozmowy pozyskaniowej z TW. ps. "ERNEST".

"ERNEST" - CZARNECKI LESZEK JANUSZ
s.Ludwika i Zofii Pietrzykowskiej,ob. i narod. PRL,urodz.
..05.1962r.we Wrocławiu,stu-
dent Wydziału Inżynierii Sanitarnej Politechniki Wrocławskiej,zamieszkały:

W dniu 14 października br. przeprowadziłem rozmowę pozyskaniową z TW. ps. "ERNEST".Spotkanie miało miejsce we Wrocławiu, w kawiarni hotelu "Monopol",w godz. 16.00-17.30. Termin,czas i miejsce
spotkania uzgodnione zostały z figurantem telefonicznie.

Spotkanie stanowiło naturalną kontynuację konta-
ktu naszej Służby z "E",przerwanego w okresie wakacyjnym na przeciąg
trzech miesięcy,w związku z wyjazdem figuranta poza Wrocław.
"ERNEST" wyraził zgodę na kontynuowanie współpracy z naszą Służbą,
oraz potwierdził sygnalizowany wcześniej zamiar i gotowość do prowadzenia współpracy z nami,również poza granicami kraju.
/ pisemne zobowiązanie do współpracy z naszą Służbą "E" podpisał
wcześniej /. Figurant zachował dotychczasowy pseudonim.

"E" podkreślił ponownie zamiar wyjazdu do Stanów Zjednoczonych celem
kontynuowania studiów lub podjęcia pracy zawodowej,na okres około
3-5 lat. Zapytany przeze mnie czy posiada jakieś interesujące informacje nt.bieżącej sytuacji w kraju,we Wrocławiu czy w środowisku akademickim Wrocławia,stwierdził,iż nie jest jeszcze dostatecznie zorientowa-
wany

18 z 23

- 2 -

15

i"wtajemniczony" w sprawy związane np. z działalnością opozycyjną w śro
dowisku akademickim Wrocławia.Dodał,że potrzeba będzie trochę czasu,ok.
2-3 miesięcy, aby mógł ponownie "wejść" w posiadanie ciekawszych informa
cji,do których jeszcze niedawno posiadał szeroki dostęp z racji pełnionych funkcji w b.NZS. "E" stwierdził,że obecną sytuację na uczelni /tj.
Politechn.Wrocław./ charakteryzuje spokój i sceptycyzm w ocenie realiów
społeczno-politycznych,przejawiający się np. w oczekiwaniu na dalszy
rozwój "wypadków"i nie podejmowaniu otwartej działalności opozycyjnej.
Figurant dodał,że nie jest obecnie w stanie podać ciekawszych i bardziej
konkretnych informacji z zakresu interesującego naszą Służbę.

Z przeprowadzonej rozmowy jasno wynikało,iż
"ERNEST" myśli przede wszystkim o wyjeździe do USA,zgodnie z poprzednimi swoimi deklaracjami .

Odbyte spotkanie z "E" potwierdziło wcześniejsze nasze spostrzeżenia nt.
jego cech charakterologicznych i osobowościowych,oraz pełnej przydatności do współpracy z naszą Służbą. Ujawniło też znaczne potencjalne
możliwości operacyjne i wywiadowcze figuranta.

Na zakończenie spotkania przekazałem "E" zadania do realizacji w najbliższym czasie,które obejmują m.in.następujący zakres działań:

- "zbliżenie się" do b.działaczy NZS i "Solidarności" oraz
  w miarę możliwości,dotarcie do struktur podziemia "Solidarności" na terenie Wrocławia.
- uzyskiwanie bieżących informacji nt.nastrojów i sytuacji
  w środowisku naukowym i akademickim Wrocławia.
- przekazywanie informacji nt.znanych "E" cudzoziemców przeby
  wających w kraju.

Kolejne spotkanie z "E" umówiłem wstępnie na listopad br.,a jego dokład
ny termin uzgodniony zostanie telefonicznie z figurantem.

WNIOSKI:

- "E" pozostaje nadal wartościowym źródłem informacji,posiada
  jącym znaczne potencjalne możliwości wywiadowcze.
- istnieje realna szansa wykorzystania osoby "E" do "wejścia"
  w środowisko b.działaczy NZS i "Solidarności",a nawet w str
  uktury podziemia na terenie Wrocławia.
- dotychczasowa postawa i nabyte doświadczenie "E" w zakresie
  pracy operacyjnej,przemawiają za możliwie pełnym wykorzystaniem figuranta w realizacji zadań na odcinku krajowym jak i
  za granicą.

- 3 -

20

- wskazanym wydaje się rozważenie "operacyjnego zabezpieczenia
  i przygotowania" ew.wyjazdu "E" do USA lub innego K.K.
- dotychczasowy przebieg kontaktu,postawa figuranta oraz potencjalne korzyści operacyjne,przemawiają za przekwalifikowaniem
  sprawy TW.ps. "ERNEST" do kategorii kontaktu operacyjnego.

Wnoszę o przekwalifikowanie sprawy TW.ps. "ERNEST"
do kategorii kontaktu operacyjnego.

Uwaga: Zgodnie z wcześniejszymi ustaleniami,prowadzący
dotychczas sprawę WUSW we Wrocławiu,złożył materiały
w archiwum swojej jednostki i wyraził zgodę na przejęcie "E" na kontakt naszego Wydziału.

opr.Zb.K./Zb.K.

Insp. Wydz.II Dep. I MSW
Ppor Zbigniew Klimas

241083

TAJNE
spec. znaczenia

Nr ewidencyjny 42601

KWESTIONARIUSZ

CZĘŚĆ I

PERSONALIA

1. Nazwisko **CZARNECKI**

   Imię (imiona) **LESZEK JANUSZ**

2. Imiona rodziców **Ludwik Zofia Pietrzykowska**

3. Data urodzenia **9.05.1962 r.** 4. Miejsce urodzenia **Wrocław**

5. Narodowość **Polska** 6. Obywatelstwo **Polskie**

7. Rysopis: wzrost **174 cm** oczy **piwne** włosy **szatyn**

   znaki lub cechy szczególne **nie posiada**

8. Wykształcenie **średnie ogólnokształcące**

9. Zawód: wyuczony **6/...** wykonywany

10. Wykształcenie specjalne

11. Służba wojskowa

12. Nr dowodu osobistego i przez kogo wydany ▮▮▮▮▮▮

13. Miejsce pracy, zajmowane stanowisko, tel. służbowy

    **student I. Wydziału Inżynierii Sanitarnej
    Politechniki Wrocławskiej**

WARSZAWA dn.6 VII 1982r.

9

NACZELNIK WYDZIAŁU II DEPARTAMENTU I MSW
PŁK JULIAN KOWALSKI

R A P O R T

dot.wykorzystania przez naszą służbę t.w. pseud."Ernest",
/jednostka terenowa:Wrocław/

CZARNECKI Leszek Janusz -"Ernest"/dalej"E"/,
ob.i narodowość polska,
s.Ludwika i Zofii Pietrzy
kowskiej,ur.9 V 1962r.we
Wrocławiu.Zam.

, student Wydziału
Inżynierii Sanitarnej Poli
techniki Wrocławskiej.

z szczegółowe dane dot.t.w."Ernest"- w załączeniu
/notatka z dn.22 VI 1982r./

Ze względu na dotychczasowy przebieg współpracy z "E",jego postawę
i osiągnięte wyniki operacyjne,celowe wydaje się przekwalifikowanie
sprawy t.w."Ernest"na kontakt operacyjny,z perspektywą aktywnego,
operacyjnego wykorzystania ew.wyjazdu figuranta na teren USA.
"E" jest wstępnie przeszkolony w zasadach pracy konspiracyjnej i posiada w tym zakresie praktyczne doświadczenie.
Proszę o wyrażenie zgody na rozmowę operacyjną z t.w."Ernest",która
przeprowadzona by została wg.przygotowanego schematu,zawierającego
następujące punkty:

no 8

- przedstawienie rodzaju służby,którą reprezentuję,oraz krótkie
  wyjaśnienie celu spotkania.

- uzyskanie informacji na temat aktualnej sytuacji osobistej figuranta.

- skrótowa relacja "E" dot.jego dotychczasowej i bieżącej działalności
  studenckiej.

- uzyskanie bliższych,szczegółowych wyjaśnień fig.na temat jego rzekomej dekonspiracji jako współpracownika SB.

- krótka charakterystyka ew.nowych,ciekawych znajomości i kontaktów
  fig.z obywatelami PRL i cudzoziemcami.

- sondaż aktualnych możliwości wyjazd."E".

- uzyskanie dokładniejszych informacji nt.planów wyjazdu "E" do USA
  lub W.Brytanii./motywy,szanse realizacji itp.

- złożenie bezpośredniej propozycji współpracy z naszą służbą
  i pobranie pisemnego zobowiązania./w wypadku zgody "E" na współpracę/

- postawienie "E" kilku pytań nt.aktualnej sytuacji na Politechnice,
  oraz innych środowiskach,dostępnych dla figuranta.

- krótki instruktaż operacyjny /dot.gł.konspiracji i bezpieczeństwa
  pracy/

- postawienie zadań dla "E"/w zależności od uzyskanych nowych inf./

- umówienie kolejnego spotkania.

xxx- Jednym z celów spotkania będzie rozpoznanie osobowości i charakteru
"Ernesta" pod kątem przydatności do współpracy z naszą służbą.
/kontrola zachowania,wypowiedzi,ogólny"obraz "E"./

xxx
xxx- W zależności od wyników pierwszego spotkania z "E" rozważona może być
celowość i ew.termin przedstawienia fig.propozycji wykorzystania jego
osoby w planowanej "grze operacyjnej"/zgoda na internowanie,wyjazd na
Zachód itd./

oprac.ZK/druk ZK.

mł.insp.Wydz.II Dep.I MSW
ppor.Zbigniew KLIMAS

IPN BU 0 1789/390

23   WARSZAWA dn.15.09.1982 r.

Tow. Klimas
proszę o rozmowę

Z-CA NACZELNIKA WYDZIAŁU II DEP.I MSW
PPŁK B.ŻEJMO

R A P O R T

z przeprowadzonej rozmowy operacyjnej z t.w.pseud."ERNEST"
/jednostka terenowa:Wrocław/

W dniu 9 września bieżącego roku odbyłem rozmowę operacyjną
z t.w. pseud."Ernest".Zgodnie z wcześniejszymi ustaleniami
rozmowę z figurantem/dalej "E"/poprzedziło moje krótkie spotkanie z pracownikami KWMO we Wrocławiu,znającymi i prowadzącymi "E"
w terenie. Celem spotkania było uzyskanie szerszej,dokładniejszej
informacji nt."E",gł.jego lojalności,pewności,dotychczasowej
postawy i osobowości.Uzyskanie tych bezpośrednich,bieżących informacji o figurancie uważałem za nieodzowne przy ustaleniu taktyki
rozmowy oraz koncepcji i celu spotkania z "Ernestem".
Po uzyskaniu niezbędnych wiadomości przystąpiłem do zasadniczego
spotkania z "E",obierając wariant rozmowy, zakładający bezpośrednie
przedstawienie rodzaju służby,którą reprezentuję,związanie figur.
z nami poprzez uzyskanie zobowiązania do współpracy oraz przedstawienie głównych kierunków naszych zainteresowań w odniesieniu do
osoby "E".
Rozmowa miała miejsce we Wrocławiu,w jednym z pokoi hotelu "Monopol",w godz. 13-15.
Aby nie wzbudzać zainteresowania osób postronnych i gości hotelowych na miejsce spotkania przybyliśmy z figurantem oddzielnie,
z kilkuminutową różnicą w czasie.
Spotkanie z "Ernestem" rozpocząłem od przedstawienia się imieniem
i nazwiskiem /Klimas/oraz jednocześnie zaproponowałem przejście
na "ty", biorąc pod uwagę b.młody wiek "E" i niewątpliwe ułatwienie
w rozmowie,a także pewne rozluźnienie atmosfery spotkania.
Podałem rodzaj służby,który reprezentuję oraz powód rozmowy.
Stwierdziłem,że figurant znalazł się kręgu zainteresowania naszej
Służby,która chciałaby poznać go bliżej,głównie z powodu planów
wyjazdu do Stanów Zjednoczonych.

- 2 -   24   ②

Wspomniałem też o naszym zainteresowaniu jego dotychczasową działalnością jako t.w. na terenie kraju oraz zasugerowałem dyskretnie ewentualną pomoc przy wyjeździe,oczywiście w zamian za pewną pomoc ze strony
"E" dla naszej Służby.

"Ernest" zareagował na moje wyjaśnienia ze spokojem i zrozumieniem,
dodając,że liczył się z taką możliwością,a nawet spodziewał podobnej
"wizyty".

Stwierdziłem,że niezbędne jest wyjaśnienie sobie wielu ważnych kwestii
związanych z obecną sytuacją figuranta i jego planem wyjazdu do USA.
Po tym krótkim wstępie,przystąpiłem do podstawowej części rozmowy,
/zgodnie z przygotowanym jej planem/,w trakcie której uzyskałem następujące informacje:

- "E" jest nadal studentem Wydz.Inżynierii Sanitarnej Politechniki
  Wrocławskiej.
- jest aktywnym członkiem wrocławskiego klubu OSP ORW "Zorba",
  /płetwonurek/ podlegającego międzynarodowej organizacji CMAS.
  Latem 1985 r.ma być uczestnikiem obozu szkoleniowego organizowanego
  przez klub w KRLD.
- rzekoma dekonspiracja "E" jako współpracownika SB okazała się tylko
  osobistym odczuciem figuranta,nie została potwierdzona żadnymi
  faktami czy innymi symptomami. Wg.relacji "E" stał się on niejako
  machinalnie podejrzany o kolaborację z organami SB po zwolnieniu
  /wraz z grupą kolegów z NZS/ z 48-godzinnego aresztu.
  Obecnie,sytuacja pod tym względem,wg.jego oceny,jest znacznie korzy-
  stniejsza,fig.nie czuje się już tak"spalony" jak niedawno,aczkolwiek
  "sytuacja daleka jest jeszcze od normy".
- "E" uważa,że jego ponowne"dotarcie" do podziemnej działalności rozwiązanego NSZZ i zawieszonego NSZZ "Solidarność" wymaga wiele czasu,
  ale jest możliwe.Obawia się tylko,czy posiadałby wtedy dostęp do
  rzeczywiście interesującej operacyjnie działalności czy dokumentów.
- Fig.posiada na terenie kraju duże możliwości wywiad.z racji pełnionych uprzednio funkcji w organach NZS,b.szerokie kontakty i znajomości wśród byłych lub obecnych działaczy/konspiracja/ NZS i "Solidarności".Jak sam twierdzi,zna ~~wszystkich~~,czołowych działaczy dawne-
  go NZS z terenu całego kraju.
- Fig.zna b.wiele osób zamieszkujących za granicą /gł.Europa Zachodnia/
  Są to przeważnie ludzie młodzi,studenci,w małym stopniu interesujący
  operacyjnie.

13   WARSZAWA **3.06** 1983r.

Egz. Nr.ojed.

NACZELNIK WYDZIAŁU II DEP. I MSW

PŁK JULIAN KOWALSKI

R A P O R T

dot. przedsięwzięć operacyjnych w sprawie TW. ps."ERNEST"
w okresie : kwiecień - czerwiec 1983r.

"ERNEST" - **CZARNECKI Leszek Jakub**

s.Ludwika i Zofii Pietrzykowskiej
ob.i narod. polska,ur.9 V 1962r.
we Wrocławiu,student Wydziału
Inżynierii Sanitarnej Politechniki Wrocławskiej.,zam. ▮▮▮▮▮▮▮▮

W latach 1980-82 "ERNEST" wykorzystywany był przez WUSW we
Wrocławiu jako tajny współpracownik. W związku z planami wyjazdu do
USA w celu kontynuowania studiów lub podjęcia pracy zawodowej,deklaro-
wanymi przez figuranta,odbyłem z nim w porozumieniu i z naprowadzenia
WUSW Wrocław - spotkanie operacyjne we wrześniu 1982r. Uzyskałem zgodę
w/w na podjęcie dalszej współpracy z naszą Służbą,popartą sporządzo-
nym i podpisanym przez "E" zobowiązaniem. "ERNEST" wyraził gotowość
i zainteresowanie kontynuowaniem współpracy z nami po swoim ew.wyjeź-
dzie do USA lub innego k.k.
Dalszy kontakt z "E" został przerwany na skutek jego wyjazdu,na okres
trzech miesięcy,na obóz szkoleniowy do KRL-D,zorganizowany przez wrocławski klub OSP ORW "Zorba",podlegający międzynarodowej organizacji
CMAS./"E" jest płetwonurkiem,aktywnym członkiem klubu./.

Po powrocie "E" do kraju /luty br./,odbyłem z nim
dwa spotkania operacyjne w dniach 26.04. br.i 19.05.br.

Zasadniczymi celami spotkań było:

- 2 -

14

- naturalne reaktywowanie kontaktu
- dalsze związanie figuranta z naszą służbą
- zorientowanie się w bieżącej sytuacji "E" /sytuacja osobista,rodzinna,na uczelni itp./
- uzyskanie relacji "E" z wyjazdu do KRL-D.
- zorientowanie się w bieżących możliwościach operacyjnych "E" i perspektywach wykorzystania jego osoby w realizacji zadań naszego Wydziału.
- dalsze rozpoznanie osoby "E" w perspektywie pozyskania na kontakt operacyjny.

W wyniku odbytych spotkań nastąpiło dalsze pogłębienie rozpoznania i związania figuranta z naszą Służbą. "E" ponownie zadeklarował gotowość kontynuowania współpracy,po ew. wyjeździe do USA lub innego K.K.

"ERNEST" jest obecnie studentem III roku Wydziału Inżynierii Sanitarnej P.W. W jego życiu osobistym i rodzinnym nie zaszły żadne, istotne zmiany.

Figurant poinformował mnie o swoim wyjeździe do KRL-D. Z jego relacji wynikało,iż był to typowy obóz sportowy,mający na celu podniesienie kwalifikacji pływackich. Wyjazd ten był wg. "E""nieciekawy operacyjnie", gdyż uczestniczyła w nim grupa młodzieży z krajów socjalistycznych / NRD,CSRS,Węgry/,a kontakty z mieszkańcami KRL-D lub obywatelami K.K. były bardzo sporadyczne,ze względu na charakter i specyfikę obozu.

"E" zapytany przeze mnie czy posiada jakieś interesujące informacje nt.bieżącej sytuacji w kraju,we Wrocławiu,czy w środowisku akademickim Wrocławia,stwierdził,iż nie jest jeszcze dostatecznie zorientowany i "wtajemniczony" w sprawach związanych n.p. z działalnością opozycyjną w środowisku akademickim Wrocławia. Dodał,że potrzeba będzie trochę czasu,ok. 2-3 miesięcy,aby mógł ponownie "wejść" w posiadanie ciekawszych informacji,do których jeszcze niedawno posiadał szeroki dostęp z racji pełnionych funkcji w b. NZS.

Z przeprowadzonych rozmów jasno wynikało,iż "E" myśli przede wszystkim o wyjeździe do USA,zgodnie z poprzednimi swoimi deklaracjami.

- 5 -

27

Uważam,że "E" posiada predyspozycje do współpracy z naszą Służbą. Przemawiają za tym cechy osobowości i charakteru figuranta oraz osiągnięte do tej pory wyniki pracy operacyjnej na linii krajowej.

"E"wielokrotnie przejawiał inicjatywę operacyjną, popartą samodzielnością myślenia i działania.

Posiada spory zasób wiedzy z dziedziny historii i nauk społeczno-politycznych.

Możliwości wywiadowcze "E" na terenie kraju są b.duże.Na obecnym etapie rozwoju naszego kontaktu z fig.może okazać się on bardzo przydatny na odcinku realizacji zadań krajowych.

Nieodzowne jest natomiast pogłębienie rozeznania o możliwościach wywiad."E" za granicą./Dotychczas znane kontakty nie są ciekawe
operacyjnie/

Dotychczasowe wyniki współpracy "E" z SB we Wrocławiu,postawa oraz predyspozycje fig.pozwalają-moim zdaniem-na wykorzystywanie jego osoby w bardziej skomplikowanych przedsięwzięciach operacyjnych.

Bieżące zlecanie zadań informacyjnych pozwoli na bardziej ścisłe związanie fig.z naszą Służbą.

Sądzę,iż kontakt posiada perspektywy rozwoju,włącznie z jego wykorzystaniem w ramach planowanej gry operacyjnej.

druk ZK.

mł.insp.Wydz.II Dep.I MSW
ppor. Zbigniew Klimas

[odręczna notatka]

Tow Klimas!
Sprawa jest interesująca.
Spory jednak, iż należy
...

- 3 -   15

Odbyte spotkania z "E" potwierdziły wcześniejsze spostrzeżenia
dot. jego cech charakterologicznych i osobowościowych. Potwierdziły
także pełną przydatność "E" do współpracy z naszą Służbą, oraz
ujawniły znaczne potencjalne możliwości operacyjne i wywiadowcze
figuranta.

      Kolejne spotkanie z "E" umówiłem wstępnie na wrze -
sień lub październik br.,ze względu na okres wakacyjny,podczas
którego w/w będzie"trudno uchwytny" - jak sam stwierdził,we Wrocławiu. Dokładny termin spotkania umówiony zostanie telefonicznie.

WNIOSKI

- "E" pozostaje nadal wartościowym źródłem informacji,posiadającym
  duże,potencjalne możliwości wywiadowcze.
- istnieje realna szansa wykorzystania osoby "E" do"wejścia" w środowisko b.działaczy NZS i "Solidarności",a nawet w struktury
  podziemne "Solidarności" na terenie Wrocławia.
- dotychczasowa postawa i nabyte doświadczenie "E" w zakresie pracy
  operacyjnej,przemawiają za możliwie pełnym wykorzystaniem figuranta w realizacji zadań na odcinku krajowym jak i za granicą.
- wskazanym wydaje się rozważenie "operacyjnego zabezpieczenia i
  przygotowania" ew. wyjazdu "E" do USA lub innego K.K.
- dotychczasowy przebieg kontaktu,postawa figuranta oraz potencjalne korzyści operacyjne,przemawiają za formalnym pozyskaniem "E"
  w charakterze kontaktu operacyjnego.

                        Mł.insp.Wydz.II Dep. I MSW
                        Ppor. Zbigniew KLIMAS

Wyk. w 1 egz.
oprac.Zb.K./Zb.Y.

Ze względu na wstępną fazę współpracy oraz przebywanie "E" na kontakcie SB KWMO Wrocław,nie ustaliłem na razie specjalnego systemu
łączności z figurantem. Nie podawałem też konkretnego terminu
kolejnego spotkania,określając je orientacyjnie na miesiąc od ostatniej rozmowy.

Łączność z "E" nawiązana zostanie za pośrednictwem KWMO Wrocław.
Figurant zachował też dotychczasowy pseudonim.

Na zakończenie spotkania raz jeszcze uczuliłem "E" na przestrzeganie
pods..zasad konspiracji pracy w wywiadzie.

UWAGI i WNIOSKI:

- "Ernest" podczas trwania rozmowy zachowywał się bardzo spokojnie.
  Jest inteligentny,zrównoważony i sprawia nawet wrażenie pewnego
  siebie. Cechuje go duża spostrzegawczość,~~uczciwość~~,logika i samo-
  dzielność myślenia.Jest osobą zdecydowaną,czasem lekko zarozumiały,
  łatwy w rozmowie,komunikatywny.

- posiada "dojrzałe" spojrzenie na rzeczywistość /mimo b.młodego
                                                                 wieku./,
  realną ocenę aktualnej sytuacji społ.-polit.w kraju i świecie,
  oraz pewne"doświadczenie życiowe", nabyte podczas licznych wyjazdów
  zagranicznych.

- ma realistyczne wyobrażenie nt.krajów Europy Zachodniej i warunków
  życia tam panujących.
  Realnie i w sposób przemyślany ocenia własne szanse wyjazdu i warunków pobytu na terenie USA./Przygotowany na trudności w znalezieniu
  pracy lub kontynuacji studiów,w związku z czym np.przygotowuje się
  do zaliczenia kursu w rzadkiej specjalności spawania podwodnego,
  co jak twierdzi jest konkretnym,poszukiwanym zawodem./

- "E" jest samodzielny i ambitny,chciałby szybko"dojść do czegoś".
  Jest dobrym studentem,ale nauka nie przynosi mu pełni satysfakcji.

- "E" posiada już pewne doświadczenie operacyjne i jest b.dobrze
  zorientowany w niektórych aspektach pracy operacyjnej /np.zdobywa-
  nie informacji,konspiracja pracy/

«Przeprowadziliśmy wstępne rozmowy i pan Czarnecki ma pod koniec lutego przybyć do Moskwy w celu przejścia badań w Instytucie Problemów Medyczno-Biologicznych» – oświadczył dodając, że biznesmen jest gotów wyasygnować około 20 mln dolarów za swą podróż na rosyjskim statku Sojuz" – napisał portal news.astronet.pl[32].

Do kosmicznej podróży ostatecznie nie doszło, zaś Leszek Czarnecki zaczął brylować w mediach. Był już w pierwszej dziesiątce najbogatszych Polaków według tygodnika „Wprost" – zajął wówczas 9. miejsce[33]. Po raz pierwszy trafił na listę w 1994 r. z 84. lokatą[34]. Od tego momentu piął się do góry, dochodząc do 3. miejsca w 2010 r.[35]

Nazwisko miliardera Leszka Czarneckiego w 2012 r. po raz kolejny powróciło na czołówki mediów. Chodziło o gigantyczny kredyt, który udzielił kontrolowany przez biznesmena Getin Noble Bank Grzegorzowi Hajdarowiczowi, właścicielowi Presspubliki. Wszystko zaczęło się od artykułu zamieszczonego na pierwszej stronie „Gazety Wyborczej" pt. *Czyja ta Rzepa?*[36]. Gazeta Adama Michnika ujawniła, że kredyt na zakup Presspubliki został zaciągnięty przez Grzegorza Hajdarowicza w Getin Noble Banku po ostatnich wyborach, w których zwyciężyła Platforma Obywatelska. W konsekwencji Getin Noble Bank ma zastaw na 51 proc. udziałów w Presspublice, która jest wydawcą m.in. „Rzeczpospolitej", „Uważam Rze" i „Przekroju".

„[...] latem zeszłego roku Hajdarowicz publicznie zapewniał, że kupuje Presspublikę ze środków własnych. Dziś tłumaczy, że nie kłamał, bo kredyt zaciągnął później. Teraz jest jasne, że gdyby nie wywiązał się z zobowiązań wobec banku Czarneckiego i skarbu państwa, to mogą one zostać właścicielami Presspubliki [...]" – czytamy w „GW"[37].

Po ukazaniu się artykułu komentatorzy zastanawiali się, czy nie jest to „zwykła wojna konkurencyjna, próba osłabienia rywala na spadającym rynku"[38].

„Skąd taka nagła chęć zaglądania w kapitał konkurencji? Czy chodzi o reklamy spółek skarbu państwa zamieszczane w «Rzeczpospolitej»? Nie jest przecież tajemnicą, że ubiegły rok zakończył się dla Agory fatalnie – jak podał branżowy portal wirtualnemedia.pl w ostatnim kwartale 2011 roku zysk koncernu spadł o 50 proc. w stosunku do roku ubiegłego. A może przyczyną ujawnienia kulis zakupu Presspubliki są dziennikarze, którzy aktualnie publikują w «Uważam Rze» i są przysłowiową solą w oku ludzi spod znaku Adama Michnika? Trudno jednoznacznie określić cel tej publikacji, jedno jest natomiast zastanawiające: dziennikarze «Gazety Wyborczej» organicznie czujący wstręt do lustracji, opisali związki Czarneckiego ze Służbą Bezpieczeństwa, powołując się oczywiście na źródło, czyli «Rzeczpospolitą», która w 2006 roku ujawniła część akt tajnych służb PRL na temat businessmana. Ograniczyli się przy tym jedynie do tego, co w 2006 roku ujawniła «Rzeczpospolita», chociaż w Instytucie Pamięci Narodowej jest znacznie więcej interesujących materiałów na temat miliardera"[39].

W 2018 roku nazwisko Czarneckiego było kojarzone głównie ze sprawą GetBacku – poświęćmy zatem nieco uwagi tej sprawie.

GetBack – firma windykacyjna zarabiająca na skupowaniu przeterminowanych długów i polubownych ugodach z dłużnikami o ich spłacie powstała w 2012 r. Początkowo rozwijała się błyskawicznie jako część finansowego imperium Leszka Czarneckiego. W maju 2018 r. „Forbes" pisał: „GetBack potrzebował 5 lat i 5 mln złotych kapitału, by stać się drugą co do wielkości firmą windykacyjną w Polsce, generującą co kwartał 80 mln zysku EBITDA. A za całym tym sukcesem stał młody technokrata Konrad Kąkolewski, który zbudował już wcześniej całkiem nieźle prosperującą firmę transportową. W 2016 roku miliarder sprzedał jednak firmę funduszom private equity z Abrisem na czele. Rok później doszło do debiutu giełdowego, gdzie firma została wyceniona na 2 mld zł. Wszystko szło dobrze do października zeszłego roku, gdy kapitalizacja zbliżyła się nawet do 3 mld zł"[40]. GetBack zaczął mieć problem ze sprzedażą obligacji, następnie na początku marca 2018 r. Konrad Kąkolewski ogłosił, że GetBack potrzebuje miliarda złotych nowego kapitału. To doprowadziło do wyprzedaży akcji – w ciągu kilku tygodni ich cena spadła czterokrotnie. Spółka próbowała się ratować i 16 kwietnia wypuściła komunikat o tym, że prowadzi negocjacje z bankiem PKO BP i Polskim Funduszem Rozwoju ws. pozyskania do 250 mln zł finansowania. Obydwie instytucje niemal natychmiast zdementowały tę informację, a KNF uznała, że doszło do manipulacji i zawiesiła notowania spółki[41].

W marcu 2018 r. w sprawie podawania nieprawdziwych informacji przez władze spółki GetBack śledztwo wszczęła Prokuratura Regionalna w Warszawie[42].

„Prokuratura Regionalna w Warszawie wszczęła śledztwo w sprawie podania do publicznej wiadomości w dniu 16 kwietnia 2018 roku przez członków Zarządu spółki

GetBack S.A. raportu bieżącego nr 39/2018, zawierającego nieprawdziwe informacje o pozytywnym zaangażowania spółki GetBack S.A. w rozmowy z przedstawicielami Banku PKO BP S.A. oraz Polskiego Funduszu Rozwoju S.A. na temat udzielenia podmiotom z Grupy Kapitałowej GetBack S.A. finansowania o charakterze kredytowo-inwestycyjnym.

Postanowienie o wszczęciu śledztwa obejmuje także rozpowszechnianie przez członków Zarządu spółki GetBack S.A. w dniu 16 kwietnia 2018 roku za pośrednictwem mediów, w tym internetu, nieprawdziwych danych, które w istotny sposób wpływały na treść informacji o pozytywnym zaangażowaniu spółki GetBack S.A. w rozmowy z przedstawicielami Banku PKO BP S.A oraz Polskiego Funduszu Rozwoju S.A. w kwestii udzielenia podmiotom z Grupy Kapitałowej GetBack S.A. finansowania o charakterze kredytowo-inwestycyjnym.

Rozpowszechnione informacje wprowadzały lub mogły wprowadzić w błąd co do podaży, popytu lub ceny instrumentów finansowych lub zapewniały utrzymanie się lub mogły zapewnić utrzymanie się ceny jednego lub kilku instrumentów finansowych spółki GetBack S.A.

Przedmiotem postępowania jest czyn zabroniony spenalizowany w art. 100 ust. 1 ustawy z dnia 29 lipca 2005 roku o ofercie publicznej i warunkach wprowadzania instrumentów finansowych do zorganizowanego obrotu oraz o spółkach publicznych (Dz.U. z 2018 roku, poz. 512) oraz czyn z art. 183 ust. 1 ustawy z dnia 29 lipca 2005 roku o obrocie instrumentami finansowymi (Dz.U. z 2017 roku, poz. 1768 ze zm.).

Wszczęcie śledztwa nastąpiło po niezwłocznym rozpoznaniu przez Prokuraturę Regionalną w Warszawie zawiadomienia o podejrzeniu popełnienia przestępstwa skierowanego przez Komisję Nadzoru Finansowego, które zostało przekazane tutejszej Prokuraturze z Prokuratury Krajowej. W ramach toczącego się postępowania wykonane zostaną liczne czynności procesowe celem wszechstronnego wyjaśnienia okoliczności związanych z ujawnionymi przestępstwami" – napisała prok. Agnieszka Zabłocka-Konopka, rzecznik prasowy Prokuratury Regionalnej w Warszawie[43].

W czerwcu 2018 r. prezes GetBacku Konrad K. został zatrzymany przez funkcjonariuszy Centralnego Biura Śledczego na polecenie prokuratury[44].

„Agenci warszawskiej Delegatury CBA zatrzymali dziś po południu na lotnisku Chopina w Warszawie b. prezesa spółki Getback SA – Konrada K. Śledztwo dotyczy m.in. wyrządzenia szkody majątkowej w wielkich rozmiarach w obrocie gospodarczym na szkodę spółki Getback SA i wyprowadzania pieniędzy ze spółki w celu osiągnięcia korzyści osobistej. Sprawa dotyczy także przestępstw dotyczących manipulacji instrumentami finansowymi i podawania nieprawdy do publicznej wiadomości o działaniach spółki. Agenci CBA przeszukali jego warszawski apartament oraz siedziby firm. Już wcześniej funkcjonariusze CBA intensywnie pracowali w tym śledztwie – przesłuchali łącznie kilkadziesiąt osób – w tym urzędników Komisji Nadzoru Finansowego i spółki Getback SA, zabezpieczyli tomy dokumentacji oraz dane elektroniczne. Śledztwo jest prowadzone przez Delegaturę CBA w Warszawie pod nadzorem Prokuratury Regionalnej w Warszawie i dotyczy wielu wątków – szeroko rozumianych nieprawidłowości w działaniu grupy kapitałowej Getback SA" – czytamy w komunikacie CBA[45].

Po zatrzymaniu Konrada K. do zarzutów odniósł się minister sprawiedliwości i prokurator generalny Zbigniew Ziobro. „Z jednej strony są to przestępstwa przeciwko mieniu, przeciwko obrotowi gospodarczemu – jest tutaj przestępstwo usiłowania oszustwa na szkodę Polskiego Funduszu Rozwoju [...], chodzi o usiłowanie oszustwa na kwotę 250 mln zł. Oprócz tego jest stawiany zarzut wyprowadzenia kwoty 23 mln zł, w tym przywłaszczenia kwoty – w ramach tego – ok. 15 mln zł. Są też stawiane zarzuty natury formalnej, związane z podawaniem nieprawdy w raportach giełdowych" – mówił na konferencji prasowej prokurator generalny[46].

Konrad K. po przesłuchaniu i postawieniu mu zarzutów został aresztowany[47]. Przez kolejne miesiące zarzuty w sprawie GetBacku usłyszało kilkadziesiąt osób. W marcu 2019 r. Prokuratura Krajowa poinformowała, że w sprawie GetBacku wobec 11 podejrzanych osób zastosowano tymczasowe aresztowanie, a także zabezpieczono majątek wart 285 mln zł.[48]

W kwietniu 2019 r. funkcjonariusze CBA zatrzymali kolejnych 11 osób w związku z aferą – według informacji Biura zatrzymano m.in. byłych dyrektorów i pracowników jednego z banków[49]. Według mediów wśród podejrzanych o przestępcze działania w celu osiągnięcia prowizji są byli prezesi, członkowie zarządu, dyrektorzy i pracownicy Idea Banku S.A. i Lion's Banku[50] – jest to marka Idea Banku, w którym Leszek Czarnecki jest głównym akcjonariuszem i szefem rady nadzorczej.

Poszkodowani obligatoriusze GetBack, którzy zawiązali stowarzyszenie, publicznie mówili, że przedstawiciele Idea Banku wprowadzili ich w błąd nie informując, że oferują ryzykowne obligacje, tylko produkt równie bezpieczny jak lokata bankowa oraz że nie dopełnili wszystkich formalności. Poszkodowani składali reklamacje, skargi do UOKiK-u oraz zawiadomienia do prokuratury. Postępowanie w tej sprawie podjęła też Komisja Nadzoru Finansowego.

W listopadzie 2018 r. „Gazeta Wyborcza" zamieściła tekst pt. *Spokój za 40 mln*[51], w którym opublikowano stenogram rozmowy Leszka Czarneckiego z ówczesnym szefem KNF Markiem Chrzanowskim, podczas której – zdaniem miliardera – szef KNF miał zaoferować przychylność dla Getin Noble Banku w zamian za ok. 40 mln zł. Nagrania dokonał biznesmen w gabinecie szefa KNF. Do spotkania w cztery oczy miało dojść 28 marca 2018 r., jednak dopiero w listopadzie mec. Roman Giertych złożył do prokuratury doniesienie w imieniu biznesmena. Po medialnych doniesieniach premier Mateusz Morawiecki zlecił 13 listopada prokuraturze i służbom niezwłoczne zebranie informacji w sprawie Marka Chrzanowskiego i natychmiast wezwał do kraju przebywającego wówczas służbowo w Singapurze szefa KNF.

Później wypadki potoczyły się błyskawicznie – szef KNF został odwołany a sprawą zajęli się prokuratorzy. Były już szef KNF został zatrzymany 27 listopada 2018 r. nad ranem w Warszawie przez funkcjonariuszy CBA, a następnie przewieziony do śląskiego wydziału Prokuratury Krajowej w Katowicach. Prokuratura postawiła mu zarzut przekroczenia uprawnień. „Jest on związany z rozmową z właścicielem Getin Noble Banku Leszkiem Czarneckim, na którym omawiano przebieg postępowania Komisji Nadzoru Finansowego w sprawie programu naprawczego Getin Noble Banku. Wówczas Marek Ch. zaproponował Leszkowi Czarneckiemu zatrudnienie Grzegorza Kowalczyka w charakterze prawnika w Getin Noble Bank S.A. na okres 3 lat oraz przekazał Leszkowi Czarneckiemu informację, że zatrudnienie to będzie skutkować przychylnością Komisji Nadzoru Finansowego w czasie realizacji programu naprawczego Getin Noble Bank S.A." – podała Prokuratura Krajowa[52]. Decyzją sądu były szef KNF trafił do aresztu na dwa miesiące.

Leszek Czarnecki w 2008 r. ożenił się z Jolantą Pieńkowską[53], prezenterką TVN-u. Pieńkowska była już wówczas znaną telewizyjną „twarzą". Po ukończeniu wydziału aktorskiego PWST pracowała m.in. jako stewardesa amerykańskich linii lotniczych. Jej pierwszym mężem był Sławomir Matczak (ur. 17.06.1961), absolwent aktorskiego wydziału PWST a później prezenter telewizyjny[54]. Teściowie Jolanty Pieńkowskiej w czasach PRL byli związani z MSW[55]. Pieńkowska w czasach Polski Ludowej często podróżowała – była m.in. w Bagdadzie z ojcem, Januszem Pieńkowskim[56], który jeździł na zagraniczne kontrakty z racji pracy w Przedsiębiorstwie Automatyki Przemysłowej[57]. W 1990 r. wygrała konkurs ogłoszony przez TVP. Była prezenterką „Wiadomości" TVP1 – pierwsze wydanie poprowadziła 2 sierpnia 1990, ostatnie 10 października 2004 r. Prowadziła także programy publicystyczne „W centrum uwagi" i „Monitor Wiadomości" oraz wieczory wyborcze m.in. w roku 2002, 2003 i 2004[58]. W 2002 r. została odznaczona Złotym Krzyżem Zasługi przez ówczesnego prezydenta Aleksandra Kwaśniewskiego z okazji 50-lecia Telewizji Polskiej[59].

Pieńkowska pracowała także w Polskim Radiu – w „Trójce" była jedną z prowadzących „Salon Polityczny" „Trójki". Jej gośćmi byli czołowi politycy lewicy m.in. Aleksander Kwaśniewski (w czasie gdy był prezydentem) czy Leszek Miller (w okresie gdy był premierem).

Jolanta Pieńkowska stała się ulubioną postacią portali plotkarskich, które informowały na temat jej życia u boku męża, miliardera Leszka Czarneckiego, oraz na temat kariery telewizyjnej w USA.

Kilka miesięcy po wybuchu afery Komisji Nadzoru Finansowego „Puls Biznesu" zamieścił sensacyjną informację:

„Popularna prezenterka telewizyjna Jolanta Pieńkowska miała pomóc uciec z kraju mężowi i miliarderowi, Leszkowi Czarneckiemu, który chciał się ukryć po wybuchu afery KNF. Według «Pulsu Biznesu» dziennikarka przewiozła swojego męża w bagażniku samochodu.

Gazeta twierdzi, że potwierdziła te informacje w trzech niezależnych źródłach. Cała historia bowiem wygląda jak z sensacyjnego filmu"[60].

Informacji podanej przez „PB" nie skomentowała ani Jolanta Pieńkowska, ani Leszek Czarnecki, ani też jego pełnomocnik Roman Giertych. Mimo to sensacyjna informacja zagościła na czołówkach głównych portali internetowych.

W 2018 r. Leszek Czarnecki zanotował znaczący spadek na liście najbogatszych Polaków według tygodnika „Wprost".

„Kto najwięcej stracił? Spektakularny spadek zaliczył Leszek Czarnecki. Od lat w pierwszej dziesiątce zestawienia. Dzisiaj nie jest już ani w pierwszej, ani nawet w drugiej. Spadł o 15 pozycji i wylądował na 23. miejscu listy[61] z majątkiem o ponad połowę mniejszym niż rok temu" – napisał tygodnik „Wprost" w komentarzu do listy najbogatszych Polaków[62].

PRZYPISY

[1] *Lista 100 Najbogatszych Polaków*, „Wprost" 2018, nr 26.

[2] Leszek Czarnecki (ur. 9.05.1962, Wrocław), syn Ludwika (ur. 1930) i Zofii z d. Pietrzykowskiej.

[3] IPN Wr 524/78121, Akta paszportowe Czarnecki Leszek Janusz, imię ojca: Ludwik, data urodzenia 9-05-1962, k. 79.

[4] Waldemar Czarnecki (ur. 17.01.1959).

[5] IPN Wr 524/78121, Akta paszportowe Czarnecki Leszek Janusz, k. 79.

[6] IPN BU 01789/390, t. 1, Leszek Czarnecki, mikrofilm, przekazujący Agencja Wywiadu; IPN Wr 524/78121, Akta paszportowe Czarnecki Leszek Janusz...

[7] https://pl.wikipedia.org/wiki/Leszek_Czarnecki (dostęp: 14.11.2018).

[8] IPN Wr 524/78121, Akta paszportowe Czarnecki Leszek Janusz...

[9] Ibidem, k. 51.

[10] Ibidem, k. 52.

[11] Ibidem, k. 56.

[12] Ibidem, k. 59.

[13] Ibidem.

[14] Ibidem, k. 24.

[15] IPN Wr 0095/4348, mikrofilm jacket, przekazujący UOP Wrocław, k. 22–23.

[16] Ibidem.

[17] Ibidem.

[18] Ibidem, k. 24 i k. 7.

[19] Ibidem, k. 24 i k. 4.

[20] *Aparat Bezpieczeństwa w Polsce. Kadra kierownicza*, t. 3: *1975–1990*, red. P. Piotrowski, Warszawa 2008, s. 22–24; P. Piotrowski, *Formy działalności operacyjnej wywiadu cywilnego PRL. Instrukcja o pracy wywiadowczej Departamentu I MSW z 1972 r.*, „Aparat Represji w Polsce Ludowej 1944–1989" 2007, nr 1, s. 316.

[21] IPN BU 01789/390, t. 1, Leszek Czarnecki, mikrofilm, przekazujący Agencja Wywiadu, k. 6.

[22] Ibidem, k. 8.

[23] Ibidem, k. 26.

[24] Ibidem, k. 27.

[25] Ibidem, k. 27.

[26] IPN BU 01789/390, t. 2, Leszek Czarnecki, mikrofilm, przekazujący Agencja Wywiadu, k. 15.

[27] Ibidem, k. 17.

[28] Ibidem, k. 30.

[29] *Leszek Czarnecki. Biografia*, http://leszek-czarnecki.pl/ (dostęp: 14.11.2018).

[30] Dominika Wielowieyska, *Czarnecki i Wojciechowska polecą w kosmos?*, „Gazeta Wyborcza", 2.02.2002, http://wyborcza.pl/1,75400,7050 61. html (dostęp: 14.11.2018).

[31] Ibidem.

[32] Marcin Marszałek, *Leszek Czarnecki potwierdził, że pragnie polecieć w kosmos*, News.astronet.pl, 21.02.2002, https://news.astronet.pl/ index.php/2002/02/21/n1629/ (dostęp: 14.11.2018).

[33] *100 najbogatszych Polaków 2002*, Wprost.pl, rankingi, https://rankingi.wprost.pl/100-najbogatszych-polakow/2002 (dostęp: 14.11.2018).

[34] *100 najbogatszych Polaków 1994*, Wprost.pl, rankingi, https://ranki ngi.wprost.pl/100-najbogatszych-polakow/1994 (dostęp: 14.11.2018).

[35] *100 najbogatszych Polaków 2010*, Wprost.pl, rankingi, https://ranki ngi.wprost.pl/100-najbogatszych-polakow/2010 (dostęp: 14.11.2018).

[36] Paweł Goźliński, *Czyja ta Rzepa? Kulisy przejęcia „Rzeczpospolitej"*, „Gazeta Wyborcza", 3.03.2012.

[37] Ibidem.

[38] Jacek Karnowski, *Pytając „Czyja ta «Rzepa»", „Wyborcza" pyta nie tylko o formalną własność. Stwierdza także, że na razie nie jej*, Wpolityce.pl, 6.03.2012, https://wpolityce.pl/polityka/128113-pytajac-czyja-ta-rzep a-wyborcza-pyta-nie-tylko-o-formalna-wlasnosc-stwierdza-takze-ze-n a-razie-nie-jej (dostęp: 14.11.2018).

[39] Dorota Kania, *TW „Ernest" w grze „Rzeczpospolitą"*, Niezalezna.pl, 14.03.2012, http://niezalezna.pl/25140-tw-ernest-w-grze-rzeczpospoli ta (dostęp: 14.11.2018).

[40] mm, *GetBack nadal bez raportu. Strata co najmniej 1,2 mld zł*, Forbes. pl, 21.05.2018, https://www.forbes.pl/biznes/afera-getback-jak-do-nie j-doszlo-historia-krok-po-kroku/v98mtdw (dostęp: 7.04.2019).

[41] Ibidem.

[42] *Śledztwo Prokuratury Regionalnej w Warszawie w sprawie spółki GetBack S.A.*, 26.04.2018, http://warszawa.pr.gov.pl/news/691 (dostęp: 7.04.2019).

[43] Ibidem.

[44] *B. prezes spółki GetBack SA zatrzymany przez CBA*, Cba.gov.pl, 16.06.2018, https://www.cba.gov.pl/pl/aktualnosci/3873,B-prezes-spoki -GetBack-SA-zatrzymany-przez-CBA.html?search=43510251 (dostęp: 7.04.2019).

[45] Ibidem.

[46] TM, TO, *Były prezes GetBack usłyszał zarzuty. „Wzorowa praca prokuratury i CBA"*, Tvp.info, 17.06.2018, https://www.tvp.info/37687116/b yly-prezes-getback-uslyszal-zarzuty-wzorowa-praca-prokuratury-i-cba (dostęp: 7.04.2019).

[47] mdo, tmw, *Trzy miesiące aresztu dla byłego szefa GetBacku*, Tvn24.pl, 19.06.2018, https://www.tvn24.pl/wiado mosci-z-kraju,3/konrad-k-by ly-prezes-spolki-getback-trafi-do-aresztu,846829.html (dostęp: 7.04.2019).

[48] jk, *W Sejmie o aferze GetBack: 38 podejrzanych i 11 osób aresztowanych, zabezpieczony majątek*, Polskieradio24.pl, 12.03.2019, https://www .polskieradio24.pl/42/276/Artykul/2276835,W-Sejmie-o-aferze-GetB ack-38-podejrzanych-i-11-osob-aresztowanych-zabezpieczony-majat ek (dostęp: 7.04.2019).

[49] *11 osób zatrzymanych do sprawy GetBack*, Cba.gov.pl, 2.04.2019, https://www.cba.gov.pl/pl/aktualnosci/4085,11-osob-zatrzymanych-do -sprawy-Ge tBack.html (dostęp: 7.04.2019).

[50] *Afera GetBack – zatrzymanie 18 osób, byłych członków zarządu, w tym byłego prezesa Idea Banku*, Polsatnews.pl, 26.02.2019, http://www.pols atnews.pl/wiadomosc/2019-02-26/prokuratura-regionalna-w-warszaw ie-potwierdza-zatrzymanie-18-osob-z-jednego-z-bankow/ (dostęp: 7.04.2019).

[51] Wojciech Czuchnowski, Agnieszka Kublik, *Spokój za 40 mln. Bankier Leszek Czarnecki oskarża Komisję Nadzoru Finansowego*, Wyborcza.pl, 13.11.2018, http://wyborcza.pl/7,753 98,24161195,spo koj-za-40-milionow-bankier-leszek-czarnecki-oskarza-komisje.html (dostęp: 7.04.2019).

[52] *Były szef KNF aresztowany. Marek Ch. trafił za kratki na dwa miesiące*, Wiadomości.dziennik.pl, 29.11.2018, https://wiadomosci.dzien nik.pl /polityka/artyk uly/586161,afera-knf-areszt-m arek-ch-aresztow any-korupcja-prokuratura.html (dostęp: 7.04.2019).

[53] Jolanta Pieńkowska (ur. 20.11.1964), córka Janusza i Barbary (IPN BU 763/81013).

[54] IPN BU 1005/66625.

[55] Ibidem.

[56] IPN BU 763/81013.

[57] Ibidem.

[58] *Jolanta Małgorzata Pieńkowska-Czarnecka*, Wikipedia.org, https://pl. wikipedia.org/wiki/Jolanta_Pie%C5%84kowska (dostęp: 14.11.2018).

[59] *Odznaczenia z okazji 50-lecia Telewizji Polskiej*, Prezydent.pl, 26.10.2002, http://www.prezydent.pl/archiwalne-aktualnosci/rok-200 2/art,607,odznaczenia-z-okazji-50-lecia-telewizji-polskiej.html (dostęp: 14.11.2018).

[60] *„PB": Jolanta Pieńkowska ratowała Leszka Czarneckiego przewożąc go w bagażniku*, Salon24.pl, 7.03.2019, https://www.salon24.pl/newsroom /940365,pb-jolanta-pienkowska-rat owala-leszka-czarneckiego-przew ozac-go-w-bagazniku (dostęp: 10.04.2019); *„Puls Biznesu": Jolanta Pieńkowska pomogła Leszkowi Czarneckiemu uniknąć zatrzymania*, Onet.pl, 7.03.2019, https://wiadomosci.onet.pl/kraj/puls-biznesu-jol anta-pien kowska-pomogla-leszkowi-czarneckiemu-uniknac-zatrzymania/phml 07b (dostęp: 10.04.2019).

[61] *Najbogatsi w regionach 2018*, Wprost.pl, rankingi, https://rankingi. wprost.pl/najbogatsi-w-regionach (dostęp: 14.11.2018).

[62] *100 najbogatszych Polaków 2018*, Wprost.pl, rankingi, https://ranki ngi.wprost.pl/100-najbogatszych-polakow (dostęp: 14.11.2018).

10. FARMACEUTYCZNY POTENTAT Z PAPIERAMI BEZPIEKI

(JERZY STARAK)

Udziały w Polpharmie, Zakładach Tłuszczowych „Kruszwica", Medana Pharma, „Witkiewiczówce", Herbapolu Lublin – to zaledwie kilka firm w portfelu Jerzego Staraka – jednego z najbogatszych Polaków. Jak wynika ze znajdujących się w Instytucie Pamięci Narodowej dokumentów, został on zarejestrowany przez Służbę Bezpieczeństwa jako tajny współpracownik o pseudonimie „S.J."[1].

Jerzy Starak[2] jest synem Zbigniewa, podpułkownika Ludowego Wojska Polskiego[3], który urodził się w Novym Bydżowie pod Pragą Czeską. Zbigniew był synem oficera kawalerii cesarskiej i królewskiej armii. W Zamościu Zbigniew ukończył gimnazjum im. hetmana Jana

Zamoyskiego, a w 1939 r. Szkołę Podchorążych Kawalerii w Centrum Wyszkolenia Kawalerii w Grudziądzu. Skierowany do 23. Pułku Ułanów Grodzieńskich w Postawach, walczył w nim do czasu rozwiązania jednostki 27 września 1939 r. W latach 1939–1944 Zbigniew Starak był oficerem ZWZ–AK w Zamościu i Gródku Jagiellońskim. W połowie sierpnia 1944 r. na ochotnika zgłosił się do 1. Samodzielnej Brygady Kawalerii 1 Armii Wojska Polskiego, w której służył na stanowisku dowódcy plutonu ckm w 2. pułku ułanów[4]. 1 marca 1945 r. dowodził około 220-osobową grupą w ostatniej szarży kawalerii polskiej pod Borujskiem w pobliżu Wałcza. Kawalerzyści wykorzystali jar i przedostali się w rejon, w którym operowały polskie czołgi, które minęli i uderzyli na zaskoczonych Niemców na wysuniętych placówkach. Większość Niemców poległa[5]. W maju 1947 r. Starak został dowódcą jednostki Wojsk Ochrony Pogranicza w Ustroniu w Beskidzie Śląskim, a następnie objął szefostwo Wydziału Operacyjnego 11. Zmechanizowanej Dywizji Piechoty (lata 1948–49)[6]. W latach 1950–1958 dowodził oddziałem Wojskowego Korpusu Górniczego w Katowicach i Bytomiu. Do Korpusu – formacji wojskowej służby zastępczej kierowano młodych poborowych, których uznawano za przeciwników politycznych, niebezpiecznych dla wprowadzanego siłą ustroju komunistycznego w Polsce. W szczególności komunistyczne władze kierowały tam byłych członków organizacji niepodległościowych i antykomunistycznych (m.in. Armii Krajowej, Narodowych Sił Zbrojnych, Zrzeszenia Wolność i Niezawisłość itp.), synów przedwojennej inteligencji i tzw. kułaków. Służba ta miała charakter pracy przymusowej. Dokładne zasady wcielania do WKG regulował tajny rozkaz nr 008 z 1 lutego 1951 r. Konstantego Rokossowskiego, marszałka Polski z nadania ZSRS.

Po odejściu z WKG Zbigniew Starak pełnił służbę w Akademii Sztabu Generalnego w Rembertowie (1958–1960), później był zastępcą kierownika Studium Wojskowego Szkoły Głównej Gospodarstwa Wiejskiego w Warszawie, od 1967 r. kierownikiem Studium Wojskowego Uniwersytetu Warszawskiego i w latach 1970–1973 kierownikiem Studium Wojskowego SGGW, skąd przeszedł w stan spoczynku. W latach 80. Zbigniew Starak pozował Mieczysławowi Naruszewiczowi do rzeźby kawalerzysty będącej elementem Pomnika Tysiąclecia Jazdy Polskiej w Warszawie[7].

* * *

Nazwisko Jerzego Staraka znalazło się na liście najbogatszych Polaków tygodnika „Wprost" już w pierwszej edycji, czyli w 1990 r.[8] – zajął wówczas 11. miejsce i od tej pory jest wymieniany w różnych rankingach w setce najbogatszych polskich biznesmenów.

W 1992 r. Jerzy Starak był współzałożycielem Polskiej Rady Biznesu; obok niego część członków – założycieli była zarejestrowana przez Służbę Bezpieczeństwa jako tajni współpracownicy. Co ciekawe, wśród członków – założycieli był Mirosław Drzewiecki, czołowy działacz Kongresu Liberalno-Demokratycznego, Unii Wolności i Platformy Obywatelskiej.

„Impulsem do powołania PRB było przekonanie, że polski biznes w nowych warunkach wolnorynkowej i demokratycznej Polski potrzebuje silnej i wiarygodnej reprezentacji" – czytamy na stronie Polskiej Rady Biznesu[9].

Głównym obszarem działalności Jerzego Staraka jest przemysł farmaceutyczny.

„Przedsiębiorca z farmacją zetknął się w latach 70. we Włoszech, dokąd wyjechał po skończeniu studiów w SGGW. Pracował tam w firmie handlującej maszynami do produkcji opakowań do lekarstw" – czytamy w artykule na temat kariery Jerzego Staraka w „Forbesie"[10].

Gdy Starak przebywał we Włoszech, zwróciła na niego uwagę komunistyczna bezpieka – biznesmen przyjeżdżał do Polski jako przedstawiciel firmy Comindex, biegle władał językiem włoskim i angielskim oraz miał rozległe kontakty zarówno w kraju, jak i za granicą.

Do pierwszego kontaktu doszło we wrześniu 1979 r., w pomieszczeniach służbowych Wydziału Paszportów Komendy Stołecznej Milicji Obywatelskiej. Celem rozmowy było rozliczenie biznesmena z jego dotychczasowego pobytu we Włoszech i zorientowanie się odnośnie możliwości operacyjnego wykorzystania Jerzego Staraka przez Służbę Bezpieczeństwa.

„Starak we Włoszech przebywa od 7 lat. Jak stwierdził, jest to pierwsza rozmowa przeprowadzona z nim przez funkcjonariusza SB. W latach 1966–1971 4-krotnie wyjeżdżał za granicę na zaproszenie znajomego Wehrli Peter, stale zamieszkały w Szwajcarii. Wehrli zatrudniony jest w firmie IRMS – zajmującej się produkcją opakowań, tub, itp., rzeczy do kosmetyków. Starak z wykształcenia jest technologiem rolno-spożywczym SGGW, a także studiował na Studium Afrykanistycznym UW. W 1973 r. na terenie Szwajcarii poznał dr Barbarę Zembrzuską-Coppari, zamieszkałą na stałe we Włoszech, która przyjęła obywatelstwo włoskie w 1971 r. Do 1975 r. przedłużał ważność paszportu, pracując w firmie IRMS, gdzie go zaprotegował Wehrli Peter. Jak stwierdził, właściwie to był na utrzymaniu Barbary Coppari. W 1976 otrzymał paszport konsularny, sytuację miał dość skomplikowaną, gdyż p. Coppari urodziła jego dziecko nie mając rozwiązanego poprzedniego małżeństwa. Na początku 1977 r. zawarł związek małżeński z Barbarą Coppari i zamieszkał na stałe w miejscowości Casena. Aktualnie jest zatrudniony w firmie «COMINDEX» specjalizującej się w produkcji automatów do opakowań" – pisał st. insp. ppor. Michał Figiel z Wydziału II Stołecznego Urzędu Spraw Wewnętrznych[11].

W dalszej części notatki ppor. Figiel spisał informacje przekazane przez biznesmena na temat jednego z prezesów „Comindexu" Carlo Morettiego, a także o Polakach mieszkających w Bolonii we Włoszech.

„Zetknął się z kilkoma byłymi żołnierzami armii Andersa: Malinowskim, Bartkowiakiem itp. Ludzie w wieku ok. 60–65 lat, stale narzekający na stosunki w Polsce, jak i we Włoszech. Poznał ich gdyż w Bolonii znajduje się cmentarz żołnierzy i z okazji święta zmarłych urządzają oni uroczystości. Aktualnie ze względu na nawał pracy nie utrzymuje z nimi żadnych kontaktów. Poza tym ojciec w/w emerytowany płk W.P. za udział w walkach o Wałcz mianowany honorowym obywatelem tego miasta, inaczej przedstawiał mu sytuację związaną z udziałem Polaków w II wojnie światowej, a następnie w walkach o wyzwolenie u boku ZSRR" – zanotował funkcjonariusz Służby Bezpieczeństwa[12].

W dalszej części notatki ppor. Figiel spisał informacje przekazane przez Jerzego Staraka na temat funkcjonowania firmy „Comindex".

„W trakcie trwania rozmowy (mimo że był to pierwszy kontakt) Starak zachowywał się spokojnie, na zadawane pytania odpowiadał szczegółowo i wyczerpująco. Jest człowiekiem inteligentnym i spostrzegawczym. Fakt zainteresowania swoją osobą przez Służbę Bezpieczeństwa przyjął bez zastrzeżeń. Pod koniec rozmowy uczuliłem go na konieczność zachowania w tajemnicy faktu i treści przeprowadzonej z nim rozmowy, podałem numer telefonu służbowego, polecając zakamuflować go poprzez dopisanie odpowiednich cyfr. Pobrałem również zobowiązanie o zachowaniu w tajemnicy przeprowadzonej rozmowy. Na kolejne spotkanie wyraził zgodę bez żadnych zastrzeżeń. Mając powyższe na uwadze oraz fakt, iż jest zarejestrowany w charakterze kandydata, a przeprowadzona rozmowa potwierdziła jego przydatność i możliwości operacyjne, uważam za wskazane pozyskanie w/w w charakterze osobowego źródła informacji" – napisał ppor. Michał Figiel[13].

Zanim doszło do zwerbowania „S.J.", bezpieka prowadziła wobec niego kontrolę operacyjną. Uzyskano kompromitujące materiały na jego temat, które miały być wykorzystane, gdyby się „chciał odciąć od dialogu z SB"[14]. Taka potrzeba jednak nie zaszła.

We wrześniu 1979 r. ppor. Michał Figiel zwrócił się do przełożonych o zgodę na werbunek Staraka.

„Pozyskanie kandydata będzie miało na celu: zabezpieczenie dopływu informacji dotyczących obywateli polskich, pracowników naszych Central Handlu Zagranicznego utrzymujących kontakt z firmami włoskimi, dotyczących ich zachowania w trakcie pobytu; zbieranie informacji na temat obywateli włoskich przebywających czasowo w Polsce i poddanie ich kontroli operacyjnej;

zdobywanie informacji ze środowisk emigracyjnych i ich kontaktów na terenie Polski" – uzasadniał werbunek ppor. Figiel[15] i wyliczał możliwości operacyjne kandydata:

„W związku ze stałą pracą i zameldowaniem na terenie Włoch kandydat ma naturalną możliwość zbierania informacji na temat obywateli włoskich (współpracowników w/w) pod kątem charakterystyki ich osobowości, zainteresowań i kontaktów. Umożliwi to zabezpieczenie, dopływ informacji i kontroli podczas ich pobytu w Polsce. Ponadto, z racji pracy w firmie Comindex może zbierać informacje na temat obywateli polskich przebywających tam w celach służbowych. Poza tym może docierać do środowisk emigracyjnych, kontaktów w/w osób z grupami antysocjalistycznymi w naszym kraju" – pisał ppor. Figiel, który zamierzał pozyskać Jerzego Staraka na zasadzie „dobrowolności i lojalności wykorzystując jego pozytywny stosunek do SB oraz do ustroju socjalistycznego w Polsce. Pozyskanie odbędzie się w pokoju hotelowym"[16].

Zgodę na pozyskanie wyraził 29 września 1979 r. przełożony ppor. Figla, kierownik sekcji II Komendy Stołecznej Milicji Obywatelskiej Karol Dziwiszek[17]. Do pozyskania Jerzego Staraka doszło 18 kwietnia 1980 r. w hotelu „Saskim" w Warszawie.

„Pozyskałem do współpracy TW «S.J.». Pobrałem oświadczenie o lojalności. TW napisał własnoręcznie oświadczenie, stwierdzając, że będzie informował nas o wszelkich nieprawidłowościach mogących rzutować na rozmówców i bezpieczeństwo kraju" – napisał ppor. Figiel[18].

„Jako lojalny obywatel zobowiązuję się dobrowolnie poinformować Pracowników Służby Bezpieczeństwa PRL o wszelkich negatywnych faktach i zjawiskach godzących w żywotne interesy PRL i zachowam ten fakt w tajemnicy przed osobami trzecimi" – napisał Jerzy Starak[19].

W dniu pozyskania ppor. Figiel zdał raport z dokonanego pozyskania TW „S.J." numer ewidencyjny 17407[20]: „Kontakt z TW «S.J.» nawiązano 13.09.79 r. mając na uwadze miejsce zamieszkania (Włochy), częstotliwość przyjazdów do Polski, szerokie kontakty z Włochami przebywającymi służbowo w Polsce. Z wieloźródłowych informacji (TW «Paweł», ustalenia własne) wynika, że w 1973 r. wyjechał do Włoch, ożenił się z obywatelką włoską narodowości polskiej. Od 1976 r. posiada paszport konsularny. Z wykształcenia jest technologiem żywności, studiował także na Studium Afrykanistycznym UW. Stale zamieszkuje w miejscowości Casena. Zatrudniony jest w firmie «Comindex» jako przedstawiciel na kraje socjalistyczne. Jako jeden z niewielu ma prawo podejmowania samodzielnych decyzji do prowadzenia rozmów i pertraktacji z przedstawicielami polskich Central Handlu Zagranicznego" – napisał st. insp. Wydziału II ppor. Michał Figiel[21].

Cztery lata później Jerzy Starak wydzierżawił od Ogólnokrajowej Spółdzielni Turystycznej „Gromada" w nowo wybudowanym biurowcu dwa piętra, gdzie pracowało blisko 100 urzędników „Comindexu". O tym fakcie za pośrednictwem TW „Forum" została poinformowana bezpieka – notatkę w tej sprawie sporządził płk Stefan Mikołajski z Biura Studiów Służby Bezpieczeństwa MSW. W notatce padło także sformułowanie, że Jerzy Starak „kupił wszechmocnego w spółdzielni prezesa Skoczylasa za alkohol"[22].

Po tym piśmie kpt. Karol Dziwiszek zwrócił się o ustalenie wiarygodności TW „Forum", który przekazał informacje obciążające Jerzego Staraka. Sam biznesmen w rozmowie z SB stwierdził, że „Prezes Skoczylas widzi szansę
uzyskania wielu profitów dla swojej spółdzielni, włączając
się w działalność z Comindexem"[23].
„Firma «Comindex» ściśle współpracuje z OST «Gromada». Zdaniem t.w. kooperacja jest korzystna dla obydwu stron. Oceniając sylwetkę Skoczylasa t.w. stwierdził, że jest to człowiek z tzw. awansu społecznego. Jest
człowiekiem uczynnym, prostolinijnym. Mimo koleżeń-
skich stosunków, jakie panują między nim a pełnomocnikiem «Comindex» JAKUBIAKIEM, na każdym kroku
widzi on interes «Gromady», starając się wycisnąć z «Comindex» maksymalną ilość pieniędzy, czego przykładem
jest czynsz oraz samochody chłodnie sprzedane «Co-
mindexowi» średnio 50% powyżej ich wartości. Wszelkie
umowy między «Comindex» a Gromadą przygotowywa-
ne są przez mecenasa WIELOWIEYSKIEGO oraz JAKU-
BIAKA. W ubiegłym miesiącu NIK i PIH przeprowadziły
kontrolę działalności tej firmy. Żadnych uchybień mery-
torycznych nie zanotowano. W sferze gospodarczej «Comindex» prowadzi swą działalność w oparciu o posiadane filie na terenie całego kraju. Aktualnie w skład PPZ
«Comindex» oraz PPZ «Unicom» wchodzi 9 zakładów
zatrudniających ok. 1000 pracowników (od stycznia br.
«Unicom» oddzielił się od «Comindex» i jest samodzielną
jednostką). Tajny współpracownik poinformował mnie, iż
planował utworzenie na terenie woj. łomżyńskiego firmy
polonijnej o nazwie «Agroital». Współwłaścicielem tej firmy byłby ob. włoski BUGIU Beppino (dyrektor handlowy

konsorcjum «Comindex» z siedzibą w Bolonii). Niezbędne dokumenty zostały złożone w Urzędzie Wojewódzkim w Łomży. Jednakże ze względu na dużą ilość innych zagadnień t.w. raczej odstąpi od realizacji tego przedsięwzięcia" – napisał por. Michał Figiel[24], wyznaczając tajnemu współpracownikowi „S.J." zadanie: „W trakcie pobytu na terenie Włoch zbierać informacje dotyczące działalności emigracyjnych struktur byłej Solidarności"[25].

W tym czasie Jerzym Starakiem zainteresował się wywiad PRL a ściślej biorąc – naczelnik Wydziału V Departamentu I Henryk Jasik[26], który na temat biznesmena prowadził korespondencję ze SUSW.

„W nawiązaniu do rozmowy z pracownikiem Waszego Wydziału tow. Figlem, prosimy o dokonanie następujących ustaleń dotyczących ob. PRL Starak Jerzy:

1/ jakie firmy zagraniczne reprezentuje firma «COMINDEX» na rynku polskim (nazwa firmy, produkcja),

2/ kontakty J. Staraka na terenie Włoch wśród firm farmaceutycznych i konsultingowych. W szczególności prosimy o podanie nazwy firmy, siedziby, nazwiska właściciela oraz produkcja lub tematyka badań,

3/ możliwości uzyskania technologii produkcji preparatów farmaceutycznych lub naprowadzeń na osoby mające dostęp do technologii w niżej wymienionym zakresie:
- Antybiotyki
  a/ aminoglikozydowe
  b/ B-laktanowe
  c/ cefalosporyny
- Preparaty przeciwnowotworowe
- Preparaty sercowo-naczyniowe
- Leki przeciwzapalne (przeciwreumatyczne)

- Leki przeciwwrzodowe
- Preparaty stosowane w dermatologii
- Preparaty weterynaryjne
  a/ leki przeciwrobaczycowe
  b/ leki przeciwmotyliczne

Ustalenie powyższych danych pozwoli nam określić przydatność figuranta dla naszej służby. Sprawą zainteresowany jest tow. D. Troicki tel. 56-22. W sprawie ewentualnego zakupu przez nasz przemysł technologii produkcji Urokinazy od J. Staraka prowadzimy rozpoznanie wśród zakładów farmaceutycznych" – pisał mjr Jasik[27], który za kilka lat miał przejść ze Służby Bezpieczeństwa do Urzędu Ochrony Państwa na stanowisko szefa wywiadu.

W aktach IPN nie ma dokumentów, czy wywiad PRL korzystał z informacji Jerzego Staraka – zachowały się jedynie dokumenty komunistycznego kontrwywiadu. Służba Bezpieczeństwa miała bardzo dobrą opinię o TW „S.J." i uważała go za cenne źródło informacji.

„Prowadzona kontrola TW (TW «Paweł», «W») wykazała, że jest on osobą prawdomówną, a przekazywane informacje znajdowały potwierdzenie" – napisał Krzysztof Kubat, który w 1986 r. przejął na kontakt „S.J." od insp. Michała Figla[28]. W Instytucie Pamięci Narodowej zachowała się również teczka pracy TW „S.J."[29]. W lipcu 1980 r. „S.J." przekazał pierwsze informacje SB.

„W związku z trudnościami na polskim rynku – ograniczenia importowe – firma «Comindex» planuje przesunięcie części swojej działalności na teren Czechosłowacji, a następnie ZSRR. Już pod koniec tego roku wyjedzie tam Meretti. T.W. w dalszym ciągu będzie obsługiwał rynek polski. W trakcie ostatnich Targów TW poznał przedstawiciela włoskiej firmy «GUMIT». Firma ta zamierza sprowadzać z Polski surowce, podpisano już umowę wstępną wartości 500 tys. dolarów. Właściciel firmy nazywa się Reco Angelo. Firma «Comindex» zamierza w Polsce otworzyć biuro serwisowe, które zajmowałoby się zagadnieniem napraw pogwarancyjnych. Aktualnie wraz z Markiem Nowotnym TW prowadzi rozmowę w Ministerstwie Handlu Zagranicznego dot. warunków otwarcia i finansowania biura. Istotnym faktem jest to, ażeby biuro mogło zarabiać pieniądze i sposób rozliczenia wpływów i wydatków (w dolarach czy złotówkach). Innych informacji z operacyjnego punku widzenia TW nie przekazał" – napisał ppor. Figiel 10 lipca 1980 r.[30]

Ostatnia informacja w teczce pracy „S.J." pochodzi z 10 maja 1990 r. – w tym dniu powstał Urząd Ochrony Państwa, a gen. Czesław Kiszczak – ówczesny minister spraw wewnętrznych w rządzie koalicyjnym premiera Mazowieckiego wydał zarządzenie nr 043/90 „w sprawie zaprzestania działalności Służby Bezpieczeństwa"[31].

„Na podstawie dotychczasowych kontaktów z TW «S.J.» należy stwierdzić, że jest on osobą inteligentną, spostrzegawczą i obytą towarzysko. Istotnym jest fakt, że biegle włada językiem angielskim i włoskim, co w dużym stopniu ułatwia mu nawiązywanie kontaktów z cudzoziemcami. TW ps. «S.J.» był wykorzystywany w ramach sprawy obiektowej krypt. «Tybr». Do chwili obecnej spotkania odbywają się głównie w kawiarniach, a informacje były przekazywane głównie w formie ustnej. Od momentu, gdy TW «S.J.» rozpoczął samodzielną działalność handlową i produkcyjną, jego przyjazdy do Polski stały się rzadsze, co wpłynęło na zmniejszenie częstotliwości spotkań uzależnionych od obecności TW w kraju. TW ps. «S.J.» nie był wynagradzany. Dekonspiracji ani dezinformacji nie stwierdzono. Szkolenie dot. zasad konspiracji i zdobywania informacji przeprowadzono w trakcie spotkań" – napisał inspektor Wydziału II Stołecznego Urzędu Spraw Wewnętrznych ppor. M. Wyszkowski[32].

W latach 80. Jerzy Starak rozwiódł się z Barbarą Coppari i związał z Anną Woźniak, która pracowała w Comindexie w charakterze tłumacza[33].

Anna Woźniak[34] urodziła się w Warszawie i w 1974 r. ukończyła Wydział Historii na Uniwersytecie Warszawskim[35]. Jej ojciec pracował w Przedsiębiorstwie Dystrybucji Filmów, a matka zajmowała się domem. Brat Anny, Mirosław Sobolak[36] był adwokatem. Adwokatem był także pierwszy mąż Anny Woźniak – Bogdan[37], z którym w latach 1976–1979 przebywała w USA, na zaproszenie teściowej Bronisławy Romanowicy[38].

Już wtedy Anna Woźniak pracowała jako modelka – wzięła m.in. udział w pierwszym w Stanach Zjednoczonych pokazie włoskiego projektanta, Gianniego Versace. Jak wynika ze znajdujących się w IPN dokumentów, Anna Woźniak jako modelka Mody Polskiej i Cory jeździła na zagraniczne pokazy mody – nie tylko do krajów socjalistycznych, ale także na Zachód. W 1984 r. zmarł mąż Anny Woźniak, osierocając ich wspólnego syna Piotra, którego później adoptował Jerzy Starak. 24 października 1989 r. ze związku Anny Woźniak i Jerzego Staraka urodziła się córka Julia.

W latach 90. Anna Woźniak-Starak została właścicielką ekskluzywnej restauracji Belvedere w Łazienkach

Królewskich w Warszawie. O restauracji zrobiło się głośno w związku z przyjęciem imieninowym, na którym był obecny Edward Mazur, podejrzewany wówczas o związek ze śmiercią komendanta głównego policji Marka Papały. „Mazur został zatrzymany w Polsce w lutym 2002 r., a następnie, po przesłuchaniu, wypuszczony. Trzy godziny po wyjściu z prokuratury – według mediów – pojawił się na przyjęciu w restauracji Belvedere. Imprezę miał zorganizować właśnie Kurnik[39] z okazji swoich imienin. Wśród gości byli m.in. b. szef MSWiA Krzysztof Janik, wysocy rangą urzędnicy policji i Ministerstwa Sprawiedliwości, a także zastępca prokuratora generalnego w PRL i pułkownik SB Hipolit Starszak, który pomagał Mazurowi w znalezieniu adwokata. Kilkanaście godzin później biznesmen wyjechał do USA" – pisało „Życie Warszawy"[40].

Jerzy Starak od początku istnienia III RP sukcesywnie powiększał swój majątek. W latach 90. wprowadzał na polski rynek duże koncerny z branży FMCG: Nutricię i Colgate-Palmolive, a także markę Bols.

W 2000 r. Starak przejął Polpharmę. Przedsiębiorstwo zostało sprywatyzowane za czasów rządów AWS w lipcu 2000 r., gdy ministrem skarbu był Emil Wąsacz. Jerzy Starak, a konkretnie jego spółka Spectra Holding, za zakup pakietu kontrolnego Polpharmy Starogard Gdański zapłaciła 220 mln złotych. W marcu 2007 r. ówczesny minister skarbu Wojciech Jasiński zawiadomił prokuraturę o podejrzeniu popełnienia przestępstwa ws. prywatyzacji Polpharmy[41]. Początkowo postępowanie prowadziła Prokuratura Rejonowa w Starogardzie Gdańskim, a następnie Prokuratura Apelacyjna w Gdańsku.

Postępowanie dotyczyło sprzedaży w lipcu 2000 r. pakietu kontrolnego Polpharmy konsorcjum firm Spectra Management i Prokom Investments. Zachodziło podejrzenie, że kwota sprzedaży pakietu kontrolnego została zaniżona, co naraziło na straty Skarb Państwa. Do śledztwa został dołączony raport specjalnego zespołu w Ministerstwie Skarbu Państwa, który badał największe prywatyzacje od 1989 r. Według nieoficjalnych informacji zaginąć miała część dokumentacji dotyczącej wyboru firm doradzających przy prywatyzacji. Raport wskazał na okoliczności dotyczące wątpliwości związanych m.in. z wyborem doradcy prywatyzacyjnego, unieważnieniem zaproszenia do rokowań ws. nabycia akcji Polpharmy, zaniechaniem sprawdzenia wiarygodności jednego z inwestorów oraz kwestię wyrządzenia Skarbowi Państwa szkody w wysokości 200 mln zł na skutek niekorzystania z możliwości sprzedaży kupującemu firmę tzw. akcji specjalnej. Kontrolerzy w raporcie resortu skarbu stwierdzili, że państwo na prywatyzacji starogardzkiej Polpharmy mogło stracić nawet 200 mln zł. Konsorcjum Spectra Management i Prokom Investments zakupiło w 2000 r. od Skarbu Państwa 52,5 proc. akcji Polpharmy za 231 mln zł. Większość z nich (42,5 proc.) trafiła do Spectry należącej do Jerzego Staraka[42]. Biznesmen w przesłanym do redakcji „Wprost" oświadczeniu napisał, że „według jego wiedzy prywatyzacja Polpharmy odbywała się w pełnej zgodności z przepisami prawa, które w żadnej mierze nie były naruszone"[43].

Po dojściu do władzy Platformy Obywatelskiej śledztwo zostało umorzone.

„Prokuratury umorzyły pięć spośród 15 śledztw wszczętych przez poprzedniego ministra skarbu po kontrolach prywatyzacji – dowiedziała się «Rz». Umorzone postępowania dotyczą spółek: Polpharma, Elektrociepłownia Kraków, Przedsiębiorstwo Robót Czerpalnych i Podwodnych w Gdańsku oraz Przedsiębiorstwo Spedycji Międzynarodowej Hartwig. We wszystkich przypadkach prokuratury nie dopatrzyły się ani niedopełnienia obowiązków przez pracowników ministerstwa, ani nadużycia przez nich uprawnień" – poinformował w maju 2008 r. dziennik „Rzeczpospolita"[44].

Branżowe media wyliczały kolejne inwestycje Jerzego Staraka.

„Pieniądze zarabiane na relatywnie mało skomplikowanej produkcji dały mu możliwość ekspansji, także zagranicznej, głównie na wschodzie – w Rosji przejął koncern Akrihin. Przejęć nie zaniedbał także w Polsce. W 2005 roku kupił sieradzką Medanę, specjalizującą się w lekach pediatrycznych, a od pogrążonego w kłopotach Biotonu przejął produkcję antybiotyków. Największą batalię stoczył jednak w 2010 roku o prywatyzowaną Polfę Warszawa" – pisał w 2016 r. magazyn „Forbes"[45].

Jerzy Starak inwestował nie tylko w branżę farmaceutyczna i spożywczą – w 2001 r. wspólnie z żoną Anną Woźniak kupił zabytkową willę w Zakopanem – „Witkiewiczówkę". Willę ufundował w latach 1903–1904 brat Stanisława Witkiewicza, Jan; na początku lat 30., po śmierci matki (1931), zamieszkał tu Stanisław Ignacy Witkiewicz – Witkacy. Przyjęła się wówczas nazwa „Witkiewiczówka". Po wojnie dom był dzierżawiony przez właścicieli, a w 1992 r. kupiła go Spółka Akcyjna „Energopol", która z kolei w 2001 r. sprzedała go małżeństwu Staraków[46].

W 2002 r. Starakowie zorganizowali w „Witkiewiczówce" przyjęcie sylwestrowe, o którym szeroko pisały nie tylko media plotkarskie.

„Goście przyjechali saniami, a honorowe miejsce podczas przyjęcia zajął ówczesny szef rządu z SLD Leszek Miller" – czytamy w „Rzeczpospolitej"[47].

Na początku XXI w. Zakopane stało się modne do inwestowania dla ludzi biznesu i służb. „W dom zainwestował Zbigniew Niemczycki, w mieszkanie Gromosław Czempiński, a po mieście krąży plotka, że willi szuka dla siebie Jan Kulczyk" – pisał w 2005 r. tygodnik „Wprost"[48].

Jerzy Starak jest nie tylko jednym z najbogatszych Polaków – jest również szefem Konsulatu Honorowego Republiki Kazachstanu w Gdańsku. W 2003 r. za „wybitne osiągnięcia dla polskiej gospodarki" ówczesny prezydent Aleksander Kwaśniewski odznaczył Staraka Krzyżem Kawalerskim Orderu Odrodzenia Polski[49]. Dziewięć lat później prezydent Bronisław Komorowski nadał mu Krzyż Oficerski Orderu Odrodzenia Polski za „wybitne zasługi dla rozwoju gospodarki polskiej oraz działalności społecznej i charytatywnej"[50].

Jerzy Starak lubi otaczać się zagranicznymi fachowcami. „Sam zawsze chciał być światowcem. Uwielbia zatrudniać zagranicznych konsultantów. Dzieci posłał do tej samej szkoły, w której studiował syn szefa włoskiego koncernu farmaceutycznego Recordati i synowie Sophii Loren. Lato spędza w domu na Sardynii, gdzie przyjmuje gości z całego świata. Zaprasza ich także do Konstancina, do Witkiewiczówki w Zakopanem, do domu w Giżycku – to jego ostatni nabytek, kupił tam ok. 200 hektarów. Dziś niektórych hucznych imprez żałuje, zwłaszcza sylwestra

2002, kiedy na jego zaproszenie przy góralskim ognisku brylował Leszek Miller – co ostatecznie obnażyło silne związki Staraka z SLD"[51].

W 2018 r., według rankingu najbogatszych rodzin polskich tygodnika „Wprost", rodzina Staraków (Jerzy Starak z żoną Anną Woźniak-Starak i synem Piotrem Woźniakiem-Starakiem) posiadała majątek szacowany na 5,8 mld zł i zajmowała trzecie miejsce po Solorzach (Zygmunt Solorz z synami: Piotrem i Tobiasem) i Kulczykach (Grażyna Kulczyk z dziećmi: Dominiką i Sebastianem)[52].

PRZYPISY

[1] IPN BU 2081/264, Teczka personalna TW „S.J.".

[2] Jerzy Starak (ur. 12.12.1947, Cieszyn), syn Zbigniewa (11.03.1915–23.08.1993) i Danuty z d. Bonisławskiej (ur. 7.07.1923); IPN BU 1543/13420, Akta paszportowe Jerzego Staraka.

[3] IPN BU 2081/264, Teczka personalna TW „S.J.", k. 15.

[4] *Zbigniew Starak*, Wikipedia, https://pl.wikipedia.org/wiki/Zbigniew_Starak (dostęp: 3.01.2019).

[5] Cezary Leżeński, Lesław Kukawski, *O kawalerii polskiej XX wieku*, Wrocław 1991, s. 126.

[6] Ibidem.

[7] Irena Grzesiuk-Olszewska, *Warszawska rzeźba pomnikowa*, Warszawa 2003, s. 184.

[8] *100 Najbogatszych Polaków 1990*, Wprost.pl, https://rankingi.wprost.pl/100-najbogatszych-polakow/1990 (dostęp: 3.01.2019).

[9] Polska Rada Biznesu, http://prb.pl/ (dostęp: 3.01.2019).

[10] *Sylwetka: Anna Woźniak i Jerzy Starak*, Forbes.pl, https://www.forbes.pl/sylwetka/anna-wozniak-starak-i-jerzy-starak (dostęp: 3.01.2019).

[11] IPN BU 2081/264, Teczka personalna „S.J.", Notatka służbowa, Warszawa, 15.09.1979, k. 12.

[12] Ibidem, k. 13.

[13] Ibidem, k. 14.

[14] Ibidem, Kwestionariusz osobowy.

[15] Ibidem, Teczka personalna TW „S.J.", Kwestionariusz osobowy.

[16] Ibidem.

[17] Ibidem.

[18] Ibidem, Rezultat pozyskania.

[19] Ibidem.

[20] Ibidem, k. 17.

[21] Ibidem, Naczelnik Wydziału II, Raport z dokonanego pozyskania TW „S.J." nr ewidencyjny 17407, k. 17–18.

[22] Ibidem, Notatka dot. Jerzego Staraka szefa firmy polonijnej „Comindex", k. 34.

[23] Ibidem, k. 25.

[24] Ibidem, Informacja operacyjna ze słów, źródło: TW „S.J.", przyjął por. M. Figiel, miejsce: Kaw. „MDM", data: 4.07.84, k. 25.

[25] Ibidem, k. 26.

[26] Na temat Henryka Jasika zob.: Dorota Kania, Jerzy Targalski, Maciej Marosz, *Resortowe dzieci. Służby*, Warszawa 2014, s. 42–52.

[27] IPN BU 2081/264, Teczka personalna TW „S.J.", Tajne spec. znaczenia egz. nr 1, Warszawa 19.01.1985, OCA-0093/DT/85, Naczelnik Wydziału II Stołecznego Urzędu Spraw Wewnętrznych mjr W. Więckowski, k. 35.

[28] Ibidem, Plan kierunkowego wykorzystania TW ps. „S.J." nr ew. 17407, k. 48.

[29] IPN BU 00 -2081/264, Teczka pracy TW „S.J.".

[30] Ibidem, Informacja operacyjna nr 1/80 (ze słów), źródło TW „S.J.".

[31] AIPN BU, 0045/101, t. 1, Zarządzenie nr 043/90 ministra spraw wewnętrznych z dnia 10.05.1990 r. w sprawie zaprzestania działalności Służby Bezpieczeństwa, k. 204–208; Rafał Leśkiewicz, *Od Służby Bezpieczeństwa do Urzędu Ochrony Państwa*, „Dzieje Najnowsze" 2016, R. 48, nr 1.

[32] IPN BU 2081/264, Teczka personalna TW „S.J.", Charakterystyka TW „S.J." nr ew. 17407, k. 53.

[33] IPN BU stara sygnatura EAGM 12383, Akta paszportowe Anny Woźniak.

[34] Anna Woźniak z d. Sobolak (ur. 7.11.01951), córka Henryka (ur. 31.07.1921) i Haliny z d. Boćkowskiej (ur. 12.08.1927).

[35] IPN BU stara sygnatura EAGM 12383, Akta paszportowe Anny Woźniak.

[36] Mirosław Sobolak (ur. 2.12.1958), syn Henryka (ur. 31.07.1921) i Haliny z d. Boćkowskiej (ur. 12.08.1927).

[37] Bogdan Woźniak (ur. 17.03.1943).

[38] IPN BU stara sygnatura EAGM 12383, Akta paszportowe Anny Woźniak.

[39] Płk Roman Kurnik, zob. Dorota Kania, Jerzy Targalski, Maciej Marosz, *Resortowe dzieci. Służby*, s. 764–780, zwł. s. 779–780.

[40] *Kurnik: ze śmiercią Papały nie mam nic wspólnego*, PAP, 25.01.2006, http://www.zw.com.pl/artykul/190609.html?print=tak (dostęp: 3.01.2019).

[41] Dorota Kania, *Minister skarbu: przy prywatyzacji Polpharmy mogło dojść do przestępstwa*, Wprost.pl, 20.03.2007, https://www.wprost.pl/tylko-u-nas/103376/skandaliczne-zaniedbania-prokuratury-w-sprawie-bandyty-z-wolomina.html (dostęp: 3.01.2019).

[42] Jacek Klein, *Prokuratura apelacyjna prześwietli prywatyzację Polpharmy*, Bankier.pl, 19.04.2007, https://www.bankier.pl/wiadomosc/Prokuratura-apelacyjna-przeswietli-prywatyzacje-Polpharmy-1573139.html (dostęp: 3.01.2019).

[43] Dorota Kania, *Minister skarbu: przy prywatyzacji Polpharmy…* .

⁴⁴ Beata Chomątowska, *Śledztwa prywatyzacyjne nie potwierdziły wyników kontroli*, „Rzeczpospolita", 8.05.2008.

⁴⁵ *Polpharma*, Forbes.pl, 31.10.2016, https://www.forbes.pl/polphar ma-stworzyl-ja-jerzy-starak-z-polfy-starogard-gdanski/fr21h0f (dostęp: 3.01.2019).

⁴⁶ Willa „Witkiewiczówka", dawniej „Na Antołówce", Antałówka 9 (1903–1904, proj. Jan Witkiewicz Koszczyc), SzlakStyluZakopiańskiego.pl, http://www.szlakstyluzakopianskiego.pl/index.php/obiekty/4 6-37-willa-witkiewiczowka-dawniej-na-antolowce-antalowka-9-1903-1904-proj-jan-witkiewicz-koszczyc (dostęp: 3.01.2019).

⁴⁷ Wiktor Ferfecki, *Wskrzeszanie warszawki*, „Rzeczpospolita", 6.04.2014.

⁴⁸ *Władcy Krupówek*, Wprost.pl, 30.12.2005, https://www.wprost. pl/84905/Wladcy-Krupowek.html (dostęp: 3.01.2019).

⁴⁹ Postanowienie Prezydenta Rzeczpospolitej Polskiej z dnia 7 lipca 2003 r. o nadaniu orderów i odznaczeń, „Monitor Polski", nr 52, http:// prawo.sejm.gov.pl/isap.nsf/download.xsp/WMP20030520825/O/M20 030825.pdf (dostęp: 3.01.2019).

⁵⁰ Postanowienie Prezydenta Rzeczpospolitej Polskiej z dnia 16 kwietnia 2012 r. o nadaniu orderów, „Monitor Polski", 18.10.2012, poz. 761, http://prawo.sejm.gov.pl/isap.nsf/download.xsp/WMP20120000761/ O/M20120761.pdf (dostęp: 3.01.2019).

⁵¹ *Król puszczy ryczy coraz ciszej*, Forbes.pl, 23.04.2010, https://www. forbes.pl/przywodztwo/krol-puszczy-ryczy-coraz-ciszej/qvvqqp0 (dostęp: 3.01.2019).

⁵² *Najbogatsze rodziny 2018*, Wprost.pl, https://rankingi.wprost.pl/n ajbogatsze-rodziny?pr=10138130&pri=3# 3-Stara kowie-Jerzy-Starak -z-zona-Anna-Wozniak-Starak-i-synem-Piotrem-Wozniakiem-Starakie m-58-m ld-zl (dostęp: 3.01.2019).

11. BIZNES W CIENIU SŁUŻB

(„GANG PRZEBIERAŃCÓW")

Powoływanie się na wpływy w służbach specjalnych stało się dochodowym biznesem dla kilkunastu osób, które weszły w skład tzw. „gangu przebierańców", czyli gangu fałszywych pracowników służb. Znaleźli się w nim między innymi prawnicy, dziennikarze i byli funkcjonariusze służb specjalnych. Po kwerendzie akt w Instytucie Pamięci Narodowej okazało się, że cześć z tych osób to typowe resortowe dzieci.

W końcu stycznia 2018 r. Centralne Biuro Antykorupcyjne opublikowało komunikat: „Agenci katowickiej Delegatury CBA zatrzymali 8 osób w sprawie dotyczącej zorganizowanej grupy przestępczej, mającej na celu popełnianie przestępstw polegających na powoływaniu się na wpływy w służbach specjalnych: Służbie Kontrwywiadu

Wojskowego, Agencji Bezpieczeństwa Wojskowego, Centralnego Biura Antykorupcyjnego, w instytucjach państwowych, Policji, ministerstwach, urzędach celno-skarbowych"[1]. Media szybko ustaliły, że jednym z zatrzymanych jest Tomasz Sz., wiceszef periodyku „Służby specjalne". O Tomaszu Sz. zrobiło się głośno pięć lat temu, gdy Jan Piński na łamach „Uważam Rze" opublikował tekst pt. *Układ zamknięty* na temat Tomasza Sz., którego przedstawił jako ofiarę fiskusa. „Urzędnicy skarbowi w porozumieniu z pracownikami spółki zniszczyli jedną z największych polskich firm ochroniarskich. Właściciel domaga się dziś od państwa 35 mln zł odszkodowania. Firma Ochrona TS ochraniała m.in. sieć marketów Real i Praktiker, Opla, Zeptera, Daewoo FSO i prestiżowe warszawskie osiedle Dembud. Zatrudniała ok. 1000 osób" – pisał Piński[2]. Tomasz Sz. wszedł w branżę, którą po 1989 r. opanowały służby specjalne PRL-u, zaś on sam był resortowym dzieckiem.

Ojciec Tomasza Sz. – Bolesław Szwejgiert[3] przed wojną pracował jako dziennikarz i należał do Komunistycznego Związku Młodzieży Polskiej, kierowanego przez Komunistyczną Partię Polski. W 1939 r. brał udział w obronie Warszawy, a po kapitulacji – jak sam napisał w ankiecie personalnej – udał się na emigracje polityczną do Związku Sowieckiego, gdzie uzyskał obywatelstwo sowieckie[4]. Pracował tam m.in. jako nauczyciel w Witebsku, a następnie uczestniczył w tzw. *Istriebitielnym batalionie* (batalionie niszczącym) przy Rejonowym Oddziale NKWD na Białorusi. W 1943 r. zgłosił się do wojska polskiego w ZSRS, skąd trafił do Korpusu Bezpieczeństwa Wewnętrznego na stanowisko oficera śledczego; był również członkiem

PPR. W archiwach znajdujących się w Instytucie Pamięci Narodowej zachowały się dokumenty dotyczące Bolesława Szwejgierta. Część z nich dotyczy służby w KBW – najpierw w charakterze oficera śledczego, a następnie jako szefa wydziału wywiadu KBW, który podlegał Państwowej Komisji Bezpieczeństwa powołanej do koordynacji akcji aparatu bezpieczeństwa przeciwko tzw. reakcyjnemu podziemiu, czyli Żołnierzom Wyklętym.

„Inteligentny, godny zaufania oficer. Położył niemało zasług w rozpracowaniu bandy Ognia na Podhalu, osobiście prowadził akcje w dolinie Chochołowskiej, w wyniku której został zlikwidowany pododdział Ognia" – pisał w notatce służbowej 6 marca 1947 r. ppłk Mieczysław Hański, szef sztabu KBW[5].

Akcja, o której pisał ppłk Hański, miała miejsce 6 grudnia 1946 r. – w ciężkich walkach zginęło wówczas 7 partyzantów. W przeprowadzeniu akcji wykorzystano informacje, jakie przekazali KBW przedstawiciele czechosłowackiego wojska. To właśnie skierowany na Podhale Bolesław Szwejgiert był oddelegowany do kontaktów z czechosłowacką bezpieką, co świadczy o ogromnym zaufaniu, jakie mieli do niego przełożeni. 21 lutego 1947 r. był on jednym z głównodowodzących akcją likwidacji mjr. Józefa Kurasia ps. „Ogień" – otoczony przez bezpiekę „Ogień" strzelił sobie w skroń. Przewieziony do szpitala w Nowym Targu zmarł następnego dnia.

W 1951 r. Bolesław Szwejgiert napisał wniosek o zwolnienie go ze stanowiska szefa Wydziału Informacji I Brygady KBW i przekazanie do dyspozycji kadr Ministerstwa Bezpieczeństwa Publicznego. Prośba została uwzględniona – trafił do Departamentu III MBP, który prowadził walkę z niepodległościowym podziemiem.

To właśnie Bolesław Szwejgiert – służąc w KBW wpadł
na pomysł stworzenia „grupy manewrowej", czyli oddziału partyzanckiego składającego się z funkcjonariuszy bezpieki podszywających się pod żołnierzy podziemia niepodległościowego. Grupa ta miała ustalić, kto pomaga
partyzantom oraz likwidować zbrojny opór. Plan się jednak nie udał – miejscowa ludność bez problemu zorien-
towała się, że są to prowokatorzy m.in. po zachowaniu
i tym, że na mundurach nie mieli ryngrafów.

„Ppłk Bolesław Szwejgiert jest cennym pracownikiem
o dużej znajomości spraw interesujących nasze organy szczególnie w odniesieniu do reakcyjnych środowisk
w kraju i za granicą. W pracy jest zdyscyplinowany i wykazuje wiele inicjatywy"[6] – pisała 7 lutego 1955 r. dyrektor Departamentu III Julia Brystiger[7], nazywana „Krwa-
wą Luną" ze względu na jej sadystyczne skłonności.

Zawodowy historyk

Po rozwiązaniu MBP Bolesław Szwejgiert, jako zawodowy wojskowy, w 1958 r. przeszedł do Wojskowego Instytutu Historycznego, gdzie – jak wynika z dokumentów –
zajmował się pracą naukowo-badawczą. Przełożeni byli
zadowoleni z jego osiągnięć, o czym świadczą liczne opinie
znajdujące się w teczce personalnej Bolesława Szwejgierta.

„Ppłk Bolesław Szwejgiert w rezultacie wieloletniej
pracy posiada bardzo potężny zasób wiedzy o polskich
ugrupowaniach prawicowych i ich działalności w okresie II wojny światowej, zwłaszcza o londyńskim środowisku emigracyjnym. Biorąc pod uwagę jego wiedzę,

zamiłowanie i zdolności naukowe uważam za celowe i korzystne dla Instytutu przeniesienie ppłka Szwejgierta na stanowisko Redaktora Naukowego Zakładu III Historii Polskich Sił Zbrojnych na Zachodzie" – czytamy we wniosku o przeniesienie oficera z 16 lipca 1960 r.[8]

W 1962 r. Wojskowa Służba Wewnętrzna otrzymała informację, że Bolesław Szwejgiert przechowuje w domu ściśle tajne materiały wyniesione z MSW, m.in. dane o strukturze centralnych organów bezpieczeństwa. Podczas rozmowy z oficerami WSW Szwejgiert przyznał, że ma tajne materiały, ale są mu one potrzebne do pracy doktorskiej, którą właśnie pisze. Sprawa zakończyła się aktem oskarżenia, który trafił do Wojskowego Sadu Okręgowego w Warszawie. Sąd uznał, że „wina oskarżonego była nieznaczna", ponieważ „kierował się chęcią przyczynienia się do rozwoju historii początków utrwalenia się władzy ludowej w Polsce bezpośrednio po drugiej wojnie światowej, przy czym żadne skutki ujemne z czynu oskarżonego nie nastąpiły". Ostatecznie sędziowie skorzystali z dekretu o amnestii i w maju 1965 r. umorzyli postępowanie karne przeciwko komunistycznemu oficerowi[9].

Bolesław Szwejgiert w swojej pracy naukowej wykorzystywał doświadczenie, które zdobył podczas służby w KBW – opisywał m.in. walki ludowego Wojska Polskiego z reakcyjnym podziemiem[10].

Antysemickie czystki

Bolesław Szwejgiert został zwolniony z WIH-u i przeniesiony do rezerwy przez Ministra Obrony Narodowej

Wojciecha Jaruzelskiego rozkazem z 5 września 1969 r.[11] Oficjalnym powodem było „ustalenie przez komisję lekarską niezdolności do wojskowej służby zawodowej". Pod rozkazem podpisał się gen. Jaruzelski oraz gen. Józef Urbanowicz, szef Głównego Zarządu Politycznego WP, wiceminister obrony narodowej. Gen. Urbanowicz polskie obywatelstwo uzyskał w 1956 r. – wcześniej był obywatelem ZSRS, oficerem wysoko uplasowanym w służbach sowieckich. W ludowym wojsku PRL był jednym z najbliższych współpracowników Wojciecha Jaruzelskiego.

„Antysemickie czystki w wojsku zaczęły się w czerwcu 1967 roku, po sześciodniowej wojnie izraelsko-arabskiej. Wtedy Jaruzelski zaczął się rozprawiać z żołnierzami pochodzenia żydowskiego"[12] – mówi dr Lech Kowalski, historyk wojskowości.

To właśnie latem 1967 r. przyszła pierwsza decyzja o zwolnieniu z wojska Bolesława Szwejgierta. Oficjalny powód – zły stan zdrowia. Szwejgiert nie chciał iść na żołnierską emeryturę. Ostatecznie jednak odszedł i pobierał dodatek za „walkę z reakcyjnym podziemiem"[13].

„Ppłk Szwejgiert negatywnie ustosunkował się do propozycji zwolnienia z wojska oświadczając, że będzie czynił starania zmierzające do uzyskania zgody obywatela generała na dalsze pozostawienie go w służbie wojskowej" – pisał 29 stycznia 1968 r. do szefa zarządu politycznego Wojska Polskiego gen. Stanisław Wytyczak, wiceszef Departamentu Kadr MON, wchodzący w skład ekipy Jaruzelskiego. Według akt IPN Wytyczak był tajnym współpracownikiem Informacji Wojskowej o pseudonimie „Wisłok"[14].

Interwencje Szwejgierta w kierownictwie MON nie odniosły żadnego skutku – ostatecznie został zwolniony z wojska.

Minister i WSI

W gronie podejrzanych w „gangu przebierańców" znalazł się radca prawny Andrzej Kalwas, były minister sprawiedliwości i prokurator generalny w rządzie Marka Belki[15] (11.06.2004–31.10.2005). Agenci z katowickiej delegatury CBA oprócz byłego ministra sprawiedliwości zatrzymali również jego współpracownika z kancelarii Piotra K. oraz gdańskiego biznesmena Marka S., a także Jerzego K. i Andrzeja M. – funkcjonariuszy Wojskowych Służb Informacyjnych, a wcześniej pracowników wojskowego wywiadu, czyli Zarządu II Sztabu Generalnego. Usłyszeli oni zarzuty usiłowania dokonania oszustw, płatnej protekcji i przywłaszczenia sobie funkcji publicznej.

Nazwisko Andrzeja Kalwasa stało się znane większości Polaków, gdy w 2004 r. objął on tekę ministra sprawiedliwości i prokuratora generalnego w rządzie Marka Belki i w czasach rządów koalicji SLD–PSL[16]. Kilka miesięcy później Kalwas został wezwany przed komisję śledczą ds. PKN Orlen, gdzie został przesłuchany w trybie niejawnym[17]. Okazało się, że klientami Andrzeja Kalwasa zanim objął tekę ministra i prokuratora generalnego byli założyciele szczecińskiej spółki paliwowej BGM – Zdzisław M., Arkadiusz G. i Jan B., w 2005 r. główni podejrzani w tzw. aferze paliwowej[18]. Andrzej Kalwas zasłonił się tajemnicą i ostatecznie nie powiedział nic istotnego podczas przesłuchania przez komisję śledczą.

Po odejściu z funkcji ministra sprawiedliwości Kalwas wrócił do pracy w swojej kancelarii prawnej. Funkcjonował w niej bez problemów do czasu, gdy okazało się, że ma związek z podejrzanymi o powoływanie się na wpływy w służbach specjalnych.

Andrzej Kalwas urodził się 23 czerwca 1936 r. we Włocławku[19]. Jego ojciec Wilhelm Kalwas, urodzony 4 lipca 1896 r., był wojskowym a później urzędnikiem[20].

Matka Andrzeja Kalwasa – Jadwiga Kalwas z domu Majewska, urodzona 11 marca 1911 r., zajmowała się domem[21].

Ojciec Andrzeja i Janusza[22] Kalwasów – Wilhelm Kalwas przed II wojną światową był oficerem zawodowym Wojska Polskiego. Brał udział w wojnie polsko-bolszewickiej, był w 209. pułku ułanów, a następnie służył w „dwójce", czyli wywiadzie wojskowym. Po zakończeniu wojny w 1946 r. rozpoczął pracę w sztabie generalnym awansując do stopnia podpułkownika[23].

„W/w przed wojną był oficerem zawodowym Wojska Polskiego w kawalerii w stopniu majora. W tym czasie według uzyskanych informacji był pracownikiem dwójki. W okresie okupacji zamieszkiwał Siedlce – Drzewie. Po wyzwoleniu przybył do Warszawy. Był on członkiem PPR od 1945 roku, następnie członkiem PZPR. W lecie 1946 zaczął pracować w Sztabie Generalnym WP, w tym czasie uzyskał stopień podpułkownika"[24].

Z dokumentów wynika, że trzy lata później Wilhelm Kalwas został usunięty z PZPR i z wojska.

„W wojskowości pracował do września 1949 r., skąd został zwolniony i zdegradowany"[25] – czytamy w aktach IPN.

W 1950 r. Ministerstwo Bezpieczeństwa Publicznego, a konkretnie Wydział IV Departamentu IV prowadził rozpracowanie o kryptonimie „Targowica", w którym – jak czytamy – „aktywnie przechodził" Wilhelm Kalwas. Materiały na jego temat przekazał Główny Zarząd Informacji Wojskowej.

Z Dziennika archiwalnego MSW „Stara sieć agentural-na" wynika, że Wilhelm Kalwas 19 października 1956 r. został zarejestrowany pod pseudonimem „Leonard" przez Wydział II Departamentu IV. Z dziennika rejestracyjne-go wynika też, że w 1965 r. zostało zniszczonych pięć te-czek dotyczących Wilhelma Kalwasa, w tym jedna perso-nalna[26].

Andrzej Kalwas, syn Wilhelma, magistrem prawa zo-stał w 1963 r., po ukończeniu Uniwersytetu Warszaw-skiego, następnie odbył aplikację w Państwowym Arbi-trażu Gospodarczym i w 1965 r. rozpoczął wykonywanie zawodu radcy prawnego. Był członkiem PZPR, a pracu-jąc w Warszawskim Przedsiębiorstwie Budownictwa Prze-mysłowego „Kablobeton", jako radca prawny był jedno-cześnie członkiem egzekutywy Podstawowej Organizacji Partyjnej[27]. W listopadzie 1976 r. Andrzej Kalwas został oddelegowany przez ministra budownictwa do Litvinova w Czechosłowacji, gdzie powierzono mu zadanie zorgani-zowania POP na budowie rafinerii realizowanej przez Ka-blobeton.

W listopadzie 1981 r., tuż przed wprowadzeniem sta-nu wojennego, Andrzej Kalwas został oddelegowany do ZSRS jako prawnik obsługujący z ramienia Kablobetonu budowę elektrowni.

Brat Andrzeja Kalwasa Janusz był prokuratorem – w czasach PRL prowadził kluczowe dla aparatu bezpie-czeństwa śledztwa, a po 1989 r. zajął się aferą FOZZ[28].

PRZYPISY

[1] *8 zatrzymanych. Udawali agentów służb specjalnych*, Cba.gov.pl, 23.01.2018, https://cba.gov.pl/pl/aktu alnosci/3765,8-zatrzymanych--Udaw ali-agentow-sluzb-specj alnych.html (dostęp: 13.11.2018).

[2] Jan Piński, *Układ zamknięty*, „Uważam Rze" 2013, nr 35, s. 36.

[3] IPN BU 01737/13, Akta funkcjonariusza Ministerstwa Bezpieczeństwa Publicznego Bolesław Szwejgiert, Wniosek o przeniesienie oficera z 16.07.1960.

[4] Ibidem, k. 4.

[5] Ibidem, Notatka służbowa z 3.06.1947, k. 63.

[6] Ibidem, k. 73.

[7] Julia Brystiger, z domu Prajs (ur. 25.11.1902, Stryj), ukończyła historię i zrobiła doktorat z filozofii na Uniwersytecie Jana Kazimierza we Lwowie. Była związana z ruchem komunistycznym. Po agresji Sowietów na Polskę 17 września 1939 r. podjęła współpracę z sowieckim okupantem. W 1944 r. – po wyparciu Niemców przez Armię Czerwoną – wstąpiła do Polskiej Partii Robotniczej. Na przełomie lat 1944/45 rozpoczęła pracę w Ministerstwie Bezpieczeństwa Publicznego, gdzie m.in. była odpowiedzialna za przygotowanie strategii walki z Kościołem. Uznawana za jedną z najbardziej aktywnych i okrutnych funkcjonariuszek MBP. Z resortu została zwolniona na fali czystki w bezpiece w 1956 r. Następnie pracowała jako redaktorka w Państwowym Instytucie Wydawniczym. Zmarła 9 października 1975 r.; *Julia Brystiger*, Biuletyn Informacji Publicznej, https://katalog.bip.ipn.gov.pl/info rmacje/42038 (dostęp: 13.11.2018).

[8] IPN BU 01737/13, (...), Wniosek o przeniesienie oficera z 16.07.1960, k. 28.

[9] IPN BU 963/1467, Akta nadzoru prokuratorskiego śledztwa w sprawie ppłk. Bolesława Szwejgierta, który przetrzymywał w domu tajne dokumenty. Podejrzany z art. 5 ust 1.2 i 4 Dekretu z dn. 26.10.1949.

[10] Bolesław Szwejgiert, *Podziemne formacje zbrojne „Obozu Narodowego" w latach 1939–1945. Zarys materiałowy*, „Wojskowy Przegląd Historyczny" 1961, nr 1, s. 224–250.

[11] IPN BU 01737/13, (...), Rozkaz personalny z 5.09.1969.

[12] „Koniec systemu", Telewizja Republika, 13.02.2018, http://telewi zjarepublika.pl/dr-kowalski-jaruzelski-czyscil-wojsko-z-oficerow-poch odzenia-zydowskiego-do-1980-r,60628.html (dostęp: 10.04.2019).

[13] IPN BU 3421/513, Archiwum Związku Bojowników o Wolność i Demokrację – teczka „UB–SB": materiały dot. Bolesława Szwejgierta imię ojca: Julian ur. 20.08.1917. Teczka zawiera: deklarację zgłoszenia członka związku uczestników Walki Zbrojnej o Niepodległość i Demokrację, zaświadczenia.

[14] Paweł Piotrowski, *Sprawa współpracy Wojciecha Jaruzelskiego z Informacją Wojskową. Rekonesans archiwalny*, http://www.polska1918-89.pl/ pdf/sprawa-wspolpracy-wojciecha-jaruzelskiego-z-informacja-wojskowa, 56 06.pdf (dostęp: 13.11.2018).

[15] Kalwas i Wspólnicy, http://www.kalwas.pl/kalwas/ (dostęp: 13.11.2018).

Marek Belka (ur. 9.01.1952, Łódź), minister finansów, premier, prezes Narodowego Banku Polskiego. Według dokumentów zgromadzonych przez rzecznika interesu publicznego Bogusława Nizieńskiego, Marek Belka został zarejestrowany przez I Departament MSW (wywiad PRL) jako kontakt operacyjny „Belch" (IPN BU 01911/150) – kontaktował się z co najmniej trzema oficerami wywiadu, dla których sporządził pięć sprawozdań. Marek Belka publicznie przyznał się jedynie do tego, że podpisał tzw. instrukcję wyjazdową przed podróżą na stypendium do USA w 1984 r. Jednocześnie podkreślił, że nigdy nie współpracował ze służbami specjalnymi PRL. Oświadczenie lustracyjne Belka złożył w 2001 r. Już wtedy pojawiły się wątpliwości, że nie napisał prawdy. Sąd Lustracyjny przekazał sprawę do RIP. W trakcie postępowania rzecznik zbadał znajdującą się w IPN teczkę Belki.

Zgromadził też dziesiątki dokumentów i przesłuchał wielu świadków, także byłych funkcjonariuszy służb specjalnych PRL. Ponieważ kadencja RIP Bogusława Nizieńskiego dobiegała końca, przekazał on sprawę Belki swemu następcy, sędziemu Włodzimierzowi Olszewskiemu. Sprawa została zakończona w kwietniu 2005 r. Rzecznik interesu publicznego uznał, iż nie zachodzą przesłanki do wystąpienia z wnioskiem do sądu o wszczęcie postępowania lustracyjnego wobec Marka Belki i sprawa trafiła do archiwum; por. Dorota Kania, Jerzy Targalski, Maciej Marosz, *Resortowe dzieci. Politycy*, Warszawa 2016, s. 165–166, 177.

[16] *Zmiana na stanowisku Ministra Sprawiedliwości*, Prezydent.pl, 6.09.2004, http://www.prezydent.pl/aleksandra-kwasniewskiego/aktualnosci/rok-2004/art,153,441,zmiana-na-stanowisku-ministra-sprawiedliwosci.html (dostęp: 13.11.2018).

[17] Biuletyn nr: 4557/IV, Komisja Śledcza do zbadania zarzutu nieprawidłowości w nadzorze Ministerstwa Skarbu Państwa nad przedstawicielami Skarbu Państwa w spółce PKN Orlen SA oraz zarzutu wykorzystania służb specjalnych (d. UOP) do nielegalnych nacisków na organa wymiaru sprawiedliwości w celu uzyskania postanowień służących do wywierania presji na członków Zarządu PKN Orlen SA / nr 73/, Stenogram przesłuchania z 17.05.2005, http://ork a.sejm.gov.pl/Biuletyn.nsf/0/349CD500B52F2FABC125701900419310?OpenDocument (dostęp: 13.11.2018).

[18] Akt oskarżenia w sprawie mafii paliwowej został skierowany do sądu w 2004 r., a proces rozpoczął się w kwietniu 2005 r. W procesie oskarżonych było 18 osób, zarzuty dotyczyły wyprania prawie 200 mln zł i dokonania oszustw podatkowych na prawie 280 mln zł. Proceder polegał na nielegalnym produkowaniu paliw, fikcyjnym obrocie produktami ropopochodnymi przez kolejne spółki oraz praniu brudnych pieniędzy. W czerwcu 2018 r. zapadł nieprawomocny wyrok, w którym Jan B. oraz Zdzisław B. zostali uniewinnieni; część

zarzutów uległa też przedawnieniu m.in. zarzut dotyczący działania w zorganizowanej grupie przestępczej.

[19] IPN BU 728/54047, Akta paszportowa Andrzeja Kalwasa, k. 11.

[20] Ibidem.

[21] Ibidem.

[22] Janusz Kalwas – zob. przypis 28.

[23] IPN BU 001519/12, Dziennik archiwalny MSW Sygnatura I „Stara sieć" nr 53001–55099 księga wpływu (w okresie 1944–1955 r., 17.12.1956), ruchy akt w archiwum operacyjnym.

[24] Ibidem, s. 8.

[25] Ibidem, s. 15.

[26] IPN BU 00231/197 t. 1, Teczka zagadnieniowa dotycząca Oddziału VI Sztabu Naczelnego Wodza w Londynie. Członkowie wywiadu. Materiały zawierają m.in. wykazy byłych pracowników i współpracowników Oddziału II Sztabu Generalnego WP, raporty dot. rozpracowania obiektowego krypt. „Targowica".

[27] IPN BU 728/54047, Akta paszportowe Andrzeja Kalwasa, k. 4.

[28] Więcej nt. Janusza Kalwasa i FOZZ w rozdziale dotyczącym afery FOZZ.

12. KURCZAK I JEGO KRÓL

(KAZIMIERZ PAZGAN)

„Król kurczaka", jak od lat nazywa się Kazimierza Pazgana[1], od początku historii III RP nie znika z rankingów najbogatszych Polaków.

Czas narodzin dzisiejszych fortun, w tym majątku Pazgana, to końcówka lat 70. ub. wieku, gdy w systemie prawnym PRL przewidziano istnienie przedsiębiorstw z zagranicznym kapitałem. Wraz z wprowadzeniem stanu wojennego przez reżim gen. Wojciecha Jaruzelskiego i nałożeniem restrykcji handlowych na PRL przez Zachód napływ zagranicznego kapitału zyskał dla komunistycznej władzy jeszcze większe znaczenie. W 1982 r. weszła w życie ustawa ułatwiająca działalność firmom polonijnym, która nie służyła rzecz jasna wszystkim chętnym, ale wybrańcom władzy. Do kontroli wszystkich takich przedsiębiorstw w PRL komuniści powołali Polsko-Polonijną

Izbę Przemysłowo-Handlową „Inter-Polcom". Nazwiska przedsiębiorców tam zrzeszonych pokrywają się z tymi z listy najbogatszych Polaków po 1989 r. W zakładaniu firm polonijnych w latach 80. uczestniczyła niemal cała późniejsza czołówka biznesu okresu transformacji, m.in. Ryszard Krauze, Jerzy Starak, Piotr Büchner, Zbigniew Niemczycki czy Jan Wejchert. We władzach Izby zasiadali w latach 80. Jan i Henryk Kulczykowie, Jan Wejchert, oraz właśnie Kazimierz Pazgan i wielu innych.

„W Inter-Polcomie wszyscy byli z SB, cały zarząd to były służby" – potwierdził w rozmowie z „Gazetą Polską" sam Kazimierz Pazgan[2]. Przy tym zaprzecza, by on sam był tajnym współpracownikiem.

Jak wynika z archiwów IPN, Pazgan był zarejestrowany przez bezpiekę w lipcu 1981 r. jako kontakt operacyjny, a od września tego samego roku przekwalifikowano go na TW „Docenta" – został, jak wynika z akt IPN, pozyskany przez Wydział IV SB w Nowym Sączu[3]. Był wówczas prezesem Wojewódzkiego Związku Hodowców i Producentów Drobiu w tym mieście. Wydziały IV na poziomie wojewódzkim zajmowały się Kościołem i rolnictwem do czasu wydzielenia dla sektora rolno-spożywczego wydziałów VI. Dla SB „Docent" był cenny ze względu na autorytet, jaki posiadał wśród miejscowych rolników. Cieszył się ich zaufaniem i ze względu na zajmowane funkcje społeczne przychodzili do niego po rady. „Pozytywnie ustosunkowany do organów bezpieczeństwa, wierzy w słuszność ich przedsięwzięć [...]"[4] – stwierdził ppor. Michał Rynkiewicz ustalając cechy zwerbowanego.

W aktach SB zaznaczono, że pozyskanie „Docenta"[5] odbyło się na zasadzie współodpowiedzialności za bezpieczeństwo i porządek publiczny PRL[6]. Ze źródłem odbyto 28 spotkań, podczas których „Docent" udzielał ustnych informacji. „Spotkania często inicjowane były przez TW" – zapisano w charakterystyce „Docenta" z okresu stanu wojennego[7].

Przekazywane informacje, łącznie z tymi, które TW podawał jeszcze przed zarejestrowaniem w sieci agenturalnej, okazały się rzetelne i potwierdzały się[8]. „Informacje [TW] są rzeczowe i zawierają tylko istotne dla nas treści, co świadczy o należytym zrozumieniu zadań przez TW i właściwej pracy"[9] – chwalił swoje źródło ppor. Rynkiewicz.

Zadania zaplanowane w SB wyrażono językiem marksistowskim. Stwierdzono, że „Docent" będzie informował służby o nieprawidłowościach w gospodarce rolnej w regionie, ale i o konfliktach społecznych oraz „destrukcyjnej działalności osób lub organizacji utrudniających należyte funkcjonowanie bazy i nadbudowy"[10].

„Docent" po zwerbowaniu potwierdzał chęć współpracy z SB[11]. Już po pierwszych kontaktach z nim bezpieki ppor. Rynkiewicz pisał o „świadomości charakteru tajnych kontaktów i udzielanej przez niego pomocy SB". Oficer prowadzący chwalił przedsiębiorcę za dochowywanie zasad konspiracji i duże możliwości działania[12]. „Udzielanie pomocy organom SB daje mu satysfakcję i poczucie spełnionego obowiązku obywatelskiego"[13]. „TW często podkreśla sympatię i poparcie dla działalności naszej służby"[14] – relacjonował ppor. Rynkiewicz.

Sam „Docent" z wzajemnością liczył na pomoc organów bezpieki w związku z działaniem w hodowli drobiu.

Wyeliminowanie TW nastąpiło[15] pod koniec 1985 r. z powodu wyczerpania możliwości[16].

„Informacje przez niego przekazywane były rzetelne i prawdziwe. Przekazywał je chętnie i bez oporów moralnych" – podsumowywano tajną współpracę „Docenta" w SB[17]. W aktach zaznaczono, że TW służył Służbie Bezpieczeństwa do rozpoznania sytuacji w rolnictwie w gminie Kamionka, jak i spółce Konspol – tej samej, w której po latach stanie się prywatnym właścicielem. Gdy rozwiązywano współpracę, w SB podkreślano, że Pazgan „czuje się związany z naszą służbą, chętnie współpracuje, lecz niemile widzi jakiekolwiek formy wynagrodzenia, traktuje współpracę jako obowiązek obywatelski"[18]. Jako że Pazgan został prezesem przedsiębiorstwa Konspol i mocno zaangażowany był w sprawy firmy, nie mógł pozyskiwać informacji z innego podwórka – tego, co się dzieje w Wojewódzkim Związku Hodowców i Producentów Drobiu.

„Jest możliwe podjęcie współpracy z TW «Docent» w przyszłości i na pewno nie odmówi on współpracy, lecz przed jej podjęciem należy porozumieć się ze mną"[19] – zapisał ppor. Rynkiewicz.

Z uwagi na zaufanie do TW rozmowy odbywały się w mieszkaniu prywatnym „Docenta". Nie pobierano od niego zobowiązania, bo taka propozycja „mogłaby tylko popsuć dobrze funkcjonującą współpracę" – zapisał oficer prowadzący.

„Docent", według akt IPN, pozyskiwał informacje o niezadowoleniu hodowców z instytucji państwowych i władzy. W styczniu i lutym 1982 r. TW relacjonował nastawienie weterynarza z Kamionki Wielkiej do zdelegalizowanego związku zawodowego „Solidarność".

Oficer prowadzący nagrodził TW za rzeczowe doniesienia przekazując mu od SB kufel, gdyż „Docent" takie przedmioty kolekcjonował[20]. Udzielono również pomocy w sprawach paszportowych jego szwagrowi Zdzisławowi Holikowi[21], gdyż uznano, że „Docent" jest „jednostką aktywną i bardzo wartościową"[22]. Pazgan był wówczas prezesem Wojewódzkiego Związku Hodowców i Producentów Drobiu. W 1982 r., już jako TW zarejestrowany przez SB, założył firmę Konspol.

W 1982 r., w sytuacji gdy hodowcy zastanawiali się nad likwidacją ferm z braku nie tylko paszy, ale wszelkich produktów, Pazgan sfinalizował rozmowy nad rozpoczęciem budowy przetwórni mięsa drobiowego. Koszt budowy wyceniono na 100 mln zł.

TW miał też od SB zadanie ustalania kontaktów konkretnych osób, w tym ks. Trytka z ludźmi spoza gminy i treści jego rozmów z rolnikami. Agent miał także donosić, co mówią oni na temat kazań księdza.

W 1983 r. TW przekazał, że „na terenie gminy Kamionka brak jest zainteresowania przyjazdem papieża [Jana Pawła II – *aut.*] do Polski [...] ludzi bardziej interesuje ustawa o rolnictwie"[23]. „Mówi się jednak z obawą o tej wizycie, albowiem ludzie spodziewają się zamieszek prowokowanych przez podziemie «S»" – przekazał „Docent".

„Ksiądz Trytek to do dnia dzisiejszego przyjaciel mojej rodziny. Nie mogłem na niego powiedzieć złego słowa, byłem po jego stronie" – mówił nam Kazimierz Pazgan.

O aktach SB na jego temat Pazgan z kolei powiedział: „To absolutnie nieprawdziwe informacje. Totalne bajki". „Ja byłem w tym czasie najbardziej inwigilowany" – dodawał[24], wbrew aktom IPN.

Rodzinka w biznesie

Zanim Kazimierz Pazgan zrobił karierę w biznesie najpierw w PRL-u, a później w III RP, jego ojciec zasłużył się w utrwalaniu władzy ludowej. Piotr Pazgan na początku 1945 r., jeszcze przed kapitulacją hitlerowskich Niemiec, zgłosił się do służby w organach Milicji Obywatelskiej[25]. Trafił do powiatowej komendy MO w Nowym Sączu.

„Prośbę swą motywuję tym, że służyłem w Armii Polskiej i dzisiaj chcę służyć odrodzonej, demokratycznej Polsce" – deklarował Pazgan senior.

W MO szybko się na nim poznano. Wykazywał „lojalny" stosunek do ZSRS i „gorliwe" zaangażowanie w podjętej służbie na rzecz władz idących zza Buga[26]. Jeszcze w latach 70. pamiętano jego zasługi[27]. „Brał udział w utrwalaniu władzy ludowej" – zapisano w zaświadczeniu z 1976 r. o pracy w organach MO[28].

Pod koniec 1945 r. przed Piotrem Pazganem pojawiła się nowa perspektywa. Napisał podanie, że chce wyjechać na ziemie odzyskane, gdzie on i jego brat cioteczny mają wspólną gospodarkę na 42 ha ziemi[29]. Zaznaczył, że chce się tam osiedlić. Chodziło o wieś Stara Kamienica, gdzie urodził się Kazimierz Pazgan. Osada położona jest tuż przy Jeleniej Górze.

„Brat z rodziną sam nie obrobi ziemi" – stwierdzał Pazgan w podaniu i dodawał, że w związku z nowymi planami chce opuścić MO w Nowym Sączu. Z tego powodu po ośmiu miesiącach służby odszedł z niej. Ostatecznie jednak rodzice dzisiejszego biznesmena nie osiedlili się na stałe w Jeleniogórskiem.

Gdy pod koniec lat 80. Kazimierz Pazgan był prezesem Konspolu, w spółce pracowała też jego żona Alicja Pazgan[30]. Była specjalistą ds. administracji TWD Konspol. Także bracia biznesmena pracowali w PRL w Konspolu. Jan Pazgan[31] był zatrudniony jako kontroler[32], a młodszy Wiesław[33] jako kierowca-magazynier TWD Konspol[34]. W firmie jest też szwagier Czesław Bąkowski, który wymyślił nazwę „Konspol"[35]. Biznesmen ma dwójkę dzieci – syna Konrada Pazgana[36] i córkę Magdalenę Pazgan-Wacławek[37]. Oboje zatrudnił w Konspolu. Konrad Pazgan przejął prezesurę w Grupie Konspol, a córka została szefową rady nadzorczej Konspolu.

W ostatnich latach Kazimierz Pazgan przekazał pałeczkę w zarządzie Konspolu swojemu synowi Konradowi[38]. Sam multimilioner pozostał wraz z żoną Alicją w radzie nadzorczej. We władzach grupy jest też jej prokurent córka Magdalena Pazgan-Wacławek.

Honorowy TW straszy antykomunistów

W kwietniu 2014 r. sądeccy radni przyznali „Docentowi" tytuł honorowego obywatela miasta Nowego Sącza, stwierdzając, że jest on prekursorem polskiej przedsiębiorczości.

Na to w ostry sposób zareagowała część działaczy opozycji antykomunistycznej. Szef regionalnych struktur NSZZ „Solidarność" Andrzej Szkaradek w imieniu byłych więźniów politycznych w liście otwartym do władz Nowego Sącza wyraził oburzenie z faktu przyznania Pazganowi wyróżnienia. Wszystko z powodu informacji o fakcie rejestracji biznesmena przez SB. Urażony wypominaniem mu związków z bezpieką Pazgan zapowiedział złożenie pozwu przeciwko NSZZ „Solidarność" i Andrzejowi Szkaradkowi. Domagał się... 15 mln zł odszkodowania, z czego jedną trzecią miałby wpłacić sam Szkaradek[39].

Na zwołanej przez siebie konferencji prasowej Pazgan przedstawił oświadczenie w sprawie rzekomego zniesławienia. Przedstawia się w nim jako „prekursor polskiej przedsiębiorczości". Stwierdził nawet, iż ma zasługi w „demontażu poprzedniego ustroju", a prowadząc tzw. własną inicjatywę w PRL był nękany ciągłymi kontrolami.

Informacje o fakcie zarejestrowania Pazgana przez Służbę Bezpieczeństwa ujawniła w 2013 r. „Gazeta Polska"[40].

Sądecki biznesmen w złożonym przez siebie oświadczeniu odniósł się też z uznaniem do przyznania mu przez sądeckich radnych tytułu Honorowego Obywatela Miasta. „Ufam, że próby skompromitowania przedsiębiorcy, które przed laty nie udały się partyjnym funkcjonariuszom, dzisiaj nie udadzą się związkowym działaczom, próbującym wszelkimi sposobami przypomnieć o swoim istnieniu"[41] – napisał w oświadczeniu.

Pytany o niespotykanie dużą kwotę zadośćuczynienia stwierdził, że to za zniesławienie i nie chodzi tylko o jego osobę[42].

„Cała ta sprawa wpłynęła negatywnie na wizerunek mojej firmy, której pozycję i sukces budowałem całymi latami. Od chwili nagłośnienia mojej rzekomej współpracy z SB otrzymałem wiele telefonów ze słowami wsparcia i otuchy. Ale miałem też niepokojące sygnały od zagranicznych partnerów biznesowych, którzy nie rozumieją, co to znaczy «współpracownik służb specjalnych». Dla nich Polska to ciągle wschód Europy, a jak wschód, to pewnie chodzi o grupę przestępczą. Wizerunkowe szkody, jakie ponieśliśmy, będą trudne do odrobienia" – mówił Pazgan.

Ujawnienie faktów z przeszłości biznesmena nie zakłóca w niczym przyjmowania przez niego honorów przy różnych innych okazjach. Mający międzynarodowy rozgłos Zespół Śpiewaków Miasta Katowice Camerata Silesia poczuł w 2018 r. potrzebę schlebienia bogaczowi i dedykował mu specjalny koncert galowy[43]. Artyści postanowili w ten sposób uczcić dokonania biznesmena.

Dzisiejsza opowieść o przeszłości

Pazgan chętnie wypowiada się dziś o latach dzielących nas od PRL, gdy rozpoczynał swoją karierę w interesie drobiarskim i zaczął bogacić się, przedstawiając ten okres jako czas prosperity dla przedsiębiorców. Okres gierkowszczyzny według niego był istnym rajem w porównaniu z czasami obecnymi pod względem zakładania i utrzymywania własnego biznesu.

„Ja swoje biznesy zakładałem, gdy były stworzone określone możliwości do założenia biznesu, działalności gospodarczej" – mówił w jednym z wywiadów[44].

Pazgan zarabiał najpierw grając w zespole muzycznym na weselach. W jednym z wywiadów zaznaczył, że pierwszy jego poważniejszy biznes umożliwiło wprowadzenie przez stojącego w 1972 r. na czele władz komunistycznych Edwarda Gierka tzw. pełnych ajencji. W myśl tych przepisów prywatni właściciele mogli zarządzać państwowym majątkiem. Pazgan przejął w taką pełną ajencję kwiaciarnię. Twierdził, że to był niezwykły okres, gdy zarobił „niesamowite pieniądze". „Były takie okresy, że w ciągu jednego dnia mogłem zarobić na dużego fiata. Mogłem sobie pozwolić na bardziej luksusowe wyjazdy za granicę, zwiedzanie Europy, w czasach gdzie nie było tak łatwo podróżować" – mówił w wywiadzie z 2018 r.[45] Chwalił przy okazji Gierka jako zbawcę dla ludzi przedsiębiorczych w PRL. Ustawę o drobiarstwie z 1977 r., wprowadzoną za czasów tego I sekretarza, Pazgan uważa po latach za „genialną" dla prywatnych fermiarzy. „To Gierek też wprowadził. Zawsze, kiedy były stwarzane możliwości do biznesu, wykorzystywałem to bardzo szybko. Dzisiaj młodzi Polacy mają bardzo utrudniony start w biznes" – porównywał PRL z kapitalizmem III RP[46].

Twórca i do niedawna prezes Grupy Konspol Kazimierz Pazgan głośno wyraża swój sentyment do gierkowszczyzny i lat 80. Znany jest też z przyjaźni z politykami postkomunistycznymi. Jak sam twierdził przez lata – był „bardzo dobrym przyjacielem" nieżyjącego już szefa Sojuszu Lewicy Demokratycznej, premiera Józefa Oleksego i często widywany był u jego boku. Pazgan okazał swoje wsparcie w 2015 r. dla postulatu pośmiertnego nadania honorowego obywatelstwa Nowego Sącza byłemu premierowi z SLD[47].

W wyborach prezydenckich w 2010 r. ogłosił oficjalnie swoje poparcie dla Andrzeja Olechowskiego. Tak oto TW „Docent" obok KO „Buyer" (Dariusz Rosati) znalazł się w wąskim kilkuosobowym komitecie poparcia KO „Musta" i przedstawiany był u boku niedoszłego prezydenta w roli jego doradcy[48].

Biznesmen wysłał wniosek do IPN o wystawienie mu zaświadczenia, że Kazimierz Pazgan z listy Wildsteina[49] to nie on. Faktycznie, osoba umieszczona na tej liście to nie nasz bohater, ale ktoś inny o tym samym imieniu oraz nazwisku, jednakże w tym fakcie nie ma nic zaskakującego. Osoba z listy Wildsteina nawet nie mogła być opisywanym tu biznesmenem, skoro jego teczki były zarchiwizowane jedynie w Krakowie, a wspomniana lista obejmowała jedynie zasoby warszawskiego IPN oraz w niewielkiej części zasoby z Kielc[50]. Tak też brzmiała odpowiedź IPN. Jednak milioner posłużył się tym pismem jako rzekomym dowodem jego braku związków ze służbą. Zorganizował specjalną konferencję prasową, by puścić w świat taki przekaz. Dodatkowo przeszedł do ataku i próbował zastraszyć opozycjonistę, który jako represjonowany w PRL odsiadywał karę więzienia, gdy fermiarz w tym samym czasie bogacił się. Powstały artykuły prasowe perswadujące, że Pazgan „to nie TW «Docent»"[51]. Biznesmen poinformował o przygotowywanym pozwie, który miał zrujnować finansowo małopolski oddział NSZZ „Solidarność" i oskarżającego go opozycjonistę. Andrzej Szkaradek zarzucał Pazganowi wprowadzanie opinii publicznej w błąd przez prezentowanie rzekomego dowodu swojej niewinności. I jak zapewnił w rozmowie z nami po kilku latach od publicznego sporu, żadnych pozwów Pazgan nie wysłał[52].

PRZYPISY

[1] Kazimierz Pazgan (ur. 4.03.1948, Stara Kamienica), syn Piotra (ur. 29.06.1915, Kamionka Wielka), syna Franciszka, oraz Zofii z d. Kruczek (ur. 15.05.1923).

[2] Dorota Kania, Maciej Marosz, *Komunistyczna bezpieka trzęsie biznesem. Grupa trzymająca pieniądze*, „Gazeta Polska", 11.09.2013.

[3] IPN Kr 0032/1649, Raport ppor. M. Rynkiewicza do Naczelnika Wydziału IV KWMO o zarejestrowanie KO „Docent", Nowy Sącz, 20.07.1981.

[4] Ibidem, Plan kierunkowy wykorzystania i szkolenia TW „Docent", 8.12.1981.

[5] Pozyskanie nastąpiło 8.08.1981 r.

[6] IPN Kr 0032/1649, Notatka informacyjna dot. tw. ps. „Docent", nr arch. 2562/I, 17.12.1988.

[7] Ibidem, Charakterystyka TW nr 5867 ps. „Docent", 18.03.1983.

[8] Ibidem, Plan kierunkowy wykorzystania i szkolenia TW „Docent", 8.12.1981.

[9] Ibidem, Charakterystyka TW nr 5867 ps. „Docent", 18.03.1983.

[10] Ibidem, Raport ppor. M. Rynkiewicza do Naczelnika Wydziału IV KWMO o zarejestrowanie KO „Docent", Nowy Sącz, 20.07.1981.

[11] Ibidem, Notatka służbowa, 28.08.1981.

[12] Ibidem.

[13] Ibidem.

[14] Ibidem, Charakterystyka TW nr 5867 ps. „Docent", 18.03.1983.

[15] Wyeliminowania TW z sieci agenturalnej dokonała 8.11.1985 r. Samodzielna Sekcja VI WUSW w Nowym Sączu.

[16] IPN Kr 0032/1649, Notatka informacyjna dot. tw. ps. „Docent", nr arch. 2562/I, 17.12.1988.

[17] Ibidem, Postanowienie o rozwiązaniu współpracy.

[18] Ibidem.

[19] Ibidem.

[20] Ibidem, Charakterystyka TW nr 5867 ps. „Docent", 18.03.1983.

[21] Ibidem, Charakterystyka TW nr 5867 ps. „Docent" za okres roku 1983, 23.12.1983.

[22] Ibidem, Raport ze spotkania z TW „Docent", 26.08.1983.

[23] Ibidem, Notatka służbowa ze słów TW „Docent", 28.03.1983.

[24] Dorota Kania, Maciej Marosz, *Komunistyczna bezpieka trzęsie biznesem...*

[25] IPN Kr 0159/1661, Akta personalne funkcjonariusza MO Pazgana Piotra, Podanie Piotra Pazgana o przyjęcie do służby w Powiatowej Komendzie MO w Nowym Sączu, 1945 r.

[26] Ibidem, Charakterystyka Piotra Pazgana, KP MO Nowy Sącz, 10.06.1945.

[27] Ibidem, Zaświadczenie o pracy w MO, 15.06.1976. Piotr Pazgan s. Franciszka ur. 29.06.1915 r. Kamionka Wielka pracował w organach Milicji Obywatelskiej jako funkcjonariusz od 21.01.1945 r. do 21.09.1945 r.

[28] „Brał udział w utrwalaniu władzy ludowej w okresie od dnia 21.01.1945 do dnia 21.09.1945 r." – zapisał mjr Stanisław Głąb.

[29] IPN Kr 0159/1661 (...), Podanie do Kierownika Komisariatu MO, 15.09.1945.

[30] Alicja Pazgan (ur. 18.06.1944, Witoldowo) z d. Fiecek, córka Bronisława.

[31] Jan Pazgan (ur. 19.06.1959), kontroler w TWD Konspol.

[32] IPN Kr 39/73299, Akta paszportowe Pazgan Kazimierz, Podanie o paszport na wyjazd do Wielkiej Brytanii, 20.11.1988.

[33] Wiesław Pazgan (ur. 10.06.1965).

[34] IPN Kr 39/73299, Akta paszportowe Pazgan Kazimierz, Paszport na wyjazd do Wielkiej Brytanii, Kazimierz Pazgan – Przedsiębiorstwo z udziałem zagranicznym TWD Konspol, Nowy Sącz, 20.11.1988.

[35] Wojciech Chmura, *Kazimierz Pazgan: od zakładu poprawczego do jednego z najbogatszych Polaków*, „Gazeta Krakowska", 6.06.2013, http://www.g azetakrakowska.pl/artykul/913765,kazimierz-pazgan-od-zakladu-po prawczego-do-jednego-z-najbogatszych-polakow,id,t.html (dostęp: 23.07. 2018).

[36] Konrad Pazgan (ur. 22.08.1981).

[37] Magdalena Pazgan (ur. 3.05.1985).

[38] Krajowy Rejestr Sądowy, stan na dzień 3.08.2018, Konspol Holding, KRS 0000087441; Konrad Pazgan (ur. 22.08.1981) – prezesem zarządu Konspol Holding.

[39] Dorota Kania, Maciej Marosz, *Resortowy biznesmen honorowym obywatelem*, „Gazeta Polska", 2.07.2014.

[40] Idem, *Komunistyczna bezpieka trzęsie biznesem...*

[41] *Pazgan: Żądam 15 mln zł odszkodowania. Szkaradek: Chyba oszalał!*, Sądeczanin.info, 10.06.2014, https://sadeczanin.info/wiadomosci/paz gan-zadam-15-mln-zl-odszkodowania-szkaradek-chyba-oszalal (dostęp: 12.07.2018).

[42] Ibidem.

[43] *Śpiewacy Camerata Silesia dedykowali koncert sądeczaninowi, Kazimierzowi Pazganowi*, DziennikPolski24.pl, 2.02.2018, https://www.dzien nikpolski24.pl/region/nowy-sacz/a/spiewacy-camerata-silesia-dedyk owali-koncert-sadeczaninowi-kazimierzowi-pazganowi,12901455/ (dostęp: 12.07.2018).

[44] *Kazimierz Pazgan – KONSPOL w Business Misja*, https://www. youtube.com/watch?v=JWpRfNJyg8Q (dostęp: 12.07.2018).

[45] Ibidem.

[46] Wojciech Chmura, *Kazimierz Pazgan: od zakładu poprawczego...*

[47] Idem, *Nowy Sącz wreszcie uhonoruje Oleksego?*, „Gazeta Krakowska", 11.01.2015, http://www.gazetakrakowska.pl/artykul/3711316,nowy-s acz-wreszcie-uhonoruje-oleksego,id,t.html (dostęp: 23.07.2018).

[48] *Olechowski przedstawia swój komitet*, TVP Info, 5.02.2010, https://www.tvp.info/1329941/olechowski-przedstawia-swoj-komitet (dostęp: 12.07.2018).

[49] Lista Wildsteina – nazwa nadana spisowi imion, nazwisk i pewnych sygnatur, będącemu indeksem katalogowym archiwalnych zasobów akt Instytutu Pamięci Narodowej, po jego wyniesieniu na zewnątrz IPN przez Bronisława Wildsteina, ówczesnego publicystę „Rzeczpospolitej" i rozpowszechnieniu spisu w środowisku mediów, a potem upublicznieniu w internecie na początku 2005 r. Wydarzenie to, umotywowane przez Wildsteina koniecznością odblokowania lustracji, wywołało sporą wrzawę medialną i było wykorzystywane do ataków z różnych stron na IPN.

[50] Pismo dyrektora Oddziału IPN w Krakowie dr. hab. Filipa Musiała w odpowiedzi na zapytanie „Gazety Polskiej Codziennie", 7.08.2018.

[51] Wojciech Chmura, *Właściciel Konspolu to nie TW „Docent"*, „Gazeta Krakowska", 10.06.2014, https://gazetakrakowska.pl/wlasciciel-konpolu-to-nie-tw-docent/ar/3468503 (dostęp: 12.04.2018).

[52] Rozmowa Macieja Marosza z Andrzejem Szkaradkiem, 07.08.2018.

13. FORSY JAK LODU
(ZBIGNIEW GRYCAN)

**Jeden z najbogatszych Polaków, Zbigniew Grycan[1],
zbił fortunę jako wytwórca lodów. Na listach
najbardziej majętnych ludzi w kraju pojawia się
od 1993 r. (wówczas na 53. miejscu)[2].
W zestawieniu z ostatnich lat trzyma się mocno
z majątkiem szacowanym na 457 mln zł[3].**

Cukiernik ze średnim wykształceniem został po 1989 r. potentatem w produkcji lodów, właścicielem marki „Zielona Budka" i firmy „Grycan – Lody od pokoleń". Rzut oka na jego akta paszportowe z czasów PRL wystarcza, żeby zauważyć łatwość, z jaką Grycan uzyskiwał paszporty i wyjeżdżał na Zachód – głównie do Szwajcarii i RFN. Po latach opowiadał, że zwyczajnie musiał wyjeżdżać, bo jako producent lodów pracował na zachodnich maszynach, do których części nie mógł zdobyć w kraju. Grycan kreuje się na człowieka przedsiębiorczego, którego nękano w minionym systemie. Na stwierdzenie rozmawiającego

z nim dziennikarza, że cieszył się przywilejami w komunizmie, odpowiada, że to nieprawda, bo przecież nie był
w partii[4]. Ale nie ujawnia już, że gdy rozkręcał swoje interesy w latach 70. i na początku lat 80., był w Stron-
nictwie Demokratycznym[5], które było frakcją PZPR dla
inteligentów. Grycan miał też atut w postaci krewnego –
dygnitarza Ambasady PRL w Moskwie – Zbigniewa Drzewińskiego[6]. Był to partyjny dyplomata[7], którego wysyłano na placówki PRL do Londynu i Moskwy, gdzie został
I sekretarzem[8].

Za oficjalną historią sukcesu Zbigniewa Grycana kryje się jego tajna przygoda z SB, gdy w latach 1977–1988
był zarejestrowany przez kontrwywiad jako tajny współpracownik o pseudonimie „Zbyszek". Służba Bezpieczeństwa uznawała tę współpracę za dobrą i pomagała
przedsiębiorcy wydostawać się z opałów. Fakt rejestracji
Grycana ujawniła „Gazeta Polska"dopiero w 2009 r.[9]

W 2016 r. Grycan zatrudniał 2600 osób, rozwijał dalej
swoją działalność i finalizował zatrudnienie ok. 200 dalszych pracowników. W latach 90. kierowana przez niego wytwórnia lodów eksportowała swoje wyroby do Rosji.

Tajne służby komunistycznego państwa zainteresowa-
ły się Grycanem jeszcze na kilka lat przed werbunkiem.
W 1975 r., gdy zamierzał wyjechać na kilka tygodni do
swego kuzyna Helmuta Hausera z Austrii, SB nie stawa-
ła mu na drodze. Grycan prowadził już wtedy prywatną
działalność handlową, a paszport otrzymał po dostarcze-
niu pozytywnej opinii o sobie z urzędu gminy w Siedlcach. Prywaciarz był wtedy członkiem trzyosobowego
Rolniczego Zespołu Produkcyjnego. Był hodowcą drobiu. Deklarował wtedy, że jego majątek sięga 5 mln zł[10].

Działalność ta nie budziła żadnych zastrzeżeń – jak zapisano w zaświadczeniu urzędu.

Grycan, jak wynika z akt IPN, miał zostać pozyskany w 1977 r. przez Wydział II Departamentu II MSW. Tajny współpracownik ps. „Zbyszek" wspierał SB w rozpracowywaniu wynajmujących jego segment pracowników ambasady Wielkiej Brytanii. Służba Bezpieczeństwa była zadowolona z tej współpracy. Werbowany został pozyskany na zasadzie dobrowolności, zaś SB nie musiała wykorzystywać swoich informacji przeciwko niemu o nielegalnym handlu obcą walutą w różnych miejscach w kraju.

W październiku 1985 r. TW „Zbyszek" został przerejestrowany na kategorię „zabezpieczenie", co oznaczało dalsze zainteresowanie jego osobą ze strony kontrwywiadu[11]. W 1988 r. zdecydowano się na przerwanie prowadzenia TW ze względu na utratę przez niego możliwości zdobywania informacji przydatnych dla bezpieki. Nastąpiło to po rezygnacji ambasady z dalszego wynajmowania lokalu od Grycana. Jednak całą współpracę oceniono jako pozytywną[12].

Z raportu z pozyskania TW „Zbyszka" wynika, że powodem podjęcia współpracy miała być „możliwość udzielania wydajnej pomocy w ujawnianiu i zapobieganiu wrogiej wobec [PRL] działalności pracowników ambasady Wielkiej Brytanii [...] potwierdzenie jego obywatelskiej postawy i danego mu przez SB zaufania"[13].

Rozmowę zaplanowano tak, by uczestniczyli w niej, obok prowadzącego sprawę ppor. Jana Zabawskiego[14], także inni wysocy rangą oficerowie bezpieki – Andrzej Kapkowski, w III RP szef UOP (1996–1997)[15], i Włodzimierz Suski. Dokument SB stwierdzał, że Grycan już od pół roku wynajmował dom ambasadzie Wielkiej Brytanii za pośrednictwem biura obsługującego obcokrajowców – PUMA (później przekształconego w Dipservice).

„Nie interesuje mnie, co jest w tych aktach" – mówił w 2009 r. Grycan do dziennikarza „Gazety Polskiej", który chciał spotkać się z biznesmenem na rozmowę o aktach. „W ogóle mnie to nie obchodzi" – dodał[16]. Zaznaczył, że lustracja i polityka nie interesują go. Zaprzeczał, by był tajnym współpracownikiem i twierdził, że to jego osobę nękano – jako prywaciarza. Dodał też, że i jego ojca Józefa, jak się wyraził, „nękano".

„Jeździłem normalnie za granicę, jak każdy. Kiedy trzeba było paszport zdobyć, wzywali mnie i na tym koniec. Rozmawiałem z tymi oficerami normalnie, tak jak każdy człowiek, który żył w tym okresie" – powiedział.

Oburzył się po wskazaniu na dokumenty SB mówiące o przyjmowaniu przez niego korzyści za współpracę. „Jakie korzyści? Całe życie byłem rzemieślnikiem. Prowadziłem zakład. Do partii nie należałem" – mówił. Pytał przy tym o wiek dziennikarza, sugerując, że słyszy w słuchawce młody głos. „Ktoś, kto pamięta, jak wtedy było, powinien wiedzieć, że nie dało się inaczej żyć. Całe życie pracowałem na włoskich, na zachodnich maszynach. Jak wyjeżdżałem za granicę, to po jakieś części do nich. Zanim dali paszport, wzywali na Koszykową – to co mógł pan zrobić? Co? Mógł pan powiedzieć, że nie będzie pan rozmawiał" – irytował się Grycan.

W styczniu 1977 r. ppor. Zabawski, prowadzący sprawę Grycana, przeprowadził z nim pierwszą rozmowę operacyjną sondującą możliwości zwerbowania rzemieślnika przez kontrwywiad[17]. Wówczas w segmencie cukiernika mieszkał attaché administracyjny ambasady brytyjskiej Jack Woodcock. Dla SB był to figurant sprawy o krypt. „Bartek-76". Rozmowa z Grycanem, jak wynika z zachowanych akt, skończyła się dla SB nad wyraz pomyślnie. Bezpiece zależało na możliwości dostępu do pomieszczeń w segmencie wynajmowanym przez Grycana brytyjskim służbom dyplomatycznym, jednak wykluczały to umowy najmu lokalu zawarte między stronami.

„Ponieważ Z.G. z własnej inicjatywy zgłosił akces do współpracy z nami, uzgodniono zatem, że starej umowy po upływie jej ważności nie będzie przedłużał. Nakłoni natomiast stronę brytyjską do sporządzenia nowej umowy [...]" – zapisał ppor. Jan Zabawski. Miały być w niej zapisy gwarantujące możliwości inwigilacji pracowników ambasady. Autor notatki SB podsumował werbunek jako sukces. „Propozycje nasze zaakceptował w całej rozciągłości. W tej sytuacji, bez żadnych sprzeciwów ze strony rozmówcy, zobowiązano go na piśmie do zachowania w całkowitej tajemnicy faktu spotkania i treści przeprowadzonej z nim rozmowy. Jednocześnie zobowiązano go do współpracy z naszymi organami" – zapisał Zabawski. „W związku z powyższym proszę o wyrażenie zgody na podtrzymanie z Z.G. kontaktu służbowego i zarejestrowanie go w Biurze «C» w kategorii tajnego współpracownika" – konkludował funkcjonariusz kontrwywiadu. Dokonał też charakterystyki zwerbowanego – jako szczerego wobec SB, skłonnego do zwierzeń i posiadającego „pozytywny stosunek" do organów bezpieki PRL.

Podczas opisywanej rozmowy werbunkowej nie tylko SB starała się obłaskawiać swoje przyszłe źródło informacji. Także i ono dbało o dobrą atmosferę kontaktów.

Werbowany zaznaczył, że przyjacielem jego nieżyjącego ojca był pracownik Powiatowego Urzędu Bezpieczeństwa w Oławie, emerytowany pracownik MSW, oficer Kucypera[18].

W trakcie prowadzenia „Zbyszka" w 1976 r. Departament II otrzymał informację z Wydziału ds. Przestępczości Gospodarczej KSMO, że Zbigniew Grycan został zatrzymany i był przesłuchiwany w związku z nielegalnym „handlem dewizami na terenie niemal całego kraju". W reakcji na to ppor. Zabawski przestrzegł śledczych ze stołecznej komendy, że przesłuchanie Grycana musi być uzgadniane z nim lub oficerem Departamentu II MSW Włodzimierzem Suskim[19].

W 1976 r. alians z SB okazał się pomocny dla TW także w przypadkach wejścia przez niego w kolizję z prawem. Przyszły milioner miał pod wpływem alkoholu rozbić samochód w samym centrum Warszawy. „Grycan zajechał drogę autobusowi i zahamował. Kierowca MZK nie zdążył wyhamować i uderzył w tył BMW. [Prowadzący] samochód osobowy stracił panowanie nad pojazdem i uderzył w słup po przeciwnej stronie ulicy"[20] – odnotowano w dokumencie, który trafił do akt SB.

Bezpieka szybko zareagowała i płk Władysław Prekurat[21], naczelnik Wydziału II kontrwywiadu MSW nakazał przesłanie dla potrzeb operacyjnych dokumentów dotyczących zatrzymania Zbigniewa Grycana po spowodowaniu przez niego wypadku drogowego[22].

Z korespondencji wewnętrznej SB wynika, że w wyrównaniu strat powypadkowych pomógł sprawcy wydział kadr MSW. Sprawę miała załatwić interwencja SB przez wpłacenie do kasy MZK tysiąca złotych[23]. Również wielkie kłopoty TW z odebraniem mu prawa jazdy SB rozwiązała za niego jak za skinieniem magicznej różdżki. Już w sześć dni po feralnym rajdzie TW przez Warszawę spotkał się on z oficerem kontrwywiadu Włodzimierzem Suskim. „Podczas spotkania zwróciłem TW zatrzymane przez Wydz. R[uchu] D[rogowego] jego prawo jazdy, które utracił wskutek posługiwania się samochodem w stanie wskazującym na spożycie alkoholu"[24] – zapisał esbek. Funkcjonariusz przestrzegł „Zbyszka" przed wpadaniem przez niego w podobne tarapaty, z których SB będzie musiała go ponownie wyciągać. Suski z satysfakcją odnotował, że TW podczas spotkania reagował w sposób typowy. „Podziękował za okazaną mu pomoc, a za sprawiony nam kłopot b. przepraszał" – stwierdził funkcjonariusz. TW miał dodać, że to było wyjątkowe zdarzenie i że przeżywa obecnie kłopoty rodzinne. Jednak zaklinanie się TW na niewiele się zdało. W następnym roku na Opolszczyźnie „Zbyszek" ponownie został przyłapany na jeździe w stanie upojenia alkoholowego. Zatrzymany przez drogówkę z Brzega do kontroli kierowca łady nie zgodził się na podpisanie protokołu po badaniu alkomatem. Późniejsze badanie krwi wykazało u niego 2,20 prom. alkoholu.

I tym razem SB pomogła. „Ze względów operacyjnych proszę o spowodowanie zwrotu zatrzymanego dokumentu wyżej wymienionemu" – nakazywał SB z Opola mjr Janusz Rudnicki, wiceszef Wydziału II Departamentu II (1976–1982). Komendant MO z Brzega zapisał w reakcji na to pismo, że wydał prawo jazdy zgodnie z poleceniem przełożonego. Dodał, że w sprawie zwrotu prawa jazdy interweniował niezależnie inny oficjel – mjr Nowak z MSW.

Dziś biznesmen, jeden z najbogatszych w Polsce, nie pamięta ludzi z SB, którzy prowadzili jego sprawę, ani tego, jak pomagali TW „Zbyszkowi".

„Nie pamiętam. Nie miałem takich kontaktów. Jako prywaciarza mnie nękali. To wszystko" – ucina Grycan. Dodał, że jest zaskoczony pytaniami o przeszłość[25].

Podczas jednego ze spotkań „Zbyszka" z przedstawicielem bezpieki w 1980 r. informował on ją o nowym lokatorze – dyplomacie brytyjskim Ericu Alexandrze.

Z kolei w notatce SB z 1983 r. ppłk Suski zaznaczył, że „Zbyszek" sam wywołał spotkanie z SB[26]. TW zdobył dla niej informacje o planach swojego krewnego z Ministerstwa Spraw Zagranicznych Zbigniewa Drzewińskiego, który został wówczas I sekretarzem Ambasady PRL w ZSRS[27]. „Zbyszek" opowiedział SB, jak to Drzewiński wyjeżdżając wówczas do Moskwy, poprosił go o intratne odnajęcie jego warszawskiego mieszkania obcokrajowcom. TW miał tego dokonać za pośrednictwem pracownika administracji ambasady Wielkiej Brytanii B. Sakowskiego. Później TW udał się na zaproszenie Drzewińskiego do Moskwy, gdzie został poproszony o objęcie opieki nad mieszkaniem dyplomaty. Na to zwracał uwagę w notatce SB ppłk Suski. Dzięki temu „zaistniała sytuacja sprzyjająca do okresowego kontrolowania interesującego nas obiektu".

Po złożeniu do archiwum sprawy TW „Zbyszka" interesował się nim również wywiad PRL. Tak było m.in. w 1987 r. Departament I MSW szybko jednak odpuścił, gdy zorientował się, że „Zbyszkiem" może dalej interesować się kontrwywiad.

„Zbyszek" w kapitalizmie

Zbigniew Grycan wyrósł na bogacza w systemie komunistycznym. Mógł prowadzić swój wyrób lodów dzięki otwartej dla niego przez władze drodze na Zachód, której to możliwości nie mieli przeciętni obywatele PRL. Dzięki swoim znajomościom mógł też korzystać z zaproszeń na zagraniczne wojaże. Tak było w przypadku wyprawy do Moskwy czy RFN w 1988 r. na zaproszenie oddelegowanego tam pracownika przedsiębiorstwa Uniwersal[28].

Po 1989 r. Zbigniew Grycan bogaci się. Posiada ponad 150 własnych lodziarni i zatrudnia ponad 2000 osób. Eksportuje swoje produkty do 18 krajów Europy, Azji, Ameryki Północnej.

Ale o swojej fortunie Grycan nie zamierza opowiadać opinii publicznej. „Chociaż wystartowaliśmy jako trzyosobowa firma, to jak pamiętam, zawsze należeliśmy do największych producentów. Mamy w sobie coś takiego"[29] – chwalił swoje zdolności rodzinne w jednym z programów poświęconych jego biznesom. „Dżentelmeni o pieniądzach nie rozmawiają, oni je mają" – odpowiada bon-motem na pytania o zyski firmy. Ojciec lodowego biznesu nie zamierza podawać wyników finansowych osiąganych przez jego przedsiębiorstwo. Ale przyznaje, że sprzedaż każdego roku rośnie w dwucyfrowym tempie[30].

„Zbyszek" dysponuje dziś nie lada kapitałem. Co ciekawe, doszedł do pozycji czołowego gracza na rynku bez wyższego wykształcenia, a jedynie ze średnim zawodowym. To nie przeszkadza mu dokonywać ekspansji na kolejne rynki w Europie Zachodniej, Wschodniej i Azji[31].

Grycan zapowiada dalszą ekspansję w szybkim tempie. Podkreśla, że błyskawicznie potrafi postawić fabrykę lodów i uruchomić ich produkcję. Tak było w 2004 r., gdy uruchamiał nową markę, pod którą firma działa obecnie – „Grycan – Lody od pokoleń". „Fabryka została wybudowana w olimpijskim tempie dziewięciu miesięcy. W tym czasie nie tylko wybudowaliśmy fabrykę, ale również uruchomiliśmy produkcję" – mówi Grycan[32].

Rodzina lodziarzy

Lodowa historia w rodzinie Grycanów sięga, jak to dziś podkreśla Zbigniew Grycan, czasów przedwojennych. Wtedy to jeszcze w Buczaczu pierwsze produkty cukiernicze wyrabiać miał jego dziadek Grzegorz Grycan wspólnie z ojcem biznesmena Józefem[33].

Nieznaną publicznie część historii rodziny stanowi fakt, że jego matka, będąc pochodzenia żydowskiego, zamierzała w 1949 r. wyjechać na stałe do Izraela zabierając ze sobą syna[34]. Nie dostała na to wówczas zgody, zwróciła się więc w kolejnym roku do Ministerstwa Administracji Publicznej, podając, że w Izraelu przebywają już oprócz jej córki także rodzice, brat i siostra[35]. W dokumentach paszportowych znajduje się zdjęcie małego Zbigniewa Grycana i jego kwestionariusz paszportowy, w którym odnotowano jego żydowską narodowość.

Grycanowi przyszło jednak żyć w Polsce i przejąć od starszych członków rodziny cukierniczy fach. Pod koniec lat 50. zaczynał jako 14-latek od stażu w prestiżowym dla komunistycznej warszawki miejscu – hotelu Bristol, gdzie mieściła się cukiernia. Tam poznał swoją przyszłą żonę Elżbietę[36], która była córką mistrza. Grycan miał już dwójkę dzieci z pierwszego małżeństwa z Renatą Grycan – Ewę[37] i Adama[38]. Zostali oni również cukiernikami. Sąd wyznaczył wówczas alimenty na dwójkę dzieci[39].

Zbigniew Grycan pierwszą cukiernię otworzył w roku 1962 w małej miejscowości Piława. W 1980 r. przejął „Zieloną Budkę", popularną, wręcz kultową lodziarnię przy ulicy Puławskiej w Warszawie, a jego firma stała się liderem na polskim rynku. W 1992 r. powołał do życia firmę oferującą wynajem i dzierżawę nieruchomości[40]. Trzy lata później Zbigniew Grycan znalazł się wśród prominentów, którzy wykupili akcje spółki Polska Korporacja Handlowa[41].

W zarządzie Polskiej Korporacji Handlowej zasiadali: jako prezes – biznesmen Rudolf Skowroński, będący w latach PRL tajnym współpracownikiem wywiadu SB, January Gościmski (TW „Jan"), biznesmen ze środowiska postkomunistów, podobnie Leonard Praśniewski (TW „Lolek"), a także mąż znanej dziennikarki Lech Jaworowicz. W radzie nadzorczej przewodniczącym był polityk Unii Wolności i później PO Jacek Merkel (znany też z udziału w radzie nadzorczej firmy ochroniarskiej kpt. Jerzego Koniecznego – Konsalnet) a wśród członków rady zasłużony dla peerelowskiego wywiadu, później związany z WSI Aleksander Makowski, czy wpływowy prawnik Aleksander Pociej. Również lista posiadaczy akcji tego przedsięwzięcia pełna była ludzi wpływowych w erze postkomunizmu. Znaleźli się na niej m.in. były peerelowski premier Mieczysław F. Rakowski, wspomniani krezusi

Januariusz Gościmski i Leonard Praśniewski oraz właśnie biznesmen Zbigniew Grycan.

Gdy w 2001 r. „Zbyszek" sprzedał „Zieloną Budkę" funduszowi Enterprise Investors, na mocy podpisanej umowy miał trzyletni okres zakazu konkurencji. W 2004 r. wrócił na rynek tworząc wspomnianą już markę „Grycan – Lody od pokoleń". Dzisiaj oprócz zakładów produkcji lodów ma największą sieć lodziarni w Polsce.

Zbigniew Grycan został prezesem spółki Lodziarnie Firmowe. Żona Elżbieta jest wiceszefem tej firmy, a Małgorzata Grycan – prokurentką[42] w drugiej ze spółek Grycanów[43]. Biznesmen zapowiada, że stery w firmie przejmie jego córka Małgorzata Grycan[44].

Małgorzata ukończyła Wydział Zarządzania Szkoły Głównej Handlowej i jeszcze na studiach podjęła pracę w firmie rodzinnej. Później wraz z matką zarządzała częścią lodziarni należących do Grycanów. Jej siostra bliźniaczka Magdalena[45] po studiach na romanistyce na Uniwersytecie Warszawskim poświęciła się karierze naukowej. Zaplanowała zdobycie tytułu doktora i dojście do profesury[46].

Marta[47], żona Adama Grycana, wraz z ich córkami Wiktorią i Weroniką stały się celebrytkami. Jako popularne Grycanki, mimo wydatnej tuszy, chciały podbijać świat show-biznesu niczym Kardashianki (amerykańskie celebrytki z Kim Kardashian na czele).

Grycan miał z kolei plany podbicia Moskwy, gdzie chciał otworzyć cukiernię. Pomysł powstał, gdy Marcie Grycan powierzono dostarczenie wypieków dla najważniejszych rosyjskich dygnitarzy, którzy przybyli na moskiewskie salony na polsko-rosyjski festiwal „Dzień dobry Polsko – Dzień dobry Rosjo"[48]. Imprezę prowadził w Rosji Leonid Swiridow, dziennikarz zajmujący się kremlowską propagandą. W 2015 r. został pod zarzutem szpiegostwa wydalony z Polski i krajów UE. Jego usunięcia chciała m.in. ABW, podejrzewająca Swiridowa o szpiegostwo[49].

PRZYPISY

[1] Zbigniew Grycan (ur. 26.02.1941, Buczacz), syn Józefa i Weroniki z d. Eingenfeld, narodowość żydowska – jak podkreślano w aktach paszportowych; IPN BU 1538/17044, Akta paszportowe Weroniki Grycan, Kwestionariusz jej nieletniego syna Zbigniewa Grycana, 8.12.1949.

[2] *Rankingi Wprost. 100 najbogatszych Polaków*, https://rankingi.wprost. pl/100-najbogatszych-polakow/1993 (dostęp: 12.08.2018).

[3] Piotr Karnaszewski, *Inwestorzy sprzyjają najbogatszym*, Forbes.pl, 8.06.2017, https://www.forbes.pl/rankingi/najbogatsi-ludzie-w-polsce -szybko-sie-bogaca-najbogatsi-polacy-2017-ranking-forbesa/2q3xdzp (dostęp: 13.08.2018).

[4] Rozmowa ze Zbigniewem Grycanem, 21.05.2009, arch. Macieja Marosza.

[5] IPN BU 763/36919, Grycan Zbigniew akta paszportowe, Podanie o wyjazd do Szwajcarii, 29.11.1975.

[6] Ibidem, Tłumaczenie przysięgłe z j. rosyjskiego zaproszenia Zbigniewa Grycana przez I sekretarza Ambasady PRL w Moskwie Zbigniewa Drzewińskiego, 24.01.1983.

[7] Zbigniew Drzewiński (ur. 23.06.1928), członek PZPR (IPN BU 1005/79849 Drzewiński Zbigniew akta paszportowe).

⁸ IPN BU 01872/443, Drzewiński Zbigniew. Drzewiński Zbigniew Jan (ur. 23.06.1928, Lwów), syn Czesława i Apolonii z d. Kopytko, z wykształceniem ekonomicznym i przygotowaniem ideologicznym po Akademii Nauk Politycznych. W lipcu 1947 r. został pracownikiem Państwowego Urzędu Repatriacyjnego we Wrocławiu. W latach 50. był planistą w Przedsiębiorstwie Poszukiwań Geofizycznych. Pracował później w Budimexie. W latach 70. był doradcą zarządu w Izbie Rzemieślniczej w Warszawie. Jego ojciec Czesław Drzewiński był urzędnikiem, członkiem PZPR. Drzewiński trafił do MSZ i dostał stanowisko eksperta. Wkrótce został wicekonsulem w konsulacie generalnym PRL w Londynie. W 1982 r. został skierowany na I sekretarza Ambasady PRL w Moskwie.

⁹ Maciej Marosz, *Jak Zbyszek lody kręcił*, „Gazeta Polska", 27.05.2009.

¹⁰ IPN BU 763/36919, Grycan Zbigniew akta paszportowe, Podanie o wyjazd do Szwajcarii, 29.11.1975.

¹¹ IPN BU 01102/4/D, Karta Mkr-2, 2.11.1988.

¹² Ibidem, Karta E-15, 2.11.1988.

¹³ Raport ppor. J. Zabawskiego, 22.02.1977.

¹⁴ Funkcjonariusz prowadzący TW „Zbyszka" – Jan Zabawski s. Mikołaja, ur. 6.06.1910. W czerwcu 1946 r. został zastępcą naczelnika Samodzielnego Wydziału ds. Funkcjonariuszy MSBP. Pół roku później pełnił już funkcję z-cy szefa, a następnie szefa WUBP we Wrocławiu. W 1951 r. ustanowiono go dyrektorem Departamentu VIII MBP. Od czerwca 1955 r. miał nową funkcję – dyrektora Departamentu X Komitetu ds. Bezpieczeństwa Publicznego. W listopadzie 1956 r. przeszedł na stanowisko dyrektora Biura Ewidencji Operacyjnej MSW. W 1960 r. powierzono mu funkcję szefa Biura „C" MSW. Zmarł w dniu, w którym został zwolniony ze służby – 9 lutego 1988 r. w Warszawie. Zob.: *Twarze wrocławskiej bezpieki*, red. T. Balbus, P. Piotrowski, K. Szwagrzyk, https://arch.ipn.gov.pl/ftp/pdf/Twarze.wroclawskiej.bezp ieki.pdf (dostęp: 12.08.2018).

[15] Andrzej Kapkowski, patrz: Dorota Kania, Jerzy Targalski, Maciej Marosz, *Resortowe dzieci. Służby*, Warszawa 2016, s. 79–89.

[16] Rozmowa ze Zbigniewem Grycanem, 21.05.2009, arch. Macieja Marosza.

[17] IPN BU 01102/4/D, Pismo o wyrażenie zgody na przeprowadzenie rozmowy operacyjnej ze Z. Grycanem, kierowane do z-cy n-ka Wydz. II Dep. II mjr. J. Rudnickiego, 2.02.1977.

[18] Kucypera Władysław s. Stanisława, był też w latach 1952–1955 z-cą szefa PUBP/PUdsBP w Nysie, za: *Aparat bezpieczeństwa w Polsce. Kadra kierownicza*, t. 1, red. nauk. K. Szwagrzyk, Warszawa 2005, s. 347.

[19] Włodzimierz Suski, st. insp. Wydz. II Dep. II MSW.

[20] IPN BU 01102/4/D, Notatka urzędowa Wydziału Kontroli Ruchu Drogowego KSMO, 14.05.1977.

[21] Władysław Prekurat (ur. 27.04.1931, Broszków) rozpoczął karierę w MBP w 1952 r. Zostawał naczelnikiem wydziałów w Departamencie II MSW, a także z-cą szefa ds. SB w SUSW w Warszawie.

[22] IPN BU 01102/4/D, Pismo Naczelnika Wydziału II Departamentu II płk. Wł. Prekurata do Naczelnika Wydziału Kontroli Ruchu Drogowego KSMO, 17.05.1977.

[23] Ibidem, Pismo do Naczelnika Wydz. II Dep. II, pisze Naczelnik Wydziału IV Dep. Kadr MSW ppłk. Eugeniusz Mazur, 08.08.1977.

[24] Ibidem, Notatka ze spotkania z TW „Zbyszkiem", 20.05.1977.

[25] Rozmowa ze Zbigniewem Grycanem, 21.05.2009, arch. Macieja Marosza.

[26] IPN BU 01102/4/D , Notatka ze spotkania z TW „Zbyszkiem", 9.03.1983.

[27] IPN BU 763/36919, Tłumaczenie przysięgłe z jęz. rosyjskiego zaproszenia Zbigniewa Grycana przez Zbigniewa Drzewińskiego z 24.01.1983 r. Zbigniew Drzewiński syn Czesława, I sekretarz Ambasady PRL w ZSRS w Moskwie przebywał na placówce od września 1982 r. Zapraszał na dwa tygodnie krewnego Zbigniewa Grycana do służbowej rezydencji.

[28] Ibidem, Podanie o paszport na wyjazd do RFN, 22.03.1988. Do RFN wyjeżdżał na zaproszenie oddelegowanego tam okresowo – od 1984 r. – z polskiego przedsiębiorstwa Uniwersal Krzysztof Strykiera (ur. 20.04.1942), który w III RP, podobnie jak Grycan, znalazł się w rankingach najbogatszych Polaków.

[29] *Zbigniew Grycan. Warszawski cwaniak, który został milionerem*, BizSylwetki, Youtube.com, 11.12.2012, https://www.youtube.com/watch?v= 11XRyjkzBS4 &t=184s (dostęp: 12.08.2018).

[30] Ibidem.

[31] Strona internetowa marki „Grycan – Lody od pokoleń", https://grycan.pl/o-nas/historia-marki (dostęp: 18.08.2018).

[32] Ibidem.

[33] W rodzie Grycanów lody miał wyrabiać już dziadek Zbigniewa Grycana, Grzegorz. Zajmowali się tym również ojciec Józef Grycan (ur. 1907) i młodszy brat Zbigniewa – też Józef (ur. 1956). Pozostałe rodzeństwo Zbigniewa Grycana to: brat Eugeniusz (ur. 1927), zamieszkały w Gdańsku (był m.in. dyspozytorem), Tadeusz (ur. 1938), który mieszkał w Brzegu, siostra Łucja Mielnikiewicz (ur. 1935), która została radcą prawnym we Wrocławiu. Najmłodszą siostrą Zbigniewa Grycana jest Ewa Zielińska (ur. 1959).

[34] IPN BU 1538/17044, Grycan Weronika, Kwestionariusz na wyjazd stały do Izraela, 8.12.1949.

[35] Ibidem, Podanie do Ministerstwa Administracji Publicznej, 20.01.1950.

[36] Elżbieta Grycan z d. Kowalska (ur. 1.02.1953), mgr inż. ogrodnictwa; rodzice: Stanisław Kowalski (ur. 7.03.1919), właściciel pracowni cukierniczej i Mieczysława Kowalska (ur. 19.10.1925), przy mężu; rodzeństwo: Maria Piasecka (ur. 23.03.1951), referent w Biurze Kongresów „Orbis"; Wojciech Kowalski (ur. 4.04.1954), cukiernik, pracownia cukiernicza; Jakub Kowalski (ur. 14.09.1961), elektronik, właściciel firmy EIMI, Zakładu Elektroniki Samochodowej W-wa Międzylesie (IPN BU 1005/1990, Kowalska Elżbieta akta paszportowe).

³⁷ IPN BU 1005/51316, Akta paszportowe Jakubek-Grycan Ewa (ur. 5.10.1964), córka Zbigniewa i Renaty z d. Feszczuk, wykształcenie średnie, cukiernik, mąż Marek Jakubek (ur. 6.10.1955, Ostrów Wielkopolski), cukiernik. W drugiej połowie lat 80. była właścicielem cukierni na Mokotowie w Warszawie.

³⁸ IPN BU 797/112268, IPN 1005/61723, Akta paszportowe Grycan Adam (ur. 6.03.1968), syn Zbigniewa i Renaty z d. Feszczuk; wykształcenie średnie, cukiernik. Na przełomie lat 80. i 90. zatrudniony był w pracowni cukierniczej w Warszawie.

³⁹ Wyrok Sądu Powiatowego w Nysie w sprawie z 22.02.1973 r. o sygn. I2C 85/73.

⁴⁰ Zbigniew Grycan Wynajem, Dzierżawa, Produkcja, https://prod. ceidg.gov.pl/CEIDG/CEIDG.Public.UI/Search.aspx (dostęp: 19.08.2018).

⁴¹ Dorota Kania, Jerzy Targalski, Maciej Marosz, *Resortowe dzieci. Media*, Warszawa 2013, s. 241, 243.

⁴² Spółka Grycanów – Lodziarnie Firmowe sp. z o.o. – KRS 0000191387, stan na dzień 09.08.2018 r.

⁴³ W 2004 r. Zbigniew Grycan zarejestrował firmę Lodziarnie Firmowe sp. z o.o. W 2014 r. powołał też do życia Lodziarnie Firmowe sp. z o.o. komandytowa (KRS 0000505182), której wspólnikiem jest ta pierwsza firma (KRS 0000191387) oraz Elżbieta Grycan. Prokurentem zaś jest Małgorzata Grycan.

⁴⁴ Małgorzata Rita Grycan (ur. 09.06.1985), córka Zbigniewa i Elżbiety Grycanów.

⁴⁵ Magdalena Grycan (ur. 9.06.1985), córka Zbigniewa i Elżbiety Grycanów.

⁴⁶ Justyna Sobolak, *Dzieci milionerów stronią od biznesu*, Onet.pl, 17.12.2013, http://biznes.onet.pl/wiadomosci/kraj/dzieci-milionerow-stronia-od-biznesu/y6g68 (dostęp: 12.08.2018).

⁴⁷ Marta Grycan w szczycie obecności medialnej uzyskała m.in. własny program na wizji w kanale TLC, Party.pl, http://party.pl/ne wsy/bry tyjczycy-zainwestuja-w-grycanke-74723-r1/ (dostęp: 12.06.2018).

[48] *Marta Grycan chce podbić Moskwę*, Wp.pl, 8.02.2012, https://finan se.wp.pl/marta-grycan-chce-podbic-moskwe-6115785549113473g/k omentarze (dostęp: 12.06.2018).

[49] *Rosyjski dziennikarz z zakazem wstępu do Polski i strefy Schengen*, Onet. pl, 5.05.2016, https://wiadomosci.onet.pl/swiat/rosyjski-dziennikarz-z -zakazem-wstepu-do-polski-i-strefy-schengen/crw639 (dostęp: 12.09.2018).

14. „ZWYCZAJNY" ELEKTORAT PREMIER KOPACZ

(MIECZYSŁAW SKOŁOŻYŃSKI)

Jak pokazało życie, w PRL można było uchodzić za speca od planowej gospodarki komunistycznej, współtworzyć system partyjny i być na listach współpracowników SB, a w III RP pozostać liczącym się ekonomistą, zarządzającym większymi spółkami krajowymi, będąc wyrocznią ekspercką. Taka metamorfoza była wręcz zasadą kariery komunistycznych aparatczyków w dobie transformacji ustrojowej.

Był sierpień 2015 r., trwała kampania przed wyborami parlamentarnymi. Świeżo po spektakularnej klęsce kandydata Platformy Obywatelskiej Bronisława Komorowskiego w wyborach prezydenckich sztab PO, który twarzą kampanii uczynił premier Ewę Kopacz, poszukiwał skuteczniejszej promocji wyborczej dla swojej partii.

Wcześniej uruchomione akcje kampanijne okazały się być klapą i przyniosły wizerunkowe straty, jako podatne na wyśmiewanie przez wyborców. Tak było choćby z akcją pod hasłem „Słucham. Rozumiem. Pomagam". Miała ona, według zamierzeń PO, zbliżyć partię do „zwykłych ludzi". Podobnie jak jeszcze wcześniejsza, czerwcowa akcja pt. „Kolej na Ewę", w której premier podróżowała pociągami zaczepiając pasażerów i prowokując ich do rozmów. Kampanie dawały internautom raczej pożywkę do prześmiewczych żartów, niż poprawiały sondaże. Sztab wyborczy premier obciążonej aferami ekipy PO-PSL miotał się w wyznaczanych *ad hoc* koncepcjach na kampanijny marketing. Jeden z sierpniowych dni miał ukazać skalę manipulacji sztabu PO.

Owego dnia premier Ewa Kopacz zasiadła w rozkwieconym ogrodzie przed domem „zwykłej" warszawskiej rodziny, która spontanicznie poparła kampanię PO. To nic, że rzecz się działa w Aninie – dzielnicy willi prominenckich. I nie było ani słowa o tym, kim są Skołożyńscy.

Za to fotoreporterzy zrobili masę zdjęć pozującym na zwykłą rodzinę – Mieczysławowi Skołożyńskiemu, jego żonie Ewie oraz ich młodszemu synowi Jackowi. Fotki, na których senior i junior Skołożyńscy wystąpili w koszulkach z logiem kampanii Platformy obiegły polskie media. Charakterystyczny symbol kampanii (serce z uśmiechem w środku oparte na dobrze znanym logo Platformy Obywatelskiej, gdzie podobny uśmiech wpisany jest w kształt Polski) stał się lejtmotywem wyborczym tej partii.

Premier Ewa Kopacz rozpoczynała kampanijną akcję „Kocham Polskę" z asystą partyjnej świty, w tym Hanny Gronkiewicz-Waltz i posła Cezarego Tomczyka. Akcja zainaugurowana przez premier miała promować patriotyzm alternatywny do tradycyjnego[1].

Konferencję prasową na inaugurację kampanii transmitowano z wielką pompą w mediach. Wyróżnienie wizytą premier w domu Ewy i Mieczysława Skołożyńskich tłumaczono tym, że w ramach akcji wywiesili oni na ogrodzeniu swojego domu baner z kampanijnym hasłem.

Działacze PO zapowiadali wyruszenie w Polskę, aby wieszać podobne banery, rozdawać koszulki z napisem „Kocham Polskę" i propagować ideę nowoczesnego patriotyzmu.

Premier Ewa Kopacz powiedziała przy tej okazji, że nie ma zgody na twierdzenie, jakoby Polska była w ruinie. Wyjaśniła, że są dwa rodzaje patriotyzmu. Jeden, według niej, polega na ciągłym wracaniu do przeszłości i wykluczaniu ze wspólnoty tych, którzy nie przystają do wybranego wzorca. Premier podsumowała, że akcja PO to promocja „optymistycznego, nowoczesnego patriotyzmu". Ale po chwili było już mniej miło. „Biało-czerwony sztandar jest tak ważny, że nie może być dzierżony przez ręce trzęsące się z nienawiści"[2] – mówiła wtedy Kopacz.

W rodzinie PZPR

To, jak bardzo rodzina Skołożyńskich z seniorem Mieczysławem na czele nie przypomina przeciętnej warszawskiej familii, pokazują jej losy i obecna pozycja.

Mieczysław Skołożyński[3] już podczas studiów na SGPiS (kuźni kadr ekonomii marksistowskiej, obecnie Szkoła Główna Handlowa) był zaangażowanym działaczem komunistycznym Socjalistycznego Związku Studentów Polskich[4]. W 1976 r. wyjechał do Szwecji na zaproszenie swojej znajomej. Przedłużył tam pobyt o pięć miesięcy. Dostał za to od służb paszportowych PRL ostrzeżenie. Gdy ubiegał się w 1980 r. o zgodę na wyjazd do Wielkiej Brytanii, otrzymał początkowo odmowę. Jednak szybko się to zmieniło. Już w kolejnym roku uzyskał paszport na okres 3 lat z prawem wielokrotnego przekraczania granicy[5].

W 1980 r. trwał karnawał „Solidarności". Ale nie dla Skołożyńskiego. On robił karierę w strukturach PZPR i pozostawał jednocześnie działaczem ZSMP.

Wprowadzenie stanu wojennego nie przyniosło żadnych niekorzystnych turbulencji dla jego kariery. Przeciwnie – było tylko lepiej. Został w niedługim czasie I sekretarzem POP PZPR w Centrali Banku PKO SA w Warszawie[6].

Przechodził szybką ścieżkę awansów. Był st. inspektorem Banku Handlowego w Warszawie. Z tej pracy w 1983 r. wyjeżdżał w delegację do Luksemburga na staż dealerowski w Oddziale Banku Handlowego w tym księstwie (Bank Handlowy International)[7]. W tym samym roku przeszedł do pracy w Banku Polska Kasa Opieki SA w Warszawie.

W okres transformacji ustrojowej wszedł gładko. W 1988 r. został oddelegowany na cztery lata do pracy w oddziale PKO SA w Paryżu[8].

Teściowa Skołożyńskiego, Wanda Majewska[9], była w latach 80. znaczącą figurą w KC PZPR. Pełniła m.in. funkcję pracownika politycznego i była zastępcą kierownika Wydziału Gospodarczego[10].

Żona finansisty, Ewa Skołożyńska[11], nie zdobyła tak wysokiej pozycji, mając jedynie średnie wykształcenie[12]. Po ukończeniu liceum nie kontynuowała edukacji. Skierowano ją jednak do pracy w Centrali Handlu Zagranicznego Centrozap[13]. Później, w latach 1978–1984, pracowała w Banku Handlowym SA w Warszawie[14].

Ewa Skołożyńska, córka pracowniczki aparatu KC, w III RP związała się z Platformą Obywatelską, kandydowała w wyborach samorządowych z list tej partii w latach 2010[15] i 2014[16] do rady miasta i rady dzielnicy Wawer. Ani za pierwszym, ani za drugim razem jednak nie przekonała do siebie wyborców.

Ewa Skołożyńska jest aktywna w internecie, gdzie także wspiera Platformę. Reklamowała Rafała Trzaskowskiego, kandydata PO na prezydenta stolicy w wyborach w 2018 r.[17] Innym razem zachęcała do odwiedzenia wystawy fotografii „Kanalie. Zdradzieckie mordy"[18]. Wystawa to zbiór fotosów portretowych znanych postaci i celebrytów, którzy poczuli się adresatami określenia Jarosława Kaczyńskiego wypowiedzianymi z mównicy sejmowej w debacie z lipca 2017 r. nad ustawą o Sądzie Najwyższym. Wśród nich byli najzacieklejsi przeciwnicy rządu PiS – aktorzy Magdalena Cielecka, Maciej Stuhr, Jerzy Radziwiłowicz, Daniel Olbrychski, reżyser Andrzej Saramonowicz czy dziennikarz Tomasz Zimoch.

Matka Mieczysława Skołożyńskiego, Władysława[19], była nauczycielką[20]. Jej działalność władze doceniały. Była honorowana w 1976 r. Złotą Odznaką Związku Nauczycielstwa Polskiego[21]. W stanie wojennym również wyróżniono ją za postawę. Przypięto jej Złoty Krzyż Zasługi[22]. Ojciec Zdzisław Skołożyński[23] był z zawodu technikiem budowlanym, zmarł w 1970 r. Był, jak syn Mieczysław, członkiem PZPR[24].

Z kolei brat ekonomisty, Zygmunt Skołożyński[25], działa dziś na rynku reklamy świetlnej. Swoją firmę założył w okresie transformacji ustrojowej w 1990 r.[26] I nic dziwnego, skoro już w PRL był kierownikiem Stołecznego Przedsiębiorstwa Reklam Świetlnych[27].

Podwarszawska firma Zygmunta Skołożyńskiego to wykonawca reklam zatrudniający 100 pracowników, chwalący się blisko 30-letnim doświadczeniem i wielkimi graczami rynkowymi jako swoimi klientami[28].

Finansistą został też starszy syn Mieczysława Skołożyńskiego, Aleksander. W 2017 r. został dyrektorem finansowym firmy Emitel. Z tą spółką związał się w 2012 r., początkowo na stanowisku szefa kontrolingu. Wcześniej pełnił również istotne funkcje w firmach inwestycyjnych (Lasanoz Finance, Concordia)[29]. Podobnie jak ojciec, jest absolwentem SGH w Warszawie.

Komunizm, partia, kariera

Zanim Skołożyński zwrócił na siebie uwagę bezpieki, dorobił się pozycji aktywnego towarzysza, budowniczego struktur organizacji komunistycznych.

W roku 1968 – czasie burzliwego łamania oporu społecznego – Skołożyński postanawia wstąpić do ZSMP[30]. Jak zapisano w opinii[31] szefostwa Związku, Skołożyński pracował czynnie w organizacji młodzieżowej podczas studiów jak i później, w trakcie służby wojskowej. Będąc w tym czasie w Szkole Oficerów Rezerwy w Toruniu występował w roli przewodniczącego Rady Kultury ZSMP jednostki. Chwalono go za ukształtowany marksistowski światopogląd. Jeszcze w mundurze, w 1978 r., wstąpił w szeregi kandydatów PZPR. Po szkoleniu wojskowym w Toruniu odbywał praktyki w jednostce wojskowej w Gdańsku[32]. Tam również wyróżniał się jako działacz komunistyczny ZSMP. Powierzono mu obowiązki wykładowcy przedmiotu „Szkolenia Politycznego".

W 1980 r., gdy ubiegał się o miejsce w PZPR, wyliczał swoje atuty, w tym głębokie rozpoznanie osiągnięć społeczno-ekonomicznych komunizmu międzynarodowego i PRL oraz rozeznania roli, jaką miała w tym partia[33]. Dodał, że możliwość szkolenia politycznego żołnierzy spotęgowała w nim zainteresowania działalnością partyjną.

Skołożyński po odbyciu służby trafił do Banku Handlowego, gdzie znów wybijał się jako aktywny i operatywny działacz komunistyczny. Nic dziwnego, że w 1980 r. ZSMP rekomendowała go do szeregów PZPR[34]. Zapewniano, że partia zyska „nowego, wartościowego członka". W tym samym roku został przyjęty do egzekutywy POP PZPR przy Banku Handlowym w Warszawie[35].

„Rewizor" – Gogol by tego nie wymyślił

W 1985 r., gdy Skołożyńskim zainteresowała się SB, pełnił on funkcję głównego arbitrażysty w PKO SA i stał na czele zakładowej organizacji partyjnej. Wysyłano go wówczas służbowo na pół roku do Francji. Według informacji SB, miało to być przygotowaniem do objęcia przez niego w późniejszym czasie placówki zagranicznej[36]. Bezpieka oceniała, że bankowiec mający już na swoim koncie wyjazdy na zagraniczne staże, szczególnie do Luksemburga, posiada ciekawe dla wywiadu komunistycznego kontakty z cudzoziemcami zza żelaznej kurtyny[37].

Ppor. Daniel Markowski, absolwent Moskiewskiego Państwowego Instytutu Stosunków Międzynarodowych (MGIMO, 1978) i funkcjonariusz Wydziału VIII na etacie niejawnym w Banku Handlowym, występujący pod nazwiskiem legalizacyjnym „Zwierski", już po pierwszych kontaktach ze Skołożyńskim szybko zorientował się, że z tej mąki będzie chleb i wystąpił do swoich przełożonych o zgodę na werbunek ekonomisty. Bezpieka okazała zaufanie werbowanemu, bo jeszcze przed sformalizowaniem tajnej współpracy wprowadziła go na swój zakonspirowany obiekt[38]. W ten sposób werbunek odbył się w lokalu kontaktowym.

KO „Rewizor" – bo taki pseudonim przyjął Skołożyński – zapewnił, że zgodnie z daną wcześniej oficerowi prowadzącemu obietnicą sporządził opracowanie (nawet w dwóch wersjach) dotyczące mającego powstać Banku Handlu Zagranicznego, ale je zniszczył uznając za niedoskonałe[39]. Obiecał sporządzić przed wyjazdem do Francji wersję ostateczną opracowania. Przekonywał, że jeszcze przed wyjazdem za granicę dostarczy ppor. „Zwierskiemu" „wartościowy materiał" na temat mającego powstać Banku Handlu Zagranicznego[40].

Podczas spotkania werbunkowego rozmówcy omówili instrukcję wyjazdową, ze wskazówkami, w jaki sposób ma działać agent. „Rewizor" uzupełnił ją swoimi danymi i podpisał. Zastrzegł, że zna tylko język angielski, co zawęża jego możliwości kontaktu.

Esbek po spotkaniu ocenił, że KO „Rewizor", będący obecnie szefem komórki dealerów w Banku PKO SA, ma po powrocie ze stażu być skierowany do pracy na placówce zagranicznej, co było dobrą perspektywą z punktu widzenia pozyskiwania informacji przez SB.

„Rewizor przyjął propozycję ze zrozumieniem pytając, na czym miałaby polegać jego praca dla naszej służby"[41] – oceniał dokonany przez siebie werbunek funkcjonariusz bezpieki.

„Posiada ukształtowany światopogląd materialistyczny. Do naszej służby odnosi się z szacunkiem" – charakteryzował „Rewizora" esbek. Kolejne spotkanie z prowadzącym sprawę z ramienia SB odbyło się, zgodnie z planem współpracy, po powrocie Skołożyńskiego z pięciomiesięcznego stażu.

Od września do grudnia 1985 r. „Rewizor" przebywał w oddziale banku PKO SA w Paryżu. W relacji[42] złożonej esbekowi donosił o akcjach ulotkowych, jakie napotkał wokół banku i ambasady PRL, jak i w innych miejscach centrum Paryża. Opisywane przez niego wydarzenia rozgrywały się w okresie przedwyborczym do Sejmu PRL oraz w czasie wizyty gen. Jaruzelskiego w Paryżu.

W 1987 r. oceniono, że KO „Rewiz" (drugi obok „Rewizora" ps. KO) od początku współpracy zachowywał się biernie. Według funkcjonariusza prowadzącego ppor. Daniela Markowskiego („Zwierski"), KO podchodził do współpracy bez oczekiwanego zaangażowania ze względu na jego wybór na stanowisko I sekretarza POP PZPR w banku[43].

W tym czasie delegowano Skołożyńskiego do pracy na stanowisku z-cy naczelnika Wydziału Operacji Dewizowych w paryskim oddziale PKO SA[44].

W zachowanych materiałach brak jest informacji o rozwiązaniu współpracy z „Rewizem" („Rewizorem"). Z teczki pracy KO „Rewiz" zachowały się jedynie okładki.

Jak wynika z oficjalnego biogramu, lata 1988–1994 Skołożyński spędził w Paryżu, gdzie był zatrudniony w tamtejszym oddziale banku PKO SA. Od 1994 do 2000 r. pracował w Banku PKO SA w Warszawie jako doradca prezesa, a później jako członek zarządu odpowiedzialny za gospodarkę pieniężną banku[45]. W tym czasie był też przewodniczącym trzech rad nadzorczych spółek kontrolowanych przez bank. Zasiadał również w radzie nadzorczej spółki Budimex SA[46]. Od 1998 r. odgrywał aktywną rolę w prywatyzacji Banku Pekao SA. Po zakończeniu procesu prywatyzacyjnego ekonomista kierował pionem korporacyjnym i międzynarodowym banku. W 2001 r. rada nadzorcza Stalexportu powołała Mieczysława Skołożyńskiego – ówczesnego dyrektora finansowego Stalexport SA (obecnie spółka ma nazwę Stalexport Autostrady SA) – na stanowisko członka zarządu – dyrektora finansowego.

Stalexport Autostrady SA to grupa kapitałowa, która sięga korzeniami PRL. Powstała z przedsiębiorstwa utworzonego w 1963 r. Trzy dekady później, już po transformacji ustrojowej, przekształcono ją w jednoosobową spółkę skarbu państwa i sprywatyzowano. Od połowy 2006 r. spółka wchodzi w skład włoskiej grupy kapitałowej Atlantia – zarządzającej ponad 5 tysiącami km autostrad w różnych krajach świata[47]. Wspomniane spółki grupy zajmują się zarządzaniem eksploatacją autostrad i ich utrzymaniem[48].

Skołożyński po znalezieniu się w zarządzie grupy kapitałowej Stalexport Autostrady SA został jej wiceprezesem

– zastępcą kierującego pracami spółki Emila Wąsacza. Z tytułu tej funkcji Skołożyński uzyskiwał niebotyczne zarobki. Jak wykazano w raporcie rocznym[49] w 2012 r. zarobił blisko 2 mln 300 tys. zł. Skołożyński obok funkcji wiceprezesa wspomnianej grupy kapitałowej przyjął też rolę wiceprezesa zarządu jednej ze spółek grupy – VIA4[50]. W trzech innych spółkach tej samej grupy kapitałowej pełni funkcje szefa i wiceszefa rad nadzorczych[51].

Jako swoje szczególne osiągnięcia zawodowe Skołożyński wymienia uczestnictwo w latach 1996–1998 w budowaniu grupy bankowej Pekao SA, a następnie skutecznej fuzji czterech banków wchodzących w skład tego konsorcjum[52].

Ekspert Marksem, Leninem i Engelsem karmiony

Skołożyński, absolwent uczelni kształcącej w PRL ekonomistów marksistowskich i aparatczyk partyjny, dziś uchodzi za autorytet z dziedziny finansowej w elitach III RP. Był jednym z grupy ekspertów wypowiadających się podczas Europejskiego Kongresu Gospodarczego w 2011 r. w Katowicach. W tej grupie mówców byli też poseł PSL Janusz Piechociński oraz były minister transportu i gospodarki morskiej Tadeusz Syryjczyk[53].

Z kolei w 2009 r., w tekście poświęconym nowym autostradom w Polsce, Skołożyński wypowiadał się z pozycji znawcy o obietnicach rządu PO-PSL połączonych z wizjami budowy wstęg autostrad w Polsce[54]. Rozmówca gazety chwalił posunięcia i plany rządu Donalda Tuska. Odnosił się do rzekomej zmiany podejścia rządu do kwestii budowy dróg. „Wreszcie urzędnicy zaczęli podejmować decyzje biznesowe" – mówił Skołożyński.

PRZYPISY

[1] *Kopacz inicjuje akcję „Kocham Polskę": Biało-czerwony sztandar nie może być dzierżony przez ręce trzęsące się z nienawiści*, Telewizjarepublika.pl, 21.08.2015, http://telewizjarepublika.pl/kopacz-inicjuje-akcje-quotkoc ham-polskequot-bialo-czerwony-sztandar-nie-moze-byc-dzierzony-prz ez-rece-trzesace-sie-z-nienawisci,22903.html?fb_comment_id=87506 4099209495_875078232541415 (dostęp: 4.12.2017).

[2] *Kopacz rozpoczęła nową akcję Platformy. Pierwszy baner zawisł na płocie...*, Dziennik.pl, 21.08.2015, http://wiadomosci.dziennik.pl/polityka/artyk uly/498454,ewa-kopacz-poczatek-akcji-po-kocham-polske.html (dostęp: 4.12.2017).

[3] Mieczysław Skołożyński (ur. 09.04.1954, Wołomin), syn Zdzisława i Władysławy z d. Dąbrowskiej.

[4] IPN BU 763/61943, Podanie o paszport do Szwecji, 26.04.1976.

[5] Ibidem, Akta paszportowe Skołożyński Mieczysław, Pismo N-ka Wydz. Paszportów KSMO w Warszawie do Wojskowej Komendy Uzupełnień, 21.04.1982.

[6] Ibidem, Podanie o paszport, 22.02.1988.

[7] Ibidem, Podanie o paszport, 23.12.1983.

[8] Ibidem, Podanie o paszport, 22.02.1988.

[9] Wanda Majewska z d. Szymańska, ur. 17.09.1937.

[10] IPN BU 763/26441, Podanie o paszport, 22.02.1988.

[11] Ewa Grażyna Skołożyńska z d. Karwina (ur. 8.05.1956, Warszawa), córka Eugeniusza i Wandy Szymańskiej.

[12] IPN BU 763/26441, Akta paszportowe Skołożyńska Ewa.

[13] Ibidem, Skołożyńska Ewa z d. Karwina, córka Eugeniusza i Wandy Szymańskiej, Podanie o paszport, 22.02.1988.

[14] W tym miejscu pracy przeszła na urlop wychowawczy, a w latach 1984–86 zatrudniła się w ZOZ Praga-Południe.

[15] Państwowa Komisja Wyborcza, Wybory Samorządowe 2010, Komitet Wyborczy Platforma Obywatelska RP, http://wybory2010.pkw. gov.pl/geo/pl/140000/146514-k-2c9682212b43a7f4012b577b7c5d1 543.html?komitet=2c9682212b43a7f4012b577b7c5d1543&wyniki=1 (dostęp: 26.04.2018).

[16] *Oficjalne wyniki drugiej tury wyborów samorządowych 2014*, Money.pl, 1.12.2014, https://www.money.pl/wybory-samorzadowe/wyniki-wybor ow/kandydaci,rada-dzielnicy-wawer-m-st-warszawy,146514,3.html (dostęp: 26.04.2018).

[17] https://www.facebook.com/permalink.php?story_fbid=37174901 6675794&id=100015220955980 (dostęp: 5.05.2018).

[18] https://www.facebook.com/permalink.php?story_fbid=36799299 7051396&id=100015220955980 (dostęp: 5.05.2018).

[19] Władysława Skołożyńska z d. Dąbrowska (ur. 27.06.1928), córka Aleksandra i Kornelii z d. Klusek.

[20] IPN BU 714/19695, Skołożyńska Władysława, akta paszportowe.

[21] Podanie o paszport do NRD, wycieczka Orbis, 30.05.1984.

[22] Ibidem.

[23] Zdzisław Skołożyński (ur. 24.02.1924, Roszczep), syn Piotra i Zofii.

[24] IPN BU 02320/224, Ankieta uzupełniająca kwestionariusza osobowego, 20.02.1987.

[25] Zygmunt Skołożyński (ur. 9.07.1951, Wołomin).

[26] Neon Efekt – Świetlne Urządzenia Reklamowe Zygmunt Skołożynski, Reklama.pl, https://www.reklama.pl/firma/neon-efekt-swietlne -urzadzenia-reklamowe-zygmunt-skolozynski,6466 (dostęp: 22.01.2018).

[27] IPN BU 763/61943, Akta paszportowe Skołożyński Mieczysław.

[28] Firma Neon Efekt wśród swoich klientów przedstawia m.in. następujące marki: Bank Pekao, Fortis Bank, PKO Bank Polski, Carrefour, Biedronka, Wella, Plus GSM, Falck, Shell, Total, Elf, Grundig, Mobil, Monroe, Osram, Kodak, Vistula, Zielona Budka.

[29] Łukasz Dec, *Emitel ma nowego CFO*, 3.10.2017, https://www.tel ko.in/emitel-ma-nowego-cfo (dostęp: 5.05.2018).

[30] Mieczysław Skołożyński należał do ZSMP w latach1969-1983.

[31] IPN BU 02320/224, Opinia ZSMP przy Banku Handlowym w Warszawie S.A. wydana przez ZZ ZSMP J.Płusę i A. Greczyna, 13.03.1980.

[32] Ibidem, Opinia partyjna, Jednostka Wojskowa nr 2244 w Gdańsku Wrzeszczu, podpisana przez Sekretarza POP PZPR JW, tow. Janusza Osuchowskiego, 22.08.1979.

[33] Ibidem, Podanie o przyjęcie do PZPR Skołożyńskiego pracującego w Banku Handlowym w Warszawie SA do egzekutywy POP przy BH, 13.02.1980.

[34] Ibidem. W okresie pracy w BH „dał się poznać jako zdyscyplinowany członek naszej organizacji" – zapisano w opinii. Pokreślono, że w 1980 r. Skołożyński należał do koła ZSMP przy Departamencie Środkowoeuropejskim. „W pracach koła wykazuje zaangażowanie i operatywność". „Z uwagi na ukształtowany światopogląd marksistowski oraz za całokształt działalności w tej organizacji ZSMP popiera przyjęcie Skołożyńskiego w poczet członków PZPR" – zapisano w opinii.

[35] Ibidem, Wniosek o przyjęcie Skołożyńskiego do szeregów PZPR, z oddz. Org. Partyjnej przy Banku Handlowym SA do egzekutywy POP przy Banku Handlowym w Warszawie, 15.03.1980.

[36] Ibidem, Raport ppor. Zwierskiego z dokonanego pozyskania w charakterze KO Skołożyńskiego Mieczysława, 10.09.1985.

[37] Ibidem, Raport ppor. Daniela Zwierskiego mł. insp. Wydz. VIII Dep. I MSW o wyrażenie zgody na rozmowę sondażowo-pozyskaniową, 26.08.1985.

³⁸ LK (Lokal Kontaktowy) „Emilka".

³⁹ IPN BU 02320/224, Raport ppor. Zwierskiego z dokonanego pozyskania w charakterze kontaktu operacyjnego Skołożyńskiego Mieczysława, 10.09.1985.

⁴⁰ Ibidem.

⁴¹ Ibidem.

⁴² Ibidem, Sprawozdanie napisane przez Mieczysława Skołożyńskiego, 14.01.1986.

⁴³ Ibidem, Notatka operacyjna, 24.07.1987.

⁴⁴ Ibidem, Pismo MSW sygnowane przez ppłk. Józefa Dąbrowskiego do Ministerstwa Finansów o braku zastrzeżeń w sprawie delegowania Skołożyńskiego na stanowisko z-cy N-ka Operacji Dewizowych w oddziale Banku PKO SA w Paryżu, 29.08.1987.

⁴⁵ Raport 56/2001, *Stalexport SA – Powołanie Członka Zarządu*, 01.08.2001, https://www.bankier.pl/wiadomosc/STALEXPORT-SA-Po wolanie-Czlonka-Zarzadu-150221.html (dostęp: 2.05.2018).

⁴⁶ Raport nr 6, Stalexport Autostrady SA, W uzupełnieniu do Raportu nr 3/2010, informującego o powołaniu Zarządu Spółki na kolejną kadencję, poniżej przesyłamy życiorysy Członków Zarządu, http://www.stalexport-autostrady.pl/pub/File/PDF/Raporty%20bie%C5%BC%C4%85ce/2010/Raport%20nr%206%20Uzupe%C5%82nienie%20RB%203,%20%C5%BCyciorysy%20Zarz%C4%85du%20powo%C5%82anego.pdf (dostęp: 5.05.2018).

⁴⁷ Stalexport Autostrady SA, Sprawozdanie Zarządu z działalności Grupy Kapitałowej w 2012 r., Katowice 2012, s. 9, http://www.stalexp ort-autostrady.pl/pub/File/PDF/Raporty_finansowe/2012/2012_skons/STXA_sprawozdanie%20Zarz%C4%85du%20GK%202012_v_05_03_final.pdf (dostęp: 5.05.2018).

⁴⁸ Wcześniej firma Stalexport Autostrady SA działała pod nazwą Stalexport Transroute Autostrada SA.

[49] Stalexport Autostrady SA, Sprawozdanie Zarządu z działalności Grupy Kapitałowej w 2012 r. ...

[50] Ibidem.

[51] Obok wiceprezesury w Stalexport Autostrady SA Skołożyński pełni funkcje w innych spółkach tej grupy: wiceprzewodniczącego rady nadzorczej Stalexport Autostrada Małopolska SA, przewodniczącego rady nadzorczej Autostrada Mazowsze SA oraz zastępcy przewodniczącego rady nadzorczej Stalexport Autostrada Dolnośląska SA.

[52] Raport 56/2001, *Stalexport SA – Powołanie Członka Zarządu...*

[53] *Kongres w obiektywie. Okolicznościowe wydawnictwo specjalne przygotowane z okazji Europejskiego Kongresu Gospodarczego 2011 w Katowicach*, http://2012.eecpoland.eu/images/att/al.bum_eec2011.pdf (dostęp: 5.05.2018).

[54] Agnieszka Stefańska, *Powolne drogi*, „Rzeczpospolita", 12.01.2009.

15. SPECJALISTA OD LUKSUSU

(JERZY MAZGAJ)

Jerzy Mazgaj przez lata był przedstawiany w mediach jako biznesmen – wielbiciel luksusu. Firmy, w których zasiadał lub zasiada, zajmowały się m.in. dystrybucją luksusowych towarów, a on sam chciał edukować Polaków, czym jest luksus[1] i w tym celu napisał dwie książki: *Cygara*[2] i *Whisky*[3], które ukazały się w wydawnictwie specjalizującym się w książkach z dziedziny finansów i ekonomii. Mazgaj, przez lata znajdujący się w rankingu najbogatszych Polaków tygodnika „Wprost", w 1986 r. został zarejestrowany jako tajny współpracownik Służby Bezpieczeństwa o ps. „Barbara"[4].

Jerzy Mazgaj urodził się 22 października 1959 r. w Pyskowicach. Jako dziecko mieszkał w centrum Tarnowa przy ul. Pułaskiego, gdzie przeprowadzili się jego rodzice – Franciszek[5] i Halina[6]. Dorastał w blokowisku na osiedlu

Klikowskim[7]. Po ukończeniu liceum studiował germanistykę na Uniwersytecie Jagiellońskim. W wywiadach często opowiadał, że działalność w biznesie zaczynał od sprzedaży gazet w Wiedniu[8]. W Wikipedii oraz w informacjach firm, w których zasiada, jego życiorys biznesowy zaczyna się w roku 1998, kiedy został udziałowcem krakowskiej hurtowni chemicznej Krakchemia.

Jerzy Mazgaj „założył firmę odzieżową Paradise Group, reprezentującą w Polsce takie marki, jak Ermenegildo Zegna, JM Weston, Burberry, Kenzo, Hugo Boss, Max & Co. Jest współwłaścicielem sieci delikatesów Alma Market i spółki Krakowski Kredens (prezes zarządu). Właściciel: firmy Premium Cigars (75 proc. udziałów w spółce), Krakchemia (50 proc. udziałów, handel i dystrybucja artykułów chemicznych). Prezes spółki Ivy Capital. Członek rady nadzorczej DCG SA (Deni Cler)"[9] – czytamy w Wikipedii. A na stronie Vistuli dodają: „Jerzy Mazgaj jest także głównym udziałowcem spółki Premium Cigars Sp. z o.o., będącej wyłącznym przedstawicielem wszystkich marek cygar kubańskich w Polsce. Jest członkiem: Rotary Club, Krakowskiej Kongregacji Kupieckiej, Izby Przemysłowo-Handlowej w Krakowie, Stowarzyszenia Przedsiębiorców Miasta Krakowa oraz Polskiego Klubu Koneserów"[10].

Jerzy Mazgaj przez całe lata znajdował się na liście najbogatszych Polaków tygodnika „Wprost". Zadebiutował na niej w 2001 r. na 99. miejscu[11]. Kolejny raz znalazł się na liście w 2006 r. na 86. miejscu[12] i od tej pory jego nazwisko na stałe gościło w rankingu najbogatszych Polaków – aż do roku 2017.

„Są też wielcy nieobecni. Po latach z listy zniknął Jerzy Mazgaj, który utopił mnóstwo pieniędzy w upadłej sieci delikatesów Alma" – podkreślono 25 czerwca 2017 r. w tygodniku „Wprost"[13].

W oficjalnych biogramach biznesmena nie ma nawet wzmianki o tym, że Jerzy Mazgaj zaczynał działalność w 1989 r. od butiku z ekskluzywnymi towarami przy krakowskim rynku. „Ja po prostu miałem dużo wolnej gotówki i mogłem ją natychmiast zainwestować" – tak wyjaśnił okoliczności powstania swojej fortuny[14]. W różnych tekstach na temat biznesmena pojawiała się informacja, że kupił on pod Krakowem dom zbudowany w latach 40. dla Hansa Franka, generalnego gubernatora okupowanej Polski[15].

Z teczki paszportowej Jerzego Mazgaja wynika, że gdy wprowadzono stan wojenny, był rezydentem Orbisu w Indiach. Podróżował po krajach Azji i dorabiał handlem[16]. Był też aktywnym członkiem Towarzystwa Przyjaźni Polsko-Radzieckiej i Związku Socjalistycznej Młodzieży Polskiej. Według znajdujących się w Instytucie Pamięci Narodowej dokumentów, Jerzy Mazgaj został zarejestrowany 26 września 1986 r. przez Wydział II (kontrwywiad) Służby Bezpieczeństwa w Tarnowie jako tajny współpracownik o ps. „Barbara"[17]. Jak czytamy w dokumentach, Jerzy Mazgaj został pozyskany na zasadzie dobrowolności w ramach operacyjnego zabezpieczenia turystyki międzynarodowej[18]. Mazgaj był w tym czasie studentem germanistyki i przewodniczącym komisji zagranicznej Zarządu Uczelnianego Związku Młodzieży Wiejskiej „Wici" na UJ.

Rok przed rejestracją przez Służbę Bezpieczeństwa jako TW – jak czytamy w dokumentach IPN – w listopadzie 1985 r. Jerzy Mazgaj „został aresztowany na terenie Indii przez tamtejsze władze [...] za nielegalny przemyt i handel towarami"[19]. Z indyjskiego aresztu Mazgaj został wypuszczony, gdyż sprawa – jak sam napisał w piśmie do MSW – została umorzona z braku dowodów[20], a następnie przez Moskwę wrócił do Polski. Po wylądowaniu na lotnisku Okęcie 12 lipca 1986 r. poddano go kontroli celnej i – jak czytamy w dokumentach – część przedmiotów przywiezionych przez Mazgaja została przekazana do kontroli celno-skarbowej. Znaleziono także dowody nadania paczek adresowanych do różnych osób. Całość materiałów przekazano do dyżurnego Wojsk Ochrony Pogranicza, a raport do Milicji Obywatelskiej. Z dokumentów wynika, że o te materiały zwrócił się Wydział II WUSW w Tarnowie – ten sam, który dwa miesiące później zarejestrował Mazgaja jako tajnego współpracownika[21]. Rok później, w 1987 r., Mazgajowi odmówiono wydania paszportu do krajów demokracji ludowej. Po interwencji płk. Józefa Schillera z krakowskiej Służby Bezpieczeństwa dokument jednak mu wydano[22]. W sprawie rejestracji Jerzego Mazgaja zachowały się jedynie zapisy ewidencyjne – wiadomo, że 29 stycznia 1990 r. materiały dotyczące TW „Barbara" zostały zniszczone – jak napisał kapitan Kazimierz Rabczuk (obecnie emeryt policyjny, wcześniej wieloletni funkcjonariusz KW Policji w Krakowie) z Wydziału II Wojewódzkiego Urzędu Spraw Wewnętrznych w Tarnowie – z „uwagi na małą wartość operacyjną"[23].

Sam Jerzy Mazgaj publicznie nigdy nie odniósł się do faktu rejestracji przez SB. W 2013 r. jeden z portali tak pisał o podróży biznesmena do Indii:

„Smak dużych pieniędzy poznał jednak dopiero w Indiach, dokąd trafił jako rezydent Orbisu. Był rok 1982, niemal sam początek stanu wojennego. Tymczasem on jeździł po całej Azji Południowo-Wschodniej. – Dla mieszkańca zza żelaznej kurtyny to był wielki świat – mówi z ożywieniem. Zwiedzał Indie, Singapur, Nepal, Bangkok i handlował. Hindusom sprzedawał kryształy i aparaty fotograficzne Zenith made in USSR. Kupował zaś magnetowidy, kamery oraz telewizory i wysyłał do Polski. – W tydzień można było zarobić nawet 10 tys. dol. Wtedy przepiękne mieszkanie w starej kamienicy czy willa w najlepszym miejscu Krakowa kosztowała niewiele więcej – tłumaczy. Nie dziwi więc, że wkrótce sam zainwestował w krakowskie nieruchomości. Kupił kamienicę przy ul. Floriańskiej, potem przy Grodzkiej, tuż przy rynku – dziś warte po kilka milionów i to dolarów"[24].

W innym wywiadzie tak mówił o podróży do Indii:

„Tam zarobiłem pierwsze poważne pieniądze. Na dzisiaj niewielkie, bo liczone w dziesiątkach tysięcy dolarów. Ale wtedy dom na Woli Justowskiej kosztował 5–10 tysięcy. I była pokusa, żeby taki dom kupić. Ale to byłaby czysta konsumpcja. Wolałem zainwestować te pieniądze w nieruchomości komercyjne. Po kawałku kupiłem dwie kamienice przy Floriańskiej i Grodzkiej. Dzisiaj dom na Woli Justowskiej jest wart 2 miliony złotych, a moje kamienice po 6 milionów, ale euro – tłumaczy swoją strategię. Kamienice kupował w 1985 roku, bo – jak twierdzi

– wierzył wtedy, że komuna musi odpuścić i na głównych ulicach Krakowa będą obowiązywać te same zasady co w Wiedniu. – Wierzyłem, ale równocześnie byłem podszyty strachem. Gdyby nie ten strach to pewnie kupiłbym więcej, bo wtedy było bardzo tanio – wzdycha lekko"[25].

Co ciekawe, pseudonim figurujący przy rejestracji Jerzego Mazgaja jest taki sam jak imię jego żony. Barbara Mazgaj[26] jest absolwentką Akademii Rolniczej w Krakowie. Podobnie jak mąż zajęła się biznesem i trafiła do władz spółek, w których zasiadał m.in. jej mąż, a także ojciec Władysław[27], brat Andrzej[28] oraz Wojciech Mazgaj[29], młodszy brat męża[30].

Krakchemia, we władzach której zasiada rodzina Mazgajów, została sprywatyzowana w 1991 r. przez ówczesnego ministra przekształceń własnościowych Janusza Lewandowskiego[31].

Jerzy Mazgaj akcje Krakchemii kupił w 1998 r., a dwa lata później, wspólnie z Elżbietą Filipiak[32], żoną Janusza Filipiaka, prezesa Comarchu, za 29 mln zł kupił od Skarbu Państwa kultową krakowską restaurację „Wierzynek"[33]. W 2017 r. Sąd Rejonowy dla Krakowa-Śródmieścia, VIII Wydział Gospodarczy do spraw upadłościowych i restrukturyzacyjnych, wydał postanowienie o ogłoszeniu upadłości Alma Market Spółki Akcyjnej, w której udziały miał Jerzy Mazgaj. Wcześniej media szeroko informowały o tym, że właściciele Almy nie płacą pensji swoim pracownikom, a sami zarabiają ogromne pieniądze[34].

* * *

Jerzy Mazgaj był jednym z pierwszych biznesmenów, który publicznie zaatakował prezydenta Andrzeja Dudę, a później rząd Beaty Szydło. W 2015 r., po wygranej Andrzeja Dudy w wyborach prezydenckich, zapowiadał wyjazd z Polski na stałe do swojej rezydencji w Monako[35]. Po wyborach parlamentarnych w 2015 r. Mazgaj pocieszał się tym, że do Sejmu dostała się Nowoczesna. „Wejście partii Ryszarda Petru daje biznesowi jakąś nadzieję" – mówił tuż po wyborach w „Pulsie Biznesu"[36]. I dodawał: „Wcześniej zapowiadane zmiany, takie jak podatek obrotowy od sieci czy podatek od transakcji bankowych, napawają biznes uzasadnionym pesymizmem i mogą doprowadzić do stagnacji"[37].

Do tzw. podatku sklepowego Mazgaj wrócił po wyborach. Pytany o niego przez „Gazetę Wyborczą" skrytykował rząd Beaty Szydło:

„Pani premier zapowiadała, że ustawa o podatku detalicznym wyrówna szanse polskich przedsiębiorców w starciu z wielkimi zagranicznymi sieciami handlowymi. Ale ta ustawa jest zabójcza właśnie dla nas, polskich firm. Dla nas ten podatek będzie zabójczy. Mamy więc wyjście: albo się pakować z rynku, albo próbować przenieść te koszty na kogo innego. I na pewno pójdziemy tą drogą. Nie chcemy tego, ale część kosztów będziemy musieli przenieść na dostawców i kupujących" – czytamy w artykule pt. *Handel na niskich obrotach* w krakowskim wydaniu „Gazety Wyborczej"[38]. W tekście nie ma ani słowa o tym, że Mazgaj to felietonista „GW", który wspierał aktywnie Platformę Obywatelską – jest tylko informacja, że to biznesmen, właściciel delikatesów sieci Alma.

W 2017 r. Jerzy Mazgaj zajął 91. pozycję w rankingu „Forbesa" na 100 najbogatszych Polaków. Jego majątek był wówczas szacowany na 485 mln zł. Biznesmen zasiadał m.in. w radzie nadzorczej firm Krakchemii i Vistula Group[39], w której zasiadał także Ryszard Petru, założyciel partii Nowoczesna, która w 2015 r. weszła do Sejmu.

W okresie PRL Mazgaj, oprócz wspomnianej już działalności w TPPR i ZSMP, w 1988 r. wstąpił do Ochotniczej Rezerwy Milicji Obywatelskiej. Gdy we wrześniu 2013 r. w wywiadzie dla „Rzeczpospolitej" Jarosław Kaczyński powiedział: „biznes to często przystań dla ludzi z PRL-u"[40], rozpętała się burza. Z ostrą krytyką ruszyli politycy rządzącej wówczas koalicji PO-PSL i sprzyjający im dziennikarze. Ówczesny szef klubu Platformy Obywatelskiej Rafał Grupiński stwierdził, że Kaczyński „wraca do swoich obsesji z czasów PRL", a Tomasz Sekielski w TOK FM mówił: „Boże, miej nas w opiece. Nadchodzi kolejna rewolucja moralna"[41]. Fakty są jednak bezlitosne – wielki biznes III RP ma związek ze służbami specjalnymi PRL-u, a Jerzy Mazgaj jest tego przykładem.

W październiku 2018 r. ekonomiści – naukowcy z Uniwersytetu Warszawskiego, na podstawie analizy listy 100 najbogatszych Polaków tygodnika „Wprost" stworzyli portret polskiego milionera kształtujący się w ostatnich 16 latach. Wynika z niego, że najbogatsi Polacy, którzy byli agentami SB albo członkami PZPR, mają majątek o 73 proc. wyższy od osób, które nie działały w okresie PRL[42].

Jerzy Mazgaj oprócz działalności biznesowej prowadził także działalność publicystyczną – jego felietony można było znaleźć w „Gazecie Wyborczej", tygodniku „Newsweek" i portalu internetowym Tomasza Lisa Natemat.pl.

* * *

Na koniec przytoczmy jeszcze kilka obrazków i zdarzeń z udziałem Jerzego Mazgaja.

Jest 9 października 2011 r. W biurowcu Fokus na warszawskim Mokotowie ma miejsce wieczór wyborczy Platformy Obywatelskiej. Trwa ogłoszenie wyników wyborów parlamentarnych. Po ogłoszonym zwycięstwie PO zgromadzonych na sali ogarnia euforia. Kamery telewizyjne pokazują salę. W pierwszym szeregu, obok Ewy Kopacz, stoi Jerzy Mazgaj, który entuzjastycznie klaszcze po przemówieniu Donalda Tuska. Rok później, w wywiadzie dla „Polska The Times", Mazgaj broni mieszkańców Wilanowa, którzy w większości zagłosowali na PO. Korzystając z okazji, atakuje opozycję. „Wilanów to dobra dzielnica. Tam mieszkają bogaci ludzie, którzy są coraz bardziej świadomi swoich gustów. Oni nie jedzą bigosu i nie popijają wódką, tylko zamawiają deskę serów z winem. Tacy ludzie ciągle się rozwijają, uczą się, nie utożsamiają się z ojcem Rydzykiem i innymi wyznawcami «religii smoleńskiej». To są Europejczycy, którzy wiedzą, że Polska to niezależny kraj aspirujący do roli jednego z liderów na kontynencie, a nie kondominium między Rosją a Niemcami" – mówi Mazgaj[43].

Jerzy Mazgaj miał rozlicznych znajomych w Platformie Obywatelskiej, wspierał także ludzi związanych z PO poprzez swój biznes. Gdy Marian Janicki, który w momencie katastrofy smoleńskiej pełnił funkcję szefa Biura Ochrony Rządu, w 2013 r. został odwołany w atmosferze skandalu, Mazgaj pospieszył z pomocą. Janicki trafił do rady nadzorczej Krakchemii, w której zasiada także ks. Kazimierz Sowa, zwolennik PO[44]. Większościowym udziałowcem Krakchemii była spółka Alma, której z kolei większościowym udziałowcem był właśnie Jerzy Mazgaj. Panowie spotykali się także prywatnie, o czym świadczy zarejestrowana rozmowa w jednej z warszawskich restauracji w tzw. „aferze taśmowej". Ujawnił ją 14 czerwca 2014 r. tygodnik „Wprost"[45] – okazało się, że w kilku warszawskich restauracjach zarejestrowano rozmowy polityków, urzędujących i byłych ministrów, przedsiębiorców oraz prezesów NBP i NIK. Wśród nich była rozmowa przeprowadzona w lutym 2014 r., w której uczestniczyli ówczesny minister skarbu Włodzimierz Karpiński, b. rzecznik rządu Paweł Graś, były szef Biura Ochrony Rządu generał Marian Janicki, ksiądz Kazimierz Sowa i Jerzy Mazgaj.

Podczas rozmowy biznesmen Jerzy Mazgaj przywołał wypowiedź prezesa PiS Jarosława Kaczyńskiego z września 2013 r. z przytoczonego wcześniej wywiadu dla „Rzeczpospolitej". Po tej publikacji w „Gazecie Polskiej" ukazał się artykuł pt. *Komunistyczna bezpieka trzęsie biznesem. Grupa trzymająca pieniądze*[46], w którym opisano szereg karier biznesmenów, którzy swoje kariery zaczynali w PRL a ich nazwiska figurują – w związku z ich rejestracją jako TW – w archiwach Służby Bezpieczeństwa znajdujących się obecnie w Instytucie Pamięci Narodowej. Wśród nich był Jerzy Mazgaj i to właśnie ta publikacja

wywołała mazgajowe żale, które w knajacki sposób wyartykułował podczas rozmowy w restauracji „Sowa & Przyjaciele". Na pytanie biznesmena „co robić z tymi ch..."
(czyli z dziennikarzami „Gazety Polskiej") ksiądz Kazimierz Sowa odpowiada: „Jurek, nie polemizować... zniszczyć, naprawdę"[47].

W trakcie rozmowy padło także nazwisko byłego podsekretarza stanu w Ministerstwie Kultury i Dziedzictwa Narodowego i byłego sekretarza generalnego Platformy Obywatelskiej Andrzeja Wyrobca (zasiadał w spółkach razem z Barbarą Mazgaj[48]). Ksiądz Kazimierz Sowa mówi: „a powiem ci szczerze, Andrzej mistrzostwo świata. Jak to wyjdzie tam, gdzie jest planowane, bardzo dobrze, bardzo dobrze". Jerzy Mazgaj doprecyzowuje, że chodzi o objęcie posady członka zarządu TVP przez Andrzeja Wyrobca. Ksiądz Sowa ocenia, że Wyrobiec na tym stanowisku „będzie miał wpływy".

„Na razie ma wejść do rady, pierwsze ma wejść do rady [nadzorczej TVP – *aut.*] za [Bogusława – aut.] Piwowara, szefem rady będzie" – wyjaśnia Mazgaj. Ks. Sowa oświadcza, że Wyrobiec będzie odpowiadał za reklamy. „Daj Panie Boże" – odpowiada mu Mazgaj. „Daj Boże, z tego, co się rozsypie po podłodze, każdy się wyżywi" – mówi ksiądz Sowa[49].

Po ujawnieniu tych nagrań przez TVP Info ks. Piotr Studnicki, rzecznik prasowy krakowskiej kurii metropolitarnej, stwierdził, że słowa ks. Sowy „nie licują z powołaniem kapłańskim"[50].

PRZYPISY

[1] Maria Mazurek, *Jerzy Mazgaj: Opowiem wam, co to jest luksus. Wywiad*, GazetaKrakowska.pl, 17.01.2014, https://gazetakrakowska.pl/jerzy-mazgaj-opowiem-wam-co-to-jest-luksus-wywiad/ar/3299904 (dostęp: 30.12.2018).

[2] Jerzy Mazgaj, *Cygara*, WIG-Press 2004.

[3] Idem, *Whisky*, WIG-Press 2006.

[4] Zapisy rejestracyjne: karta personalna Mazgaj Jerzy, imię ojca Franciszek, data i miejsce urodzenia 22.10.1959, Pyskowice.

[5] Franciszek Mazgaj (ur. 1933).

[6] Halina Mazgaj z d. Czaja (ur. 1935).

[7] Marek Bartosik, *Mazgaj – specjalista od luksusów*, GazetaKrakowska. pl, 3.09.2010, https://gazetakrakowska.pl/mazgaj-specjalista-od-luksusow/ar/302506 (dostęp: 30.12.2018).

[8] Michał Budzyński, *Zaczynał od jeżdżenia na saksy do Austrii. Teraz w jego sieci sklepów kupują miliony Polaków*, InnPoland.pl, 4.10.2015, https://innpoland.pl/121443,czesc-rzeczy-na-pewno-robie-zle-zdarza-mi-sie-pomylic-mowi-wlasciciel-jednej-z-najwiekszych-sieci-spozywczych-w-polsce (dostęp: 30.12.2018).

[9] *Jerzy Mazgaj*, Wikipedia, https://pl.wikipedia.org/wiki/Jerzy_Mazgaj (dostęp: 30.12.2018).

[10] Raport bieżący nr 45/2009, VRG Vistula Retail Group, https://www.vrg.pl/dla-inwestorow/raporty-biezace/raport-biezacy-nr-452009.html (dostęp: 30.12.2018).

[11] *100 najbogatszych Polaków 2001*, https://rankingi.wprost.pl/100-najbogatszych-polakow/2001 (dostęp: 30.12.2018).

[12] *100 najbogatszych Polaków 2006*, https://rankingi.wprost.pl/100-najbogatszych-polakow/2006 (dostęp: 30.12.2018).

[13] Szymon Krawiec, *100 najbogatszych Polaków 2017*, Wprost.pl, 25.06.2017, https://www.wprost.pl/tygodnik/10061897/100-najbogatszych-polakow-2017.html (dostęp: 30.12.2018).

[14] Marek Bartosik, *Mazgaj – specjalista od luksusów...*

[15] Karolina Burda, *Na włoską nutę*, Forbes.pl, 25.09.2013, https://www.forbes.pl/life/styl/jerzy-mazgaj-na-wloska-nute/be1ltsv (dostęp: 30.12.2018).

[16] Zapisy ewidencyjne. Sygnatura akcesji – IPN BU 2912/1.

[17] Karta Personalna, Kategoria: TW pseudonim „Barbara", pozyskany przez st. kpr. J. Kościuk TA-9136 86-09-26.

[18] Ibidem.

[19] IPN Kr. stara sygnatura EATA 25702.

[20] Ibidem.

[21] Ibidem.

[22] Ibidem.

[23] Zapisy rejestracyjne: Mazgaj Jerzy, imię ojca: Franciszek, ur. 22.10.1959, nazwa jednostki Wydz. II WUSW Tarnów.

[24] Wojciech Tymiński, *Jerzy Mazgaj: człowiek luksusu*, Biznes.pl, 25.01.2013 (dostęp: 30.12.2018).

[25] Marek Bartosik, *Mazgaj – specjalista od luksusów...*

[26] Barbara Mazgaj z d. Kardasińska (ur. 1959), córka Władysława (ur. 1936).

[27] *Władysław Kardasiński ('36)*, Imsig.pl, https://www.imsig.pl/szukaj/osoba,W%C5%81ADYS%C5%81AW,KARDASI%C5%83SKI,cffc98eedcb (dostęp: 30.12.2018).

[28] Andrzej Kardasiński (ur. 1960), syn Władysława (ur. 1936).

[29] Wojciech Mazgaj (ur. 1975), syn Franciszka (ur. 1933) i Haliny (ur. 1935).

[30] Infoveriti.pl, http://www.infoveriti.pl/osoba-krs/KardasinskiAndrzej/97e7826353dba567d1ad3d025ee11fc8.html (dostęp: 30.12.2018).

[31] Od 1992 r. toczyło się postępowanie w sprawie prywatyzacji krakowskich spółek: Techmy i Krakchemii. W 1997 r. Janusz Lewanowski został oskarżony – prokuratura zarzuciła mu, że jako minister przekształceń własnościowych działał na szkodę interesu publicznego i prywatnego, przekraczając uprawnienia i nie dopełniając

obowiązków przy prywatyzacji na początku lat 90. dwóch krakowskich spółek Skarbu Państwa: Techmy i Krakchemii. Chodziło m.in. o pomijanie korzystniejszych ofert, poświadczenie nieprawdy w antydatowanym dokumencie i wyrażenie zgody na sprzedaż akcji pomimo upływu terminu, przyjęcie zaniżonej stopy kredytu refinansowego, nienaliczanie odsetek karnych i doprowadzenie do stworzenia mechanizmu samofinansowania zakupu spółki poprzez przejęcie przez nabywców dywidend i spłacanie należności w ratach. Szkody tak wyrządzone oszacowano w akcie oskarżenia na 2 mln 389 tys. zł. Sprawa najpierw znajdowała się w sądzie w Warszawie a następnie w Krakowie. Ostatecznie Janusz Lewandowski został uniewinniony w 2009 r., za czasów rządów PO-PSL, gdy premierem był Donald Tusk; *Janusz Lewandowski uniewinniony*, Wprost.pl, 12.03.2009, https://www.wprost. pl/155847/Janusz-Lewandowski-uniewinniony (dostęp: 30.12.2018).

[32] Więcej na temat Elżbiety i Janusza Filipiaków w rozdziale na temat Filipiaków.

[33] *W Krakowie już nie ma państwowych restauracji – Wierzynek sprzedany*, Bankier.pl, 3.01.2001, https://www.bankier.pl/wiadomosc/W-Krakowie-juz-nie-ma-panstwowych-restauracji-Wierzynek-sprzedany-126 903. html (dostęp: 30.12.2018).

[34] *Alma zwalniała i nie wypłacała pensji pracownikom, a prezes zarobił 2,5 mln zł*, Superbiznes.pl, 14.04.2017, https://superbiz.se.pl/wiadomosci/alma-zwalniala-i-nie-wyplacala-pensji-pracownikom-prezes-zarobil-25-mln-zl-aa-SdTm-KPSw-8nn2.html (dostęp: 30.12.2018).

[35] *Właściciel Almy po zwycięstwie Dudy: Szykuję rezydencję w Monako*, Dziennik.pl, 25.05.2015, https://wiadomosci.dziennik.pl/opinie/art.ykuly/491300,jerzy-mazgaj-i-roman-kluska-o-wygranej-andrzeja-dudy-w-wyborach-prezydenckich.html (dostęp: 30.12.2018).

[36] Michalina Szczepańska, *Mazgaj pociesza się wejściem Nowoczesnej*, Pb.pl, 25.10.2015, https://www.pb.pl/mazgaj-pociesza-sie-wejsciem-nowoczesnej-810155 (dostęp: 30.12.2018).

[37] Ibidem.

[38] Monika Waluś, Dominika Wantuch, *Handel na niskich obrotach*, „Gazeta Wyborcza" (strony lokalne Kraków), 6.02.2016.

[39] Jerzy Mazgaj, rejestr, https://rejestr.io/osoby/1376102/jerzy-mazgaj (dostęp: 30.12.2018).

[40] Andrzej Stankiewicz, Michał Szułdrzyński, Paweł Jabłoński, *Kaczyński: biznes to często przystań dla ludzi z PRL-u*, „Rzeczpospolita", 4.09.2013.

[41] klep, *Sekielski po wywiadzie Kaczyńskiego: Prezes próbuje...*, Gazeta.pl, 4.09.2013,http://wiadomosci.gazeta.pl/wiadomosci/1,114871,145436 32,Sekielski_po_wywiadzie_Kaczynskiego__Prezes_probuje.html (dostęp: 30.12.2018).

[42] Szymon Krawiec, *Naukowcy prześwietlili majątki najbogatszych Polaków. Ilu milionerów było agentami SB?*, Wprost.pl, 29.10.2018, https://www.wprost.pl/tygodnik/10164815/naukowcy-przeswietlili-majatki-najbogatszych-polakow-ilu-milionerow-bylo-agentami-sb.html (dostęp: 30.12.2018).

[43] Agaton Koziński, *Jerzy Mazgaj: Ludzie sukcesu nie są lemingami*, „Polska The Times", 24.11.2012.

[44] Raport bieżący nr 28/2013 z dnia 27.12.2013. Podpisanie aneksu do znaczącej umowy, Krakchemia.pl, 27.12.2018, http://www.krakc hemia.pl/informacje-finansowe-2013 (dostęp: 30.12.2018).

[45] *Afera podsłuchowa*, Wprost.pl, 14.06.2014, https://www.wprost.pl /4523 68/Afera-podsluchowa (dostęp: 30.12.2018).

[46] Dorota Kania, Maciej Marosz, *Komunistyczna bezpieka trzęsie biznesem. Grupa trzymająca pieniądze*, „Gazeta Polska", 11.09.2013.

[47] Zpk, dmk, *Ks. Sowa o „Gazecie Polskiej": nie polemizować, zniszczyć*, Tvp. info, 9.06.2017, https://www.tvp.info/32738698/ks-sowa-o-gazecie-po lskiej-nie-polemizowac-zniszczyc (dostęp: 30.12.2018).

[48] Dane osoby: Mazgaj Barbara, 59 lat (ur. 1959), Infoveriti.pl, http: //www.infoveriti.pl/osoba-krs/Mazgaj-Barbara/34aaeab26247159cc87 ad9c2d54adb66.html (dostęp: 30.12.2018).

[49] Witold Stech, *Afery taśmowej ciąg dalszy. Co mówił ksiądz Sowa?*, Silesion.pl, 9.06.2017, https://silesion.pl/afera-tasmowa-nagrania-ksiedz a-sowy-z-restauracji-sowa-przyjaciele-09-06-2017 (dostęp: 30.12.2018).

[50] *Ks. Kazimierz Sowa wróci do archidiecezji krakowskiej*, Ekai.pl, 9.06.2017, https://ekai.pl/ks-kazimierz-sowa-do-konca-czerwca-ma-wr ocic-do-archidiecezji-krakowskiej/ (dostęp: 30.12.2018).

16. JAK ROZKRĘCIĆ BIZNES RODZINNY W III RP

(TERESA MOKRYSZ)

Niemal każdy w Polsce zna markę Mokate, związaną z jednym z głównych polskich producentów kaw, herbat i kilkuset innych produktów spożywczych. Twórczyni tej marki Teresa Mokrysz została uznana za jedną z pięciu najzamożniejszych kobiet w Polsce[1]. W 2018 r. zajmowała piąte miejsce w rankingu 50 najbogatszych Polek. Jej majątek wraz z firmą Mokate wyceniono na 1,3 mld zł, co dało pozycję wyższą niż klanu Wejchertów. Mokrysz zaliczana jest też do grona najbardziej wpływowych bizneswoman w kraju[2]. Początki sukcesu firmy rodziny Mokryszów sięgają czasów PRL. Dziś operuje ona na 70 rynkach całego świata i posiada zakłady nie tylko w Polsce, ale i za granicą.

Teresa Mokrysz[3] u progu transformacji ustrojowej objęła ster w biznesie rodzinnym prowadzonym wraz z mężem Kazimierzem[4] i rozpoczęła działalność od dystrybucji w Polsce holenderskiej śmietanki w proszku i kawy cappuccino. W efekcie rodzina Mokryszów szybko trafiła do zestawień najbogatszych Polaków[5].

Teresa Mokrysz została wkrótce nazwana najbogatszą kobietą Śląska[6]. Przez lata utrwalano jej wizerunek jako kobiety sukcesu, która regionalną firmę rozwinęła do skali międzynarodowej. Oczywiście milczano o związkach szefowej Mokate z SB, o których jako pierwsza napisała „Gazeta Polska" w 2009 r.[7] Od czasu tej publikacji udało się ustalić nowe, nieujawniane jeszcze szerzej fakty w sprawie peerelowskiej przeszłości rodziny z listy najbogatszych Polaków.

Nazywana „królową Cappuccino", wieloletnia prezes Mokate, w PRL Mokrysz zajmowała wysokie stanowiska w urzędzie miejskim w Ustroniu, a przy tym była członkiem egzekutywy POP PZPR. W latach 1984–1988 była zarejestrowana przez SB jako tajny współpracownik o pseudonimie „Adam". Jej ojciec Czesław Sajak zaraz po wojnie również był rejestrowany jako agent organów bezpieczeństwa PRL ps. „Józio".

Czesław Sajak pochodził z Rudzicy w powiecie bielskim. Po zakończeniu działań wojennych wstąpił do ORMO w momencie jej założenia[8] i jako funkcjonariusz tej formacji był zaangażowany w zabezpieczenie referendum z 1946 r. i w wybory do Sejmu Ustawodawczego w 1947 r. „Po wyzwoleniu położył duże zasługi w Referendum i wyborach do Sejmu ustawodawczego jako dobry PPR-owiec ZWM-owiec i ORMO-wiec"[9] – czytamy w aktach Sajaka.

W 1946 r., według akt bezpieki, Sajak został zwerbowany na informatora UB przez funkcjonariusza MO w Skoczowie. W spisanym odręcznie zobowiązaniu Sajak podejmował się donoszenia o wszelkich przejawach wrogiej działalności politycznej i przestępstwach kryminalnych[10]. Mieszkał wówczas w miejscowości Ochaby, pracował w fabryce Braci Heilpern produkujących koce i sukna oraz działał jako informator o ps. „Józio"[11].

Kiedy w 1948 r. Sajak zgłosił się do etatowej pracy w organach Milicji Obywatelskiej[12], miał duże atuty w postaci uznania jego zasług jako ochotnika zaangażowanego we wspieranie władzy z bronią w ręku. Jego żona, matka Teresy Mokrysz, Anna Urbaczka[13] wywodziła się z rodziny chłopów małorolnych[14]. Jak podała w swoim życiorysie dla MO, jej rodzice i ona przyjęli, pod przymusem władz niemieckich, trzecią kategorię listy narodowościowej (volkslisty)[15]. W czasie okupacji pracowała jako służąca u urzędnika komisariatu niemieckiego[16].

Sajak, wstępując do MO, pochwalił się, że zaraz po „wyzwoleniu" przystąpił do PPR i Związku Walki Młodych[17] i podał szczegółowe dane o swojej rodzinie[18]. Gdy służył w MO prześwietlono także rodzinę żony[19]. Zebrane informacje potwierdzały, że obie rodziny są lojalne wobec władzy Polski Ludowej[20]. Czesław Sajak był od początku bardzo wysoko oceniany przez organa bezpieczeństwa. Został komendantem posterunku MO w Skoczowie[21]. Doceniano go za bardzo skuteczną pracę z siecią agenturalną bezpieki i polityczne uświadomienie. „Wysoka aktywność polityczna, jest na każdym zebraniu partyjnym i przejmuje inicjatywę w dyskusji. Podobnie wyróżnia się w szkoleniach politycznych" – pisał komendant MO w Istebnej[22]. Już w 1950 r. Sajak awansował na komendanta MO w Istebnej, a w 1952 r. wysłano go do szkoły podoficerskiej CWMO w Słupsku. We wniosku o skierowanie podkreślano, że także jego ojciec Franciszek Sajak po wojnie ochotniczo pracował w MO. Po kilku miesiącach zwolnił się i pracował później jako strażnik w fabryce w Skoczowie. Franciszek Sajak pozostał jednak aktywny politycznie. „Jest członkiem PZPR, pozytywnie ustosunkowany do obecnej rzeczywistości. Ściśle współpracuje z organami UB i MO" – odnotowano w aktach bezpieki[23]. Chwalono również brata komendanta Czesława Sajaka – Edwarda, który w 1947 r., podobnie jak brat, zapisał się do PPR, aby po kilku latach objąć funkcję sekretarza Komitetu Gminnego PZPR w Skoczowie[24]. Czesław Sajak był bardzo pozytywnie oceniany przez Komitet Powiatowy partii. Niezwykle pochlebną opinię wystawił mu też komendant powiatowy MO z Cieszyna: „Jest aktywnym członkiem partii. Do władz, ustroju i ZSRR ustosunkowany przychylnie"[25]. Sajak od początku służby był uznawany za jednego z najlepszych, „politycznie pewnych", funkcjonariuszy MO[26]. Nic dziwnego, że w 1955 r. odebrał odznakę za wzorową służbę, a w 1959 r. odznaczenie „10 lat w Służbie Narodu"[27]. Pochwały dotyczące komendanta Sajaka dotyczyły przede wszystkim cenionej wysoko jego pracy z siecią agenturalną[28]. Oprócz tego na swoim terenie zorganizował bardzo skuteczną pracę ORMO[29]. Potrafił też wyegzekwować, by podlegli mu funkcjonariusze brali aktywny udział w życiu partii[30]. W 1959 r. komendant Sajak nagle popełnił samobójstwo, strzelając do siebie ze służbowej broni[31]. Prowadzono w tej sprawie śledztwo, które umorzono, stwierdzając brak udziału w zdarzeniu osób trzecich[32].

Mąż Teresy Mokrysz, Kazimierz, w latach 70. pracował jako referent w Prezydium Powiatowej Rady Narodowej w Cieszynie, w Wydziale Gospodarki Komunalnej i Mieszkaniowej[33]. Jej szwagier Rudolf Mokrysz[34] był elektrykiem – konserwatorem na Uniwersytecie Śląskim w Katowicach, zaś siostra Wiesława Szulska[35] kierownikiem Izby Porodowej w Istebnej.

Dzisiaj w oficjalnej wersji historii firmy Mokate Teresę Mokrysz poznajemy jako żonę Kazimierza Mokrysza, który w okresie PRL w Ustroniu i okolicach prowadził działalność gospodarczą[36]. W 1984 r. został absolwentem Akademii Ekonomicznej w Katowicach[37] i wtedy przeszedł do biznesu. Z wykształcenia technik budowlany, najpierw miał zakład elementów budowlanych[38], a w 1986 r. zmienił branżę na wyrób słonych paluszków[39]. Przodkowie Kazimierza Mokrysza posiadali sklep kolonialny w miejscowości Dobra na Północnych Morawach. Jego właściciel, Josef Mokryš, był wieloletnim komendantem tamtejszej straży pożarnej. Kazimierz to wnuk Aloisa Mokryša, młodszego brata Josefa.

Teresa Mokrysz wchodziła do gry w biznesie w roku 1988, gdy zwolniła się z funkcji kierowniczej w urzędzie miasta Ustronia i dała się namówić holenderskiej firmie do dystrybuowania w siermiężnej Polsce dość luksusowego jak na tamte czasy produktu – śmietanki w proszku do kawy. Było to wtedy, gdy przeciętny Polak, by zdobyć 10-dekagramową paczkę byle jakiej kawy, musiał stać w sklepie w tasiemcowej kolejce. W latach 80. kawa była towarem luksusowym[40]. Teresa Mokrysz nie miała problemu z zakupem dużej partii śmietanki. Poprosiła męża o 10 tys. dolarów i za to kupiła z Holandii sproszkowa-

ną śmietankę do kawy[41] (jak wiadomo posiadanie sumy
10 tys. dolarów w PRL nie stanowiło przecież dla nikogo
problemu). Później kupowała od Holendrów także inne
produkty, głównie kawę cappuccino. W 1990 r. przejęła
stery w firmie z rąk męża i wówczas powstała marka Mokate – od pierwszych liter nazwiska i imion obojga: MO-
krysz KAzimierz i TEresa. Już w początkach okresu transformacji ustrojowej Mokrysz była w stanie wyłożyć pół
miliona złotych na kampanię reklamową w Telewizji Polskiej nieznanej Polakom bliżej kawy cappuccino.

Mokrysz było stać na wiele więcej. Znalazła fundusze, by wybudować szybko nowoczesny zakład w Ustroniu, który kosztował kilkadziesiąt milionów dolarów[42].
W 1999 r. Mokrysz została największym odbiorcą holenderskiej firmy. Była w stanie zamawiać z Holandii codziennie tira z kawą cappuccino. Uruchomiła później także własną produkcję.

Po latach wspominała początki swojej drogi zawodowej,
nie ujawniając przy tym istotnych faktów. Na planie filmu *Pierwszy milion* poświęconego sukcesowi Mokate, emi-
towanego w TVP w 2008 r., prezes stojąca przed Urzędem Miejskim w Ustroniu zwierzyła się, że to miejsce dla
niej wyjątkowe[43]. „Tutaj podjęłam decyzję, że wejdę w biznes – wyznała. – Miałam bardzo dobrych szefów, którzy
wiele mnie nauczyli i to zaowocowało". „Zdarzył się cud"
– tak określiła pierwszy sukces swojej firmy w czasach
transformacji ustrojowej. To był moment przełomowy,
gdy odeszła z pracy w urzędzie niezadowolona ze zbyt niskich w jej przekonaniu zarobków i rozpoczęła rozkręcać
prywatną firmę. Polacy wkrótce zasmakowali w sprowa-
dzanej przez nią kawie. Mokrysz wybrano na wiele lat do

Rady Nadzorczej BRE Banku (obecnie mBank)[44], w której zasiadała m.in. z oficerem SB i UOP – generałem Gromosławem Czempińskim. Warto jednak zapuścić się również w okres PRL, by sięgnąć do faktów z życia rodziny Mokryszów, których dzisiaj próżno szukać w hagiograficznych artykułach.

Tajniak „Adam" boi się dekonspiracji

Teresa Mokrysz w latach 70., podobnie jak jej mąż, pracowała jako referent w lokalnym ośrodku władz komunistycznych – w Prezydium Miejskiej Rady Narodowej w Ustroniu[45]. Później rozpoczęła pracę w Urzędzie Miejskim w Ustroniu, gdzie pełniła ważną rolę partyjną członka egzekutywy POP PZPR[46], będąc też upoważnioną do dopuszczenia do tajemnicy państwowej[47].

W 1984 r. Teresa Mokrysz została zarejestrowana jako tajny współpracownik o ps. „Adam" przez kontrwywiad SB. Z zachowanych w IPN akt[48] wynika, że bezpieka potrzebowała TW, by uzyskiwać cenne informacje od urzędnika z wysoką funkcją w lokalnej administracji. Tajny współpracownik informował na bieżąco i w szczegółach SB o losach mieszkańców Ustronia i okolic. Donosił, kto z kim i o co się wadzi, kto wyjeżdża za granicę, kto ma tam swoich bliskich, z którymi utrzymuje kontakty. TW „Adam" potrafiła śledzić, co robią interesujące SB osoby czy też pozyskiwać dla bezpieki dane o panujących nastrojach społecznych[49]. Współpraca TW z bezpieką układała się dobrze i była prowadzona aż do roku 1988, w którym Mokrysz zdecydowała się na odejście z urzędu.

TW „Adam"[50] została zwerbowana przez por. Józefa Kozieła[51] z Grupy II RUSW Cieszyn[52]. Głównym motywem[53] rozpoczęcia współpracy było zdobycie przez SB jak najszerszej informacji o figurancie sprawy operacyjnego sprawdzenia o ps. „Kontakt"[54], Wiktorze Pokutcie[55] i jego znajomym Tadeuszu Tworku[56]. Obaj byli na celowniku SB jako mieszkańcy okolicy, mający intensywne kontakty z RFN i wyjeżdżający tam.

Mokrysz miała szeroki dostęp do informacji o mieszkańcach Ustronia i okolic, ponieważ od 1971 r. pracowała jako kierownik Referatu Gospodarki Terenowej. „Adam" dysponowała dużą ilością informacji o mieszkańcach regionu, gdyż przyjmowała ich jako swoich petentów w biurze Urzędu Rady Miejskiej Ustronia. Jej wysoką pozycję utwierdzało pozostawanie w szeregach PZPR od 1975 r.[57]

Materiał na TW

Rodzina Teresy Mokrysz i jej męża mieszkała w Anglii. Matka Teresy, Anna Urbaczka z mężem Teodorem Urbaczką – ojczymem Teresy Mokrysz, osiedliła się w Cardiff. W tym czasie Teodor był już rencistą. Bracia Kazimierza Mokrysza również mieszkali w Wlk. Brytanii – Józef w Manchesterze, a Franciszek w Liverpoolu. Obaj byli już emerytami. Teresa Mokrysz nie miała problemu z uzyskiwaniem paszportów do krajów za żelazną kurtyną, co odnotowała SB już przy opracowywaniu kandydatki na TW. Wyjeżdżała w okresie PRL nie tylko do Anglii na zaproszenie rodziny, ale i do Szwajcarii, RFN, Austrii, Egiptu czy Zjednoczonych Emiratów Arabskich. Służby werbujące „Adama" uznały możliwości wyjazdów zagranicznych kandydata na TW wręcz za jedną z jego zalet. W ocenie werbującego „Adama" por. Kozieła, kandydatka miała cechy wartościowego źródła informacji[58]. Dotyczyło to m.in. inteligencji i spostrzegawczości. SB interesowały też możliwości zdobywania informacji przez kandydata na TW w Anglii, gdzie miała ona rodzinę.

Kandydat miał bezpośredni kontakt z Tadeuszem Tworkiem, a przez niego także z Wiktorem Pokuttą. Porucznik Kozieł raportował po pierwszym spotkaniu operacyjnym z kandydatem na TW SB, że pozyskanie go odbędzie się na zasadzie dobrowolności ze względu na pozytywny stosunek źródła do Służby Bezpieczeństwa, o czym przekonał się funkcjonariusz w bezpośrednim kontakcie. Werbowana wyraziła zrozumienie dla potrzeb służby. Nie miała też żadnych oporów w przekazywaniu informacji funkcjonariuszowi i nie zgłaszała żadnych obiekcji.

Zwerbowanie TW nastąpiło w lipcu 1984 r. TW „Adam" została sygnalizatorem dla SB w interesujących bezpiekę sprawach[59]. Podczas rozmowy pozyskaniowej por. Kozieł otrzymał już informację o Tadeuszu Tworku i Wiktorze Pokutcie. Funkcjonariusz zapisał, że odstąpił od pobierania pisemnego zobowiązania od TW, gdyż Teresa Mokrysz zastrzegła, że nie będzie sporządzać ani podpisywać żadnych dokumentów własnoręcznie. Obawiała się, że te rękopisy mogłyby dostać się kiedyś w ręce osób obcych. Lęki TW ułatwiły wprowadzenie zasad utrzymywania kontaktów ze służbami w ścisłej tajemnicy. TW po przeszkoleniu wiedziała, że ma wywoływać spotkania telefonując do por. „Śliwińskiego". Pracownik SB z kolei, by umówić spotkanie miał dzwonić, przedstawiając się

jako „Piotr" i mówić: „Czy moja sprawa nabrała biegu?".
TW miała odpowiadać, że prosi o przyjazd rozmówcy
o konkretnej godzinie[60].

Dla upewnienia się SB postanowiła przeprowadzić po-
szukiwanie obciążających TW materiałów, w tym dokonując okresowej kontroli prywatnej korespondencji Mokrysz.
Jednak żadnych materiałów obciążających TW w oczach
komunistycznej władzy bezpieka się nie doszukała.

Tak pracowała dla SB TW „Adam" – teczka pracy agenta

Z dokumentów IPN wynika, że donosy „Adama" były dla
SB wartościowe. Dotyczyły m.in. sąsiadów, znajomych
z Ustronia, a także polskich emigrantów w Anglii, w tym
organizującego transporty darów do Polski księdza. Według akt służb PRL, „Adam" dzieliła się z SB obserwacja-
mi dotyczącymi nastrojów politycznych osób ze swojego
środowiska, między innymi w 1987 r. w czasie pielgrzym-
ki do Polski Jana Pawła II.

Z dokumentów SB wynika, że „Adam" inicjowała spotkania, z pozoru towarzyskie, ze swoimi znajomymi, które w rzeczywistości służyły zbieraniu informacji o gosz-
czących ją rodzinach. Tak było np. w przypadku rodziny
Tomiczków z Ustronia. „Adam" miała pozyskać wiadomości także o rodzinach mieszkających w sąsiedztwie Tadeusza Tworka i Wiktora Pokutty.

Już na rozmowie werbunkowej „Adam" sypała informacjami niczym encyklopedia wiedzy – o ludziach z regionu i relacjach między nimi zachodzących, o konfliktach

między mieszkańcami Ustronia, którymi interesowała się SB, ich stanie posiadania, zajęciach i kontaktach zagranicznych[61].

„Adam" donosiła, kto wobec innych znanych jej mieszkańców okolicy wypowiada oskarżenia o bycie agentem bezpieki. Donosy trafiały m.in. do Sprawy Operacyjnego Sprawdzenia o kryptonimie „Kontakt".

TW okazała się pożyteczna, gdy udawała się z wizytą do rodziny w Anglii. Po powrocie z Cardiff „Adam" z własnej inicjatywy doniosła o działalności Kościoła katolickiego w pobliskiej miejscowości Pontypridd[62], który zajmował się pomocą charytatywną dla Polski. „Adam" wskazała na szczególną aktywność członka rady parafialnej kościoła księdza R. Kalinika, z pochodzenia Polaka. Po wprowadzeniu stanu wojennego duchowny rozwinął swoją działalność wśród Polonii. „Przedstawiał Polskę w bardzo złym świetle, że panuje [tu] bieda, brak podstawowych środków do życia. Na jego apel szereg osób zadeklarowało pomoc w postaci [zbiórki] odzieży, wpłaty gotówki" – zanotował funkcjonariusz SB słowa TW. „Adam" dalej donosiła, że Kalinik nie tylko przeprowadza zbiórki, ale i zawozi w transportach te dary do Polski. TW usiłowała wydobyć więcej informacji o księdzu i nagabywała swoją rodzinę zamieszkałą w Anglii, by nawiązała z nim kontakt, lecz bliscy nie wyrazili takiej chęci.

Por. Józef Kozieł podsumował, że „Adam" dostarczyła wartościowych operacyjnie informacji na temat pomocy dla Polski Kościoła na terenie Anglii. Te dane były następnie wykorzystywane przez grupę II SB w Cieszynie.

W trakcie współpracy z TW oficer prowadzący oceniał, iż wbrew pierwotnej umowie z „Adamem" poszerzany był zakres jego wykorzystania, przeciwko czemu „Adam" nie protestowała.

Po jednej z rozmów z TW por. Kozieł zapisał, że jest ona w stanie realizować wszystkie postawione zadania. „Przykładowo – TW praktycznie nie chodzi do kościoła, jednak taką możliwość posiada. Gdyby zaistniała konieczność, to może udać się do kościoła w Ustroniu lub też innej miejscowości w celu fizycznej obserwacji organizowanej tam imprezy i odnotowania wypowiedzi duchownych w trakcie kazań"[63].

Innym razem TW starała się też o dotarcie do księdza Schirmeisena, przebywającego w tym czasie w RFN[64]. Funkcjonariusz Kozieł powierzył TW zadanie, aby utrzymywała stały kontakt z rodziną Tomiczków, która wróciła z Australii i znalazła się w zainteresowaniu SB. W rozmowach TW miała bezustannie wywoływać temat ich pobytu na Antypodach. „Jedynie w ten sposób Tomiczkowa może popełnić jakiś błąd i wygadać się" – zalecał oficer prowadzący. Kozieł zalecił też Mokrysz, by szukała dróg dojścia do mieszkańca Wisły Gustawa Pilcha.

TW przekazała informacje o osobach interesujących SB: kto się rozwiódł z żoną, kto przebywa na terenie RFN, gdzie otworzył sklep[65]. „Adam" doniosła też o wyjeździe do Niemiec Zachodnich jednego z mieszkańców Ustronia, który na terenie tego kraju przebywa w mieszkaniu uciekiniera, także z Ustronia.

Według oficera prowadzącego „Adam" informowała o pojawieniu się w Polsce osób, które wyjechały do RFN, aranżowała też spotkania z figurantami spraw, które prowadziła bezpieka, a także typowała osoby mogące być kontaktem SB. Oficer Kozieł zapisał, że dzięki „Adamowi" stworzył listę nazwisk i charakterystyki osób pracujących w Urzędzie Miejskim Ustronia, z którymi bezpieka mogłaby podjąć współpracę[66].

TW doniosła też na inspektora oświaty. „Adam" zasugerowała SB, że inspektor ma dostęp do planowanych inwestycji w szkolnictwie, a także uczestniczy w naradach i odprawach służbowych kierowników poszczególnych referatów urzędu. TW podkreślała, że z tych powodów inspektor dysponuje informacjami mogącymi zainteresować obce służby wywiadowcze. Interesuje się też sprawami, które nie leżą w jego kompetencji. Poza tym często wyjeżdża do Francji i RFN.

Spotkania TW z funkcjonariuszem odbywały się w lokalu konspiracyjnym o krypt. „Gama". „Adam" opowiedziała tam SB o Renacie Dubiel-Białas, która była konserwatorem sztuki z Ustronia[67]. Służba Bezpieczeństwa wykorzystała te materiały do sprawy prowadzonej przeciw Dubiel-Białas pod kryptonimem „Plastyk"[68]. TW opisała oficerowi, jak często Białas wyjeżdża do RFN i jak uzyskała dla TW zaproszenie na wspólny wyjazd do Berlina Zachodniego. TW, wyjeżdżając dzięki zaproszeniu załatwionemu przez Dubiel-Białas, miała wyśledzić jej kontakty, znajomych i ustalić krąg osób znanych tej osobie.

TW wybierała się tam również w celu zorientowania się co do zakupu maszyny do wypieku ciastek. Jak widać, już wtedy dzięki swoim możliwościom rozwijała rodzinny biznes.

Po powrocie do Polski TW na kolejnym spotkaniu z funkcjonariuszem kontrwywiadu PRL zrelacjonowała, co zaobserwowała w Berlinie. Była tam świadkiem manifestacji przeciwko interwencji sowieckiej w Afganistanie. Zabrała ze sobą dwie ulotki, by przekazać je SB[69].

„Adam" poinformowała też, na jakie tematy toczyły się dyskusje w kręgu znanych jej osób w Berlinie Zachodnim. „Ostatnio dyskutowana była sprawa amerykańskiego szpiega Kuklińskiego, który był uplasowany w Sztabie Generalnym LWP. Z komentarzy na ten temat wynika, że powinno się podać więcej szczegółów na ten temat w środkach masowego przekazu" – radziła funkcjonariuszom SB.

TW dała się przekonać, że powinna dalej przekazywać informacje na temat swojej „dobrej przyjaciółki", jak Mokrysz określała Renatę Białas[70]. SB zażądała podawania na bieżąco informacji dotyczących życia prywatnego Białas, jej zainteresowań, utrzymywanych kontaktów, postawy ideowej, wyjazdów i ich celów, majątku oraz odwiedzin u niej. Tego samego domagała się od TW w sprawie męża Białas.

Zakończenie współpracy

Współpracę z „Adamem" SB zakończyła 1 kwietniu 1988 r., kiedy TW zwolniła się z pracy i przeszła do biznesu[71]. Ponadto w tym czasie sprawa SOS „Kontakt", do której źródło było werbowane, nie była już prowadzona przez bezpiekę[72].

Poza informacjami dot. figuranta sprawy SOS „Kontakt" TW była wykorzystywana do uzyskiwania informacji o innych mieszkańcach regionu[73], w tym do sprawy figuranta kwestionariusza ewidencyjnego krypt. „Plastyk". „W obydwu przypadkach informacje przekazane przez TW pozwoliły na scharakteryzowanie figurantów". SB brakowało jednak większej ilości konkretnych informacji.

Biznesowa sztafeta

W sześciu przedsiębiorstwach z grupy Mokate od lat działają już dzieci Kazimierza i Teresy Mokryszów – Sylwia[74] i Adam[75].

Adam Mokrysz z początkiem 2016 r. zaczął zarządzać Mokate. Wcześniej przez 15 lat funkcję prezesa spółki pełnił Marek Tarnowski[76], który teraz został wiceszefem rady nadzorczej Mokate.

Starsza siostra Adama, Sylwia Mokrysz, została prokurentem w zarządzie Mokate SA, a rodzice Kazimierz i Teresa Mokrysz zajęli się kierowaniem radą nadzorczą spółki.

Adam Mokrysz jest doktorem ekonomii, absolwentem Uniwersytetu Londyńskiego oraz IMD w Lozannie. Zanim został prezesem Mokate, zasiadał w zarządzie tej grupy spółek[77]. W 2018 r. na gali Ernst & Young odbierał nagrodę specjalną „Przedsiębiorca Roku 2018" doceniającą ekspansję międzynarodową Mokate[78]. Mokrysz junior przyjmując wyróżnienie mówił o tym, że rozbudował to, co przejął po starszym pokoleniu właścicieli: „Miałem najlepszy wzorzec z domu, wzorzec rodziców, którzy tworzyli firmę i rozbudowali biznes w regionie".

Prezes grupy Mokate znany jest też z prezentowania swojej maksymy życiowej, którą są słowa Karola Darwina: „Przeżywa gatunek nie najmocniejszy, nie najinteligentniejszy, ale taki, który najlepiej przystosowuje się do zmian"[79].

Uznanie

Nazwisko Teresy Mokrysz pojawia się nierzadko w kontekście działalności polityków SLD i PO.

Prezydenci Aleksander Kwaśniewski[80], a później Bronisław Komorowski nie szczędzili Teresie Mokrysz odznaczeń państwowych. Prezydent Kwaśniewski wręczył jej Złoty Krzyż Zasługi w roku 2004, a rok później jedną z jego ostatnich decyzji było uhonorowanie Mokrysz Krzyżem Komandorskim Orderu Odrodzenia Polski[81]. Wreszcie w 2013 r. prezydent Bronisław Komorowski wręczył jej Krzyż Oficerski Orderu Odrodzenia Polski[82].

Wiele uwagi sukcesowi biznesowemu Teresy Mokrysz i swojej znajomości z nią poświęcił Adam Szejnfeld. Europoseł PO chętnie umieszcza swoje zdjęcia z szefową Mokate, pisząc na jej temat pochlebstwa[83]. W jednym z wywiadów dla „Gazety Wyborczej", w którym polityk przedstawiony jest jako feminista, zwolennik równouprawnienia, wyróżnia Teresę Mokrysz jako wzór przedsiębiorczej kobiety. Umieszcza jej nazwisko w gronie kilku wyjątkowych kobiet: Hanny Suchockiej, Marii Skłodowskiej-Curie i Margaret Thatcher[84].

Post scriptum, czyli straszenie pozwami

Przed publikacją z 2009 r. ujawniającą po raz pierwszy akta dotyczące Teresy Mokrysz zachowane w IPN, autor tekstu Maciej Marosz wysłał do niej pytania dotyczące TW „Adama". Zamiast odpowiedzi dostał pismo adwokata szefowej Mokate, zawierające przestrogi i pouczenia co do planowanej przez „Gazetę Polską" publikacji[85].

Pismo kierowane przez adwokatów Grzegorza Kuczyńskiego i Bogusława Kosmusa, który znany jest też jako pełnomocnik sądowy prezesa PiS Jarosława Kaczyńskiego, mogło wprawić w osłupienie. Pismo prawnika oprócz oświadczenia Teresy Mokrysz, że nie odpowie na żadne z pytań dotyczące przygotowywanego tekstu oraz że nie miała pojęcia, jakoby w przeszłości w ogóle była w zainteresowaniu SB, zawiera przestrogę dla dziennikarza na wypadek powstania publikacji. Mowa jest, jaką metodologią należy się posługiwać przy materiałach lustracyjnych i jak ostrożne oceny należy przy tym podejmować. Mecenasi Bogusław Kosmus i Grzegorz Kuczyński posunęli się przy tej okazji do przywołania sprawy prowokacji, w której spreparowaną teczką, zawierającą rzekomo materiał SB, usiłowano obciążyć b. premiera Jarosława Kaczyńskiego[86].

Po publikacji pt. *Ucho filiżanki* w „Gazecie Polskiej", która miała urazić Teresę Mokrysz, było tylko gorzej. Mecenas Kosmus przysłał kolejne pismo[87], w którym domagał się przeprosin szefowej Mokate za publikację opartą na dokumentach IPN. W piśmie adwokata znalazło się żądanie natychmiastowej wpłaty pół miliona złotych na wskazaną fundację, a także usunięcia tekstu z portalu Niezależna.pl, zamieszczenia na nim oraz w „GP" przeprosin, usunięcia komentarzy dotyczących szefowej Mokate, a w dalszej kolejności usuwania wszelkich następujących w przyszłości nieprzychylnych pod jej adresem wpisów.

Adwokat zagroził pozwem o ochronę dóbr osobistych w przypadku niezastosowania się do wymienionych żądań. A ku przestrodze z góry zaznaczył, że w pozwie znajdzie się żądanie już nie pojedynczego, ale 6 odrębnych przeprosin od każdej ze stron odpowiedzialnych za publikację. Adwokat pouczał też w piśmie, że w aktach TW „Adam" nie zostało znalezione pisemne zobowiązanie. Wyrzucał publikacji, że zawiera insynuacje i sugestie, jakoby jego klientka „była tajnym współpracownikiem". Poinformował również, że Teresa Mokrysz dysponuje pisemnym oświadczeniem oficera prowadzącego TW „Adama" – por. Józefa Kozieła, w którym były funkcjonariusz bezpieki stwierdza, że Teresa Mokrysz nie była tajnym i świadomym współpracownikiem SB.

PRZYPISY

[1] *Ranking 50 najbogatszych Polek 2017*, Wprost.pl, https://rankingi.wprost.pl/50-najbogatszych-polek (dostęp: 12.08.2018).

[2] *50 najbardziej wpływowych kobiet w Polsce*, „Home&Market", 01.02.2013, za: https://www.mokate.com.pl/pliki/home-&-market,-l-ii-2013,-50-najbardziej-wplywowych-kobiet-w-polsce_157.pdf (dostęp: 12.08.2018).

[3] Teresa Mokrysz z d. Sajak (ur. 21.12.1952), córka Czesława (ur. 16.11.1927), syna Franciszka (ur. 1901) i Anieli z d. Prochwicz (ur. 1904), oraz Anny z d. Urbaczka (ur. 28.06.1929, Istebna), córki Jakóba i Marii z d. Macoszek, IPN Ka 207/500917, Akta paszportowe Teresy Mokrysz.

[4] Kazimierz Józef Mokrysz (ur. 4.03.1948), syn Rudolfa (ur. 29.07.1910), syna Aloisa, oraz Marii z d. Góreckiej (ur. 6.01.1915), IPN Ka 207/500916, Akta paszportowe Tadeusz Mokrysz.

[5] *100 Najbogatszych Polaków 2018*, Wprost.pl, https://rankingi.wprost.pl/100-najbogatszych-polakow?pr=10134874&pri=10#9-Antoni-Ptak-31-mld-zl (dostęp: 12.08.2018).

⁶ Szymon Krawiec, *50 najbogatszych Polek 2016*, Wprost.pl, 25.09.2016, https://www.wprost.pl/10024533/50-najbogatszych-POLEK-2016.html (dostęp: 12.08.2018).

⁷ Maciej Marosz, *Ucho filiżanki*, „Gazeta Polska", 11.02.2009.

⁸ Sajak należał do ORMO w Skoczowie od września 1946 r. tj. od momentu założenia tej służby.

⁹ IPN Ka 0246/132, Akta personalne funkcjonariusza MO Sajaka Czesława, Podanie Czesława Sajaka z 21.04.1948 r. do Woj. Kom. MO w Katowicach.

¹⁰ IPN BU 00233/3808, Zobowiązania i charakterystyki agentury oraz kandydatów do werbunku zarejestrowanych przez WUBP/WU ds. BP w Katowicach.

¹¹ Ibidem, Karta ewidencyjna informatora nr akt osobowych In/6/46.

¹² IPN Ka 0246/132, Akta personalne funkcjonariusza MO Sajaka Czesława, Podanie Czesława Sajaka z 21.04.1948 r. do Woj. Kom. MO w Katowicach.

¹³ Anna Urbaczka (ur. 28.06.1929, Istebna), córka Jakóba i Marii z d. Macoszek.

¹⁴ IPN Ka 0246/132, Akta personalne funkcjonariusza MO Sajaka Czesława, Życiorys Anny Urbaczki z dnia 2.02.1951.

¹⁵ Trzecia kategoria volkslisty dotyczyła osób uznanych przez Niemców za autochtonów, częściowo spolonizowanych.

¹⁶ IPN Ka 0246/132, Akta personalne funkcjonariusza MO Sajaka Czesława, Ankieta personalna, 10.03.1951.

¹⁷ Ibidem, Czesław Sajak należał do PPR od września 1946 r. Po utworzeniu PZPR należał do tej partii.

¹⁸ Brat Czesława Sajaka – Edward Sajak (ur. 1924, Rudzica) był pracownikiem umysłowym, członkiem PZPR; siostra – Lidia Sajak zam. Skoczów, brak bliższych danych – brak kontaktu. Ojciec Franciszek Sajak miał trzech braci: Kazimierz Sajak zam. w Ptaszkowie k. Krakowa, Walenty Sajak zam. w Wadowie k. Krakowa i Józef Sajak zam. w Krakowie.

[19] Rodzeństwo Anny Urbaczki, żony Czesława Sajaka: brat przyrodni Józef Urbaczka, syn Jakóba, był z zawodu stolarzem, w czasie okupacji został powołany do wojska niemieckiego i tam zachorował na gruźlicę i zmarł; siostra przyrodnia Maria Urbaczka była gospodynią domową; siostra Jadwiga z d. Urbaczka, córka Jakóba i Marii z d. Urbaczka (ur. 1925, Istebna), zatrudniona była w Państwowym Sanatorium w Istebnej, później jako przedszkolanka na Ziemiach Zachodnich, po czym wyprowadziła się do męża do Czechosłowacji; siostra Teresa z d. Urbaczka c. Jakóba i Marii (ur. 1931, Istebna) do 1950 r. pracowała w Urzędzie Gminnym w Istebnej.

[20] Zaświadczenie Miejskiej Rady Narodowej w Skoczowie z dnia 24.03.1948 r. wydane przez przewodniczącego K. Klimka i kierowane do KWMO w Katowicach stwierdza, że Czesław Sajak jest lojalny wobec Polski Ludowej. Również Komitet Miejski PPR w Skoczowie w wydanym na potrzeby MO zaświadczeniu ręczył, że jest on „wzorowym i aktywnym" członkiem partii. Z kolei zaświadczenie opiniodawcze Prezydium Gminnej Rady Narodowej z 29.12.1950 r. dotyczące Anny Urbaczki potwierdza że nie budzi ona żadnych zastrzeżeń pod względem „moralnym i politycznym".

[21] IPN Ka 0246/132, Notatka służbowa ref. Sekcji II Wydz. V KWMO Katowice sporządzona przez chor. J. Ziołka, 17.07.1952.

[22] Ibidem, Akta personalne funkcjonariusza MO Sajaka Czesława, Charakterystyka sporządzona przez Komendanta Posterunku MO Istebna do Komendanta Powiatowego MO w Cieszynie, 8.12.1950.

[23] Ibidem.

[24] Ibidem, Pismo Komendanta Br. Otrząska z KP MO w Cieszynie do Komendy Wojewódzkiej MO w Katowicach, 29.07.1952.

[25] Ibidem.

[26] Ibidem, Opinia Komendanta Powiatowego MO w Cieszynie ppor. Z. Skwary, 9.06.1949.

[27] Ibidem, Przebieg służby Czesława Sajaka.

[28] Ibidem, Wniosek o awans do Komendanta Wojewódzkiego MO w Katowicach dot. plut. Czesława Sajaka komendanta posterunku MO w Istebnej, 19.06.1952.

[29] Ibidem, Charakterystyka plut. Sajaka Czesława Kom. Post. MO w Istebnej, 9.12.1951.

[30] Ibidem, Charakterystyka Sajaka Czesława, 1.12.1954.

[31] Ibidem, Zapisek urzędowy ppor. Józefa Netera z KPMO Cieszyn, 25.07.1959.

[32] Ibidem, Raport Komendy Powiatowej MO w Cieszynie do Komendanta Wojewódzkiego MO w Katowicach, 28.07.1959.

[33] IPN Ka 207/500916, Podanie o paszport, 1.02.1972.

[34] Rudolf Mokrysz (ur. 6.02.1938), syn Rudolfa (ur. 29.07.1910), syna Aloisa, oraz Marii z d. Góreckiej (ur. 6.01.1915).

[35] Wiesława Szulska z d. Sajak (ur. 13.03.1951), córka Czesława i Anny z d. Urbaczka.

[36] Centrum prasowe Mokate, *Co pochodzi z Dobrej – musi być dobre!*, Mocate.com.pl, 6.06.2016, https://www.mokate.com.pl/centrum-pras owe,co-pochodzi-z-dobrej-musi-byc-dobre,54,462.html (dostęp: 12.08. 2018).

[37] IPN BU 207/500916, Akta paszportowe Kazimierza Mokrysza, Podanie kwestionariusz na wyjazd do RFN, 24.01.1988.

[38] Ibidem, Podanie kwestionariusz na wyjazd do Berlina Zachodniego, 03.08.1988.

[39] Michał Budzyński, *Trzy ciężarówki śmietanki? Czemu nie! Poznaj urzędniczkę z Ustronia, która stworzyła kawowe imperium*, InnPoland.pl, 11.09.2015, https://innpoland.pl/120677,Trzy-ciezarowki-smietanki-c zemu-nie-poznaj-urzedniczke-z-ustronia-ktora-stworzyla-kawowe-im perium (dostęp: 12.08.2018).

[40] *Była przedmiotem pożądania, luksusem, środkiem płatniczym. Zwykle „po turecku"*, TVP Info, 8.11.2014, https://tygodnik.tvp.pl/17533949/ byla-przedmiotem-pozadania-luksusem-srodkiem-platniczym-zwykle-po-turecku (dostęp: 12.08.2018).

[41] *Teresa Mokrysz – to ona pokazała Polakom smak Cappuccino*, BizSylwetki, https://www.youtube.com/watch?v=Oz5nFXyz_hE (dostęp: 12.08. 2018).

[42] Ibidem.

[43] *Teresa Mokrysz*, odc. z cyklu „Pierwszy milion" serii TVP Info, wyemitowany 23.11.2008.

[44] BRE Bank (obecnie mBank) powoływany był do życia z udziałem ludzi aparatu komunistycznego. Jego prezesem w 2018 r. nadal był Cezary Stypułkowski – zarejestrowany 7 kwietnia 1988 r. jako tajny współpracownik ps. „Michał" przez Wydział II Departamentu II MSW (kontrwywiad). W PRL Stypułkowski był działaczem SZSP i PZPR. W drugiej połowie lat 80. był doradcą rządu PRL. W latach 90. był prezesem Banku Handlowego, za pośrednictwem którego dokonywano transakcji w słynnej aferze FOZZ.

[45] IPN BU 207/500916, Akta paszportowe Kazimierza Mokrysza, Podanie kwestionariusz na wyjazd do Szwajcarii, 1973.

[46] IPN Ka 207/500917, Akta paszportowe Teresy Mokrysz, Podanie o paszport 10.03.1987.

[47] IPN Ka 0312/13 t. 16, Opiniowanie osób w sprawie dopuszczenia do prac MOB, prowadzone przez KMiPMO w Bielsku-Białej.

[48] IPN Ka 0025/2301 t. 1, Teczka personalna tajnego współpracownika ps. „Adam"; IPN Ka 0025/2301 t. 2, Teczka pracy tajnego współpracownika ps. „Adam".

[49] IPN Ka 0025/2301 t. 2, Informacja TW „Adam", 30.09.1986, Informacja TW „Adam", 20.06.1986, Informacja TW „Adam", 22.04.1986, Informacja TW „Adam", 21.01.1986, Informacja TW „Adam", 9.08.1985, Informacja TW „Adam", 6.08.1985, Informacja TW „Adam", 31.05.1985 oraz wiele innych doniesień, jakie złożył tajny współpracownik SB.

[50] Zarejestrowany do nr BB-9095.

⁵¹ IPN Ka 0240/8, IPN Ka 018/38, Akta osobowe i karta funkcjonariusza SB, por. Józef Kozieł ur. 24.03.1942 r. w Iskrzyczynie, s. Karola i Heleny. Od 1966 r. służył w MO. Początkowo był st. inspektorem w Wydziale II, w grupie operacyjnej. Pracował w tej funkcji w KWMO w Bielsku-Białej. W 1983 r. przydzielono go do Grupy II KMMO w Cieszynie. Zakończył pracę w lipcu 1990 r., zwolniony jako inspektor Wydziału II WUSW w Bielsku-Białej.

⁵² IPN Ka 0029/2301 t. 1, Teczka personalna TW „Adam", Informacja kpt. Stanisław Bojda, z-ca szefa RUSW ds. Służby Bezpieczeństwa w Cieszynie.

⁵³ IPN Ka 0029/2301 t. 1, Wniosek o opracowanie na tajnego współpracownika Teresy Mokrysz, por. Józef Kozieł, 30.05.1984. Kandydat miał dostęp do figuranta sprawy SOS „Kontakt" T. Tworka – będącego w zainteresowaniu Wydz. II Katowice.

⁵⁴ IPN Ka 047/1524 t. 1–2, Sprawa Operacyjnego Sprawdzenia o krypt. „Kontakt".

⁵⁵ Wiktor Pokutta (ur. 08.10.1943) w 1968 r. wyjechał do RFN i odmówił powrotu do PRL. Uzyskał obywatelstwo niemieckie. Przyjeżdżał później do kraju. Został deportowany do Polski w 1985 r. za niewywiązywanie się z obowiązku alimentacyjnego. Jego żona Anna Kulik była lekarzem, IPN BU 1386/23477 Pokutta Wiktor. Kazimierz i Teresa Mokryszowie sprzedali Annie Kulik nieruchomość objętą księgą wieczystą. Była to działka o pow. 0,16 ha z budynkiem mieszkalnym. Umowa notarialna z 8.09.1978 r.

⁵⁶ Tadeusz Tworek (ur. 20.07.1932), syn Władysława i Stanisławy z d. Zielińskiej, z zawodu był elektrykiem, IPN Ka EATY 68720, Akta paszportowe Tadeusza Tworka.

⁵⁷ IPN Ka 0312/13 t. 16, Opiniowanie osób w sprawie dopuszczenia do prac MOB, prowadzone przez KMiPMO w Bielsku-Białej.

⁵⁸ IPN Ka 0029/2301 t. 1, Notatka służbowa z rozmowy operacyjnej por. Józefa Kozieła z Teresą Mokrysz, 29.05.1984.

[59] Ibidem, Rezultat pozyskania, 6.07.1984 w Cieszynie.

[60] Ibidem.

[61] IPN Ka 0025/2301 t. 2, Teczka pracy TW ps. „Adam", Informacja z 6.07.1984 od TW „Adam".

[62] Ibidem, Informacja TW ps. „Adam" z 7.09.1984 w hotelu „Pod Brunatnym Jeleniem" w Cieszynie.

[63] Ibidem, Informacja spisana ze słów TW ps. „Adam" na spotkaniu 30.09.1986.

[64] Ibidem, Informacja od TW ps. „Adam", 21.01.1986.

[65] Ibidem, Informacja od „Adama" z dn. 16.11.1984 w samochodzie TW.

[66] Ibidem, Wyciąg z informacji uzyskanej od TW ps. „Adam", 23.12.1985.

[67] Ibidem, Informacja od TW „Adam", 22.04.1986.

[68] IPN Ka 047/2161, Kwestionariusz ewidencyjny kryptonim „Plastyk" dot. Dubiel-Białas Renata, imię ojca: Józef, ur. 22.06.1932 r. Kontrola operacyjna osoby podejrzanej o nawiązanie kontaktu z wywiadem państw zachodnich.

[69] IPN Ka 0025/2301 t. 2, Informacja od TW „Adam", 20.06.1986.

[70] Ibidem.

[71] IPN Ka 0029/2301 t. 1, Postanowienie o rozwiązaniu współpracy z dniem 1.04.1988 r.

[72] Ibidem.

[73] Ibidem, Charakterystyka końcowa TW ps. Adam, 9.05.1988, opracował Józef Kozieł, por. grupy II SB w Cieszynie.

[74] Sylwia Mokrysz (ur. 12.10.1973), córka Kazimierza i Teresy,

[75] Adam Mokrysz (ur. 25.08.1979), syn Kazimierza i Teresy.

[76] IPN LU 357/247157, Akta paszportowe Marek Tarnowski s. Franciszka i Jadwigi z d. Kruczkowskiej ur. 4.01.1960 w Zambrowie, absolwent socjologii KUL (1985). Jego ojciec Franciszek Tarnowski (ur. 1935) pracował w Kuratorium Oświaty i Wychowania w Łomży,

mama Jadwiga (ur. 1938) była nauczycielką. Pracowała w przedszkolu. Żona Joanna Tarnowska (ur. 12.10.1963), córka Jana Salwierza, była w latach 80. zatrudniona w RSW „Prasa-Książka-Ruch" w Lublinie jako lektor jęz. angielskiego. Jan Salwierz (ur. 1933) był w latach 70. szefem propagandy Komitetu Miejskiego i Gminnego PZPR w Nałęczowie. Kierował też sanatorium w tym samym mieście, AP Lublin, KW PZPR Lublin 1267/2967.

[77] *Nowy prezes Mokate*, „Nowiny Rybnickie", 13.01.2016.

[78] *Nagroda Specjalna za ekspansję międzynarodową – Adam Mokrysz*, MOKATE, 6.12.2018, https://www.youtube.com/watch?v=TtzTl_rEMOA (dostęp: 12.08.2018).

[79] Ibidem.

[80] *Teresa Mokrysz: kim jest? Co osiągnęła jedna z najbogatszych kobiet w Polsce?*, Fokus.tv, 1.05.2016, http://www.fo kus.tv/news/teresa-mok rysz-kim-jest-co-osiagnela-jedna-z-najbogatszych-kobiet-w-polsce/9763 (dostęp: 12.08.2018).

[81] Nadanie orderów i odznaczeń, „Monitor Polski", 2.04.2006, https://sip.lex.pl/akty-prawne/mp-monitor-polski/nadanie-orderow-i-odznac zen-17242676 (dostęp: 12.08.2018).

[82] *Polonia Restituta dla Teresy Mokrysz*, Serwis News Mokate, październik 2013, https://www.mokate.com.pl/pliki/serwis-mokate---pazd ziernik-2013_384.pdf (dostęp: 12.08.2018).

[83] Wpis na stronie internetowej posła Szejnfelda, 26.07.2009, za: Dorota Bilewicz-Bandurska, Maciej Bednarek, *Strategia jest rodzaju żeńskiego*, Businessweek.pl (http://www.szejnfeld.pl/index.php/analizy/stra tegia-jest-rodzaju-zenskiego/ (dostęp: 12.08.2018).

[84] *Bezemocjonalny świat obojnaków? Jestem przeciw*, strona internetowa europosła Adama Szejnfelda – wpis cytujący jego wywiad w „Gazecie Wyborczej", 16.03.2012, http://www.szejnfeld.pl/index.php/prasa/wyw iady/bezemocjonalny-swiat-obojnakow-jestem-przeciw/ (dostęp: 12.08.2018).

[85] Oświadczenie przesłane redakcji „GP" i Niezależnej.pl za pośrednictwem kancelarii adwokackiej Gotkowicz, Kosmus, Kuczyński i partnerzy, Gdańsk 22.01.2009: „Nigdy nie współpracowałam ze Służbą Bezpieczeństwa. Z tego też powodu nie mogę odpowiedzieć na żadne pytanie dotyczące współpracy, która nie miała miejsca. W związku z pytaniami, skierowanymi do mnie przez portal internetowy Niezalezna.pl, występuję do Instytutu Pamięci Narodowej o udostępnienie mi dokumentów stworzonych na mój temat przez funkcjonariuszy byłej Służby Bezpieczeństwa. Nie miałam pojęcia, że jestem obiektem zainteresowania ze strony SB i nie widziałam dotąd powodów do zajmowania się aktami IPN. Jeżeli ktoś w SB wykorzystał moje nazwisko i preparował dokumenty sugerujące współpracę – to mogę mówić o wielkiej krzywdzie, jaka spotyka dziś mnie i moją rodzinę. Do momentu zapoznania się z dokumentacją posiadaną przez IPN oraz wyjaśnienia wszystkich okoliczności jej powstania, wszelkie rozpowszechnianie insynuacji na temat mojej rzekomej współpracy z SB będę traktowała jako naruszenie moich prawem chronionych dóbr osobistych. Jakiekolwiek publiczne sugestie o wpływie tej rzekomej współpracy na sukces biznesowy mojej firmy będę uznawała za działanie na szkodę firmy. Teresa Mokrysz".

[86] „Podobnie krytycznie i ostrożnie należy podchodzić do dokumentów, albowiem z praktyki lustracyjnej znane są przypadki jej fałszowania (vide casus «teczki» Jarosława Kaczyńskiego)" – przestrzegali w piśmie z 22.01.2009 r. adwokaci Kosmus i Kuczyński.

[87] Pismo do szefa „Gazety Polskiej" kierowane przez pełnomocnika Teresy Mokrysz adw. dr. Bogusława Kosmusa i adw. dr. Grzegorza Kuczyńskiego, Gdańsk 12.02.2009 r.

17. SYN UBEKA TWÓRCĄ POTĘGI COMARCHU

(JANUSZ FILIPIAK)

Janusz Filipiak jest jednym z najbogatszych
Polaków, założycielem i prezesem jednej
z największych polskich spółek informatycznych,
a jego nazwisko kojarzy się z takimi markami jak
Comarch, Cracovia czy Wierzynek. W drugiej
połowie lat 80. Filipiak był pracownikiem
naukowym Akademii Górniczo-Hutniczej
w Krakowie a zarazem członkiem egzekutywy
POP PZPR przy Związku Nauczycielstwa Polskiego[1].
Po ukończeniu w 1976 r. Wydziału Elektrotechniki
Górniczej i Hutniczej na AGH zdecydował się
na doktorat i pracę na uczelni.

Janusz Filipiak[2] już na studiach działał w szeregach PZPR, jednocześnie był też członkiem Socjalistycznego Zrzeszenia Studentów Polskich[3]. W 1975 r. zaakceptowano go jako jedynego kandydata na dwumiesięczne praktyki w Japonii. Filipiak udawał się na praktyki do Japonii w ramach wymiany studentów prowadzonej przez Międzynarodowe Stowarzyszenie dla Wymiany Studenckich Praktyk Technicznych[4]. W załatwianiu formalności paszportowych pośredniczył Zarząd Główny SZSP[5].

Podobnie też w 1976 r. wyjechał na służbowy paszport do Belgii na Politechnikę w Mons[6]. W uwagach MSW podkreślało, że jego ojciec jest funkcjonariuszem resortu[7]. Na wszelki wypadek biuro podróży SZSP – Almatur złożyło na podaniu paszportowym adnotację, że Filipiak jest członkiem oficjalnej delegacji Rady Uczelnianej SZSP AGH w Krakowie. W 1978 r. Filipiak ponownie za pośrednictwem ZG SZSP wyjechał na praktyki, tym razem do Hiszpanii[8]. W 1984 r. udał się do Paryża, gdyż pracował wtedy w Centralnych Laboratoriach Badawczych France Telecom[9].

Także w 1987 r., już jako adiunkt na AGH, doc. Filipiak wyjechał bez problemów na konferencję Międzynarodowej Federacji Księgowych[10] w Monachium[11]. W tym samym roku został wytypowany na wyjazd do Australii na roczny staż w ośrodku Teletraffic Research Centre w Adelajdzie[12] i został tam na blisko dwa lata dyrektorem Centrum Badań Ruchu Telekomunikacyjnego[13], ponieważ pod koniec 1988 r. przedłużył sobie staż o rok[14].

W czasie stażu w Australii Filipiak wyjeżdżał do USA na konferencje naukowe. Zdążył być w San Diego[15], a nawet w Hollywood[16]. Jak wspomina żona obecnego biznesmena

Elżbieta Filipiak, dzięki powołaniu się na nazwisko prorektora AGH Stanisława Gorczycy, znalazła pracę na australijskiej uczelni w Adelajdzie[17]. W 1991 r. karierę naukową Filipiaka zwieńczył tytuł profesorski. Nominację odebrał z rąk ówczesnego prezydenta Lecha Wałęsy (TW „Bolek"). Uzyskanie tytułu profesorskiego w wieku 39 lat Filipiak uważa za swój największy sukces życiowy[18].

W 1993 r. Janusz Filipiak założył Comarch i zaczął dorabiać się tworząc systemy informatyczne. Wkrótce po założeniu firmy uzyskał pierwszy wielki kontrakt – system ewidencji urządzeń sieciowych dla Telekomunikacji Polskiej[19]. W 1997 r. został profesorem zwyczajnym AGH. W latach 1991–1998 kierował Katedrą Telekomunikacji tej uczelni. W 2018 r. firma zatrudniała 3500 pracowników. Prowadziła 1500 projektów zagranicznych dla 500 klientów mając filie w wielu krajach na całym świecie.

W 2004 r. Filipiak został prezesem zarządu sportowej spółki akcyjnej MKS Cracovia, tworzonej przez ten klub sportowy i miasto Kraków[20]. W 2012 r. prezydent Bronisław Komorowski odznaczył Janusza Filipiaka Krzyżem Oficerskim Orderu Odrodzenia Polski za zasługi dla rozwoju gospodarki narodowej i działalności społecznej[21]. W 2015 r. został powołany do grona ekspertów utworzonej przez prezydenta Andrzeja Dudę Polskiej Narodowej Rady Rozwoju. W następnym roku prezydent wyróżnił Filipiaka dodatkowo za „szczególne zasługi dla polskiej przedsiębiorczości" przyznając mu Indywidualną Nagrodę Gospodarczą Prezydenta RP[22].

Gdy w 2019 r. dziennikarz portalu Niezależna.pl zadał pytania prezesowi Comarchu o przeszłość jego i jego ojca, ten zbył je zdawkową odpowiedzią[23]. Nie poznaliśmy ani odpowiedzi na pytanie, w jaki sposób na jego karierę wpłynęła rola wysokiego funkcjonariusza UB i SB – jego ojca Tadeusza Filipiaka, ani też czy on sam negatywnie ocenia dziś postawę majora SB. „Większość informacji jest zawarta w dostępnych dokumentach, trzeba pytać ludzi o ich opinie, dużo informacji jest w Internecie" – odpowiedział dziennikarzowi Filipiak.

W domu Filipiaków MO, UB i SB

Ojciec Janusza, Tadeusz Filipiak[24], był w okresie komunizmu wysokim rangą funkcjonariuszem UB i SB, który swoją karierę rozpoczął od walk z „bandami", jak komuniści nazywali oddziały Żołnierzy Wyklętych[25]. Jako esbek był stawiany innym funkcjonariuszom za wzór ze względu na umiejętności werbowania agentury, prowadzenia spraw, a po objęciu funkcji kierowniczych chwalony był za umiejętności w nadzorowaniu działań operacyjnych zespołów w SB prowadzących pracę z siecią agentów i rozpracowujących figurantów spraw.

Tadeusz Filipiak pochodził z wielodzietnej[26] rodziny robotniczej zamieszkałej przed wojną we wsi Osięciny w powiecie Aleksandrów Kujawski. Tuż po zakończeniu działań wojennych, w lipcu 1945 r. zgłosił się na ochotnika do Komendy Powiatowej MO w Aleksandrowie z zamiarem zostania funkcjonariuszem Milicji[27]. Po kilkudniowym przeszkoleniu w obchodzeniu się z bronią w Bydgoszczy skierowano go do Olsztyna, a następnie do miejscowości Biała Piska w powiecie piskim, gdzie mieściła się

Komenda Powiatowa MO. Tu z innymi nowymi funkcjonariuszami miał organizować posterunki gminne MO w powiecie. Filipiak został przydzielony do posterunku MO w Białej Piskiej. W grudniu 1945 r. przeniesiono go do komendy powiatowej w Piszu. Pełnił tam najczęściej funkcję organizującego pracę posterunków. Gdy na kilka dni wyjechał do domu, w czasie choroby, na jaką zapadł jego ojciec, przedłużył samowolnie swój pobyt i obawiał się kary aresztu. Bał się też, jak później wyjaśniał, że może zginąć od kuli (jego kolega z ławy szkolnej Henryk Wróblewski zginął na posterunku „od kuli reakcyjnego podziemia")[28]. Postanowił z powrotem nie wracać do Białej, ale pozostać przy rodzicach. Jak napisał, „dzisiaj jako syn robotnika staję w pierwszym szeregu walczących o dobro sprawy klasy pracującej, ale wówczas byłem mało świadomy, bo chowany cały czas na wsi w karbach sanacji do 1939 roku, a podczas okupacji pod twardym butem faszyzmu"[29]. Dodał, że ojciec i matka byli analfabetami, dlatego on początkowo nie zdawał sobie sprawy, czym jest dla niego Polska Ludowa i jaki błąd popełnił.

6 sierpnia 1946 r. Filipiak wstąpił do PPR w Sztumie, a 25 stycznia następnego roku został strażnikiem Centralnego Więziennictwa w tym mieście. Zwolnił się z tej pracy na własną prośbę, by wstąpić na Uniwersytecki Kurs Przygotowawczy w Toruniu, który ukończył w lipcu 1948 r. Chciał uczyć się dalej, ale plany zmienił ze względu na ciężkie warunki materialne. W obu okresach pracy w MO i w roli strażnika więziennego Tadeusz Filipiak walczył z bronią w ręku z podziemiem niepodległościowym. W zaświadczeniu dla ZBoWiD-u potwierdzono, że jako funkcjonariusz organów bezpieczeństwa

państwa w okresach od lipca do grudnia 1945 r. oraz od
stycznia do grudnia 1947 r. brał udział „w walkach z bandami i reakcyjnym podziemiem". Umożliwiło mu to uzyskanie wyższych zarobków i lepszą późniejszą emeryturę.

24 stycznia 1949 r. Filipiak, który miał ukończone siedem klas szkoły powszechnej, zgłosił się do pracy w UB[30].
Został przyjęty na służbę w Wojewódzkim Urzędzie Bezpieczeństwa Publicznego w Bydgoszczy. Od razu skierowano go do pracy kontrwywiadowczej w Wydziale IV,
zajmującym się ochroną gospodarki, gdzie najpierw był
młodszym referentem w Sekcji V, a później trafił do Sekcji III. Był politycznie pewny i pochodził z „właściwej"
rodziny. Przynależność partyjna była cechą rodzinną
Filipiaków, z partią związał się bowiem ojciec Tadeusza Filipiaka – Michał[31]. Także brat funkcjonariusza UB – Stefan Filipiak był zatrudniony jako instruktor rolny PPR,
a później został członkiem Komitetu Wojewódzkiego
PZPR w Lublinie. Obok niego, po 1948 r., w PZPR dzia-
łali młodsi z rodzeństwa – Józef Filipiak i Barbara Filipiak.
Najmłodsza z rodu, Henryka Filipiak, już jako uczennica
Liceum Handlowego należała do ZMP. W czasie gdy Tadeusz Filipiak robił karierę w SB, jego żona Cecylia Filipiak[32] była wizytatorem Kuratorium Oświaty w Bydgoszczy[33] i w Urzędzie Wojewódzkim w Bydgoszczy[34].

Według kadry kierowniczej bydgoskiej bezpieki, Filipiak okazał się być zdolnym, zaangażowanym i oddanym
funkcjonariuszem UB. Oceniano, że „z poświęceniem się
wypełnia narzucone mu zadania" i „nie liczy się z godzi-
nami pracy". A przede wszystkim chwalono, że „umiejęt-
nie pracuje z agenturą"[35]. W uznaniu uzdolnień do pozyskiwania agentury i za pracę z nią już w dwa lata od

wstąpienia do UB został pełniącym obowiązki kierownika Sekcji II Wydziału IV[36]. Filipiak był tak dalece zapamiętały w tropieniu wrogów komunizmu, że podpadł nawet w okresie stalinizmu swoim przełożonym z bezpieki. Za wyjątkowo brutalne metody śledcze w 1951 r. został ukarany 10-dniowym aresztem domowym[37]. Mimo tego jednorazowego upomnienia w UB oceniano, że Filipiak bardzo dobrze spisywał się w powierzonej mu roli i wystarczył tylko rok, aby awansował na kierownika sekcji. Usprawnił znacznie jej działalność, dzięki czemu dostarczała ona wiele ciekawych, z punktu widzenia bezpieki, materiałów. Według przełożonych, Filipiak był znakomitym organizatorem pracy operacyjnej i wnikliwym kontrolerem pracy przydzielonego mu zespołu funkcjonariuszy. Dlatego ponownie awansował stając teraz formalnie na czele Sekcji II Wydziału IV[38]. Już po dwóch latach doszedł do stanowiska zastępcy Naczelnika Wydziału IV WUBP w Bydgoszczy.

W kwietniu 1955 r. Filipiak został inspektorem w Inspektoracie Kierownictwa Wojewódzkiego Urzędu ds. Bezpieczeństwa Publicznego[39] w mieście nad Brdą. Ocena Filipiaka w oczach przełożonych rosła. Uznano go za funkcjonariusza „bez wad"[40]. W tym samym roku skierowano go na ponad roczny kurs w Wyższej Szkole Podwyższania Kwalifikacji Aktywu Kierowniczego w Warszawie.

Po wyszkoleniu w szkole aktywu obiecujący funkcjonariusz Służby Bezpieczeństwa[41] został na długie lata kierownikiem grupy w Wydziale II w KW MO w Bydgoszczy (1959–1970). I tu znów uzyskiwał pochwały za pracę. Zajmował się wówczas sprawami osób zbiegłych i odmawiających powrotu do kraju[42]. Doceniano, że wykazywał się inicjatywą własną w „wysuwaniu przemyślanych kombinacji operacyjnych", które bardzo dobrze rokowały dla bezpieki w przyszłości. Utrzymywał też wysokie osiągnięcia w werbowaniu i prowadzeniu agentury. Filipiak kierował wówczas Grupą III Wydziału II, najliczniejszą i realizującą zadania kontrwywiadowcze na kierunku niemieckim. Uznawano, że jest najlepszym z kierowników, z którego inni powinni brać wzór[43].

Za istotne w ocenie Filipiaka uznawano sposób, w jaki wykorzystuje dla celów bezpieki kontakty z pracownikami nauki. „W umiejętny sposób wykorzystuje wyjeżdżających za granicę naukowców i uzyskuje od nich interesujące informacje" – zapisano w opinii służbowej z 1963 r. Za tak wyróżniającą się pracę Filipiaka nagradzano. Podwyższono mu zarobki i przyznano odznakę „20 Lat w Służbie Narodu"[44].

Kolejna opinia z 1969 r. dotycząca kpt. Filipiaka była wyjątkową laurką dla funkcjonariusza bezpieki. Przełożeni zaznaczali przy tym, jak trudna jest dziedzina, którą zajmuje się kpt. Filipiak. Chwalono go za prężne działanie kierowanej przez niego grupy, której zadania dotyczyły m.in. „inwigilacji wszystkich osób zamieszkujących na terenie województwa, utrzymujących kontakty z NRF, rozeznanie osób obywateli polskich, otrzymujących renty inwalidzkie z NRF, ustalenia i rozeznania osób, które w czasie okupacji współpracowały z Niemcami lub przeprowadzenia wstępnej analizy osób otrzymujących z NRF pomoc w postaci paczek"[45].

Filipiak, według opinii, bardzo sprawnie organizował pracę referatów powiatowych w celu walki z „rewizjonistami" w Polsce. „Kilka spraw tego typu skierowano do sądu, gdzie zapadły wyroki skazujące" – podkreślono. Dodano, że przy dużym nakładzie pracy kapitana podejmowano właściwe przedsięwzięcia, by uzyskiwać wiedzę o metodach zbierania informacji przez wywiady NATO działające na terenie Niemiec Zachodnich. „Szczególnie dobre rezultaty działania grupy Filipiaka odnotowano w stosunku do obywateli polskich, wyjeżdżających na czasowy pobyt do Niemiec Zachodnich" – podkreślano.

W 1970 r. Filipiaka skierowano na inną funkcję. Od teraz był Naczelnikiem Wydziału Kontroli Ruchu Granicznego. Karierę w SB zakończył jako st. inspektor w Zespole ds. SB Wydziału Inspekcji.

Mjr Filipiak zwolnił się z bezpieki w 1976 r.[46] Jako przyczynę podano zły stan zdrowia. Rok wcześniej, gdy mjr SB odbierał kolejne pochwały za pracę, jego syn jako student AGH i działacz PZPR udał się na wspomniane wcześniej praktyki do Japonii.

W pracy w organach MSW Filipiak zasłynął nie tylko z czysto zawodowego zaangażowania, ale także z zaangażowania w organizacji partyjnej, zabierając głos na zebraniach i zajęciach polityczno-wychowawczych. Obejmował szereg funkcji partyjnych, przez kilka kadencji był I sekretarzem komórki partyjnej[47] w bydgoskiej komendzie wojewódzkiej MO[48].

Opinie służbowe przedstawiają go jako wzorowego funkcjonariusza, „szczerze oddanego budowie socjalizmu"[49]. Dużo pracy wkładał w szkolenie partyjne i polityczne młodszych pracowników[50]. „Z partią związany klasowo, politycznie pewny" – oceniały Filipiaka władze partyjne komendy[51].

Biznesowa żona i dzieci

Żona dzisiejszego multimilionera Janusza Filipiaka Elżbieta[52] również widnieje na listach najbogatszych Polaków[53]. Jej majątek szacowany jest na 222 mln zł, co daje jej 21. miejsce w rankingu ogólnopolskim. Studia ukończyła, podobnie jak mąż, na AGH, ale w dziedzinie metalurgii. W jednym z wywiadów odpowiadała na pytanie, czy w czasie jej studiów, gdy na AGH poznała męża i mieszkali w akademiku, byli biedni.

„Nie myśleliśmy o sobie w ten sposób, bo wszyscy byli w podobnej sytuacji. Nie mieli nic, tak jak i my. Ale byliśmy młodzi i szczęśliwi. Nie będę teraz narzekać na tamten system" – stwierdziła[54].

Po studiach Elżbieta Filipiak zaczęła robić doktorat[55], ale zrezygnowała z niego i przeszła do biznesu[56]; została współzałożycielką, akcjonariuszem i przewodniczącą Rady Nadzorczej Comarch S.A. W 2001 r. przejęła zaś od Skarbu Państwa firmę Wierzynek S.A. – właściciela markowej restauracji o tej nazwie na rynku krakowskim[57].

Siostra Janusza Filipiaka – Anna Ławrynowicz również robiła w PRL karierę naukową. Po ukończeniu Politechniki Poznańskiej[58] zaczęła pracę w Akademii Techniczno-Rolniczej w Bydgoszczy. W PRL została adiunktem ATR[59]. Jej mąż Zdzisław Ławrynowicz, prof. nadzwyczajny Uniwersytetu Technologiczno-Przyrodniczego (dawniej ATR), związany jest z Wydziałem Inżynierii Mechanicznej UTP[60].

Janusz i Elżbieta Filipiakowie mają trójkę dzieci. Multimilioner zapowiedział, że jego następcą, który obejmie stery w firmie, już niedługo ma zostać syn Janusz Jeremiasz Filipiak[61]. „Gdzieś w 2022 roku wycofam się z zarządzania, a syn to wszystko przejmie" – ogłosił w jednym z wywiadów[62].

PRZYPISY

[1] IPN Kr 37/418204, Podanie o paszport, 12.01.1987.

[2] Janusz Filipiak (ur. 3.08.1952), syn Tadeusza (ur. 1.07.1925), syna Michała (ur. 1885) i Anny z d. Lipskiej (ur. 1887), oraz Cecylii z d. Chojnackiej (ur. 28.02.1932), córki Konstantego (ur. 15.12.1904), syna Jana i Marty z d. Mazurskiej, oraz Marii (ur. 8.09.1908), córki Stanisława i Marii z d. Romanowskiej.

[3] IPN Kr 37/418204, Podanie o wyjazd do Japonii, 20.03.1975.

[4] The International Association for the Exchange of Students for Technical Experience (IAESTE) – organizacja założona w 1948 r. w londyńskim Imperial College.

[5] IPN Kr 37/418204, Akta paszportowe Filipiaka Janusza, Wniosek o paszport służbowy dla Janusza Filipiaka kierowany przez Przewodniczącego ZG SZSP w Warszawie, 2.04.1975.

[6] Ibidem, Wniosek Biura Podróży SZSP – Almatur o paszport służbowy do Belgii dla Janusza Filipiaka składany do KWMO w Bydgoszczy (gdzie Janusz Filipiak był zameldowany podczas studiów).

[7] Ibidem, Uwagi Biura Paszportowego w podaniu o wyjazd do Belgii, 12.02.1976.

[8] Ibidem, Podanie o paszport służbowy dla Janusza Filipiaka na wyjazd na praktyki IAESTE do Hiszpanii kierowany do Biura Paszportów MSW przez przewodniczącego ZG SZSP w Warszawie, 7.04.1978.

[9] *Prof. dr hab. Janusz Filipiak – założyciel i prezes Comarch SA*, Comarch. pl, https://www.comarch.pl/files_pl/file_7954/Profil_Janusz_Filipiak.pdf (dostęp: 3.01.2019).

[10] The International Federation of Accountants (IFAC) – organizacja powołana w 1977 r. w Monachium.

[11] IPN Kr 37/418204, (...), Podanie o paszport służbowy, 17.07.1987.

[12] Ibidem, Podanie o paszport służbowy do Australii, 9.04.1987.

[13] *Prof. dr hab. Janusz Filipiak – założyciel i prezes...*

[14] IPN Kr 37/418204, (...), Informacja o przedłużeniu stażu Filipiaka w Australii o 12 miesięcy, 30.09.1988.

[15] Ibidem, Podanie o wyjazd w trakcie stażu w Australii do San Diego na konferencję naukową, 23.03.1989.

[16] Ibidem, Podanie o paszport służbowy, 15.11.1988. Wyjazd z Australii na konferencję naukową w USA – IEEE Global Telecommunications (IEEE – Institute of Electrical and Electronics Engineers).

[17] Katarzyna Kachel, *Elżbieta Filipiak: „Mąż oświadczył mi się po tygodniu. Niczego nie żałuję...”*, wywiad z Elżbietą Filipiak, „Gazeta Krakowska”, 4.05.2014, https://gazetakrakowska.pl/elzbieta-filipiak-maz-oswi adczyl-mi-sie-po-tygodniu-niczego-nie-zaluje/ar/3423199#wiadomosci (dostęp: 3.01.2019).

[18] *Ludzie, biznes, pasja. Portrety liderów polskiej teleinformatyki*, Warszawa 2011, s. 42, https://www.comarch.pl/files-pl/file_31/Album_LudzieB iznesPasja.pdf (dostęp: 3.01.2019).

[19] *Prof. dr hab. Janusz Filipiak – założyciel i prezes...*

[20] Struktura MKS Cracovia SSA, https://cracovia.pl/pilka-nozna/klub /struktura (dostęp: 3.01.2019).

[21] Comarch – zarząd, https://www.comarch.pl/o-firmie/zarzad/prof-ja nusz-filipiak/ (dostęp: 3.01.2019).

[22] Ibidem.

[23] Pytania zadane drogą mailową prezesowi Comarchu Januszowi Filipiakowi przez dziennikarza Macieja Marosza, korespondencja z 3.01.2019.

[24] Tadeusz Filipiak (ur. 1.07.1925, Osięciny), syn Michała (ur. 1885) i Anny z d. Lipskiej (ur. 1887).

[25] IPN By 0122/3231, Akta osobowe funkcjonariusza MO/UB/SB Filipiak Tadeusz.

[26] Tadeusz Filipiak miał liczne rodzeństwo: braci Józefa (ur. 1915) i Stefana (ur. 1921) oraz siostry: Janinę Góralczyk (ur. 1912), Czesławę Palińską (ur. 1914), Barbarę Filipiak (ur. 1920) i Henrykę Filipiak (ur. 1930).

[27] IPN By 0122/3231, (...), Uzupełnienie do akt paszportowych, 17.05.1950.

[28] Ibidem.

[29] Ibidem.

[30] Ibidem, Podanie Tadeusza Filipiaka do Naczelnika Wydziału Personalnego BP w Bydgoszczy, 24.01.1949.

[31] Ibidem, Ankieta personalna, 11.08.1959.

[32] Cecylia Filipiak z domu Chojnacka pochodziła z miejscowości Brzeczka pow. Toruń; jej matka – Maria Chojnacka pochodziła z Kościelnej Wsi w pow. Radziejów; Konstanty i Maria Chojnaccy prowadzili 8-hektarowe gospodarstwo.

[33] IPN Kr 37/418204, (...), Podanie o paszport na wyjazd do Japonii, 20.03.1975.

[34] Ibidem, Podanie o paszport, 15.02.1983.

[35] IPN By 0122/3231, (...), Charakterystyka służbowa Tadeusza Filipiaka mł. ref. Sekcji III Wydz. IV WUBP w Bydgoszczy, 30.12.1950.

[36] Ibidem, Wniosek do dyr. Dep. Kadr MBP płk. Orechwy o mianowanie chor. Filipiaka na p.o. Kierownika Sekcji 2 Wydziału IV, 25.10.1951.

[37] Ibidem, Wniosek o zatwierdzenie kandydata na stanowisko z-cy Naczelnika Wydz. IV WUBP w Bydgoszczy, 15.05.1954.

[38] Ibidem, Wniosek do Dyr. Departamentu Kadr MBP płk. Orechwy o awans na Kierownika Sekcji II Wydz. IV T. Filipiaka, 16.09.1952.

[39] 14 grudnia 1954 r. na miejsce Ministerstwa Bezpieczeństwa Publicznego powołano MSW i Komitet ds. Bezpieczeństwa Publicznego przy Radzie Ministrów PRL. Organami w terenie były WUdsBP.

[40] IPN By 0122/3231, (...), Charakterystyka służbowa wnioskowanego dot. kpt. Tadeusza Filipiaka st. ofic. operacyjnego Wydz. II, 8.07.1955.

[41] Komitet ds. Bezpieczeństwa Publicznego przy Radzie Ministrów PRL przekształcono w Służbę Bezpieczeństwa, wchodzącą w skład MSW, w listopadzie 1956 r.

[42] IPN By 0122/3231, (...), Wniosek do N-ka Wydz. Kadr i Szkolenia o przyznanie dodatku funkcyjnego kpt. Filipiakowi, 14.11.1958.

[43] Ibidem, Opinia służbowa dot. Tadeusza Filipiaka, Kier. Grupy III Wydz. II podpisana przez ppłk. Jana Michałowskiego N-ka Wydz. II Służby Bezpieczeństwa KWMO w Bydgoszczy, 8.04.1963.

[44] Ibidem, Wniosek o przyznanie kpt. T. Filipiakowi, kierownikowi Grupy III Wydz. II dodatku operacyjnego wyższej (V) kategorii, 13.01.1968.

[45] Ibidem, Opinia dot. kpt. Tadeusza Filipiaka, 13.01.1969.

[46] Ibidem, Raport mjr. Tadeusza Filipiaka st. insp. Wydziału Inspekcji KWMO w Bydgoszczy, 8.06.1976. Filipiak na swój wniosek w 1976 r. przeszedł na emeryturę. Jak uzasadniał, jego decyzja wiązała się z utratą zdrowia. Komisja lekarska orzekła brak dalszej zdolności do pełnienia służby.

[47] Ibidem, Wniosek personalny, 10.2.1970.

[48] Ibidem, Charakterystyka służbowa T. Filipiaka mł. ref. Sekcji III Wydz. IV WUBP w Bydgoszczy, 30.12.1950.

[49] Ibidem, Charakterystyka służbowa wnioskowanego dot. kpt. Tadeusza Filipaka st. ofic. operacyjnego Wydz. II, 8.07.1955.

[50] Ibidem, Wniosek do Dyr. Departamentu Kadr MBP płk. Orechwy o awans na Kierownika Sekcji II Wydz. IV T. Filipiaka, 16.09.1952.

⁵¹ Ibidem, Charakterystyka służbowa kierownika Sekcji II Wydz. IV WUBP w Bydgoszczy, 26.01.1953.

⁵² Elżbieta Filipiak z d. Staszak (ur. 25.11.1957, Gorzów Wlkp.).

⁵³ *Na ich kontach są miliony. Oto najbogatsze kobiety w Małopolsce*, Wyborcza.pl, 25.09.2017, http://krakow.wyborcza.pl/krakow/56,44425,2242 4663,na-ich-kontach-sa-miliony-oto-najbogatsze-kobiety-w-malopolsce.html (dostęp: 04.01.2019).

⁵⁴ Katarzyna Kachel, *Elżbieta Filipiak*...

⁵⁵ Elżbieta Filipiak była doktorantem w Instytucie Metalurgii AGH w Krakowie (IPN Kr 37/418204, Podanie o paszport, 12.01.1987).

⁵⁶ Katarzyna Kachel, *Elżbieta Filipiak*...

⁵⁷ *Elżbieta Filipiak sprzedała ponad 4,4 proc. akcji ComArchu*, Parkiet.com, 3.01.2003, https://www.parkiet.com/artykul/277508.html (dostęp: 3.01.2019).

⁵⁸ IPN Kr 37/418204, Podanie o paszport do Japonii, 20.03.1975.

⁵⁹ Ibidem.

⁶⁰ Zdzisław Ławrynowicz, http://www.utp.edu.pl/pl/portal/kadra-naukowa/wydzial-inzynierii-mechanicznej/1313-dr-hab-inz-zdzislaw-lawrynowicz-prof-nadzw-utp (dostęp: 3.01.2019).

⁶¹ Janusz Jeremiasz Filipiak (ur. 29.12.1982).

⁶² Krzysztof Janoś, *Janusz Filipiak szykuje zmianę za sterem Comarchu. Zdradza, kto przejmie firmę wartą prawie 2 mld zł*, Money.pl, 17.10.2017, https://www.money.pl/gospodarka/wiadomosci/artykul/janusz-filipiak-comarch-sukcesja,49,0,2377521.html (dostęp: 3.01.2019).

INDEKS OSÓB

Krause Leszek „Krawczyk" 202,
205, 207, 208, 209, 210, 214,
226
Krause Wojciech 226
Krauze Ryszard 426
Krawiec Jacek 235
Krawiec Szymon 486, 489, 509
Krok Zbigniew 339
Krok Zygmunt 317, 318, 319,
320, 321, 322, 323, 324, 325,
327, 339
Krowacki Krzysztof
„Zagórowicz", „Zagórski",
„Aleks", „Krzysztof Szamot"
17, 18, 19, 20, 21, 22, 23, 26,
27, 28, 29, 30, 32, 33, 34, 35,
36, 42, 43, 44, 51, 55, 57, 58,
60, 61, 62, 64, 67, 68, 69, 70,
71, 72, 73, 74, 75, 76, 77, 79,
80, 82, 83, 85
Krowacki Stanisław 20
Królewski 180
Kruczkowski Leszek 364
Kruk Wojciech 245
Krystosik Ryszard „Mack",
„Mike", „Michał Sarzyński"
82
Kryże Andrzej 119
Krzak Marian 56, 91, 216
Kubat Krzysztof 399
Kubiak Beata 138, 147
Kubiak Karol 143, 148
Kubiak Wiktor „Witek" 131,
132, 133, 134, 135, 136, 137,
139, 140, 141, 143, 144, 145,
146, 147, 149
Kubiak Wojciech 162
Kublik Agnieszka 387
Kucypera Władysław 445, 446

Kuczyński Grzegorz 507, 516
Kuczyński Piotr 132, 146
Kuczyński Waldemar 18, 83
Kudlej Tomasz 320, 324
Kudła Wiesław 340
Kukawski Lesław 406
Kukikowski Ryszard 108
Kukliński Ryszard 504
Kulczyk Dominika 232, 302,
356
Kulczyk Grażyna 287, 406
Kulczyk Halina Elżbieta 249,
309
Kulczyk Henryk „Paweł" 225,
248, 249, 250, 251, 252, 253,
254, 255, 256, 257, 258, 259,
260, 261, 262, 263, 264, 265,
266, 267, 268, 269, 270, 271,
272, 273, 277, 279, 280, 283,
287, 288, 295, 299, 300, 309,
310, 311, 312, 313, 326, 426
Kulczyk Jan „Kloda" 135, 222,
231, 232, 233, 234, 235, 236,
239, 240, 241, 242, 243, 245,
246, 247, 248, 261, 262, 280,
281, 283, 284, 286, 287, 292,
293, 294, 295, 297, 298, 299,
302, 304, 307, 309, 311, 313,
314, 315, 316, 348, 356, 405
Kulczyk Leokadia 309
Kulczyk Maria Ilona 250, 293,
294, 299, 300, 301, 302, 316
Kulczyk Sebastian 242, 302
Kulczyk Władysław 248, 261,
309
Kulik Anna 513
Kulikowski Feliks 245
Kuna Andrzej 236, 304, 305,
337

Dorota Kania – dziennikarka, absolwentka wydz. filozofii ATK. Pracowała w kilkunastu tytułach prasowych, ostatnio w „Gazecie Polskiej", „Gazecie Polskiej Codziennie" oraz portalu Niezalezna.pl. Jako publicystka zajmuje się od lat lustracją, służbami specjalnymi, jak również przeszłością osób pełniących po 1990 roku ważne funkcje państwowe i występujących publicznie. Wykryła i opisała wiele afer o charakterze politycznym oraz gospodarczym. Jest autorką m.in. książki *Cień tajnych służb* (2013), zawierającej opisy najbardziej znanych zabójstw i samobójstw w III RP.

Maciej Marosz – absolwent trzech kierunków: matematyki, filozofii i grafiki; po starcie dziennikarskim w „Młodym Techniku" pracował w „Naszym Dzienniku", portalu Prawy.pl, a następnie w „Gazecie Polskiej". Współtwórca portalu Niezalezna.pl. Obecnie związany z „Gazetą Polską Codziennie".

Jerzy Targalski – absolwent wydziałów historii i orientalistyki UW. Uczestnik opozycji antykomunistycznej. Jako publicysta specjalizuje się w kwestiach narodowościowych, roli KGB w transformacji oraz służb komunistycznych w funkcjonowaniu sceny politycznej państw postkomunistycznych i postsowieckich Europy, a także w geopolityce. Wykładowca na UW.